Anatomie der Stimme

Verstehen und Verbessern des stimmlichen Potenzials

Blandine Calais-Germain
François Germain

HELBLING

Innsbruck • Esslingen • Bern-Belp

*Dieses Buch ist Laurent gewidmet, dem König der Koloraturen,
und all seinen Brüdern und Schwestern mit Trisomie 21,
die so viel Sanftmut in diese Welt bringen.*

Impressum
Redaktion: Nele Fischer
Lektorat: Silke Wollinger-Helwig
Übersetzung aus dem Französischen: Irmhild Wicking
Fachliche Beratung: Irmhild Wicking, Prof. Hartmut Zabel
Umschlag: CMS – Cross Media Solutions GmbH, Würzburg
Coverbild: Shutterstock/milkmanwest
Layout: Marie-Luce Dehondt (pinkpixel.fr)
Satz: Satzpunkt Ursula Ewert GmbH, Bayreuth
Zeichnungen: Blandine Calais-Germain
Druck: DZS Grafik d.o.o., Slovenia

ISBN: 978-**3-86227-412**-3
1. Auflage A1²/2022

Titel der französischen Ausgabe: Anatomie pour la voix.
Comprendre et améliorer la dynamique de l'appareil vocal

Vorwort in vier Stimmen

Für manche von uns ist irgendwann der Zeitpunkt und die Notwendigkeit gekommen, sich mit der eigenen Stimme und ihrem Aufbau zu beschäftigen. Daraus erwächst dann oft auch das Interesse zu verstehen, wie die Stimme funktioniert. Wie aber kann beim detaillierten Eintauchen in die Beschreibung dieser komplexen Materie der rote Faden bewahrt werden? Blandine Calais-Germain und François Germain haben sich dieser Aufgabe gestellt und die Herausforderung angenommen, eine teilweise sehr komplexe Anatomie verständlich zu erläutern.

Um dies zu erreichen, hat die Autorin die Methoden ihrer vorangegangenen Veröffentlichungen wieder aufgegriffen. Zahlreiche Abbildungen zeigen die beschriebenen Strukturen aus unterschiedlichen Blickwinkeln, und die begleitenden Texte machen sie bis ins Detail nachvollziehbar.

Die Texte und Illustrationen beziehen sich dabei immer auf die Physiologie der Stimme, aber auch auf die der Bewegung im Allgemeinen. Einige wichtige Aspekte der menschlichen Physis werden präzise erklärt, ohne dafür die Verständlichkeit für ein nicht fachkundiges Publikum zu opfern.

Es ist eine große Freude zu beobachten, mit welcher Hingabe uns die Autoren die Schönheit der Anatomie der Stimme nahebringen. Dieses Buch gewährt einen tiefen Einblick in die wunderbare Fähigkeit der Natur, Klänge zu erzeugen.

Vicente Fuentes
Theaterregisseur, emeritierter Professor für Gesang und Sprache der Königlichen Hochschule für Darstellende Künste in Madrid, Berater des Spanischen Nationaltheaters

Dr. Guy Cornut
Phoniater, ehemaliger Leiter der Abteilung für Phoniatrie in der HNO-Klinik der Medizinischen Fakultät von Lyon, Chorleiter (Ensemble vocal de Lyon)

Annie Trolliet-Cornut
Logopädin aus Lyon und Gesangslehrerin mit Spezialisierung auf Stimmtherapie für Sprache und Gesang

Prof. Marilyn Schmiege
Präsidentin Bundesverband deutscher Gesangspädagogen e.V. (BDG) 2014 – 2022, Opern- und Konzertsängerin, emeritierte Professorin der Hochschule für Musik und Theater München

Inhaltsverzeichnis

1. Einleitung S. 10

Bewegungen beschreiben: ein paar einfache Regeln S. 10
Der Stimmapparat S. 11
Bewegungsapparat (mit Haltungsapparat), Atemapparat und Stimmapparat S. 12

2. Das Skelett der Stimme S. 22

Die Wirbelsäule (*Columna vertebralis*): Die Verbindung zwischen Rumpf, Hals und Kopf S. 24
Die drei großen Körperregionen: Becken, Brustkorb, Kopf S. 40
Das Becken S. 42
Der Brustkorb, die bewegliche Einheit S. 46
Kopf und Stimme S. 60

3. Der Atemapparat S. 88

Einleitung S. 88
Die Brust- und die Bauchhöhle S. 89
Die Atemorgane und ihre Umgebung S. 96
Die Atemmuskulatur und die Stimme S. 99
Die Ausatemmuskulatur: Muskeln, die Stimmatmung erzeugen S. 100
Die Einatemmuskulatur S. 112
Die Haltemuskulatur als Stütze des Atemapparates S. 126

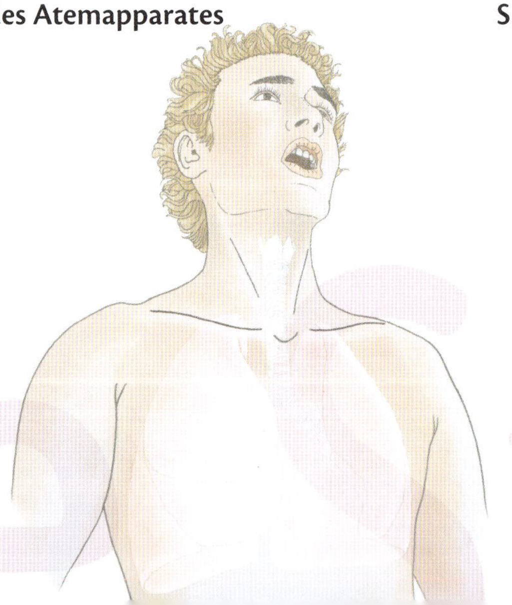

4. Der Kehlkopf S. 132

Die Kehlkopfknorpel S. 134
Die Bänder (*Ligamentum*) und Membranen (*Membrana*) S. 144
Die Gelenke S. 150
Die innere Kehlkopfmuskulatur S. 155
Die Kehlkopfschleimhaut (*Mucosa*) S. 165
Die drei Ebenen des Kehlkopfes S. 168
Die äußere Kehlkopfmuskulatur S. 180

5. Der Vokaltrakt S. 192

Der Vokaltrakt im Hals S. 198
Der Rachenraum (*Pharynx*) S. 212
Der Mund (*Os*) S. 220
Das Gaumensegel (*Velum palatinum*) S. 230
Die Zunge (*Lingua*) S. 242
Die Lippen (*Labium*) S. 258
Die Nase und die Nasenhöhlen S. 270
Das Ohr (*Auris*) S. 276

6. Begriffe aus dem Umfeld der Stimme S. 280

Materie S. 280
Gas und Druck S. 282
Von Luftdruck zu Klang S. 284
Höhe, Dauer und Intensität des Klangs S. 286
Das Timbre S. 288

Anhang S. 290

Die Autoren S. 290
Ausgewählte Beispiele des Internationalen Phonetischen Alphabets S. 290
Stichwortverzeichnis S. 291

Allgemeine Vorbemerkungen

Dieses Buch beschäftigt sich mit den menschlichen anatomischen Strukturen im Zusammenhang mit der Stimme und der Stimmproduktion. Deshalb richtet es sich in erster Linie an Menschen, die ihre Stimme regelmäßig auch beruflich benutzen, beziehungsweise sogar intensiv mit ihr arbeiten: Sängerinnen und Sänger, Schauspielerinnen und Schauspieler, Lehrerinnen und Lehrer, Juristinnen und Juristen, Pfarrerinnen und Pfarrer, Politikerinnen und Politiker. Auch wer sich nur aus persönlichem Interesse für das Thema Stimme interessiert, kann von diesem Buch profitieren. Durch die Lektüre soll deutlich werden, welcher Bereich oder welche Struktur in unserem Körper dazu beitragen kann, die Wirkung unserer Stimme zu verändern und zu verbessern.

Die Darstellungen folgen demselben Aufbau wie *Anatomie der Bewegung* von Blandine Calais-Germain: Der Text windet sich um die sehr einfachen Abbildungen herum und bezieht sich direkt darauf. Diese visuelle Herangehensweise dient dazu, den Zugang zur Materie so einfach wie möglich zu machen.

Zur besseren Übersichtlichkeit wird bei den anatomischen Beschreibungen nur das erklärt, was für das Thema Stimme unbedingt notwendig ist. Das Dargestellte soll bei der Stimmarbeit direkt anwendbar sein.

Anatomische Strukturen wie Blutgefäße und Nerven werden daher nicht abgebildet. Ebenso wenig wird über Erkrankungen der Stimme gesprochen.

Durch die Farbgebung sollen alle Abbildungen leicht verständlich sein, weshalb die Farben nicht realistisch dargestellt werden, sondern einem bestimmten Muster folgen. Die Farben bedeuten Folgendes:

- Wie in vielen Anatomiebüchern sind die *Knochen* durch eine beige Farbgebung gekennzeichnet, die auf Papier etwas besser zu sehen ist als ihre natürliche helle Farbe. Sind in der gleichen Abbildung Muskeln dargestellt, so wird der Knochen für eine bessere Unterscheidung meist grau dargestellt.
- *Knorpel* werden in einem hellen Blauton dargestellt, obwohl viele Knorpelarten durch die enthaltenen Kollagenfasern eigentlich eher gelblich sind. Der Blauton ist dem glasigen Erscheinungsbild des hyalinen Knorpels nachempfunden.
- *Muskeln* werden vereinfacht mit roter Farbe dargestellt.

Das verwendete Vokabular soll auch für alle diejenigen verständlich sein, die beruflich keine Berührungspunkte mit Anatomie haben. Zwar werden auch medizinische Fachbegriffe verwendet, aber im Großen und Ganzen werden die alltäglichen Begriffe bevorzugt (z. B. Schulterblatt statt *Scapula*). In manchen Fällen wird die medizinische Bezeichnung verwendet, z. B. *Apophyse* sowie *Processus*, um spezielle Knochenfortsätze zu beschreiben.

Um den beschriebenen Lauten eine klare Klangzuordnung zu geben, wird in diesem Buch das Internationale Phonetische Alphabet verwendet (es wird im Anhang anhand ausgewählter Beispiele in Grundzügen erläutert, siehe S. 290).

Einige Strukturen des Vokalapparates sind bereits in anderen Büchern von Blandine Calais-Germain beschrieben worden: *Anatomie der Bewegung, Anatomy of Breathing, Le périnée feminin, Anatomie im Yoga, Abdos sans Risque.* Um Wiederholungen zu vermeiden, wird für genauere Information gelegentlich auf diese Bücher verwiesen.

In den zahlreichen markierten Infokästen in diesem Buch werden Übungen vorgeschlagen oder weitere Hinweise gegeben. Es kommt vor, dass Sie hier aufgefordert werden, die dargestellte Struktur bzw. das dargestellte Gewebe zu ertasten. Seien Sie dabei bitte sehr vorsichtig. Es geht hier nicht um eine Massage des betreffenden Gewebes, sondern lediglich darum, den Aufbau der Anatomie nachzuvollziehen. Wenn Sie also aufgefordert werden, das entsprechende Gewebe zu ertasten, machen Sie dies bitte sehr behutsam und üben Sie keinesfalls Druck aus.

Einleitung

1

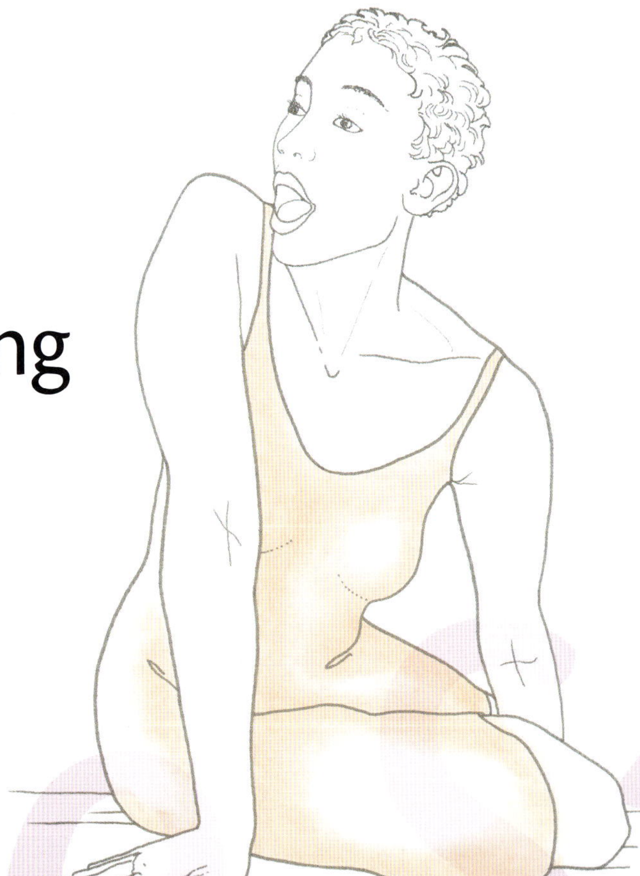

Bewegungen beschreiben: einige einfache Regeln S. 10

Der Stimmapparat S. 11

Bewegungsapparat (mit Haltungsapparat), Atemapparat und Stimmapparat S. 12

Der Bewegungsapparat S. 13
Der Haltungsapparat S. 14
Der Atemapparat S. 16
Der Stimmapparat S. 17
Die Systeme von Bewegung, Atmung und Stimme können aufeinander reagieren S. 18

Bewegungen beschreiben: einige einfache Regeln

In diesem Buch geht es, neben dem Thema Stimme, auch viel um Bewegung. Diese zu benennen und zu beschreiben ist eine komplexe Angelegenheit, da die unterschiedlichen Bewegungstheorien ihre eigenen Begrifflichkeiten nutzen. Um sich nicht in Details zu verlieren, folgt dieses Buch einigen einfachen Regeln.

Die Ausgangsposition

Der Körper ist aufrecht, die Füße parallel, die Arme hängen locker neben dem Körper. Wenn wir uns auf eine horizontale oder vertikale Struktur beziehen, bezieht sich das auf diese Ausgangsposition.

Die Bewegungsebenen*

Bewegungen nach vorne und nach hinten werden in der *Sagittalebene* dargestellt. Bewegungen nach vorne werden als *Flexion*, Bewegungen nach hinten als *Extension* bezeichnet. Seitwärtsbewegungen werden in der sogenannten *Frontalebene* dargestellt. Die Seitwärtsbewegungen der Wirbelsäule nennt man *Lateralflexion*, während die Seitwärtsbewegungen der Gliedmaßen und Stimmlippen als *Adduktion* (aufeinander zu) und *Abduktion* (voneinander weg) bezeichnet werden.
Bewegungen um eine vertikale Achse werden in der sogenannten *Transversalebene* dargestellt.
Bewegungen dieser Ebene nennt man *Rotationen*:
Bewegungen zur Körpermitte hin heißen Innenrotation oder mediale Rotation, jene vom Körper weg heißen Außenrotation oder laterale Rotation.

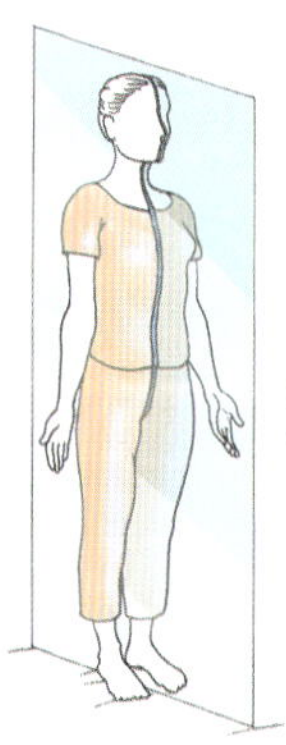

Sagittalebene

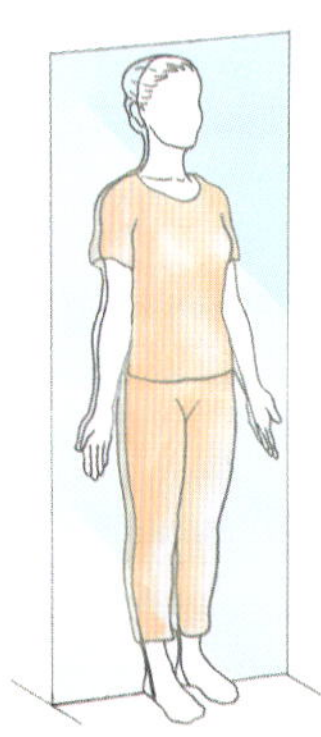

Frontalebene

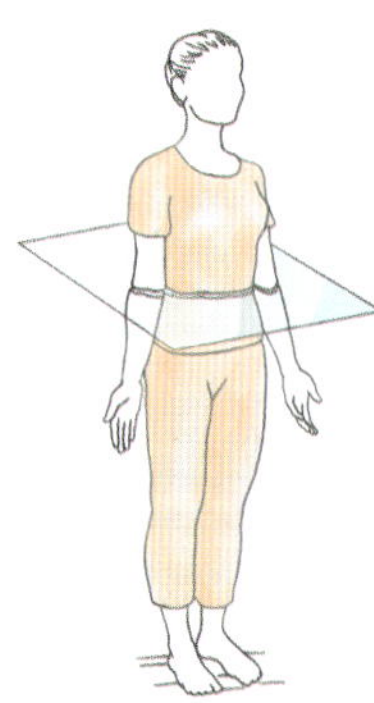

Transversalebene

* Tatsächlich findet Bewegung in der Regel nicht in diesen drei orthogonalen Ebenen statt, sondern in verschiedenen Kombinationen dieser Ebenen und Richtungen. Es sollte daher bedacht werden, dass diese Ebenen nur Werkzeuge sind, mit denen Bewegung beschrieben werden kann (sie dienen der Orientierung, wie das Raster eines Blattes Papier beim Schreiben). Bewegung findet nicht nur in diesen Ebenen statt.

Der Stimmapparat

Die Stimme wird durch ein Zusammenspiel unterschiedlicher Körperbereiche produziert, die Gesamtheit dieser Organe bezeichnet man als **Stimmapparat**. Dieser wird in drei Regionen unterteilt, die aufgrund ihrer Funktion zusammengehören:

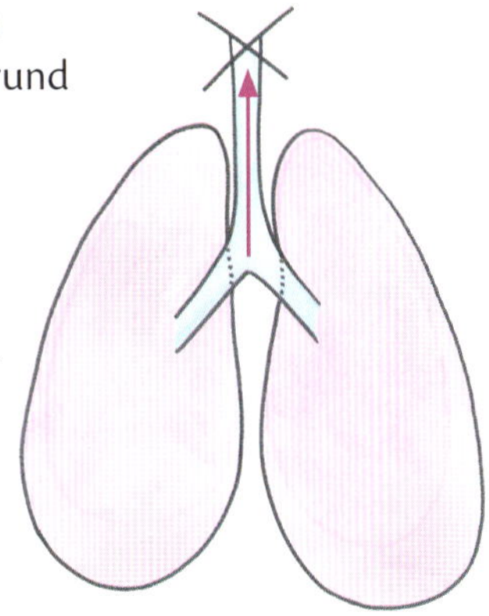

1. Die erste Funktion des Stimmapparates ist es, Luft unter Druck an die Stimmlippen zu bringen: dies geschieht mithilfe der **Atmung**. Diese Funktion korrespondiert mit dem **Atemapparat**.

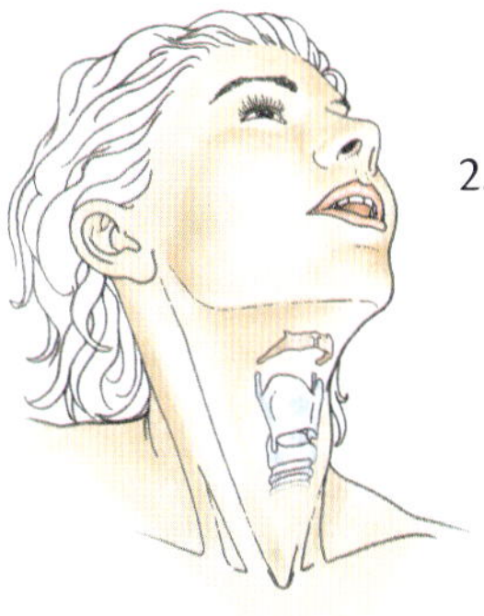

2. Im Kehlkopf wird die Luft in Schwingung versetzt. Dadurch entsteht der Primärton.

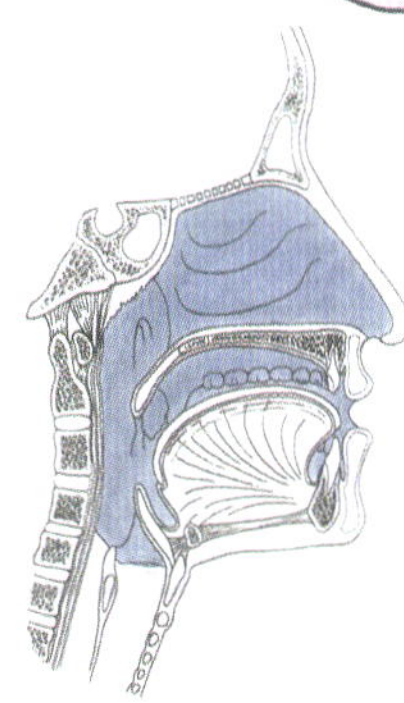

3. Die **Resonatoren** verstärken den so erzeugten Primärton und reichern ihn mit Obertönen an. Sie liegen als Teil des Ansatzrohres im **Rachenraum** und in der **Mundhöhle**.

Zwei Bemerkungen zum Stimmapparat

1. **Es gibt keinen Stimmapparat, der ausschließlich der Stimmgebung dient.**
Alle Organe, die an der Stimmgebung beteiligt sind, sind darüber hinaus noch für andere Funktionen im menschlichen Körper da. Die Lungen dienen der Atmung, mit dem Mund essen wir und die Nase ermöglicht es uns, Gerüche wahrzunehmen. Wenn eines dieser Organe seine Funktion nicht richtig ausfüllen kann, wirkt sich das auch auf die Stimme aus.

2. **Die Stimme ist ein Phänomen, das man nicht in seine Einzelteile zerlegen kann.**
Nicht nur der gesamte Körper und unser inneres Gleichgewicht spielen bei der Stimmgebung eine wichtige Rolle, sondern auch die Intention, mit der dies geschieht, die Verbindung zur Umgebung oder zu den Menschen, an die sich die Stimme richtet. Die Aufteilung des Stimmapparates in drei Teile ist deshalb lediglich ein Hilfsmittel zur Beschreibung, während die Stimme immer als eine Einheit gesehen werden sollte. Jedoch kann die Dreiteilung bei der Stimmarbeit sehr nützlich sein, wenn man versucht zu erkennen, wo genau das rein physiologische Verbesserungspotenzial der Stimme liegt.

Bewegungsapparat (mit Haltungsapparat), Atemapparat und Stimmapparat

Wenn wir über den Stimmapparat sprechen, sagen wir durchaus, dass das „Instrument" der Person, die singt oder spricht, der eigene Körper sei – anders als bei Instrumentalisten. Man sagt auch, jemand „singe mit dem ganzen Körper". Es ist wichtig, zu verstehen, dass hier nicht nur vom Stimmapparat allein die Rede ist, sondern von einer viel umfassenderen Wechselwirkung mit dem gesamten Körper. In diesem Zusammenhang sollten wir drei Teile („Apparate") des Körpers deutlich voneinander unterscheiden, die alle an der Stimmgebung beteiligt sind:

- der Bewegungsapparat und mit ihm der Haltungsapparat,
- der Atemapparat,
- der Stimmapparat.

Diese funktionalen Einheiten sind nicht einfach einem bestimmten Organ zuzuordnen, sie sind keine anatomischen Einheiten, sondern erfüllen einen gemeinsamen Zweck. Die Kenntnis dieser funktionalen Einheiten wird es uns im weiteren Verlauf ermöglichen zu erkennen, wie die verschiedenen Einheiten zusammenarbeiten.

Der Bewegungsapparat

Der Bewegungsapparat ist der Körperbereich, mit dem wir die „großen" Bewegungen ausführen. Mit ihm laufen und tanzen wir, wir gehen Treppen hinauf oder hinunter, greifen, schieben oder heben Gegenstände etc.
Man könnte meinen, diese Bewegungen beziehen „den ganzen Körper" mit ein, jedoch sind es einige sehr spezifische Körperbereiche, die diese großen Bewegungen ausführen: das **Skelett** sowie die **Gelenke** und **Muskeln**.

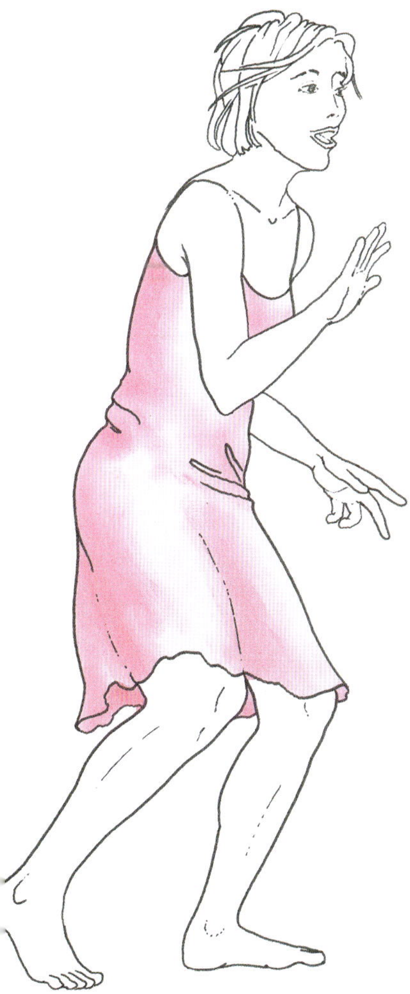

Der Bewegungsapparat arbeitet mit der Atmung und dem Stimmapparat zusammen. Manchmal spielt er eine untergeordnete Rolle bei der Stimmgebung, wie bei Vokaltechniken, in denen er völlig bewegungslos bleibt. Aber der Bewegungsapparat kann auch stark miteinbezogen werden und auf Atmung und Stimme reagieren oder deren Einsatz auslösen.

Führen Yoga, Pilates oder Joggen zu einer Verbesserung der Stimme?

Ein gesundes Körpergefühl, welches mit regelmäßiger Bewegung einhergeht, kann der guten Klangproduktion oft zuträglich sein. Um bestimmte Klänge oder Laute zu erzeugen, bedarf es einer kontrollierten Körperhaltung.
Das trifft aber nicht auf alle Laute zu. Im Gegenteil, in einigen Situationen muss der Bewegungsapparat völlig locker sein, so beispielsweise beim sogenannten Rebirthing, für den Urschrei und bei bestimmten Techniken im Theater. Mit Sicherheit regt jedoch körperliche Aktivität den Kreislauf an und somit auch die Blutzirkulation im Kehlkopfbereich. Dadurch wird der Kehlkopf besser befeuchtet und ist besser auf die Stimmerzeugung vorbereitet.

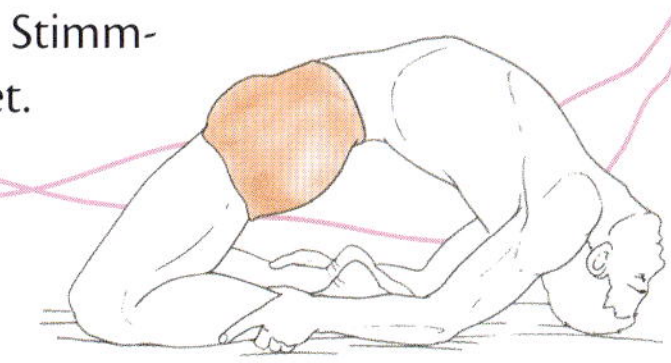

Der Haltungsapparat

Man spricht vom Haltungsapparat, wenn der Körper vom Bewegungsapparat in einer vertikalen, aufrechten Haltung positioniert wird. (Das ist nicht dasselbe, wie wenn man im Yoga von einer Haltung spricht. Diese speziellen Positionen sind nicht notwendigerweise vertikal.)

Wenn wir unsere Stimme benutzen, stehen wir oft in dieser aufrechten unbeweglichen Haltung. Dann hat der Haltungskörper lediglich das Gleichgewicht zu gewährleisten. In den meisten Chören und Ensembles wird im Stehen gesungen, die Darbietenden stehen aufrecht und der Bewegungsapparat arbeitet kaum. Auch bei vielen solistischen Gesangsauftritten oder bei Rezitationen ist die Gestik minimal.

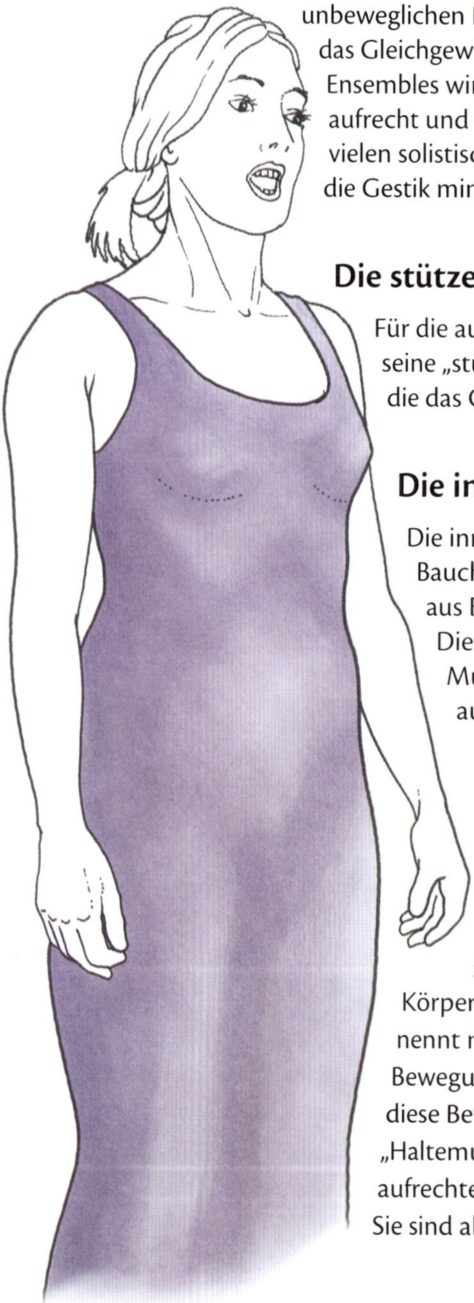

Die stützende Knochenstruktur

Für die aufrechte Haltung benutzt der Körper mehr oder weniger seine „stützenden Knochen", also die anatomischen Strukturen, die das Gewicht der aufliegenden Strukturen tragen.

Die inneren Organe

Die inneren Organe halten sich nicht selbst in Brust und Bauch, sondern sind umgeben von und aufgehängt in Hüllen aus Bindegewebe (Faszien), welche am Skelett haften. Die Organe werden außerdem von den entsprechenden Muskeln an Ort und Stelle gehalten. Also beeinflussen auch die inneren Organe die Ausrichtung des Skelettes.

Die Haltemuskulatur

Ein großer Teil unserer Muskulatur dient der aufrechten Haltung im Gleichgewicht. Diese Haltemuskulatur sorgt dafür, dass wir aufrecht stehen und das Gleichgewicht halten können. Sie verhindert auch, dass unser Körper in sich zusammenfällt. Die Gesamtheit dieser Muskeln nennt man die *Haltemuskulatur*. Wenn der Körper jedoch in Bewegung gesetzt wird, so sind es dieselben Muskeln, die auch diese Bewegungen möglich machen können. Die Benennung „Haltemuskulatur" kommt daher, dass der Beitrag zu dieser aufrechten Haltung die primäre Funktion dieser Muskeln ist. Sie sind aber auch an anderen Aktionen beteiligt.

Verschiedene Formen der Körperhaltung

Die aufrechte Körperhaltung sieht von Mensch zu Mensch unterschiedlich aus. Sie hängt von verschiedenen Kräften ab, die auf den Körper einwirken, von seinen Proportionen, seinen Gewohnheiten und den aktivierten Muskelgruppen. Eine Bestandsaufnahme dieser unterschiedlichen Ausprägungen würde den Rahmen des Buches sprengen. Man sollte jedoch wissen, dass die die individuelle Haltung die Funktion der Stimme fördern oder behindern kann.

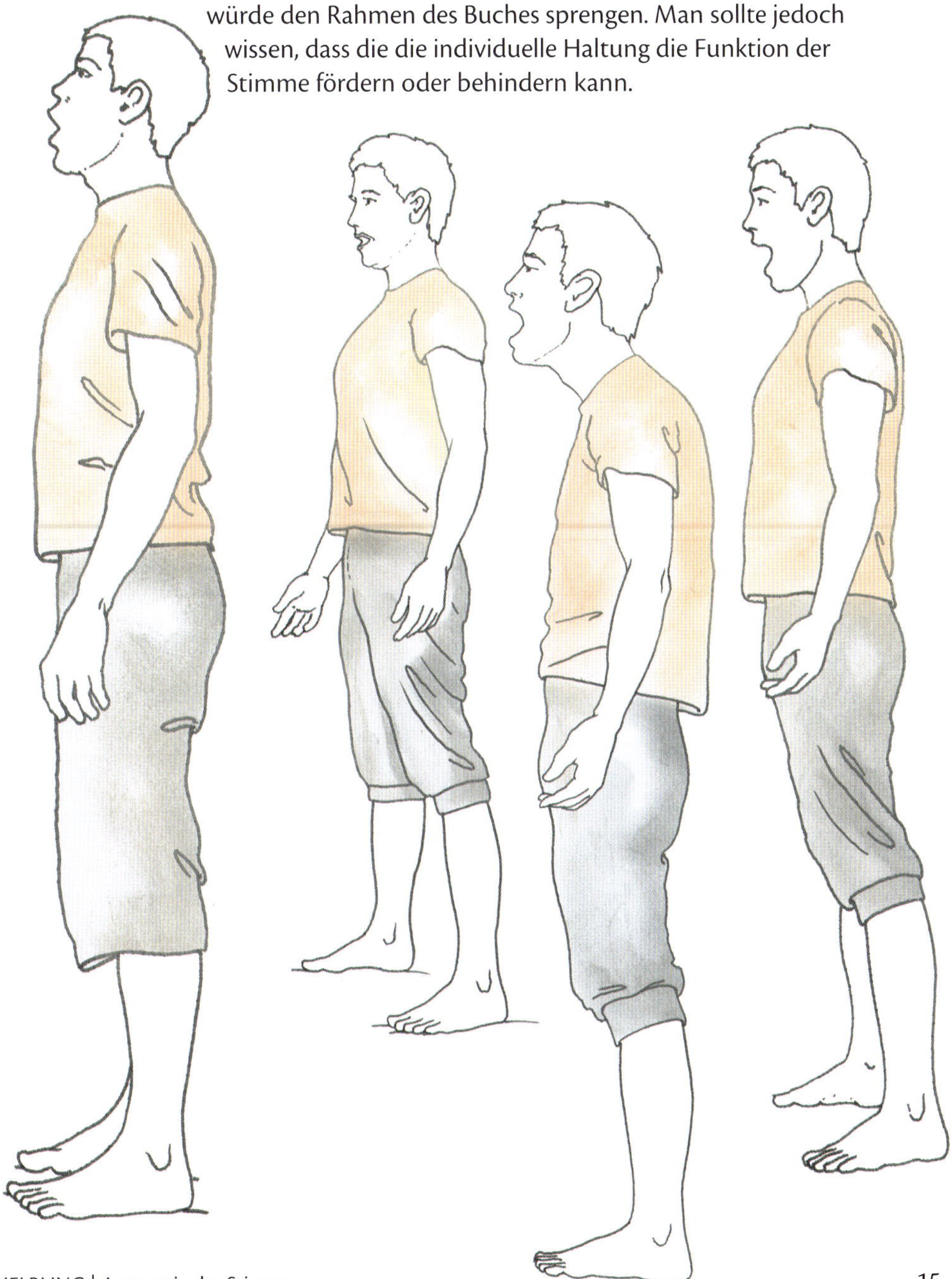

Der Atemapparat

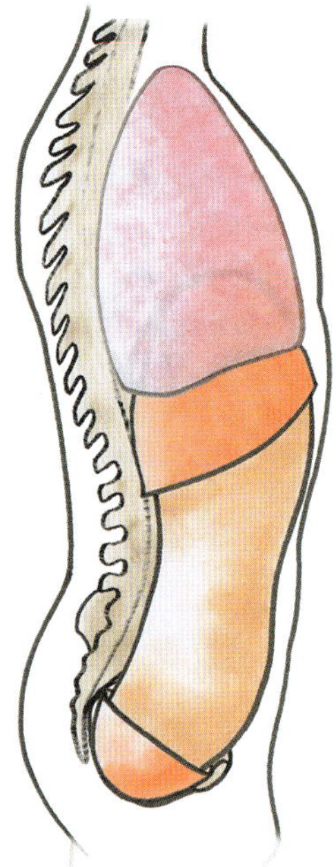

Die Körperteile, die an der Atmung beteiligt sind, bezeichnen wir als **Atemapparat**. Dazu gehört der gesamte viszerale Atemapparat, welcher aus der Lunge sowie den oberen und unteren Atemwegen besteht. Ebenso gehören aber auch alle diejenigen Strukturen dazu, welche die Bewegungen des Atemapparates ermöglichen: das Zwerchfell und die Bauchhöhle, die Halswirbelsäule, die meisten Teile des Schädels sowie diejenigen Muskeln, die die oben genannten Teile des Körpers bewegen.

Bei der Atmung bewegt sich der Atemapparat spontan. Er „öffnet" sich beim Einatmen und „schließt" sich beim Ausatmen. Wenn ein Atemreflex pausiert (*Apnoe*), bleibt der Atemapparat unbeweglich.

Der Atemapparat kann sich allerdings auch dem natürlichen Atemfluss entgegengesetzt bewegen. Er kann sich beispielsweise auch bei einer Apnoe bewegen oder sich während des Ausatemvorgangs „öffnen". In einem solchen Fall findet entweder eine Veränderung im normalen Atemvorgang oder eine Veränderung in den sonst vorherrschenden Druckverhältnissen statt. Beides kann unsere Stimme beeinflussen.

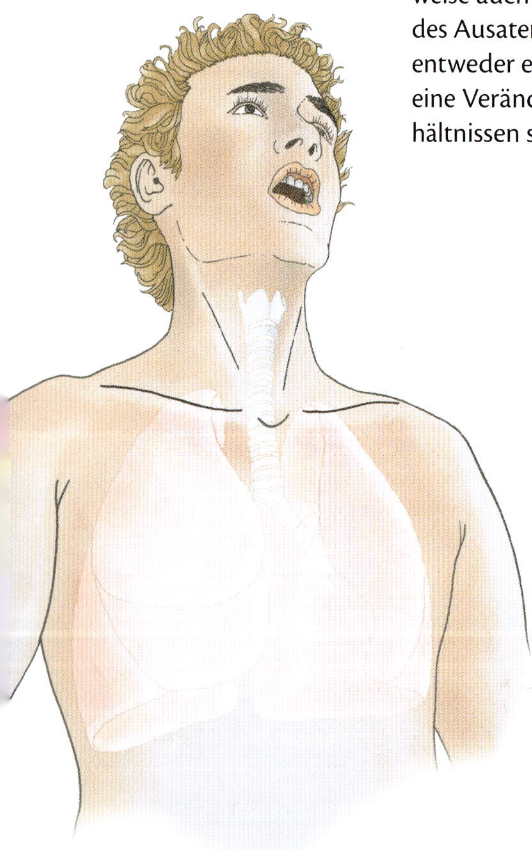

Muss man also richtiges Atmen lernen?

Vielleicht nicht, um überleben zu können, denn jeder Mensch kann von Natur aus atmen. Für den Einsatz der Stimme kann man allerdings lernen, effizient mit Luft und vor allem mit Luftdruck umzugehen. Man braucht nämlich zum Singen nur sehr wenig Luft. Die Anweisung „tief einatmen!" vor dem Singen dient also nicht dem Aufbau von Luftdruck, sondern eher dem Gegenteil, der Entspannung.

Der Stimmapparat

Als **Stimmapparat** bezeichnen wir den Teil des Körpers, der mit der *Phonation* verbunden ist. *Phonation* bedeutet „die Gesamtheit der Phänomene, welche gemeinsam zur Erzeugung von Stimme und artikulierter Sprache beitragen".*

Dazu gehört auch der oben beschriebene Atemapparat, wobei dieser vor allem während des Ausatmens an der Phonation beteiligt ist.

Innerhalb des Atemapparates spielt der **Stimmapparat** (auf S. 11 beschrieben) eine besondere Rolle:

- Er bringt beim Ausatmen die Luft in Schwingung und an den Stimmlippen entsteht dadurch der Primärton.
- Er verstärkt den Primärton durch Resonanz.
- Er ermöglicht die Modulation des Tones.

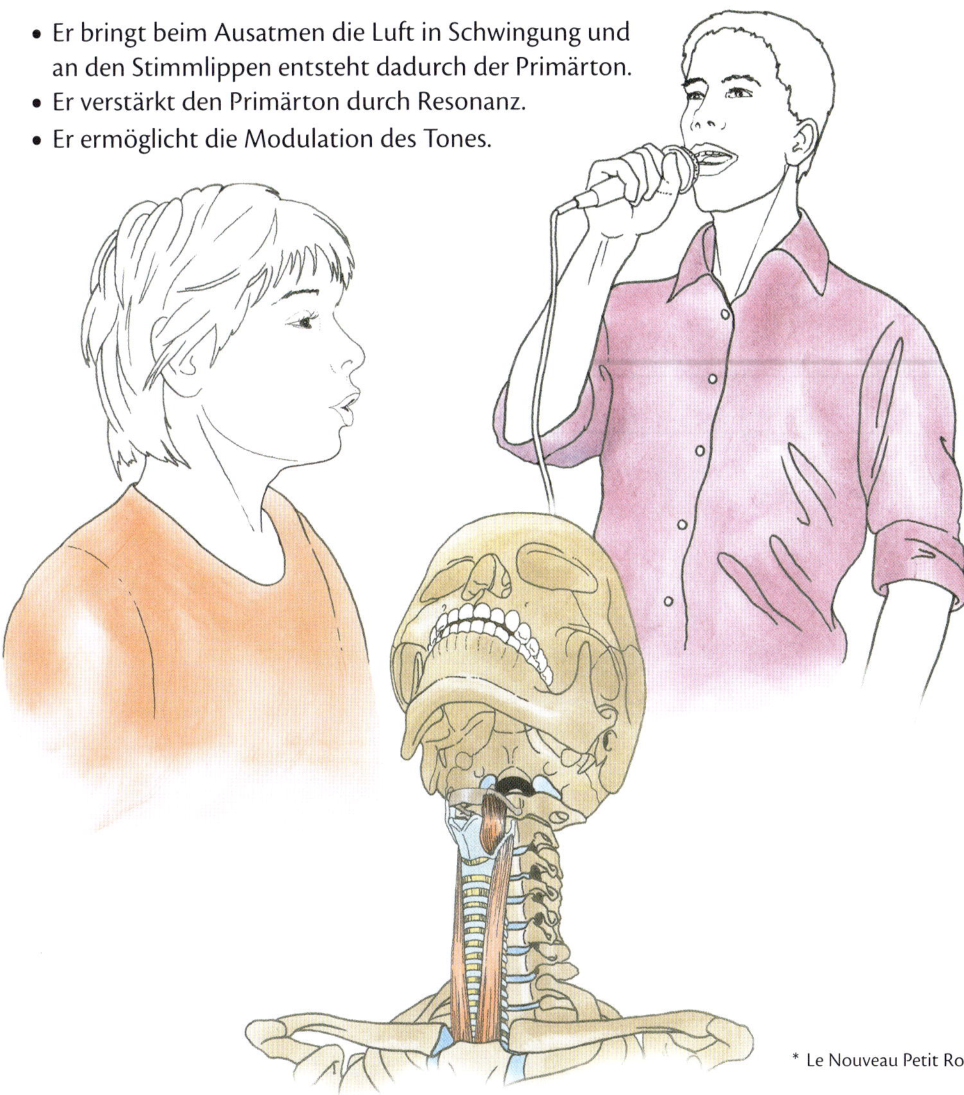

* Le Nouveau Petit Robert

Die Systeme von Bewegung, Atmung und Stimme können aufeinander reagieren

Der Bewegungsapparat kann den Atemapparat beeinflussen …

… durch die Form unserer Bewegungen:
Wenn man beispielsweise die Arme hebt, führt das dazu, dass die Flanken weit werden. Dadurch kann man leichter einatmen, und die Atmung in den Brustkorb wird begünstigt.

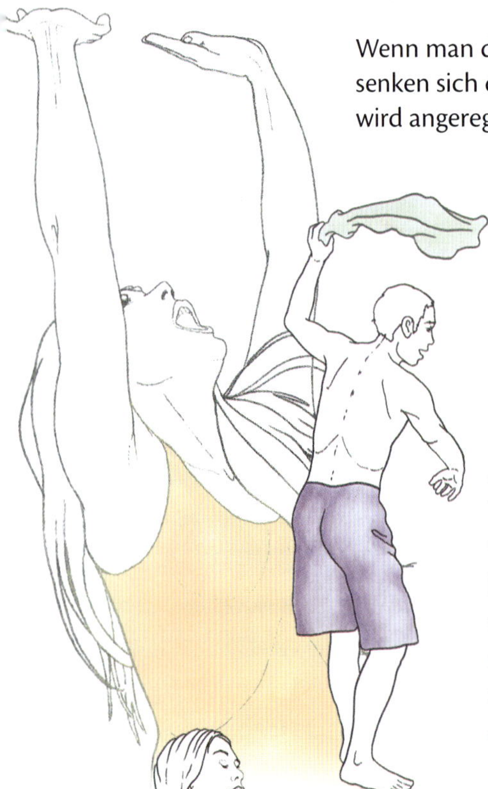

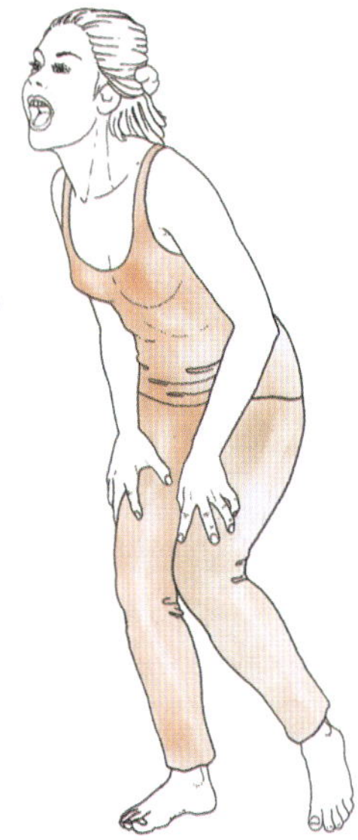

Wenn man die Wirbelsäule nach vorne beugt, senken sich die Rippen und die Ausatmung wird angeregt.

… durch den Rhythmus unserer Bewegungen:
Wenn wir rennen oder mit den Armen schwingen, verändert sich der Atemrhythmus durch Veränderungen im Puls und im Atemapparat. Das liegt aber nicht nur an der körperlichen Anstrengung, sondern auch daran, dass die Stöße, die unser Körper beim Rennen erfährt, und die Bewegungen unseres Rumpfes beim Schwingen der Arme auch unsere Atmung beeinflussen.

Der Bewegungsapparat kann durch den Atemapparat beeinflusst werden

Wenn wir zum Beispiel ausatmen, entspannen Schultern und Arme und sinken leicht nach vorn, während sich unsere Wirbelsäule bei einem tiefen Einatmen streckt.

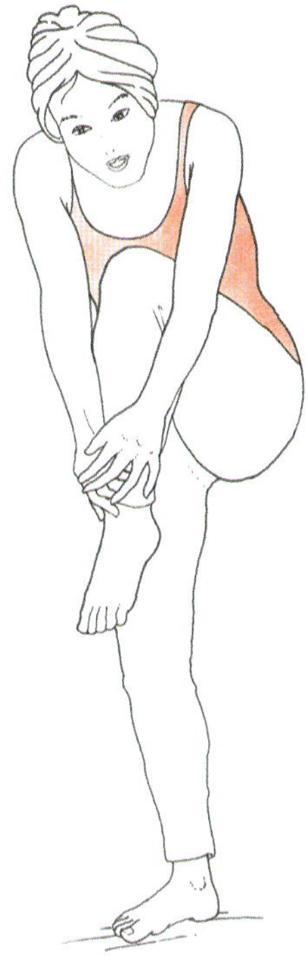

Der Stimmapparat kann durch den Atem- oder Bewegungsapparat beeinflusst werden

Hebt man beispielsweise ein Knie schnell zur Brust, beugt man automatisch den unteren Teil der Wirbelsäule. Dadurch wird ein Ausatmen hervorgerufen und dieses kann wiederum die Entstehung eines Klanges anregen.

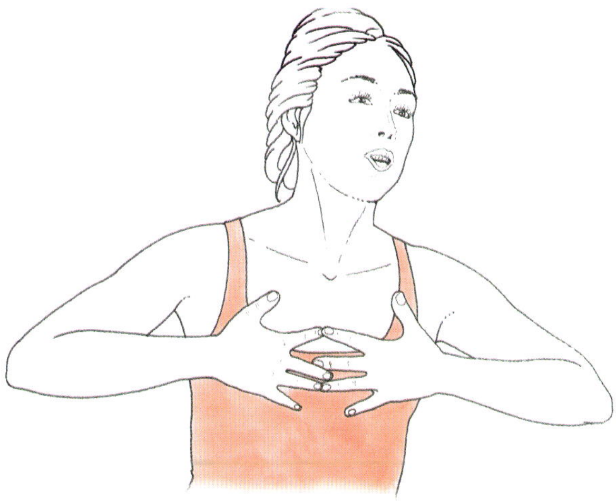

Der Vokalapparat kann durch den Atemapparat beeinflusst werden

Wenn man zum Beispiel das Brustbein senkt, regt dies den Körper zum Ausatmen an und kann so zur Entstehung eines Klanges beitragen.

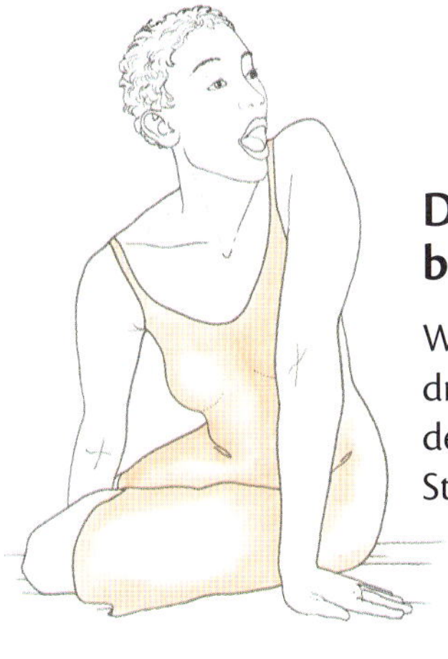

Der Bewegungsapparat kann den Vokalapparat beeinflussen

Wenn wir nur den Kopf drehen oder neigen, die Schultern drehen, heben oder hängen lassen, so kann auch die Stellung des Kehlkopfes variieren, wodurch sich wiederum unsere Stimme verändern kann.

Die Wirbelsäule (*Columna vertebralis*): Die Verbindung zwischen Rumpf, Hals und Kopf S. 24

Die Wirbel (*Vertebra*) S. 26
Die Gelenke zwischen den Wirbeln S. 27
Die Lendenwirbelsäule: Taille und Bauchhöhle S. 28
Die Brustwirbelsäule: Rücken und Brustkorb S. 30
Die Halswirbelsäule S. 31
Die Halswirbel C3 bis C7 S. 32
Der Atlas S. 34
Der Axis S. 35
Kopf und Atlas S. 36
Atlas und Axis S. 38

Die drei großen Körperregionen: Becken, Brustkorb, Kopf S. 40

Das Becken S. 42

Die (tastbaren und nicht tastbaren) Orientierungspunkte des Beckens S. 43
Der Oberschenkelknochen (*Femur*) und das Hüftgelenk S. 44
Die Beweglichkeit und die Stellung des Beckens S. 45

Der Brustkorb, die bewegliche Einheit S. 46

Die Rippen, die einzigen flexiblen Knochen S. 48
Die erste Rippe, ein wichtiger Bezugspunkt S. 49
Die Rippenknorpel S. 50
Das Brustbein (*Sternum*) S. 51
Die Brustwirbelsäule S. 52
Die Rippen-Wirbel-Gelenke (*Articulatio costovertebralis*) S. 53
Die unterschiedlichen kostovertebralen Achsen S. 54
Die zwei Bewegungsrichtungen der Rippen S. 55
Um den Schultergürtel herum: Schultergürtel und Arme S. 56
Arme und Schultern S. 58

Kopf und Stimme S. 60

Die Schädelbasis (*Basis cranii*) S. 61
Der hinterste Knochen des Schädels:
Das Hinterhauptbein (*Os occipitale*) S. 62
Der zentrale Schädelknochen: Das Keilbein (*Os sphenoidale*) S. 64
Die beiden Knochen der Ohren: Die Schläfenbeine (*Os temporale*) S. 66
Das Jochbein (*Os zygomaticum*) S. 67
Der höchste Gesichtsknochen: Das Stirnbein (*Os frontale*) S. 68
Das knöcherne Dach der Nasenhöhle: Das Siebbein (*Os ethmoidale*) S. 69
Das Pflugscharbein (*Vomer*) S. 70
Die Nasenmuscheln (*Concha nasalis*) S. 71
Der Oberkiefer (*Maxilla*) S. 72
Das Gaumenbein (*Os palatinum*) S. 73
Der Unterkiefer (*Mandibula*) S. 74
Das Kiefergelenk (*Articulatio temporomandibularis*) S. 76
Bewegungen des Kiefergelenks S. 78
Die Zahnbögen und die Zähne S. 80
Das Zungenbein (*Os hyoideum*) S. 82
Das Zungenbein, seine Umgebung, seine Aufgaben S. 84

Das Skelett der Stimme

2

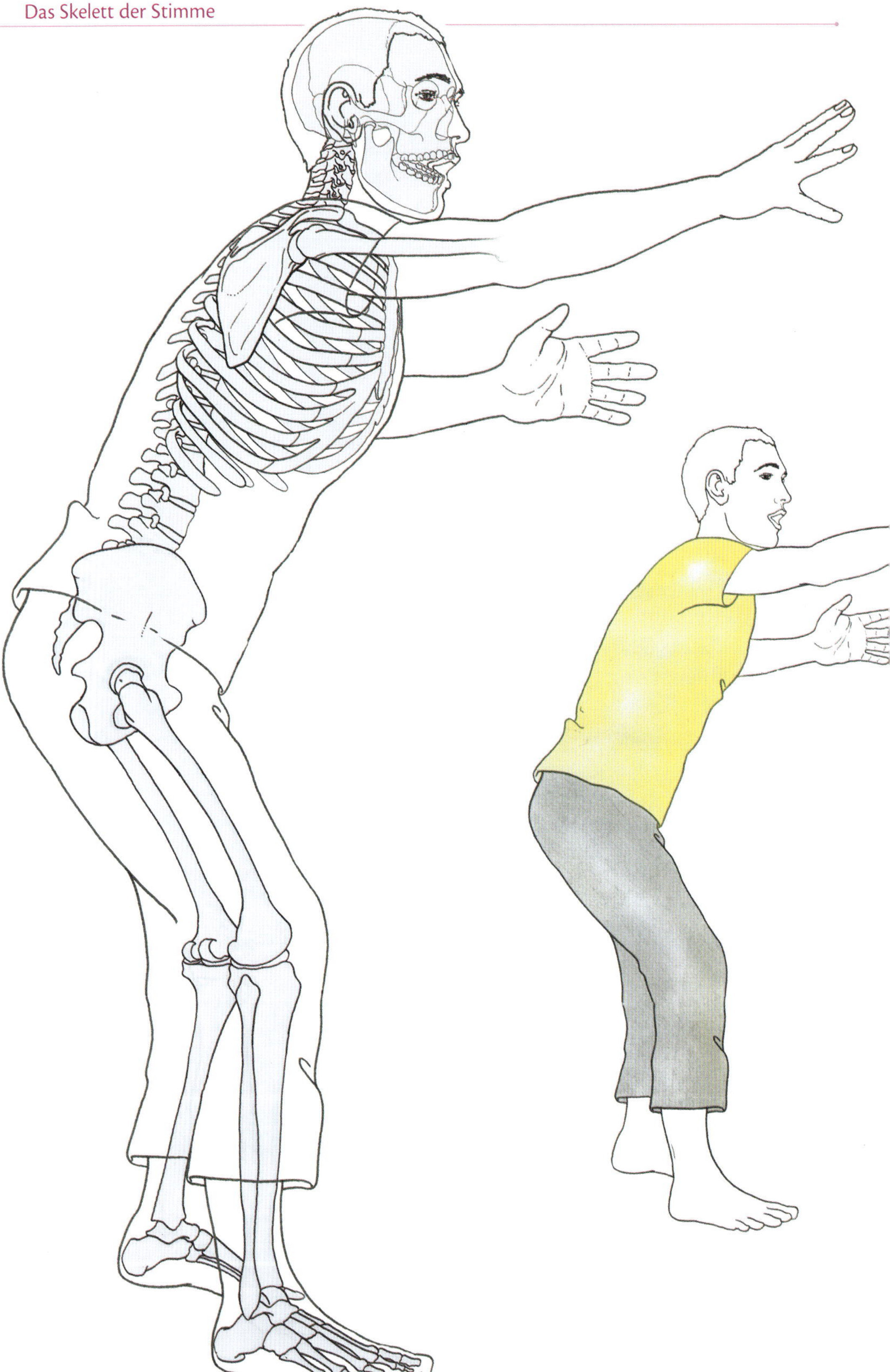

Bei der Stimmerzeugung wird mit Luft eine Schwingung der Stimmlippen erzeugt. Der Stimm-/Atemapparat ist von einem knöchernen Rahmen umgeben. Die Stabilität dieser Struktur ermöglicht den Atembewegungen und ebenso einigen Bewegungen des Vokalapparates eine präzise Form.
Die zahlreichen beteiligten Knochen und Knorpelgewebe bilden miteinander die Gelenke, die dem Gerüst die nötige Beweglichkeit geben. In diesem Kapitel schauen wir uns die Knochen an, die für die Stimme wichtig sind.

- Knochen, die an der Atmung beteiligt sind:
  Diese Knochen befinden sich in der vertikalen Körpermitte: die Wirbelsäule, das Becken, der Brustkorb, der Schädel.

- Knochen, die zum Kehlkopf gehören:
  Hierzu gehören die Halswirbel, die Schädelbasis, der Unterkiefer, das Brustbein und der Schultergürtel.

- Knochen, die für die Resonanz sorgen und an der Artikulation beteiligt sind:
  Die oberen Halswirbel und der Schädel.

- Knochen, die für eine aufrechte Haltung sorgen:
  Dies sind die Knochen des „Halteskelettes", die das Körpergewicht tragen, nämlich die Knochen der unteren Extremitäten, das Becken sowie die Wirbelsäule.

Auf den folgenden Seiten wird das Skelett im Hinblick auf seine Funktionalität für die Stimme beschrieben. Für einen genaueren Blick auf die Anatomie seien die Bücher *Anatomie der Bewegung* und *Respiration* von Blandine Calais-Germain empfohlen.

Die Wirbelsäule (*Columna vertebralis*): Die Verbindung zwischen Rumpf, Hals und Kopf

Die Wirbelsäule besteht aus mehreren großen Abschnitten, die sich aus jeweils etwas unterschiedlichen Wirbeln zusammensetzen.

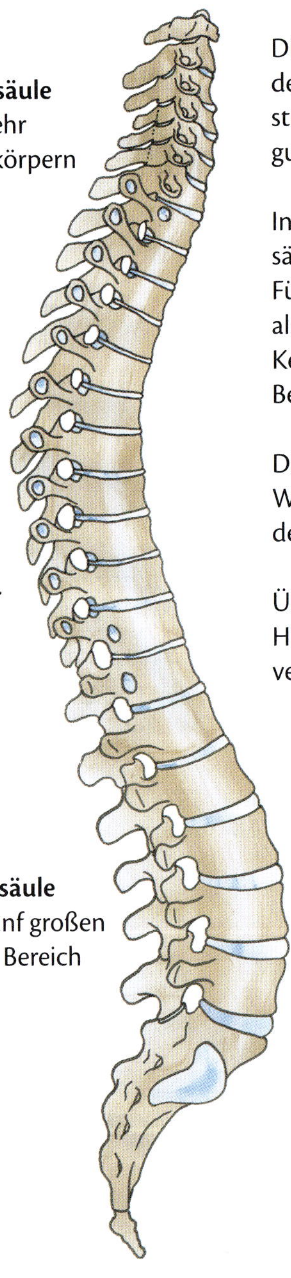

Die **Halswirbelsäule** ist aus sieben sehr kleinen Wirbelkörpern aufgebaut.

Die **Brustwirbelsäule** besteht aus zwölf Wirbelkörpern auf Höhe des Brustkorbes.

Die **Lendenwirbelsäule** besteht aus den fünf großen Wirbelkörpern im Bereich unserer Taille.

Die Wirbelsäule ist zwar nicht direkt an der Phonation beteiligt, doch sie unterstützt den Stimm-/Atem- und Bewegungsapparat.

In den nächsten Kapiteln wird die Wirbelsäule von unten nach oben beschrieben. Für den Stimmapparat ist die Wirbelsäule als Verbindung zwischen Atemapparat, Kehlkopfregion und Resonanzräumen von Bedeutung.

Die 32 Wirbel unserer doppelt S-förmigen Wirbelsäule sind durch Gelenke miteinander verbunden.

Über den obersten Wirbel ist sie mit dem Hinterhauptbein, einem Teil des Schädels, verbunden und unten mit dem Becken.

Die Sakralregion und das Steißbein
Die unteren Wirbelkörper bilden zusammen das Kreuzbein (*Sacrum*), weshalb diese Region auch als *Sakralregion* bezeichnet wird. Kreuzbein und Steißbein bilden einen Teil des Beckens. Die 8–10 Wirbelkörper in diesem Bereich sind zusammengewachsen.

Von der Seite betrachtet sieht die Wirbelsäule bogenförmig aus:

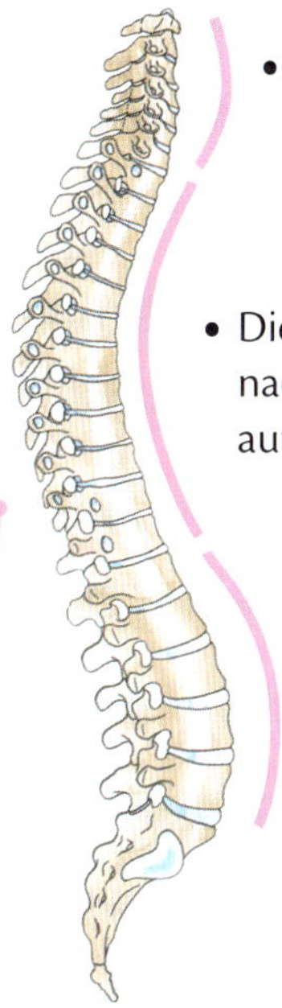

- Die Halswirbelsäule ist nach vorne (ventral, also „zum Bauch hin") gebogen, was man als **Lordose** bezeichnet.
- Die Brustwirbelsäule weist eine Krümmung nach hinten (dorsal, also „zum Rücken hin") auf, was man als **Kyphose** bezeichnet
- Die Lendenwirbelsäule ist wie die Halswirbelsäule ventral konvex, also in Form einer Lordose, gekrümmt.

Die abgebildete doppelte S-Form ist natürlich und wichtig für die menschliche Wirbelsäule, es ist daher nicht das Ziel, gegen diese natürliche Form anzukämpfen, sondern sie zu verstehen.

Allerdings kann es vorkommen, dass
- die Biegung zu stark ist (Hyperlordose *bzw. „Hohlkreuz"*, Hyperkyphose *bzw. „Rundrücken"*),
- die Biegung zu schwach ausgeprägt oder entgegengesetzt ist.

Wenn eine Gruppe von Menschen in aufrechtem Stand singt, so wird die Haltung jedes Menschen, aufgrund der verschiedenen Krümmungen der Wirbelsäule, etwas anders aussehen. Dies hängt zum einen von der individuellen Form der Wirbelsäule ab, zum anderen aber auch von der Art und Weise, wie man den Körper beim Singen einsetzt.

Im Verlauf des Buches wird deutlich werden, dass der natürlichen Form der Wirbelsäule während des Singens und Sprechens Freiheit gelassen werden sollte, sie manchmal aber auch kontrolliert werden muss.

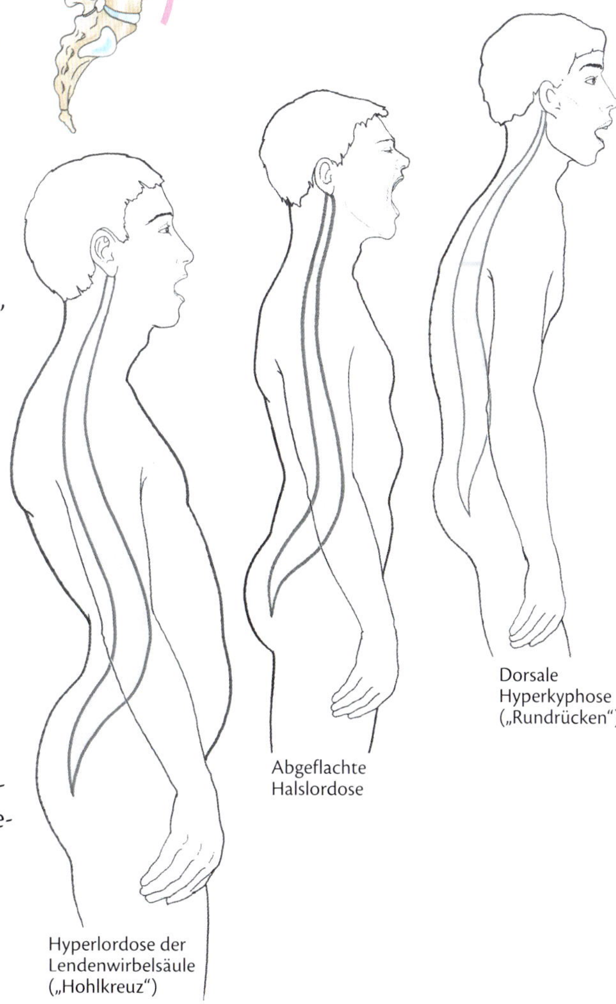

Die Wirbel (*Vertebra*)

Die Wirbel sind die knöchernen Einheiten der Wirbelsäule.
Jeder Wirbel besteht aus zwei Teilen:

Der vordere Teil des Wirbels, der **Wirbelkörper** (*Corpus vertebrae*), hat eine kompakte zylindrische Form. Er ist der Teil des Wirbels, der die Lasten trägt.

Der hintere Teil, der **Wirbelbogen** (*Arcus vertebrae*), ist komplex. Er hat mehrere Fortsätze als Ansatzmöglichkeiten für Muskeln und Bänder.

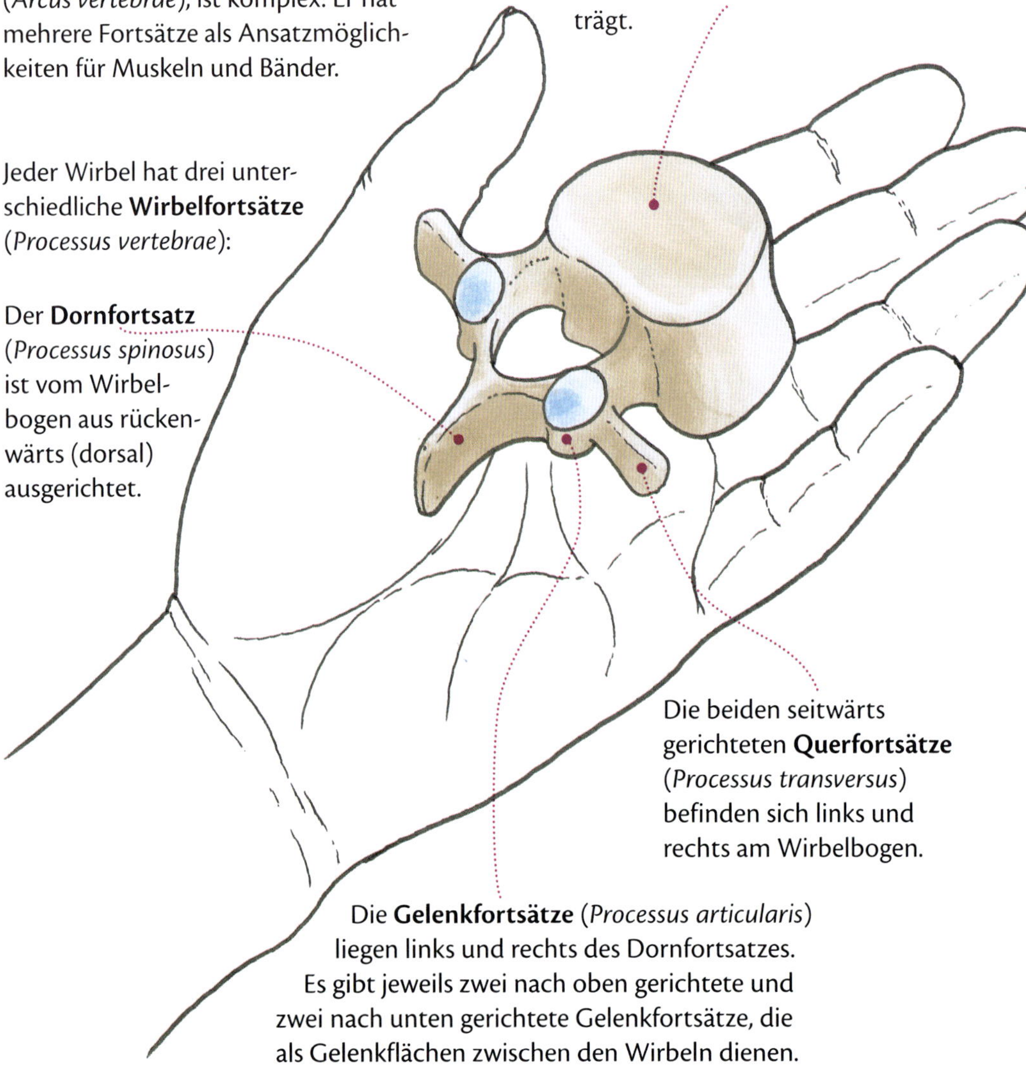

Jeder Wirbel hat drei unterschiedliche **Wirbelfortsätze** (*Processus vertebrae*):

Der **Dornfortsatz** (*Processus spinosus*) ist vom Wirbelbogen aus rückenwärts (dorsal) ausgerichtet.

Die beiden seitwärts gerichteten **Querfortsätze** (*Processus transversus*) befinden sich links und rechts am Wirbelbogen.

Die **Gelenkfortsätze** (*Processus articularis*) liegen links und rechts des Dornfortsatzes. Es gibt jeweils zwei nach oben gerichtete und zwei nach unten gerichtete Gelenkfortsätze, die als Gelenkflächen zwischen den Wirbeln dienen.

Die Gelenke zwischen den Wirbeln

Zwischen zwei Wirbeln gibt es immer drei Gelenke:

- Auf der Rückseite, auf der rechten und auf der linken Seite, gibt es je ein Gelenk zwischen den Gelenkfortsätzen. Dies ist ein bewegliches Gelenk mit
  - **Gelenkknorpel** (an den Enden der entsprechenden Fortsätze),
  - einer faserigen Hülle, der **Gelenkkapsel**,
  - **Gelenkflüssigkeit**,
  - **Bändern.***

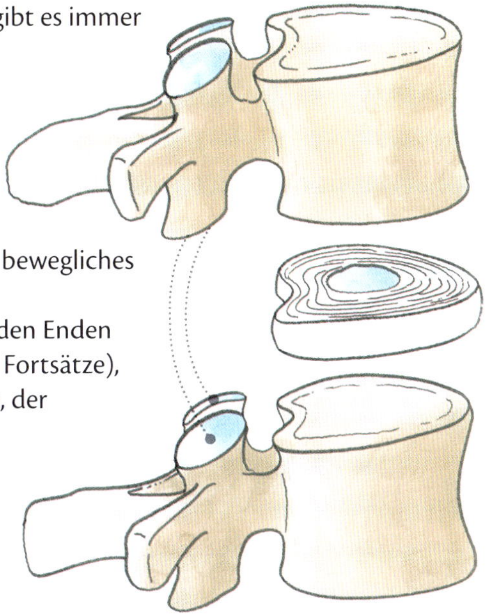

- Auf der Vorderseite des Wirbels (also ventral) liegt zwischen zwei Wirbelkörpern eine **Bandscheibe** (*Discus vertebralis*), das dritte Gelenk.

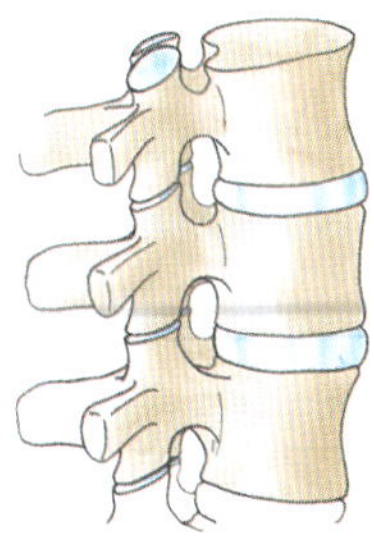

drei übereinanderliegende Wirbel

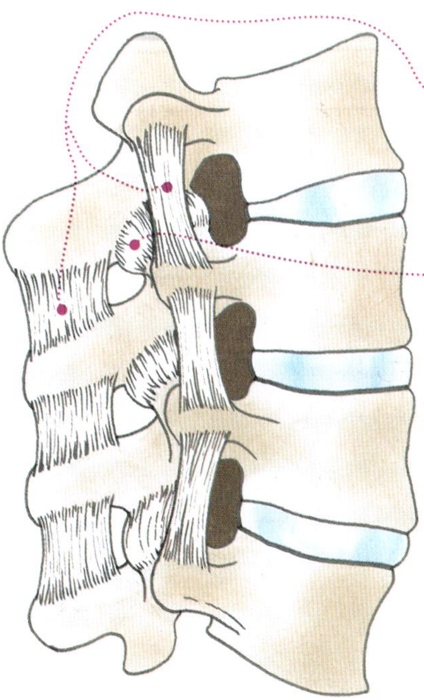

Die **Gelenkkapsel** und die **Bänder** sind nicht nur Verbindungselemente: In ihrem Gewebe befinden sich auch zahlreiche Rezeptoren, die dem Zentralnervensystem Informationen über die Position der Gelenke sowie über Schmerz senden.

Was bedeutet das für unsere Stimme?

Man kann die Beweglichkeit der Wirbelsäule trainieren. Damit übt man zwar nicht direkt die Stimme, aber man macht den Körper empfänglicher für Veränderungen von Haltung und Atmung, was wiederum Auswirkungen auf die Stimme hat.

* Mehr Details zu den Bändern siehe *Anatomie der Bewegung*, S. 38–39.

Die Lendenwirbelsäule: Taille und Bauchhöhle

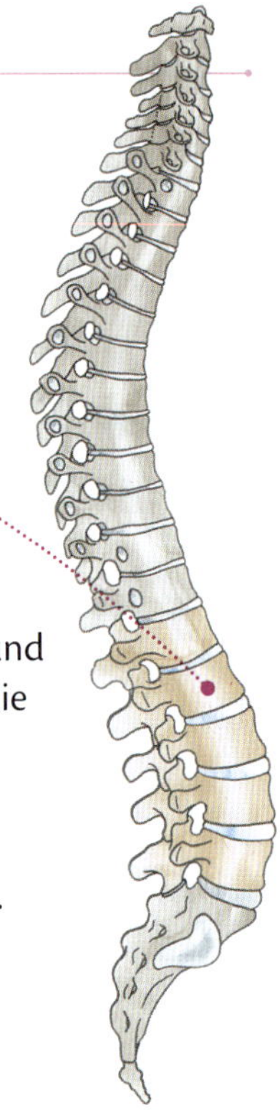

Dieser Teil der Wirbelsäule (Lendenwirbelsäule) befindet sich zwischen dem Becken und den Rippen.

Besondere Eigenschaften der Lendenwirbel

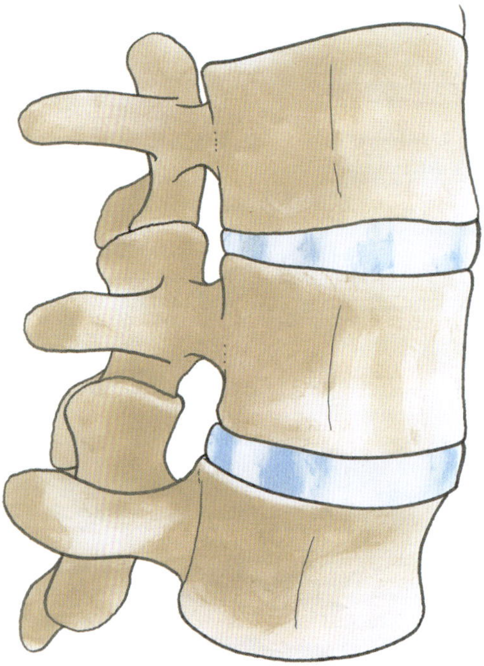

Die Wirbelkörper sind breit und dick, da diese Körperregion die schwersten Lasten trägt.

Die Bandscheiben in diesem Abschnitt sind ebenfalls dick.

Die Gelenkflächen an den Außenseiten der Gelenkfortsätze sind beidseitig mit Knorpel überzogen:

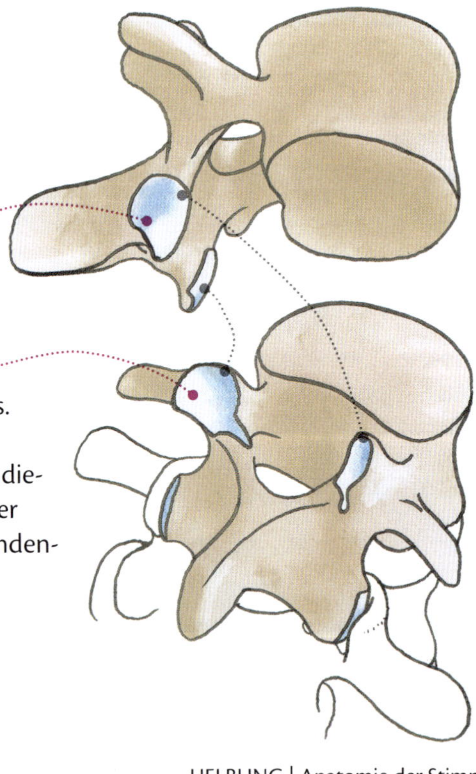

- ein Knorpel an der Unterseite in der Form eines Vollzylinders
- und einer an der Oberseite in der Form eines Hohlzylinders.

Auf jeder Wirbelebene korrespondieren diese Oberflächen miteinander und bilden so die Gelenke der Lendenwirbelsäule.

Die Bewegungen der Lendenwirbelsäule

Rotationen sind in diesem Bereich zwar nicht möglich, aber abgesehen davon ist das schon die einzige Einschränkung der Lendenwirbelsäule:

- Im oberen Teil ist die Lendenwirbelsäule in fast jede Richtung beweglich. Wenn man während des Sprechens oder Singens den Brustkorb in eine Richtung bewegt, so entsteht diese Bewegung meist im oberen Lenden- oder im unteren Brustwirbelbereich.
- Im unteren Teil ist die Extension (Streckung) die vorherrschende Bewegung.

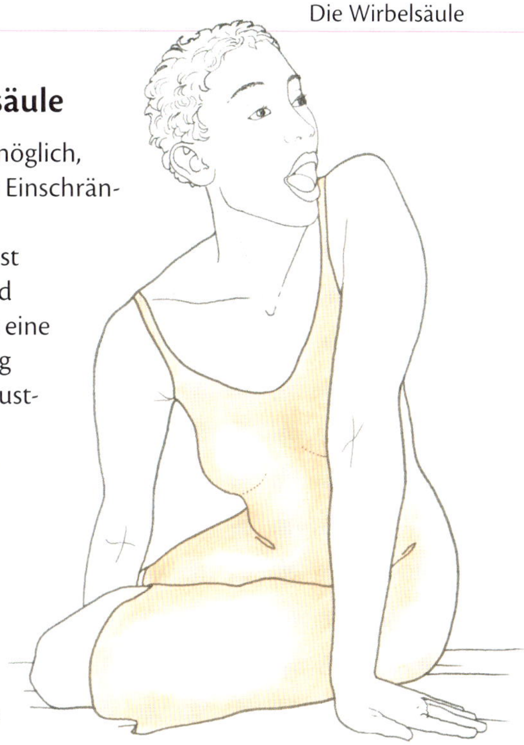

Die Lendenwirbelsäule im aufrechten Stand

Die Ausprägung der Lordose der Lendenwirbelsäule hängt mit der Stellung des Beckens und des Brustkorbes zusammen.

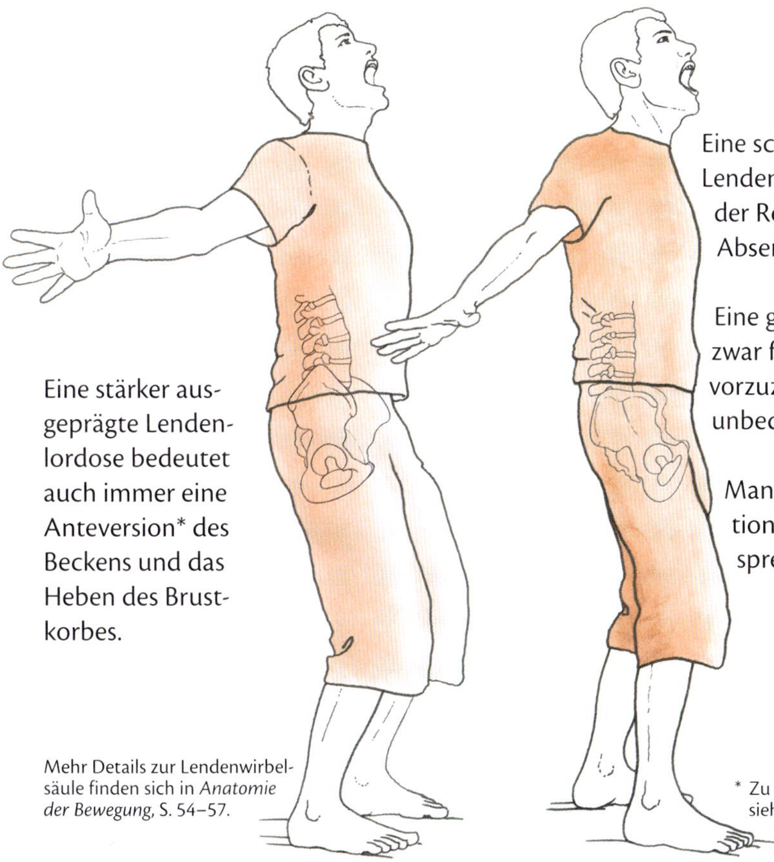

Eine schwächer ausgeprägte Lendenlordose geht einher mit der Retroversion* und dem Absenken des Brustkorbes.

Eine geringere Lordose ist zwar für die Stimmgebung vorzuziehen, aber nicht unbedingt notwendig.

Man kann in beiden Positionen der Wirbelsäule gut sprechen und singen.

Eine stärker ausgeprägte Lendenlordose bedeutet auch immer eine Anteversion* des Beckens und das Heben des Brustkorbes.

Mehr Details zur Lendenwirbelsäule finden sich in *Anatomie der Bewegung*, S. 54–57.

* Zu Anteversion und Retroversion siehe auch S. 45.

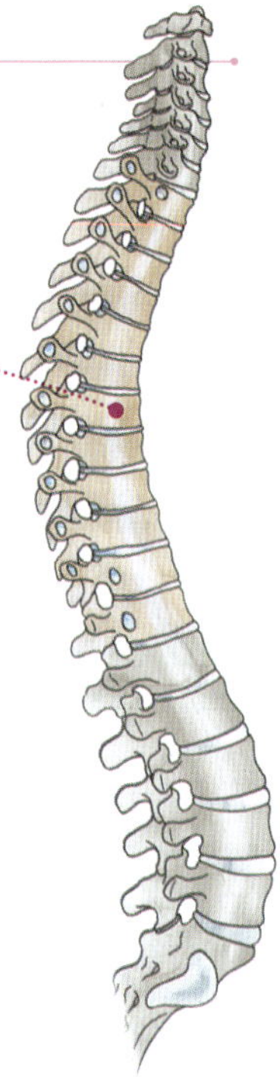

Die Brustwirbelsäule: Rücken und Brustkorb

Den Teil der Wirbelsäule, der auf Höhe unseres Brustkorbes liegt, nennt man Brustwirbelsäule. Darauf gehen wir später noch etwas detaillierter ein (S. 52).

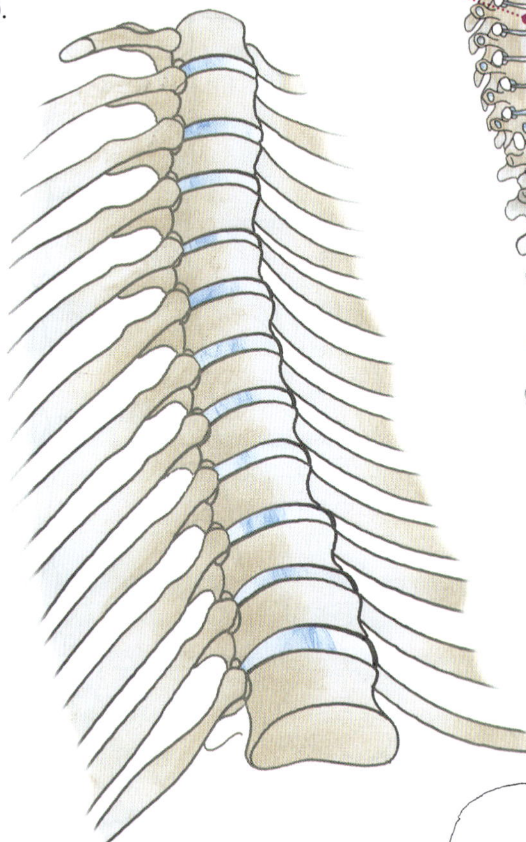

Das Besondere an diesem Teil der Wirbelsäule ist ihre Gelenkverbindung zu den Rippen. Zwischen den Rippen und der Brustwirbelsäule gibt es nicht weniger als 48 sehr kleine Gelenke.

Durch die zahlreichen Gelenkverbindungen gibt es immer eine Wechselwirkung von Beweglichkeit bzw. Stabilität zwischen Brustkorb und Wirbelsäule.

Die Brustwirbelsäule im aufrechten Stand

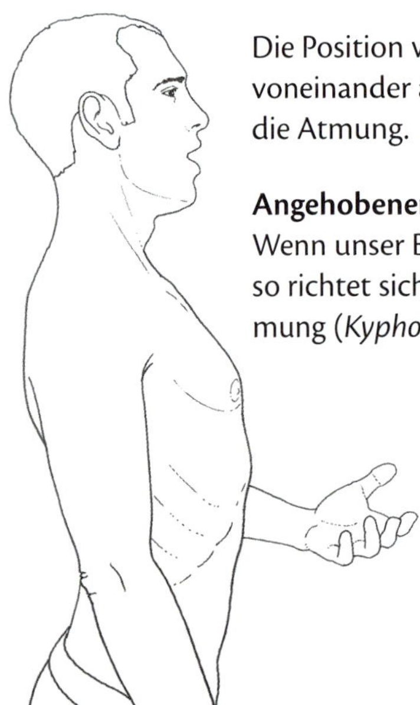

Die Position von Brustwirbelsäule und Brustkorb sind voneinander abhängig. Beide beeinflussen wiederum die Atmung.

Angehobener Brustkorb
Wenn unser Brustkorb sich z. B. beim Einatmen hebt, so richtet sich der Oberkörper auf, und die Krümmung (*Kyphose*) der Wirbelsäule wird flacher.

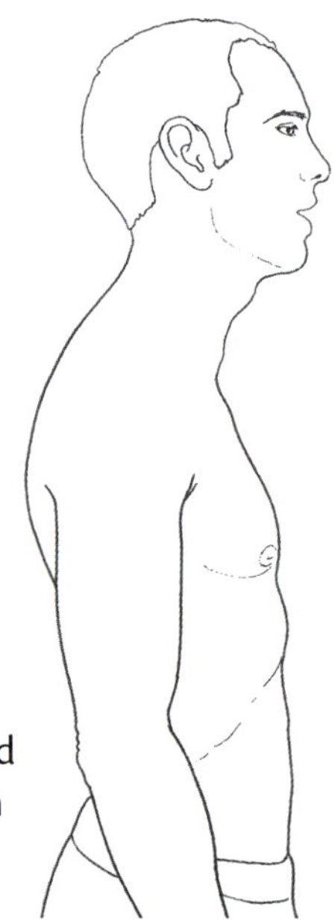

Gesenkter Brustkorb
Senkt sich der Brustkorb z. B. während des Ausatmens, so verstärkt das auch die Krümmung der Brustwirbelsäule.

Die Halswirbelsäule

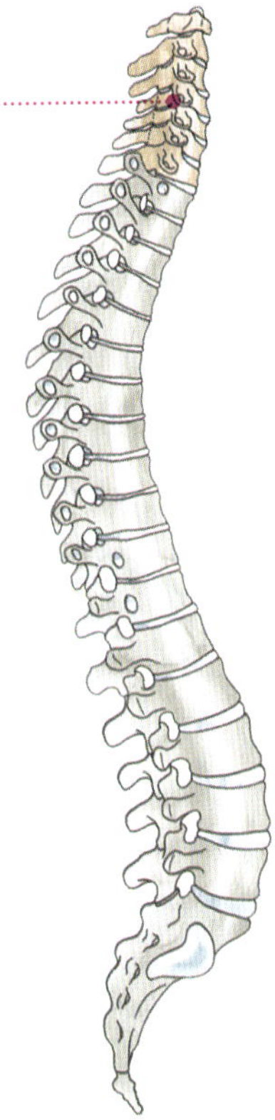

Unsere Halswirbelsäule besteht aus sieben Wirbeln, die sich auf zwei Ebenen verteilen.

Die obere Ebene:
Die Wirbel *Atlas* und *Axis* bilden zusammen mit dem Hinterhauptbein (*Os occipitale*) den oberen Teil der Halswirbelsäule.

Dieser Teil wird auch als **subokzipitaler Bereich** bezeichnet.

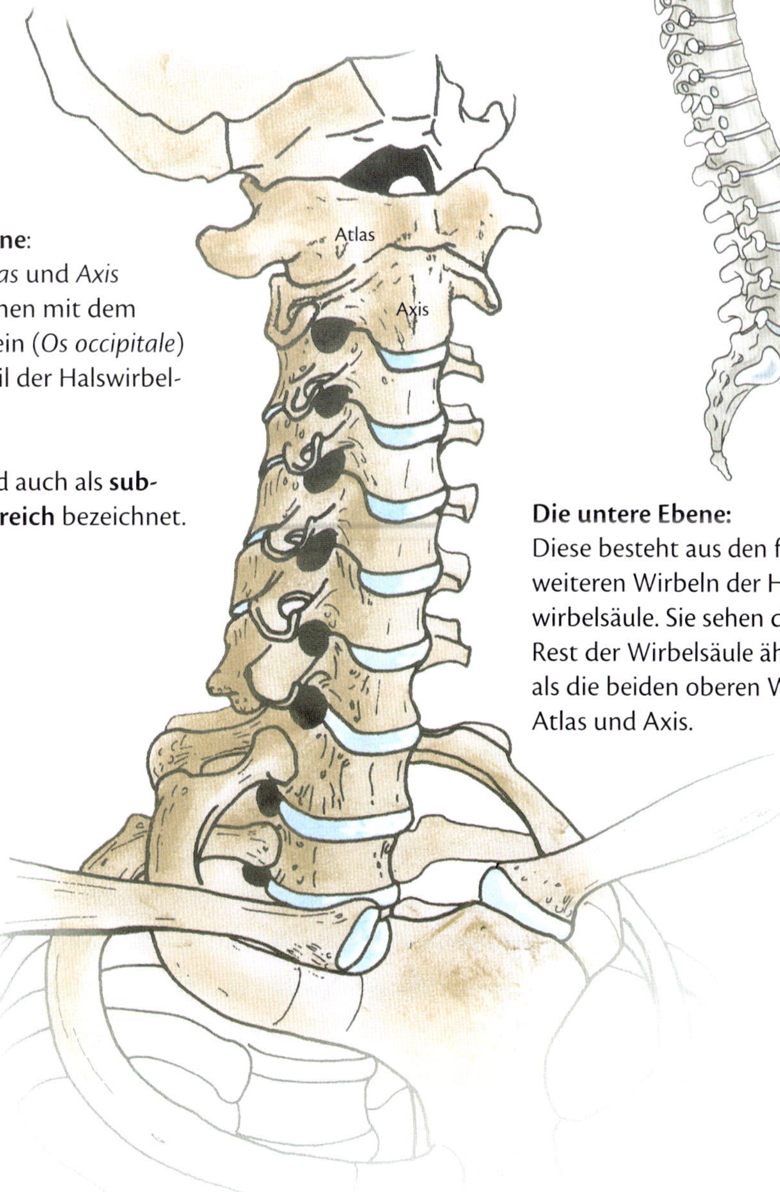

Die untere Ebene:
Diese besteht aus den fünf weiteren Wirbeln der Halswirbelsäule. Sie sehen dem Rest der Wirbelsäule ähnlicher als die beiden oberen Wirbel Atlas und Axis.

Die Halswirbel C3 bis C7

Die Form der Halswirbel

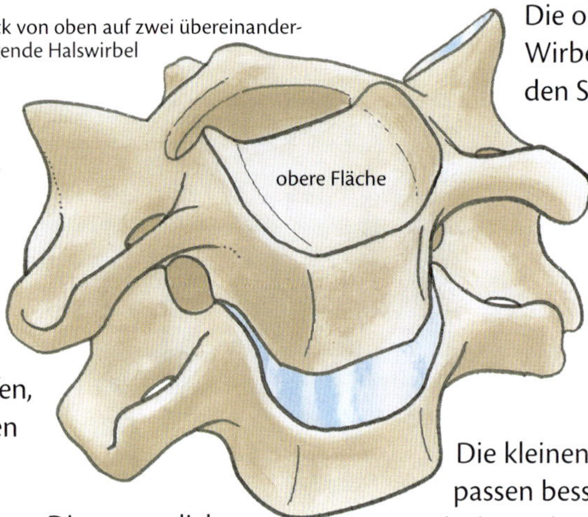

Der Wirbelkörper der Halswirbel ist sehr klein. Auf jeder Seite eines Wirbelkörpers gibt es Querfortsätze. Diese haben

- **Rillen**, durch welche die Halsnerven verlaufen,
- einen **Kanal**, durch den die Vertebralarterie verläuft.
  Diese Arterie versorgt einen Teil des Gehirns mit Blut.

Die obere Fläche des Wirbelkörpers ist an den Seiten angehoben.

Die untere Fläche ist dagegen beidseitig abgeflacht.

Die etwas dickere Bandscheibe dient der Beweglichkeit der Halswirbelsäule.

Die kleinen Halswirbel passen besser ineinander als die anderen Wirbel, sie rasten quasi ineinander ein, was trotz ihrer geringen Größe zur Stabilität und Ausrichtung unseres Halses beiträgt.

Im hinteren Teil der Querfortsätze befinden sich mit Knorpel beschichtete Gelenkflächen:

- Die **untere Gelenkfläche** ist nach vorne und unten gerichtet.

- Die **obere Gelenkfläche** ist nach hinten und oben gerichtet.

An der Rückseite bilden auf jeder Ebene und auf jeder Seite jeweils die untere Gelenkfläche des oberen Wirbels mit der jeweils oberen Gelenkfäche des unteren Wirbels ein Gelenk miteinander.

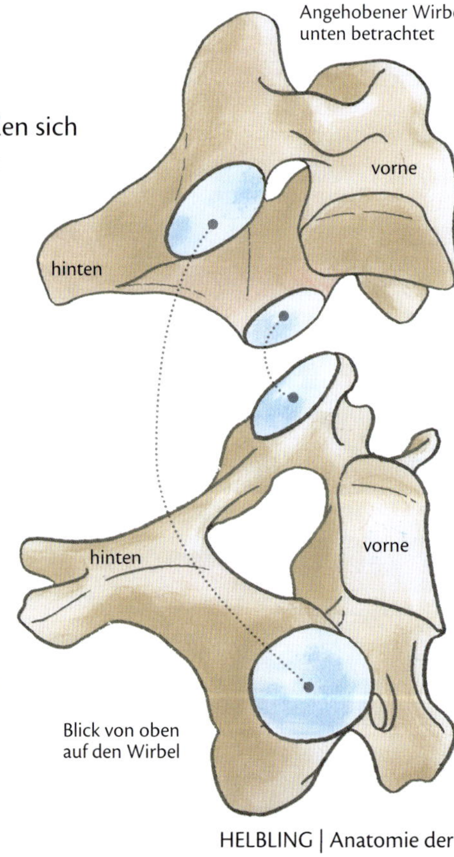

Die Verbindungen der Halswirbel miteinander

Die Bewegungsmöglichkeiten der Halswirbelsäule sind groß und lassen sich folgendermaßen beschreiben:

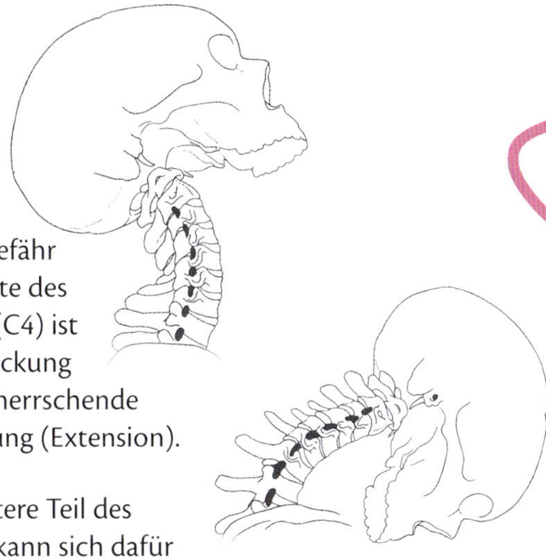

Bis ungefähr zur Mitte des Halses (C4) ist die Streckung die vorherrschende Bewegung (Extension).

Der untere Teil des Halses kann sich dafür sehr gut nach vorne beugen (Flexion).

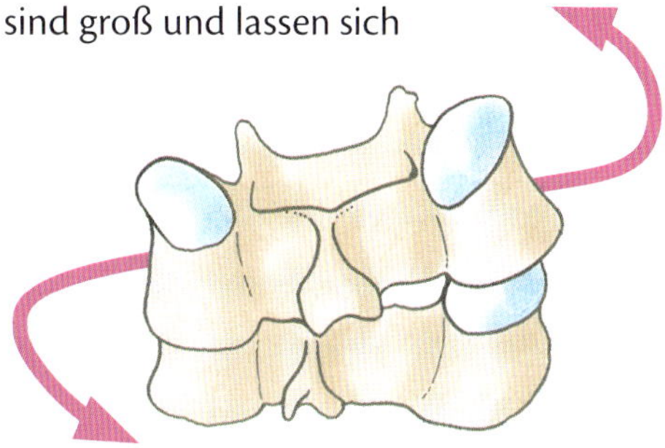

Auf der gesamten Höhe der Halswirbelsäule gehen seitliche Bewegungen (*Lateralflexion*) mit einer Drehung zur selben Seite einher. Dies liegt an der Form der hinteren Gelenkflächen.

Lockerungsübungen für die Halswirbelsäule – Was ist zu beachten?

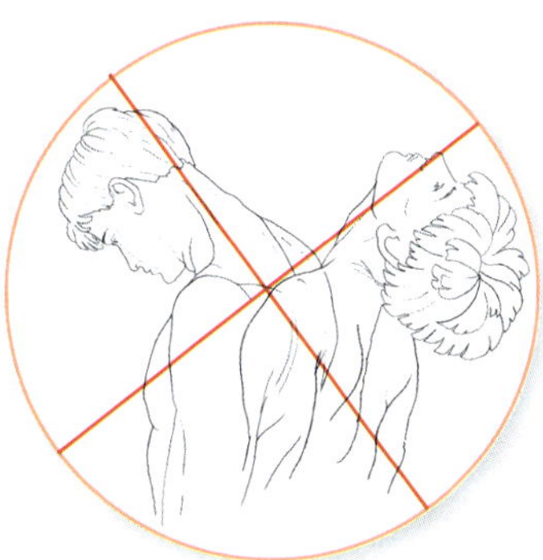

Die winzigen Gelenke der Halswirbel sind häufig wund und daher schmerzhaft, was auf Dauer zu Steifheit führen kann.
Wenn man den Nacken für mehr Flexibilität mobilisieren will, *sollte man unbedingt das Gewicht des Kopfes abstützen*. Sonst kann es passieren, dass die Halsmuskeln sich so stark zusammenziehen, dass sie die Gelenke und das Knorpelgewebe der Wirbelsäule zusammenpressen.

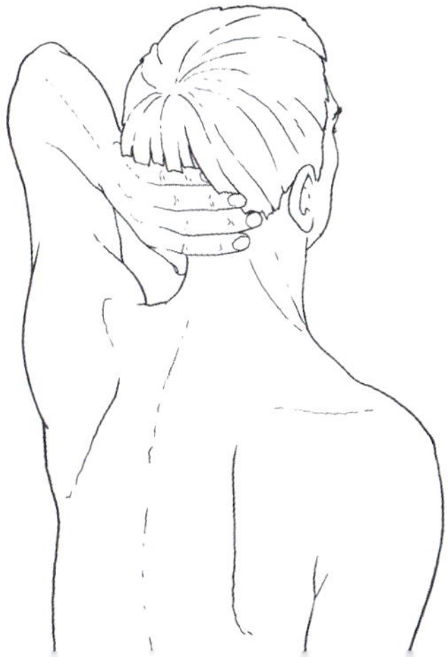

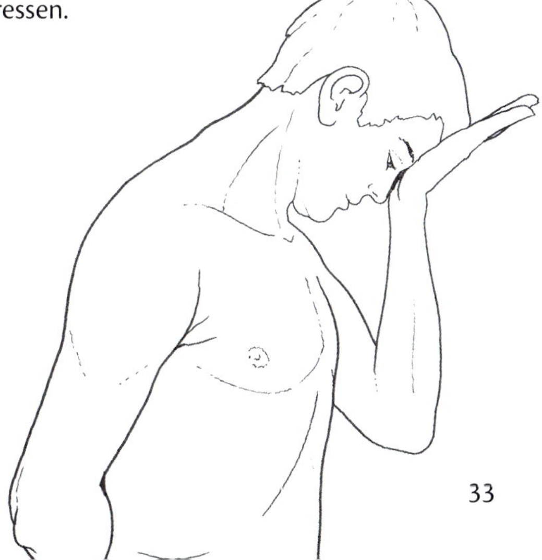

Der Atlas

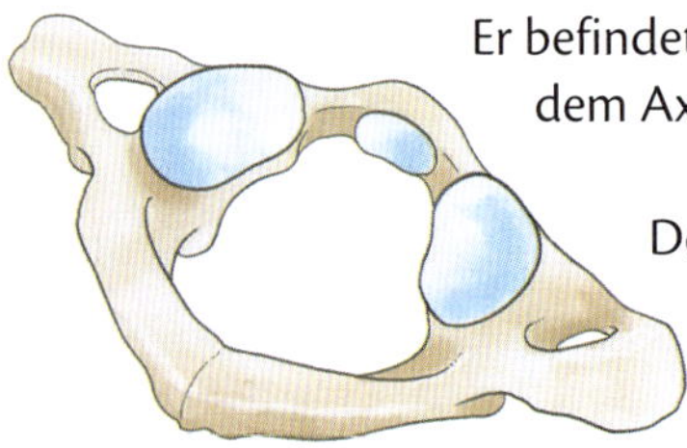

Der **Atlas** ist sowohl der oberste Halswirbel (C1) als auch der erste Wirbel der gesamten Wirbelsäule. Er befindet sich unter dem Hinterhauptbein und über dem Axis.

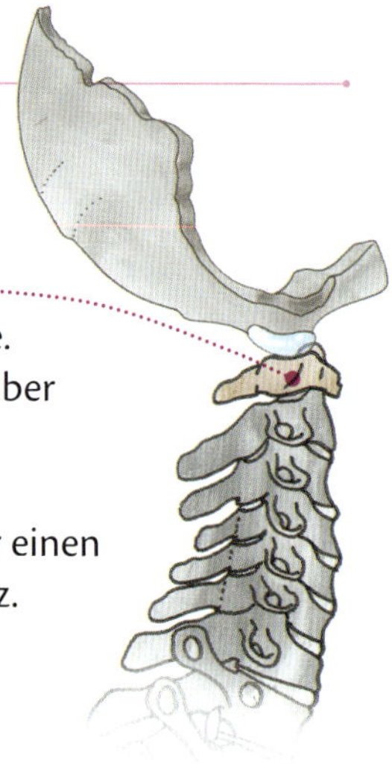

Der Atlas ist ringförmig und besitzt weder einen Wirbelkörper noch einen Dornfortsatz.

Stattdessen weist er zwei knöcherne Verdickungen auf (*Massae laterales*). Deren ovale Oberfläche ist konkav geformt und von Knorpelgewebe überzogen.

Zusammen mit dem Hinterhauptbein, dem *Os occipitale*, bilden diese oberen Gelenkflächen das **Atlantookzipitalgelenk**.

Auf der Unterseite der *Massae laterales* befindet sich ebenfalls eine ovale, von Knorpelgewebe überzogene Fläche. Diese bilden zusammen mit dem Axis das **Atlantoaxialgelenk**.

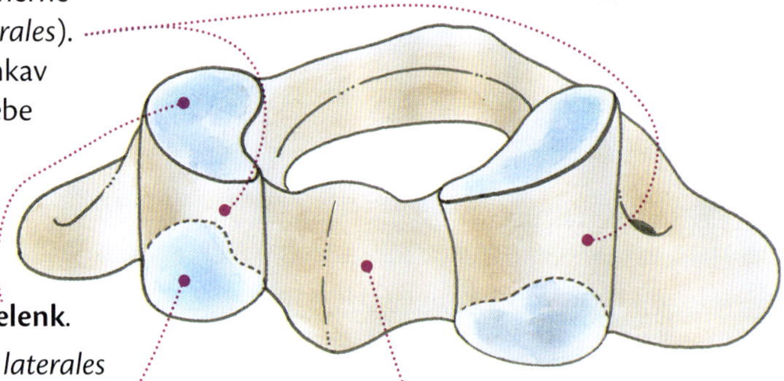

Hier sieht man den Atlas von vorne.

Zwischen den *Massae laterales* liegen zwei halbkreisförmige Knochenbögen, die **Atlasbögen**.

Der ventral (an der Vorderseite) gelegene Atlasbogen ist sehr klein. Auf seiner Rückseite befindet sich eine konkave Gelenkoberfläche, die mit dem Axis ein Gelenk bildet.

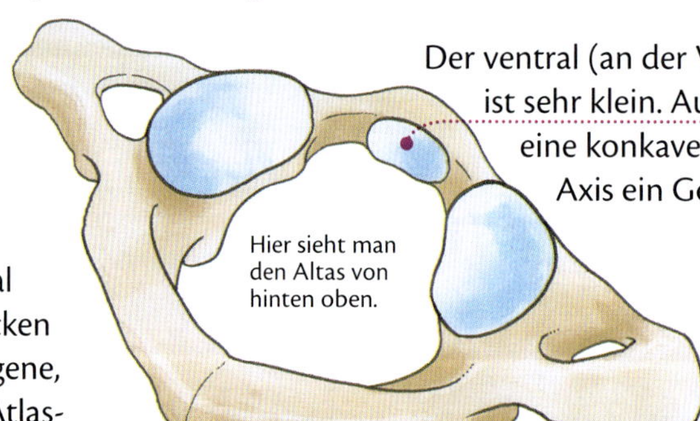

Hier sieht man den Altas von hinten oben.

Der dorsal (zum Rücken hin) gelegene, größere Atlasbogen umschließt das Rückenmark.

Den Atlas ertasten

Sie können die Querfortsätze des Atlas erfühlen, wenn Sie vorsichtig etwa einen Zentimeter unter Ihrem Ohrläppchen nach ihnen tasten.

Der Axis

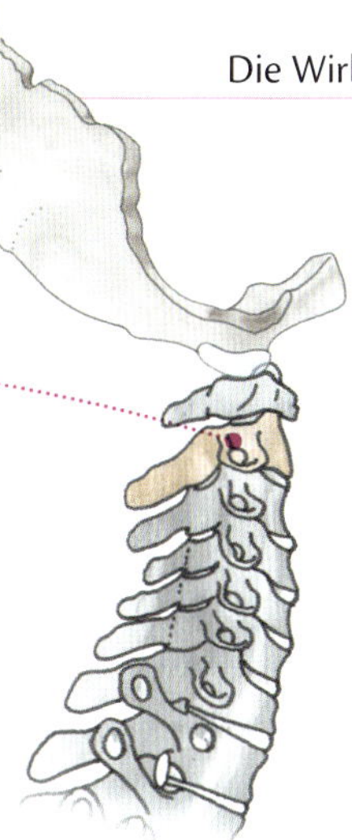

Der Axis ist der zweite Wirbel von oben. Wie der Atlas hat auch der Axis eine andere Form als die übrigen Wirbel.

Vorne auf dem Wirbelkörper befindet sich ein Fortsatz, der „Zahn des Axis“ oder ***Dens axis***.

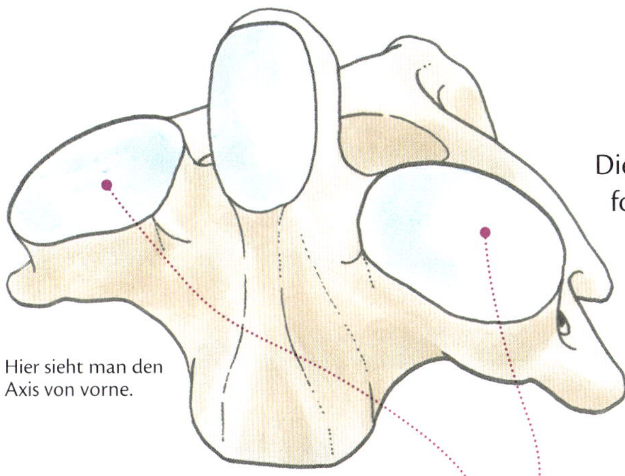

Dieser zapfenförmige Knochenfortsatz ist vorne und hinten mit Knorpelgewebe bedeckt.

Hier sieht man den Axis von vorne.

Auf der Oberseite hat der **Axis** beidseitig konvexe, ovale Gelenkflächen, die mit den *Massae laterales* des Atlas ein Gelenk bilden.

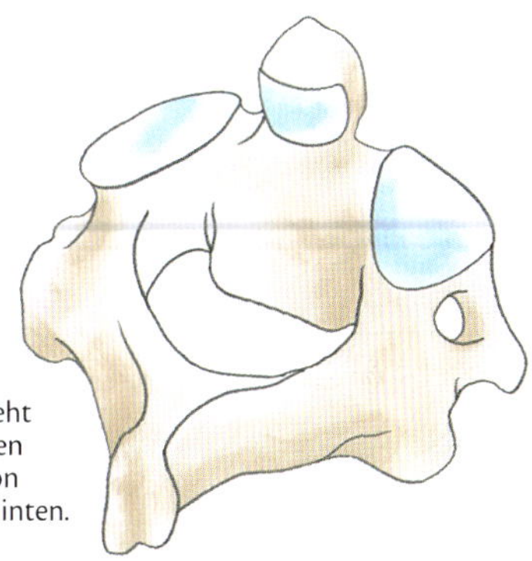

Hier sieht man den Axis von oben hinten.

Der Axis hat kurze Querfortsätze, dafür aber einen langen Dornfortsatz.

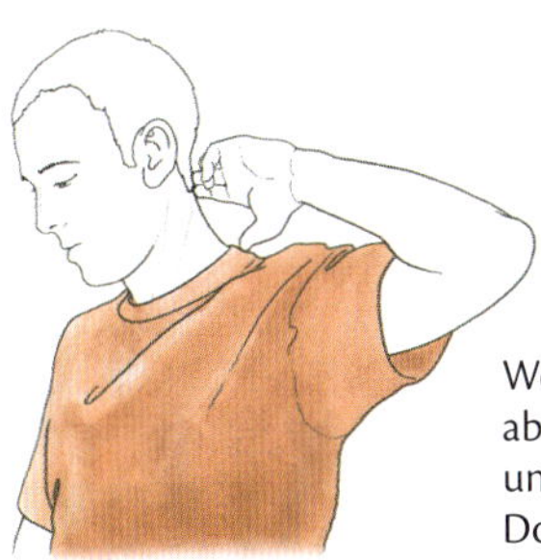

Den Axis ertasten

Wenn man den Hals von oben ab dem Hinterhauptbein nach unten abtastet, so ist der Dornfortsatz des Axis der erste, den man spürt.

Kopf und Atlas

Das Gelenk zwischen Kopf und Atlas

Auf der Unterseite des Hinterhauptbeines befindet sich eine Aushöhlung für das Rückenmark, das große Hinterhauptsloch (***Foramen magnum***, siehe auch S. 62).

Auf der Unterseite des Schädels gibt es beidseitig konvexe, ovale Gelenkflächen, die mit Knorpelgewebe überzogen sind. Diese „Knöchel" des Hinterhauptbeines werden ***Condyli occipitales*** genannt (siehe S. 62).

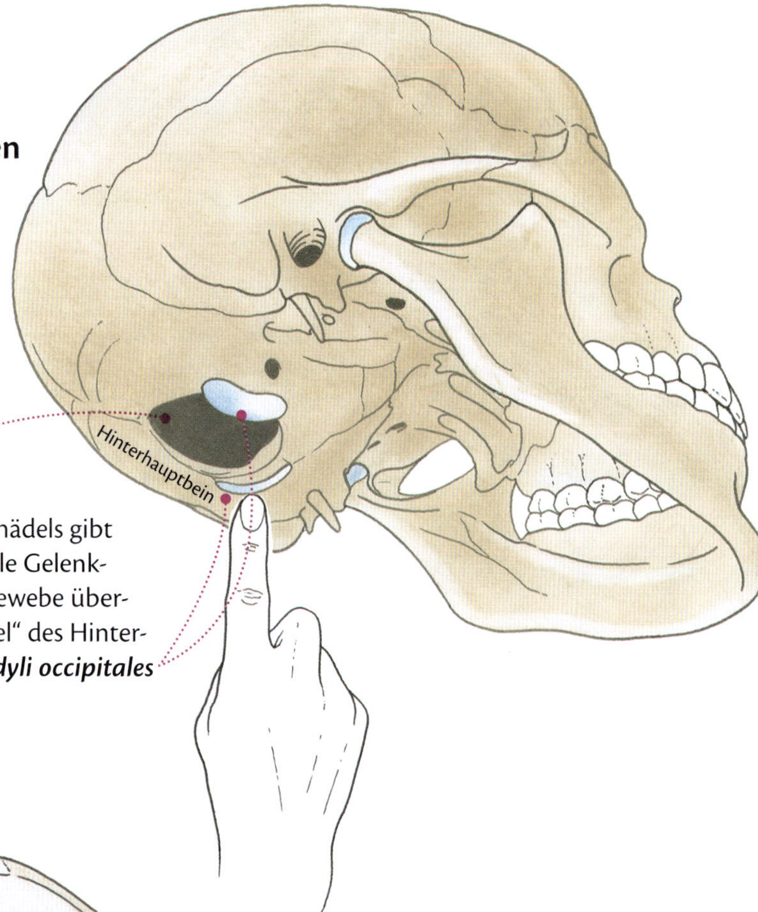

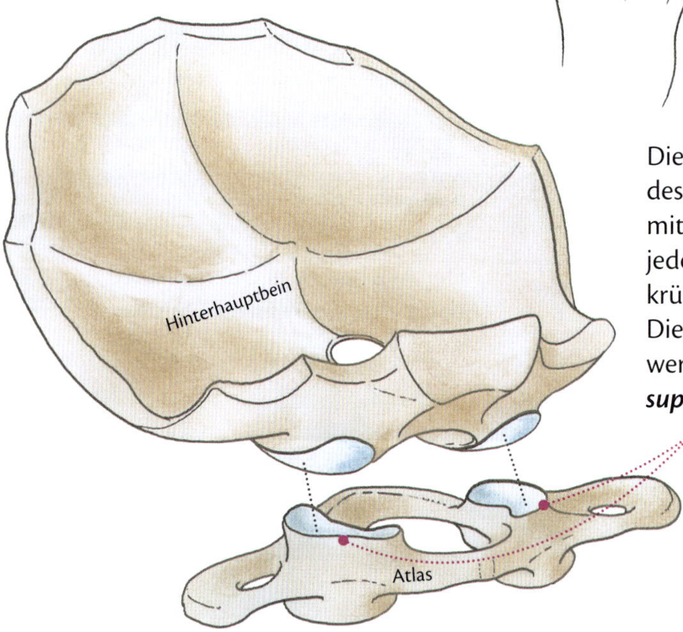

Die Oberseiten der *Massae laterales* des Atlas sind ebenfalls oval und mit Knorpelgewebe überzogen, jedoch nach oben konkav gekrümmt.
Diese Gelenkflächen des Atlas werden als ***Facies articulares superiores*** bezeichnet.

Die Gelenkköpfe des Hinterhauptbeins passen in die Gelenkpfannen des Atlas wie ein Ei in einen Eierbecher.

Die Position unseres Kopfes auf dem Atlas beeinflusst unsere Stimme

Das doppelte Gelenk zwischen Hinterhauptbein und Atlas ermöglicht Bewegungen in alle Richtungen.
Allerdings sorgen starke Bänder zwischen den beiden Knochen für einen sehr geringen Bewegungsspielraum in der Sagittalebene, weshalb Flexion und Extension die Hauptbewegungen des Atlantookzipitalgelenkes sind.

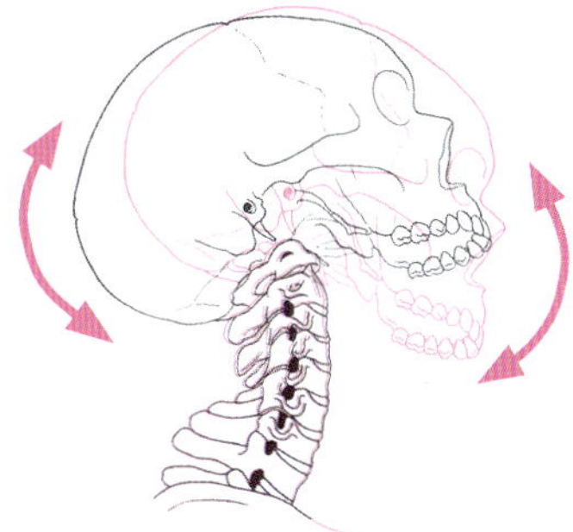

In diesem Gelenk wird die Position unseres Kopfes auf dem Hals für das Singen und Sprechen eingestellt.

Das Atlantookzipitalgelenk ist der Ort, an dem wir nicken, wenn wir „ja“ sagen. Geringe Rotationen und seitliche Neigungen sind trotz der kräftigen Bänder aber auch möglich.

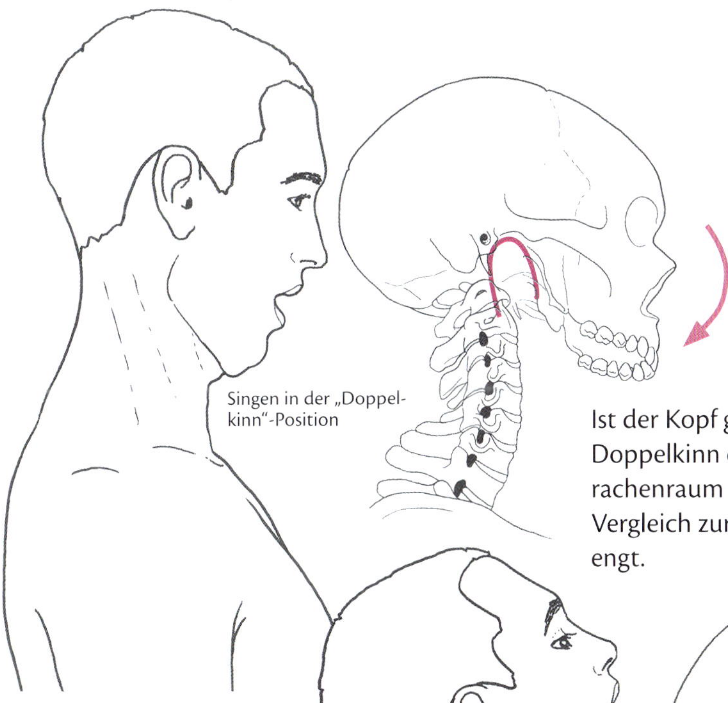

Singen in der „Doppelkinn“-Position

Ist der Kopf gesenkt, sodass quasi ein Doppelkinn entsteht, so ist der Nasenrachenraum (mehr dazu ab S. 213) im Vergleich zur gestreckten Position verengt.

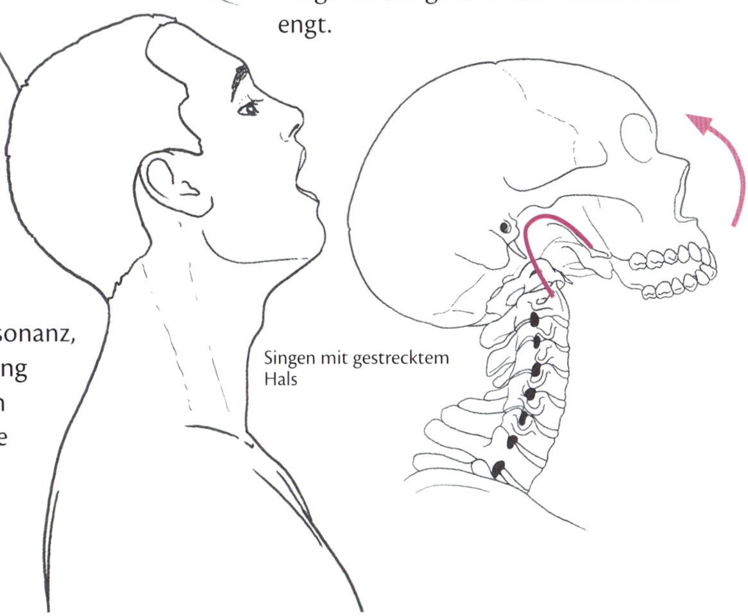

Singen mit gestrecktem Hals

Die Kopfhaltung hat also Einfluss auf die Rachenresonanz, aber auch auf die Spannung der Gaumensegelmuskeln (S. 243–237) sowie auf die Position von Unterkiefer (S. 227) und Zunge (S. 248–249).

Atlas und Axis

Es gibt vier Gelenke, die den Atlas mit dem Axis verbinden.

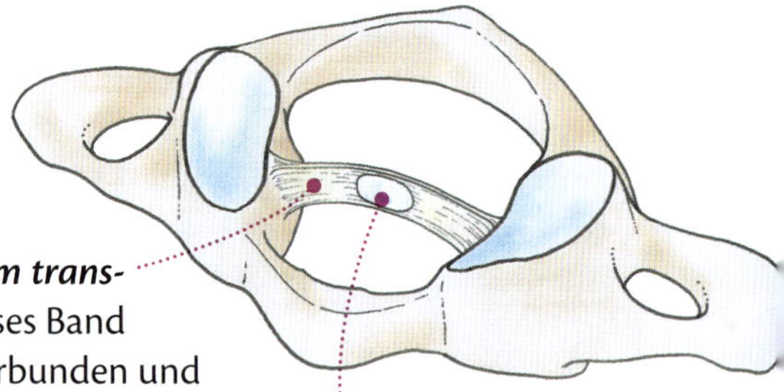

Der *Dens axis* liegt dank zweier Gelenkverbindungen im Inneren des Atlas. Er wird dort von einem kurzen, sehr kräftigen Band (***Ligamentum transversum atlantis***) an seinem Platz gehalten. Dieses Band ist mit den Innenseiten der *Massae laterales* verbunden und seine Vorderseite hat eine kleine, mit Knorpelgewebe bedeckte Gelenkfläche. Dieses Band hält den Axis vorne und hindert ihn daran, nach hinten in den Bereich des hinteren Axis-Bogen zu rutschen, durch welchen das Rückenmark verläuft.

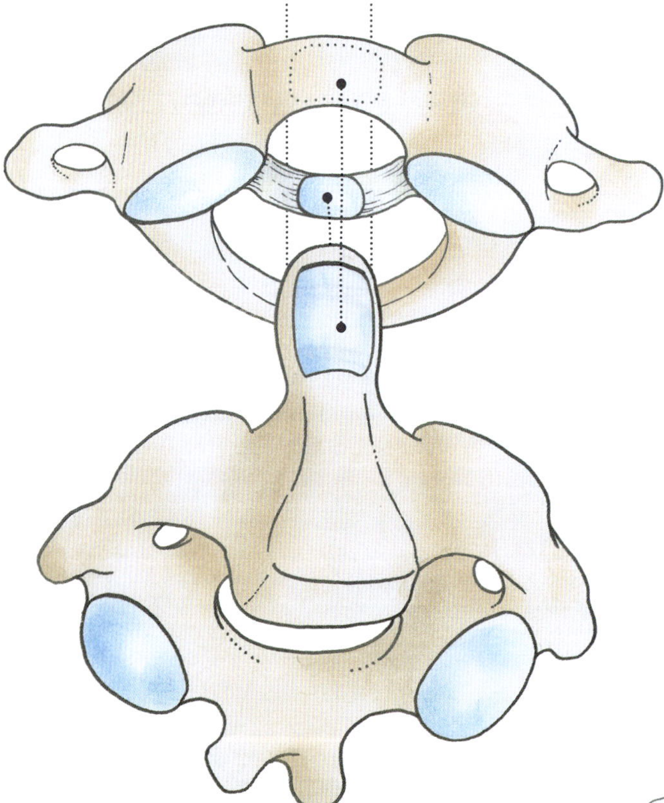

Die Vorderseite des *Dens axis* ist mit konvexem Knorpelgewebe überzogen. Sie bildet ein Gelenk mit der Hinterseite des vorderen Atlasbogens, welcher mit konkavem Knorpelgewebe überzogen ist.

Die Hinterseite des *Dens axis* ist ebenfalls mit konvexem Knorpelgewebe überzogen. Sie bildet ein Gelenk mit der Vorderseite des *Ligamentum transversum atlantis*, welches mit konkavem Knorpelgewebe überzogen ist.

So bleibt der *Dens Axis* beweglich und gleichzeitig fest an seinem Platz, sodass er nicht in den hinteren Atlasbogen rutschen kann, durch den das Rückenmark verläuft.

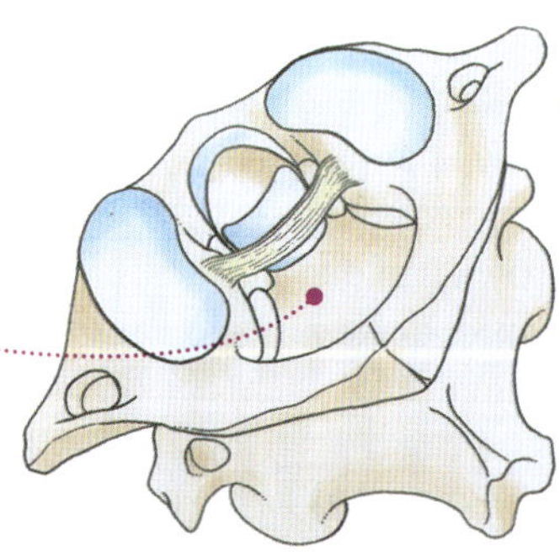

Hier sind der Altas und der Axis von oben zu sehen.

Neben den soeben beschriebenen gibt es noch zwei weitere Gelenkflächen zwischen Atlas und Axis.

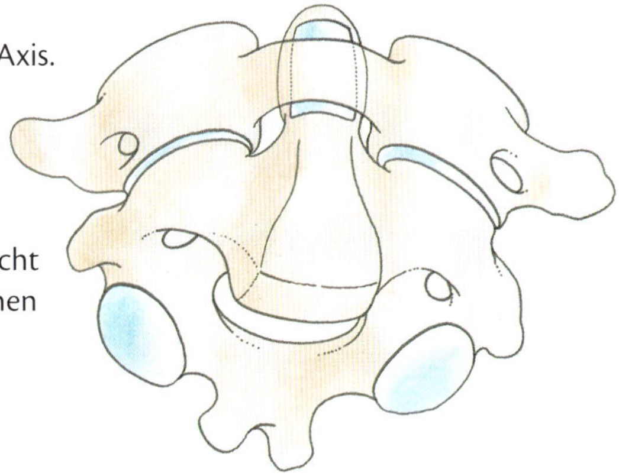

Die *Massae laterales* des Atlas liegen auf den seitlichen Oberflächen des Axis auf. Durch die dicke Knorpelschicht beider Gelenkoberflächen entsteht eine konvexe Form zueinander. Das macht die Bewegungen sehr flexibel, da die Gelenkflächen nicht ineinander einrasten.

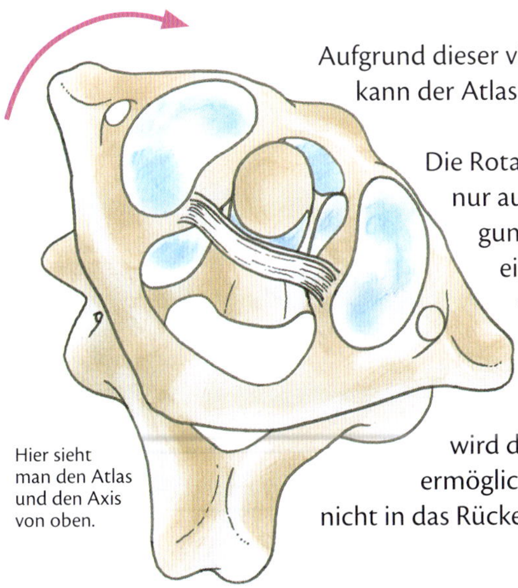

Hier sieht man den Atlas und den Axis von oben.

Aufgrund dieser vier Gelenke kann der Atlas um den Axis rotieren.

Die Rotation zwischen Atlas und Axis erfolgt nicht nur ausschließlich um den *Dens axis*. Die Bewegung geht vielmehr mit einer Translation* einher (der Atlas gleitet zur Seite). Dadurch wird ermöglicht, dass der Kopf nicht nur nach rechts und links, sondern auch nach unten und oben schauen sowie seitlich geneigt werden kann. Diese Flexibilität wird durch das *Ligamentum transversum atlantis* ermöglicht, das sicherstellt, dass der *Dens axis* dabei nicht in das Rückenmark verrutscht.

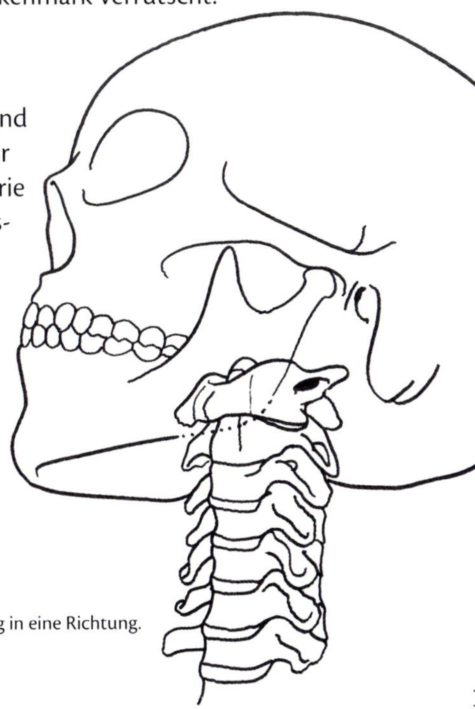

Durch diese Beweglichkeit zwischen Atlas und Axis können wir außerdem unseren Kopf zur Seite drehen. Das verursacht eine Asymmetrie von Kontraktion und Entspannung der Muskeln, die am Schädel ansetzen. Dies trifft insbesondere auf die Muskeln zu, die nach unten zur Zunge oder zum Kehlkopf führen und beeinflusst somit die Stimme.

Die Form des Gelenkes ermöglicht sowohl Vorwärts- und Rückwärtsbewegungen als auch laterale Bewegungen. Für letztere gibt es jedoch einen geringeren Spielraum.

* Als Translation bezeichnet man eine geradlinige Bewegung in eine Richtung.

Die drei großen Körperregionen: Becken Brustkorb Kopf

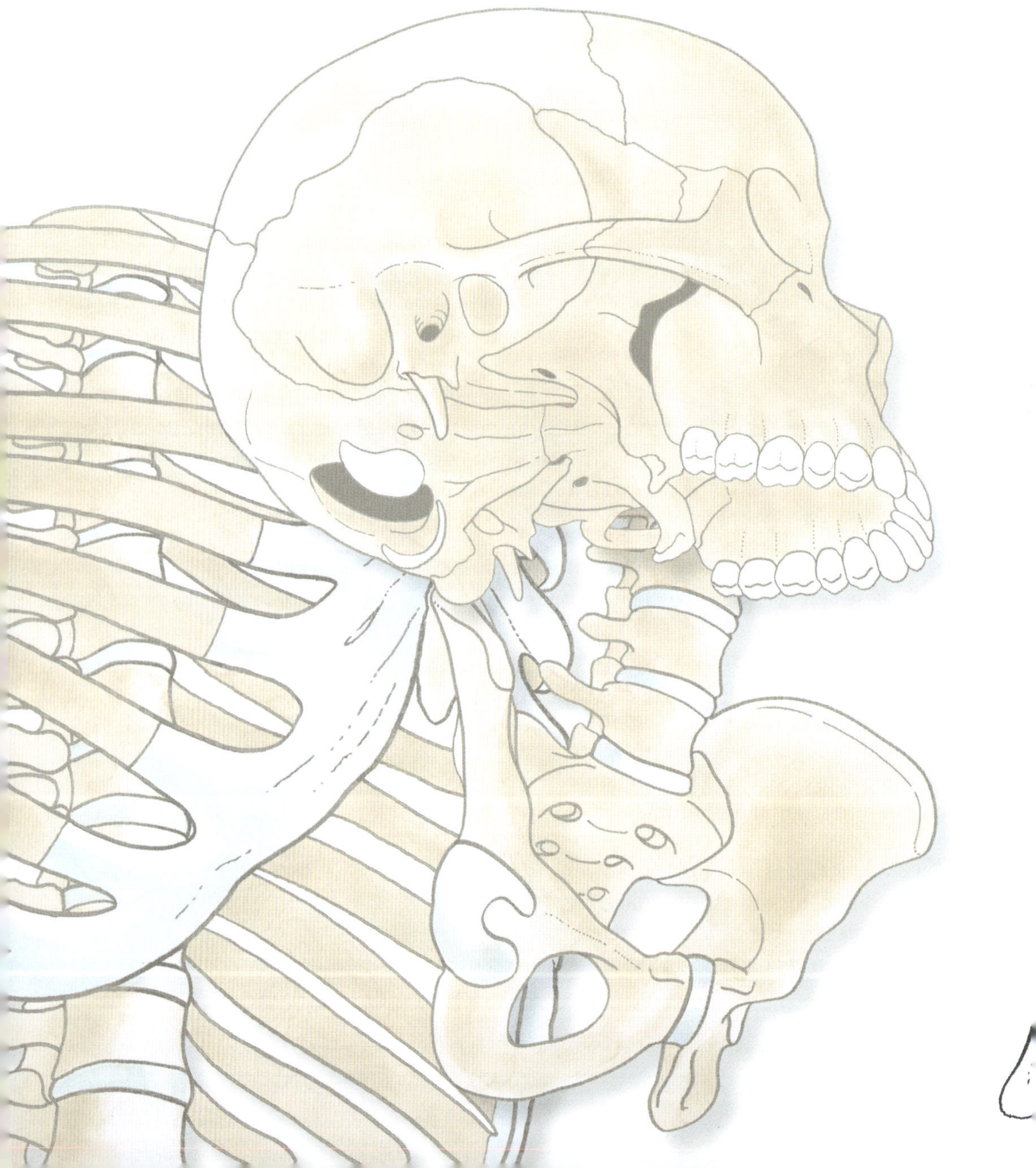

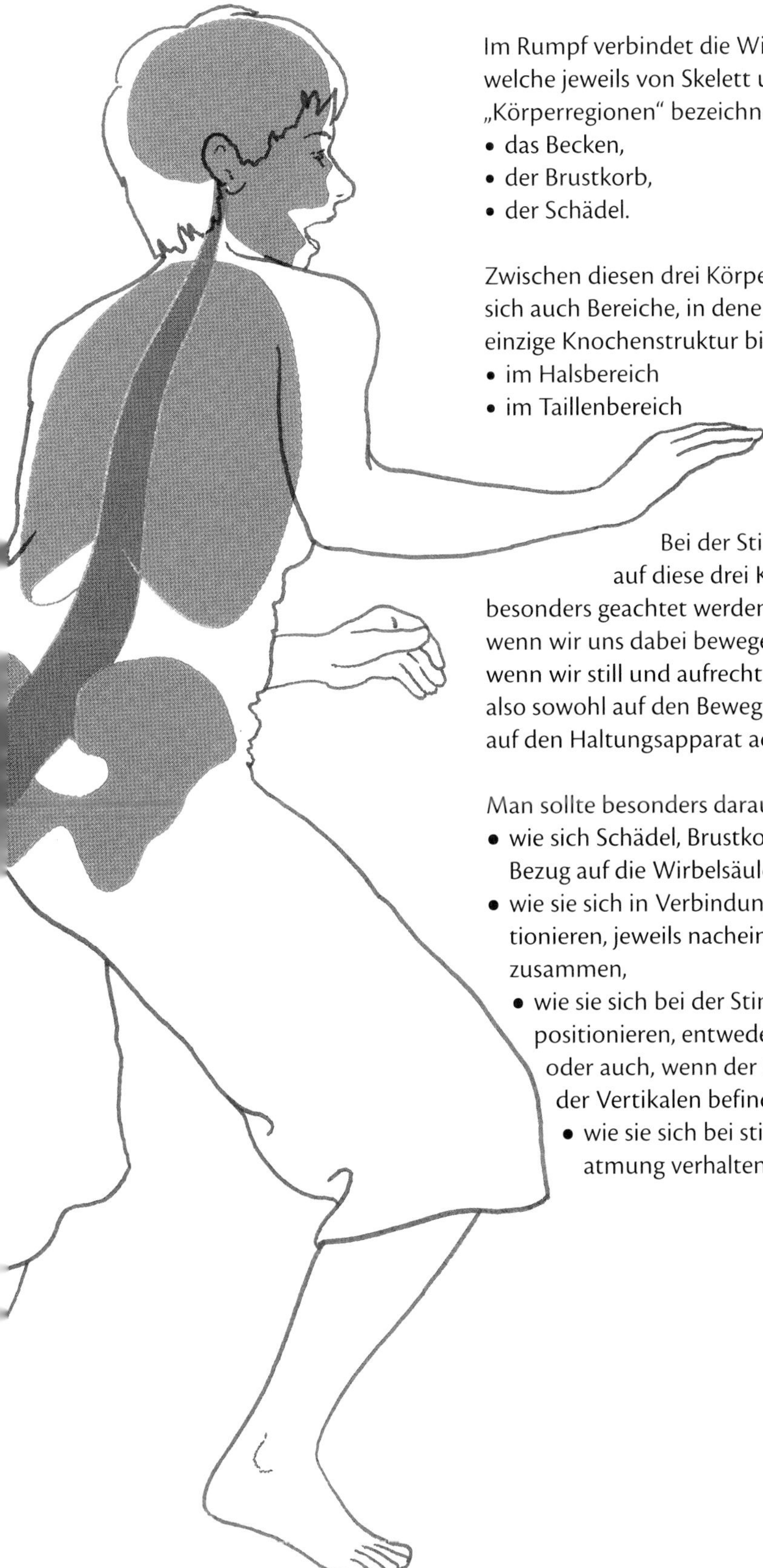

Im Rumpf verbindet die Wirbelsäule drei Bereiche, welche jeweils von Skelett umgeben sind. Diese als „Körperregionen" bezeichneten Bereiche sind:

- das Becken,
- der Brustkorb,
- der Schädel.

Zwischen diesen drei Körperregionen befinden sich auch Bereiche, in denen die Wirbelsäule die einzige Knochenstruktur bildet:

- im Halsbereich
- im Taillenbereich

Bei der Stimmerzeugung muss auf diese drei Körperregionen besonders geachtet werden, und zwar nicht nur, wenn wir uns dabei bewegen, sondern auch, wenn wir still und aufrecht stehen. Wir müssen also sowohl auf den Bewegungsapparat, als auch auf den Haltungsapparat achten.

Man sollte besonders darauf achten,

- wie sich Schädel, Brustkorb und Becken in Bezug auf die Wirbelsäule positionieren,
- wie sie sich in Verbindung miteinander positionieren, jeweils nacheinander und alle drei zusammen,
- wie sie sich bei der Stimmerzeugung positionieren, entweder in der Vertikalen oder auch, wenn der Körper sich nicht in der Vertikalen befindet,
- wie sie sich bei stimmhafter Ausatmung verhalten.

Die drei großen Körperregionen:

Das Becken

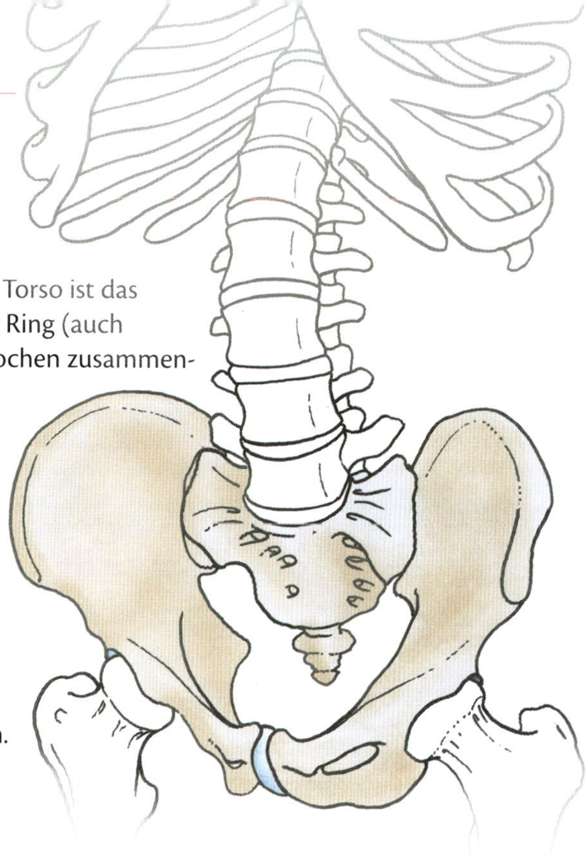

Die Skelettstruktur am unteren Ende des Torso ist das Becken, ein knöcherner, ungleichmäßiger Ring (auch „Beckengürtel" genannt), der aus vier Knochen zusammengesetzt ist:

- dem **Kreuzbein**,
- dem **Steißbein**
  – sie bilden den hinteren Teil und sind Bestandteil der Wirbelsäule –
- sowie den beiden **Darmbeinen (*Os ilium*)**. Sie bilden den vorderen und seitlichen Teil und sind quasi die Verlängerung der unteren Extremitäten.

Nach außen ist das Becken mit dem Hüftgelenk und dem Oberschenkel verbunden.

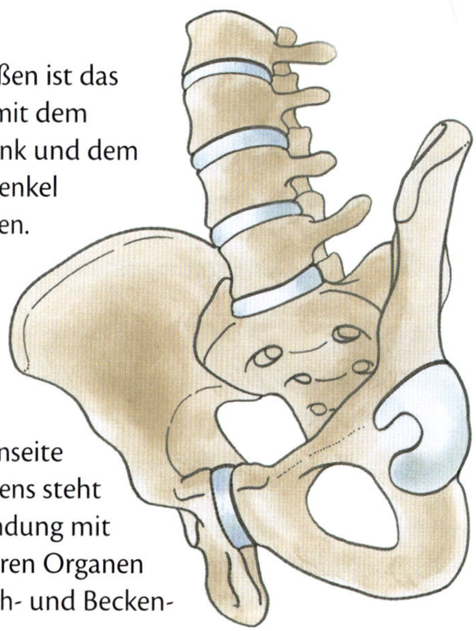

Die Innenseite des Beckens steht in Verbindung mit den inneren Organen der Bauch- und Beckenregion.

Man unterscheidet beim Menschen zwei Abschnitte des inneren Beckens ...

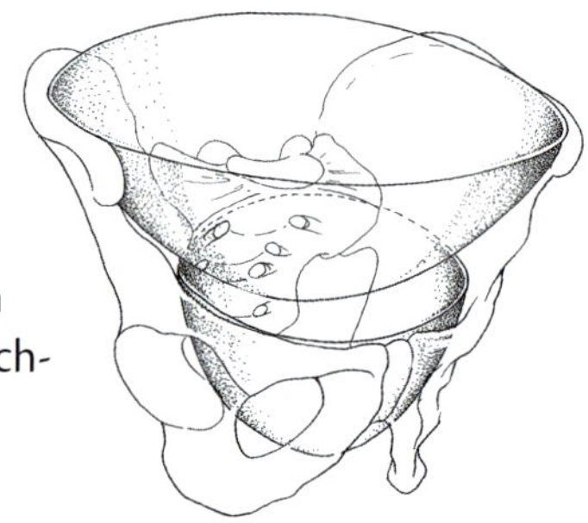

... das **große Becken,** in dem die inneren Organe der Bauchregion liegen, und ...

... das **kleine Becken,** in dem die inneren Organe der Beckenregion liegen.

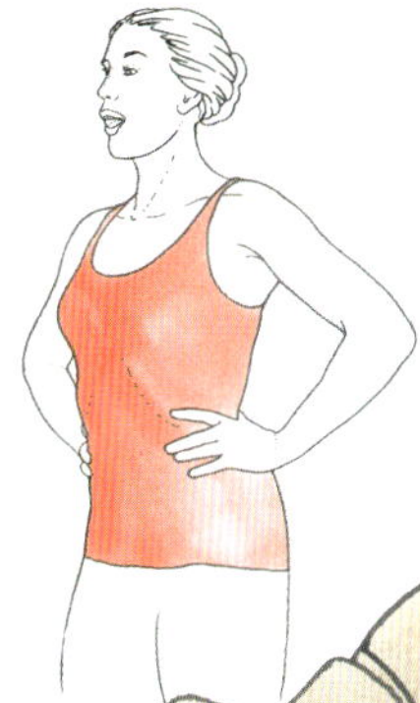

Die (tastbaren und nicht tastbaren) Orientierungspunkte des Beckens

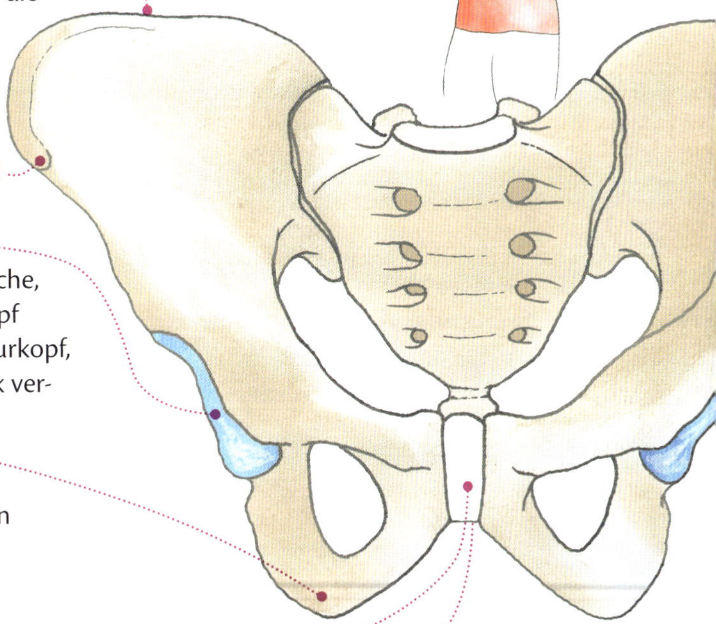

Der Darmbeinkamm bzw. **Beckenkamm** ist der obere Bereich des Beckens, auf den wir unsere Hände legen, wenn wir die Hände „in die Hüften" stemmen.

Der vorderste Teil des Beckenkamms wird als **Darmbeinstachel** bezeichnet.

Das ***Acetabulum*** ist die Gelenkfläche, an der das Darmbein mit dem Kopf des Oberschenkelknochens (Femurkopf, siehe auch S. 44) durch ein Gelenk verbunden ist.

Das **Sitzbein** (*Os ischii*, auch *Ischium*) ist der Knochen, den man spürt, wenn man sich hinsetzt.

Im Bereich des **Schambeins** (*Os pubis*) treffen die beiden Hüftknochen vorne aufeinander und sind durch einen fibrösen Gelenkknorpel verbunden.

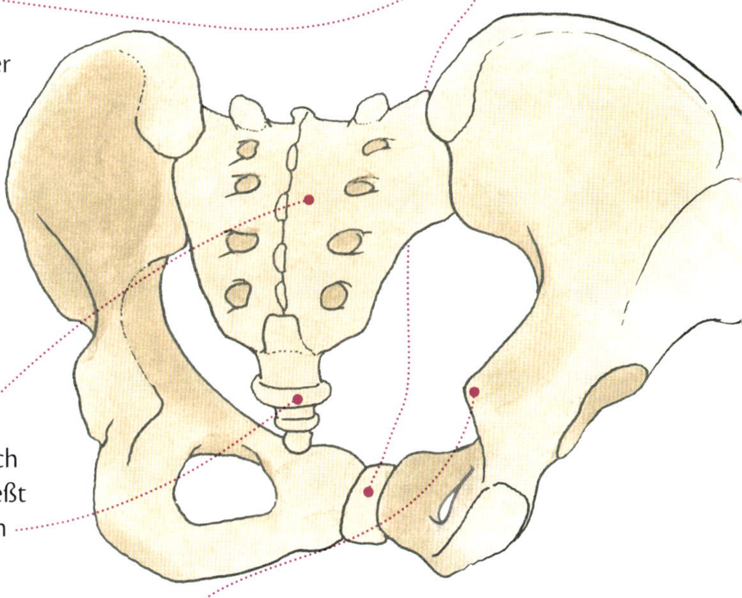

Das **Kreuzbein** im hinteren Bereich des Beckens schließt mit dem Steißbein ab.

Am **Darmbeinstachel** setzt der Steißbeinmuskel an (siehe auch S. 109).

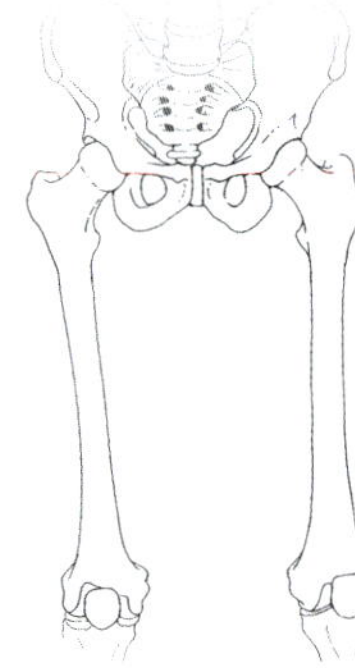

Der Oberschenkelknochen (*Femur*) und das Hüftgelenk

Das Becken ist durch die Hüftgelenke (*Articulatio coxae*) mit den Oberschenkelknochen verbunden. Warum sind die Hüftgelenke im Kontext der Stimme wichtig? Die Stellung des Beckens ist eng mit der Position der anderen großen Körperregionen verbunden. Das gilt auch, wenn wir mit unserer Stimme arbeiten. Die Position des Beckens wiederum wird von den Hüftgelenken beeinflusst.

Das Hüftgelenk

Das Hüftgelenk ist eines der größten Gelenke unseres Körpers. Hier trifft das ***Acetabulum***, die Gelenkpfanne des Hüftknochens, auf den **Femurkopf**, den oberen Teil des Oberschenkelknochens, der durch den **Schenkelhals** gestützt wird.

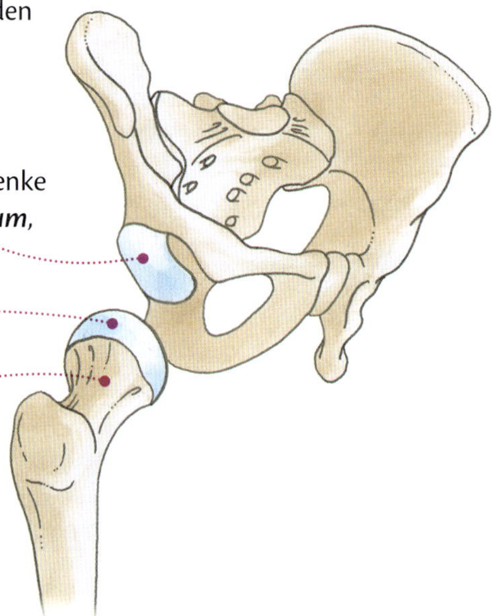

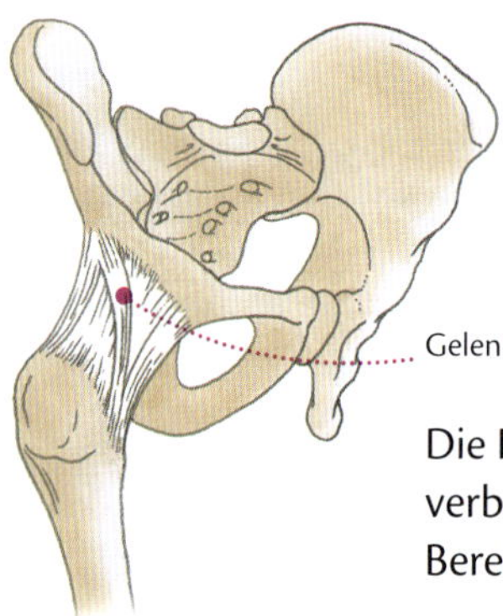

Die Knochen sind durch ein faseriges Bindegewebe miteinander verbunden, der Gelenkkapsel. Sie ist dick, besonders im vorderen Bereich, wo drei Bänder Z-förmig zusammenkommen.

Bewegungen des Hüftgelenks

Im Hüftgelenk trifft die Halbkugel des Femurkopfes auf die hohle Halbkugel der Gelenkpfanne (*Acetabulum*). Aufgrund dieser Form können im Hüftgelenk Bewegungen in alle Bewegungsrichtungen ausgeführt werden:

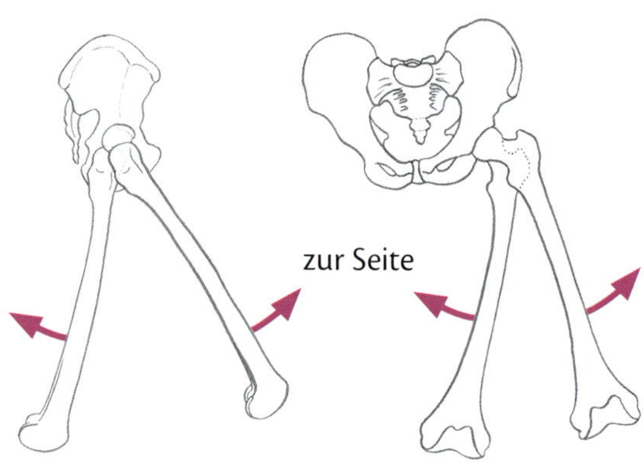

nach hinten (Extension, begrenzt)

nach vorne (Flexion)

Die Rotation ist nicht abgebildet.

Die Beweglichkeit und die Stellung des Beckens

Die wichtigsten Beckenbewegungen erfolgen im Hüftgelenk, um die Köpfe der Oberschenkelknochen herum. Die Kippbewegungen des Beckens betrachten wir anhand der Position des Darmbeinstachels. Bezüglich der Stimmerzeugung ist die Sagittalebene* mit den Bewegungen nach vorne und hinten am wichtigsten.

In der **Anteversion** (Bewegung nach vorn) kippt der Darmbeinstachel nach vorn und das Sitzbein nach hinten.

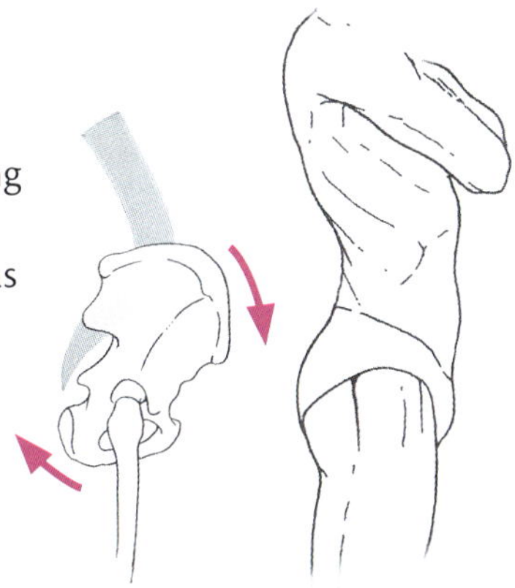

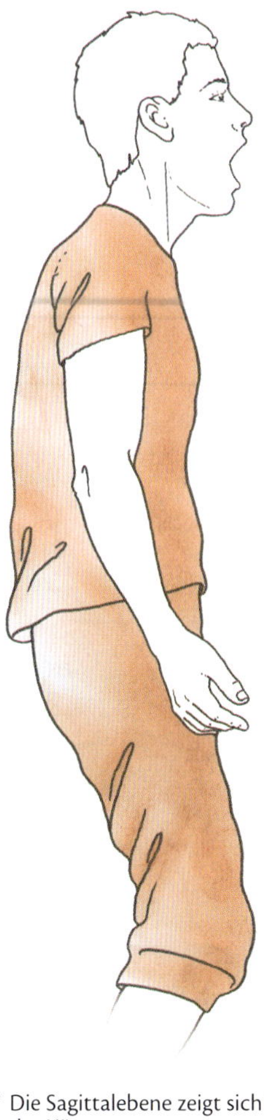

In der **Retroversion** (Bewegung nach hinten) kippt der Darmbeinstachel nach hinten und das Sitzbein nach vorn.

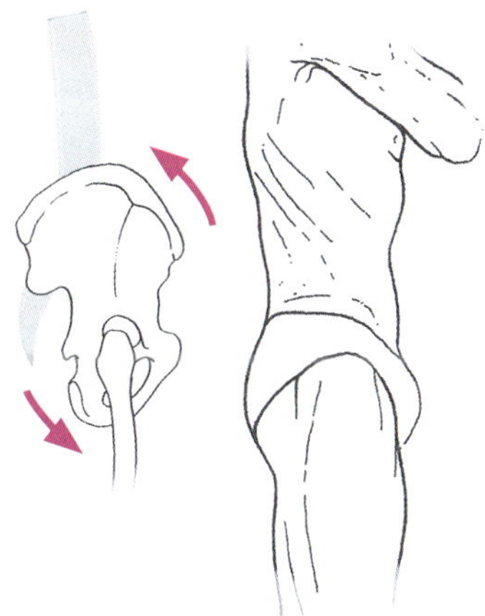

Nahezu alle unsere Bauchmuskeln (siehe dazu S. 104–106) dienen dazu, die Retroversion unseres Beckens auszuführen. Sie gehören auch zur Ausatemmuskulatur. Daher werden die Retroversion und das stimmhafte Ausatmen üblicherweise in Bezug zueinander betrachtet. Die Stimmproduktion funktioniert jedoch auch, wenn sich unser Becken in der Anteversion befindet.

Das restliche Skelett der unteren Extremitäten (Knie, Füße usw.) spielt bei der Stimmproduktion nur eine unspezifische Rolle.

* Die Sagittalebene zeigt sich in der seitlichen Ansicht des Körpers

Mehr zum Thema Hüfte/Becken finden Sie in *Anatomie der Bewegung*, S. 194–199.

Die drei großen Körperregionen:

Der Brustkorb, die bewegliche Einheit

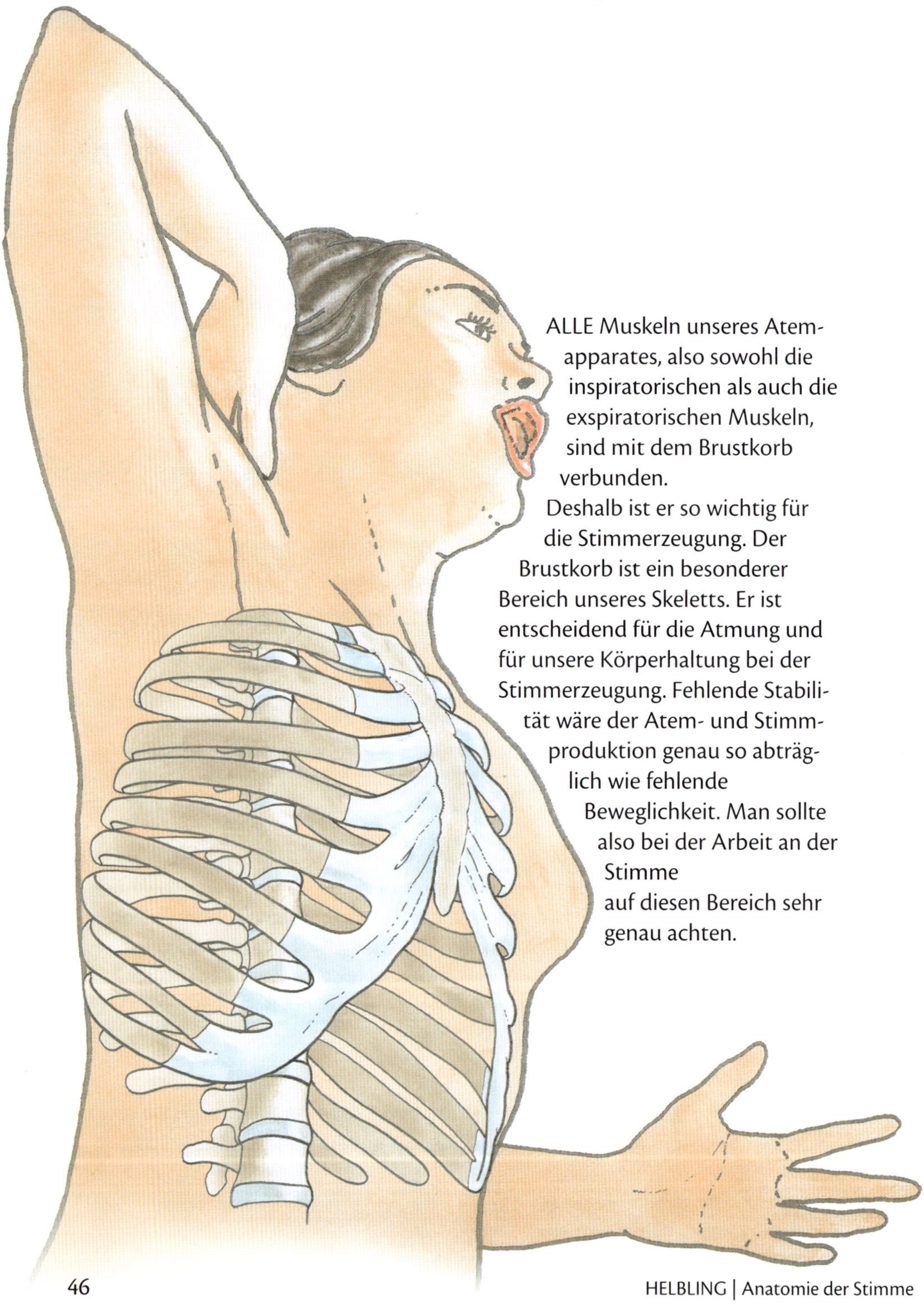

ALLE Muskeln unseres Atemapparates, also sowohl die inspiratorischen als auch die exspiratorischen Muskeln, sind mit dem Brustkorb verbunden.

Deshalb ist er so wichtig für die Stimmerzeugung. Der Brustkorb ist ein besonderer Bereich unseres Skeletts. Er ist entscheidend für die Atmung und für unsere Körperhaltung bei der Stimmerzeugung. Fehlende Stabilität wäre der Atem- und Stimmproduktion genau so abträglich wie fehlende Beweglichkeit. Man sollte also bei der Arbeit an der Stimme auf diesen Bereich sehr genau achten.

Der Brustkorb ist aus zahlreichen miteinander verbundenen Elementen zusammengesetzt. In Bezug auf Knochen und Gelenke ist er der komplexeste Bereich des Körpers.

Er besteht aus den folgenden Teilen:

- der Brustwirbelsäule (dorsal),
- zwölf Rippenpaaren, die ventral durch Rippenknorpel ergänzt werden,
- dem Brustbein (ventral).

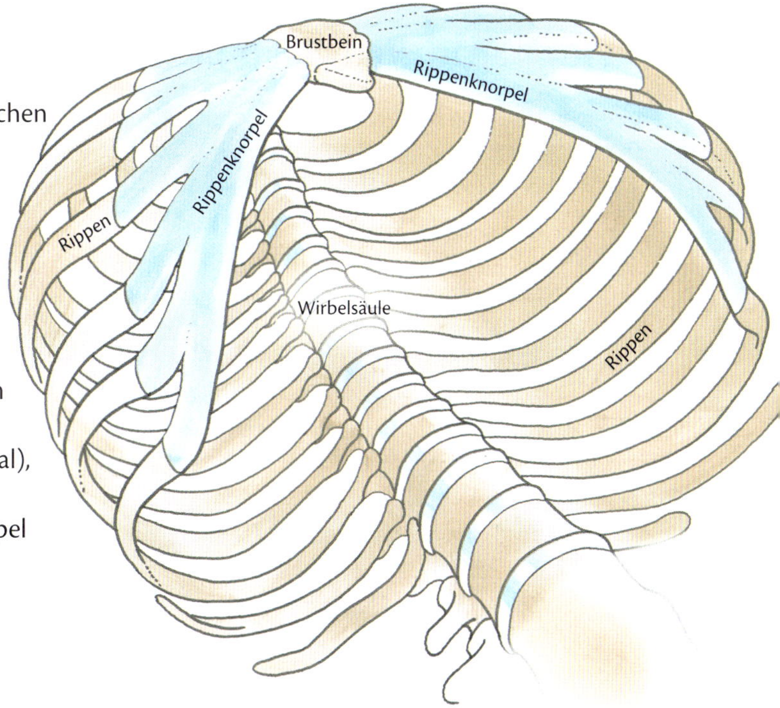

Auf den folgenden Seiten werden diese Bestandteile des Brustkorbes sowie die Gelenke, die sie miteinander bilden, detailliert beschrieben.

Der Rippenbogen setzt sich aus den folgenden Teilen zusammen:

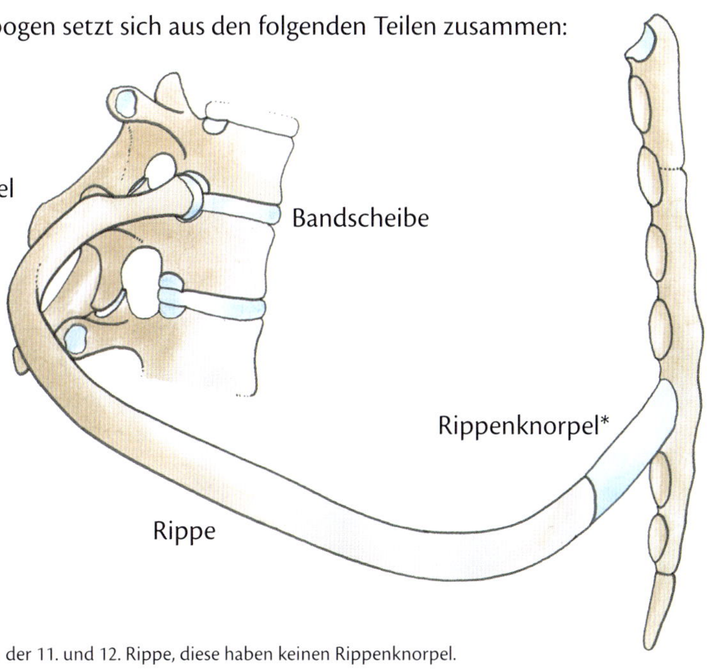

* Abgesehen von der 11. und 12. Rippe, diese haben keinen Rippenknorpel.

Die Rippen, die einzigen flexiblen Knochen

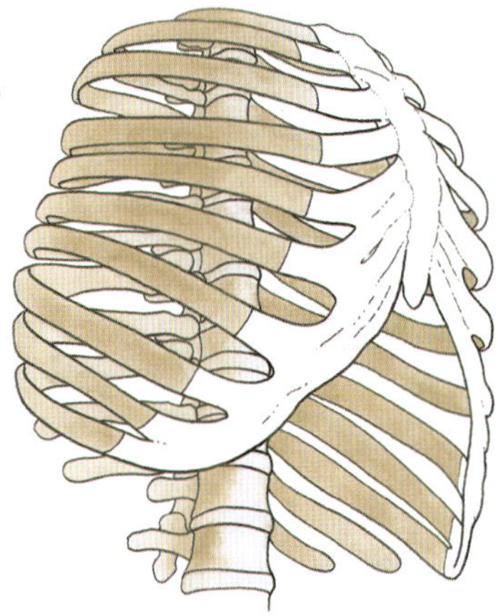

Rippen sind stabförmige, gebogene Knochen.
Von allen Knochen in unserem Körper sind sie die einzigen, die flexibel oder gar elastisch sind. Diese Elastizität verdanken die Rippen ihrer dreifach gebogenen Form. Sie sind um den Brustkorb gebogen, gleichzeitig können wir im Profil erkennen, dass sie nicht nur in ihrem Verlauf absinken und wieder aufsteigen, sondern auch in sich selbst gedreht sind. Die Rippen haben eine zum Brustkorb-Inneren gerichtete Seite und eine nach außen, zu den Muskeln und zur Haut, gerichtete Seite. Alle Rippen haben drei Bereiche:

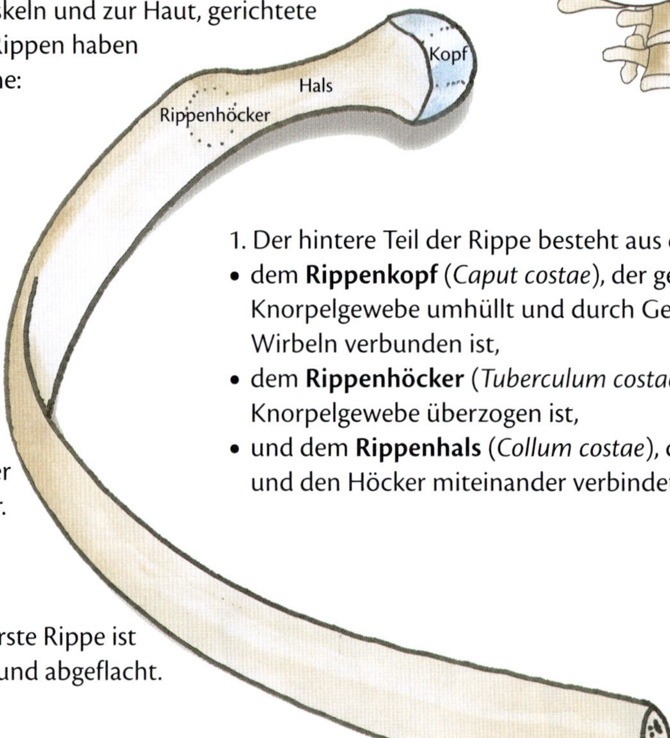

1. Der hintere Teil der Rippe besteht aus drei Teilen:
   - dem **Rippenkopf** (*Caput costae*), der gewölbt, von Knorpelgewebe umhüllt und durch Gelenke mit den Wirbeln verbunden ist,
   - dem **Rippenhöcker** (*Tuberculum costae*), der von Knorpelgewebe überzogen ist,
   - und dem **Rippenhals** (*Collum costae*), der den Kopf und den Höcker miteinander verbindet.

2. Weiter vorne liegt der Rippenkörper.

3. Das vordere Ende der Rippe ist mit dem Rippenknorpel verbunden.

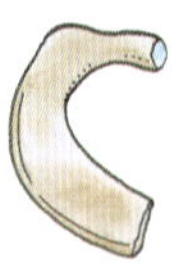

Die erste Rippe ist kurz und abgeflacht.

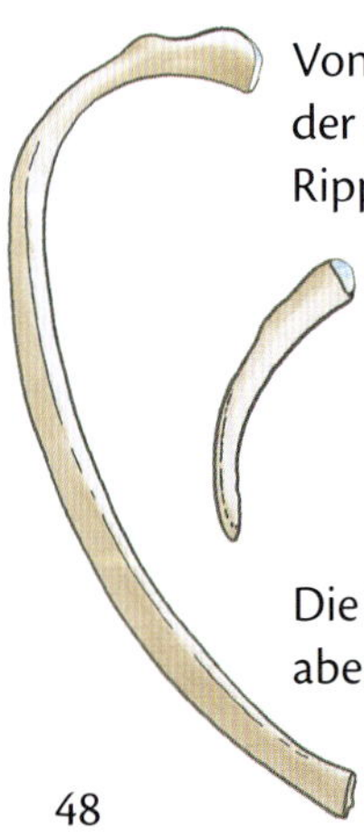

Von oben nach unten nimmt die Länge der Rippen vom ersten bis zum zehnten Rippenpaar zu.

Die elften und zwölften Rippen sind wieder kurz. Das zwölfte Rippenpaar ist noch etwas kürzer als das elfte.

Die Rippen folgen zwar aufeinander, aber jede ist anders geformt!

Erhaltung der Flexibilität

Die Beweglichkeit der Rippen wird durch Bewegungen des Brustkorbes erhalten, die mit der Atemaktivität ausgeführt werden.

Die erste Rippe, ein wichtiger Bezugspunkt

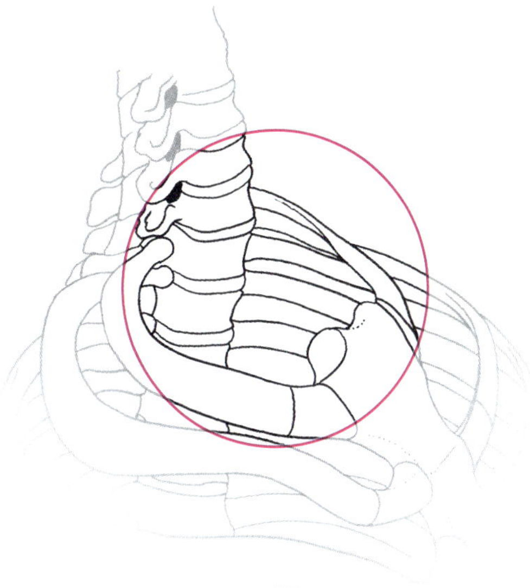

Um den „Kreis" des ersten Rippenpaares zu finden, folgt man der Linie, die durch den Kragen eines T-Shirts gebildet wird. Man kann auch die Finger um die Halsbasis legen: die Daumen liegen am Brustbein und die Zeigefinger berühren dabei den prominentesten Halswirbel (C7). Der Kreis, der durch die Finger oder den Kragen des T-Shirts gebildet wird, markiert die Abmessungen und die Lage der ersten Rippe.

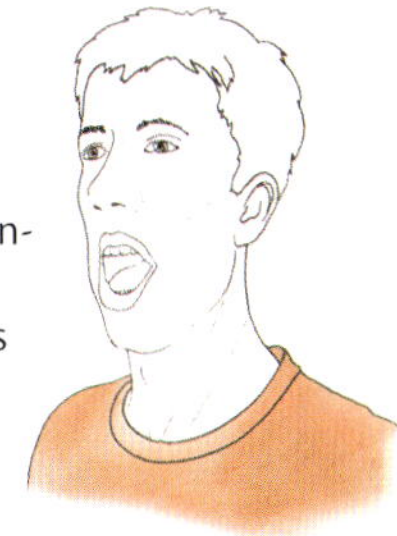

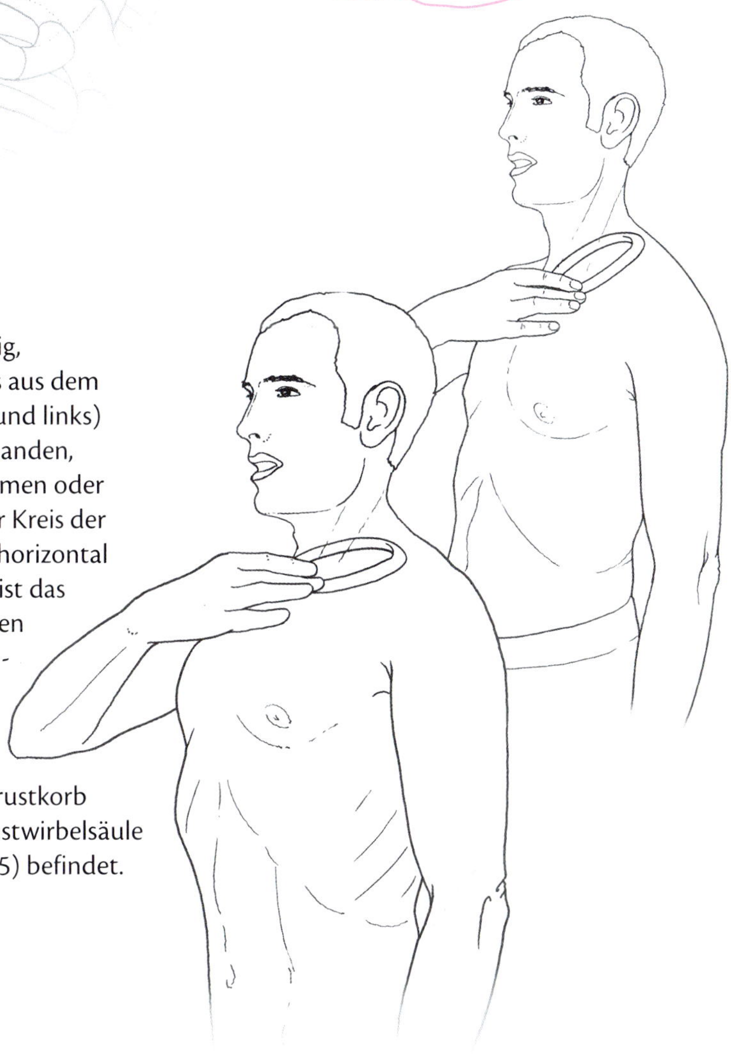

Für die Stimme ist es wichtig, die Ausrichtung des Kreises aus dem ersten Rippenpaar (rechts und links) zu beachten. Wenn wir jemanden, der aufrecht steht, beim Atmen oder Singen beobachten und der Kreis der beiden ersten Rippen eher horizontal ist (Brustbein angehoben), ist das ein Hinweis auf einen offenen Brustkorb und eine aufrechte Brustwirbelsäule. Wenn der Kreis vertikaler ist, deutet dies auf das Gegenteil hin, nämlich dass der Brustkorb gesenkt ist und sich die Brustwirbelsäule in einer Kyphose (siehe S. 25) befindet.

Die Rippenknorpel (*Cartilago costalis*)

Ventral verbinden die Rippenknorpel die Rippen mit dem Brustbein (*Sternum*). Vom oberen bis zum unteren Ende des Brustbeins nimmt die Länge der Knorpel zu.

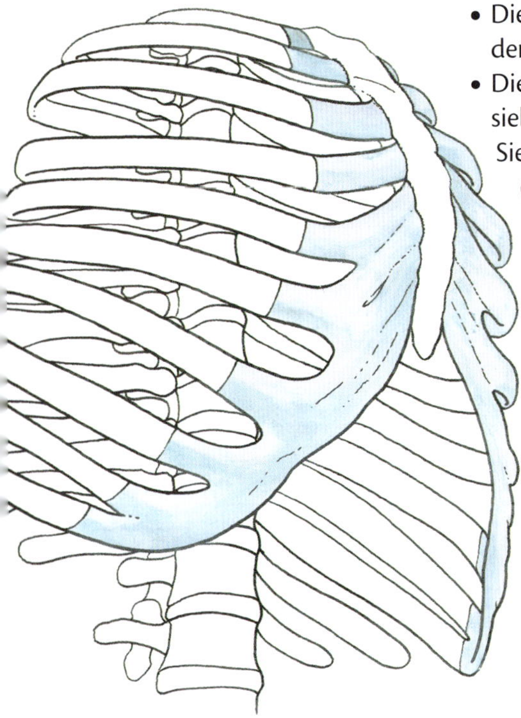

Von oben nach unten:

- Die sieben oberen Knorpel sind kurz, sie sind direkt mit dem Brustbein verbunden.
- Die drei folgenden Knorpel (8–10) sind über den siebten Rippenknorpel mit dem Brustbein verbunden. Sie bilden zusammen den sogenannten Rippenbogen (*Arcus costalis*).
- Die beiden untersten Rippen besitzen keine Knorpel und sind auch nicht mit dem Brustbein verbunden. Sie werden auch „unechte Rippen" (*Costae spuriae*) genannt.

Die Rippenknorpel sind flexibler als die Rippen und verstärken so die Beweglichkeit des Brustkorbes. Dadurch gibt es drei Bereiche des Brustkorbes mit unterschiedlicher Flexibilität:

- zwischen der ersten und siebten Rippe: kurze Rippen und kurze Knorpel, auf dieser Ebene ist die Beweglichkeit eingeschränkt.
- zwischen der achten und zehnten Rippe: längere Rippen, lange Knorpel, auf dieser Ebene ist die Beweglichkeit größer, vor allem zur Seite hin.
- die elften und zwölften Rippen haben keine Knorpel, dadurch besteht auf dieser Ebene große Beweglichkeit.

Die Verbindung zwischen Rippen und Rippenknorpel

Jeder Rippenknorpel hat ein ovales äußeres (laterales) Ende.

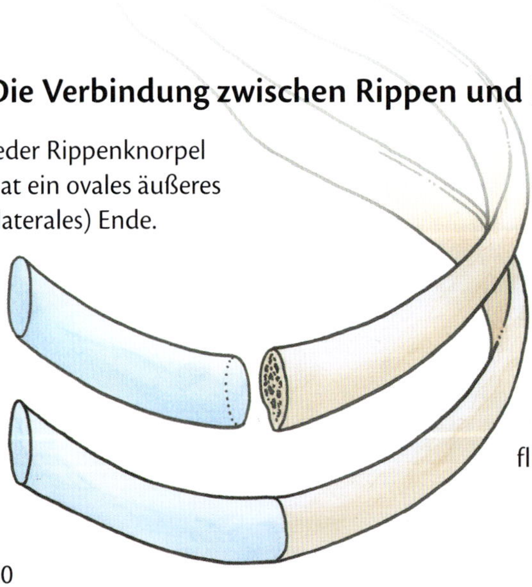

Jede Rippe hat ein oval geformtes vorderes Ende.

An diesen Oberflächen sind die Rippen mit dem Knorpel verbunden. Diese Gelenke sind einfache Verbindungen ohne Kapsel oder Synovialflüssigkeit.

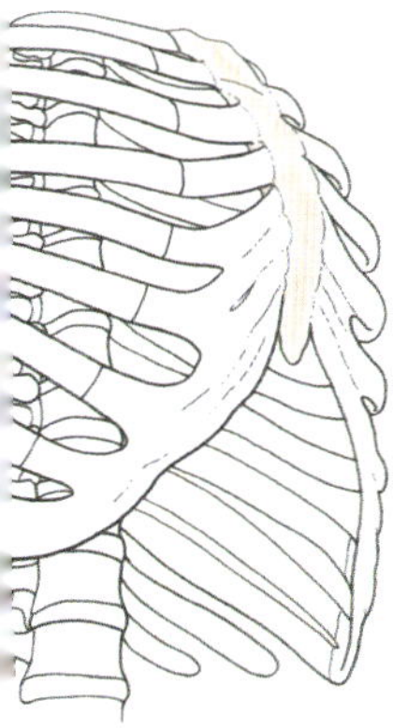

Das Brustbein (*Sternum*)

Das Brustbein ist ein flacher, schwertförmiger Knochen. Er befindet sich ventral in der Mitte des Brustkorbes. Seine Innenfläche ist dem Herzen und dem Herzbeutel zugewandt. Seine Außenfläche liegt direkt unter der Haut. Man kann drei unterschiedliche Teile beschreiben:

- Der obere Teil, das ***Manubrium sterni***, ähnelt dem Handgriff eines Schwertes. Nach oben hin ist das *Manubrium* über Knorpelgewebe mit den Schlüsselbeinen verbunden, seitlich mit den ersten beiden Rippenknorpeln.
- Darunter liegt das ***Corpus sterni***, der größte Bereich des Brustbeins. Seine seitlichen Ränder weisen Kerben auf, an die die Rippenknorpeln der zweiten bis siebten Rippe ansetzen.

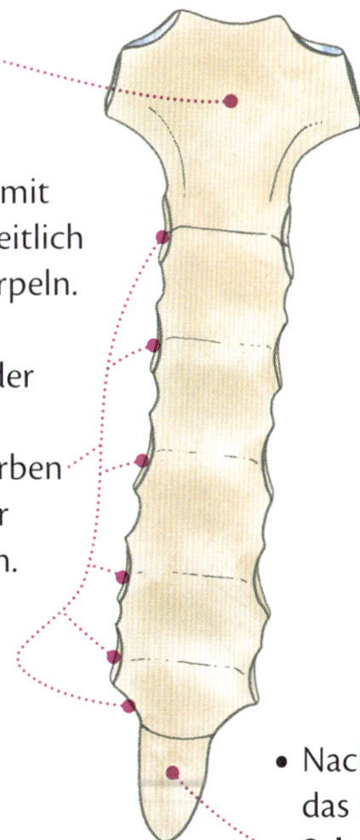

- Nach unten schließt das Brustbein mit dem **Schwertfortsatz** (*Processus xiphoideus*) ab.

Die Verbindung zwischen den Rippenknorpeln und dem Brustbein

Das Brustbein ist zu beiden Seiten eingekerbt, wodurch kleine, ovale Oberflächen entstehen.

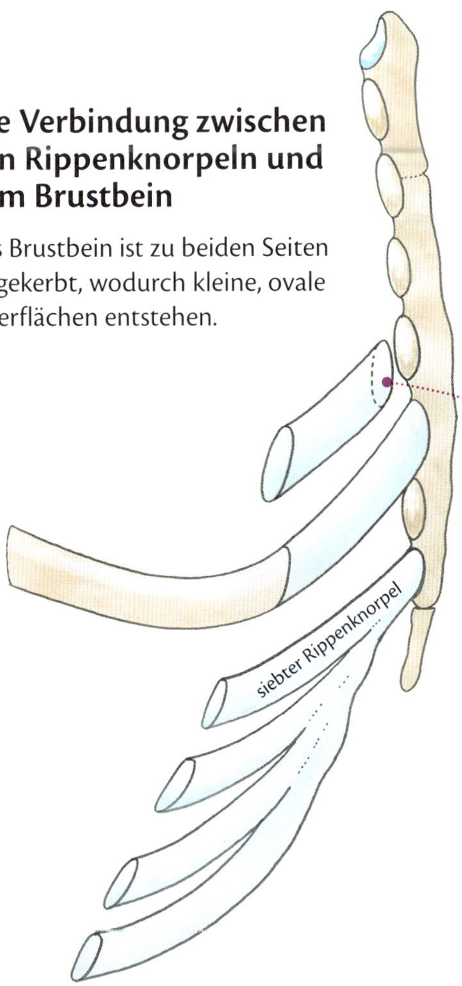

Das innere (mediale) Ende jedes Rippenknorpels (von der ersten bis zur siebten Rippe) endet in einem leicht vorstehenden Oval, wo er mit dem Brustbein verbunden ist. Diese Gelenke zwischen Knorpel und Brustbein sind, so wie die zwischen Knorpel und Rippe, einfache Verbindungen, ohne Kapsel und Synovialflüssigkeit.

Die Brustwirbelsäule

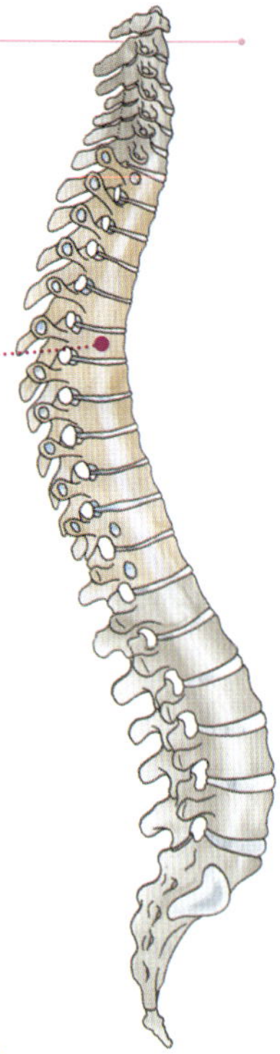

Den Teil der Wirbelsäule, der Teil des Brustkorbes ist, nennt man **Brustwirbelsäule**. Er hat besondere Eigenschaften.

Im Allgemeinen ist dieser Teil der Wirbelsäule wenig beweglich, abgesehen von den unteren Wirbeln.

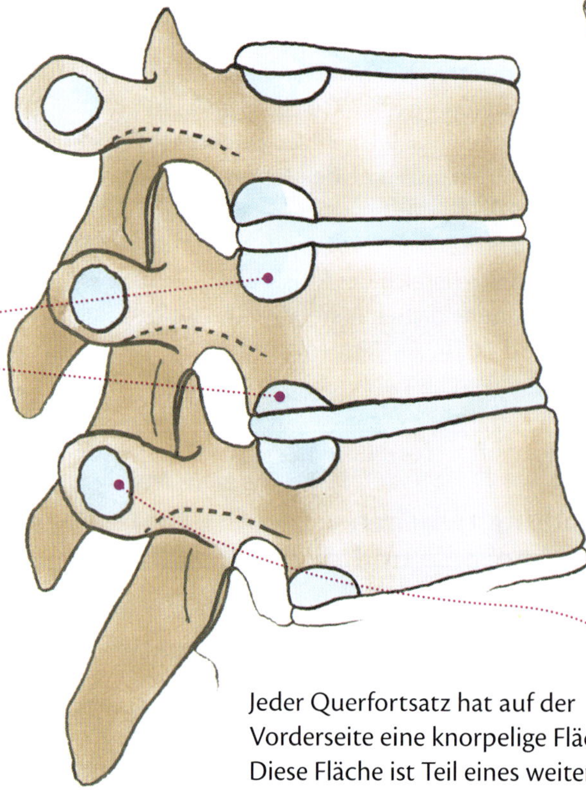

Jeder Wirbelkörper hat auf seiner hinteren Seitenfläche zwei Facettengelenke,* eines oben und eines unten. Diese bilden zusammen mit den Bandscheiben den Teil des Rippen-Wirbel-Gelenks, welches mit dem Rippenkopf verbunden ist (siehe auch folgende Seite).

Jeder Querfortsatz hat auf der Vorderseite eine knorpelige Fläche. Diese Fläche ist Teil eines weiteren Rippen-Wirbel-Gelenks, welche die Wirbel mit den Rippenhöckern verbinden (siehe auch folgende Seite).

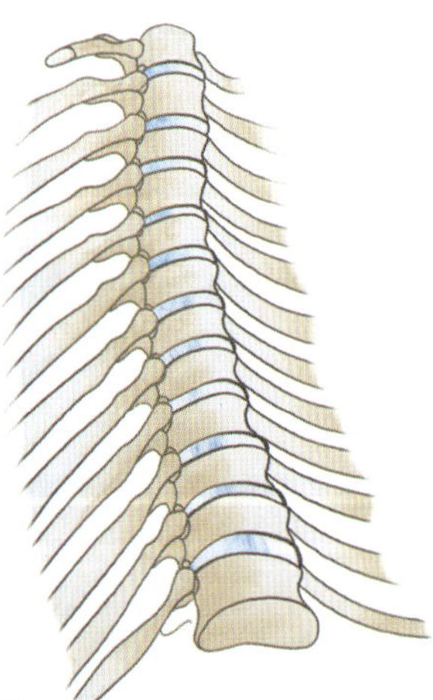

„In den Rücken atmen"

Die Mobilisierung all dieser Facettengelenke ist manchmal der Schlüssel zur Beweglichkeit des Brustkorbes und zu effizienter Atmung. Sie ist wichtig, wenn man die „posteriore Atmung" oder „Rückenatmung" erlernen will.

* Facettengelenke sind kleine Zwischenwirbelgelenke, die große Beweglichkeit ermöglichen.

Die Rippen-Wirbel-Gelenke (*Articulatio costovertebralis*)

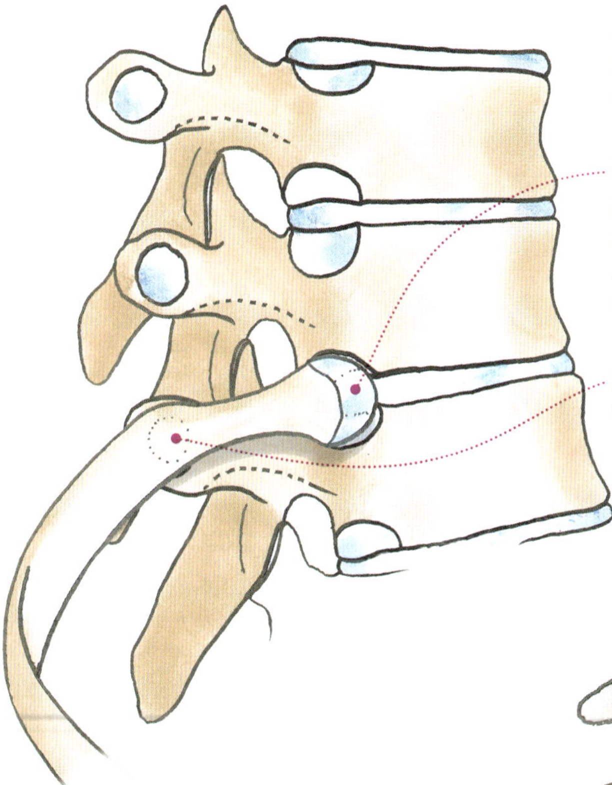

Auf der Ebene jedes Wirbels befinden sich zwei unterschiedliche Gelenke:

Das eine Gelenk verbindet den Rippenkopf mit der Bandscheibe und den beiden Facettengelenken auf dem oberen und unteren Wirbelkörper.

Das andere Gelenk verbindet den Rippenhöcker mit der Gelenkoberfläche auf dem Querfortsatz.

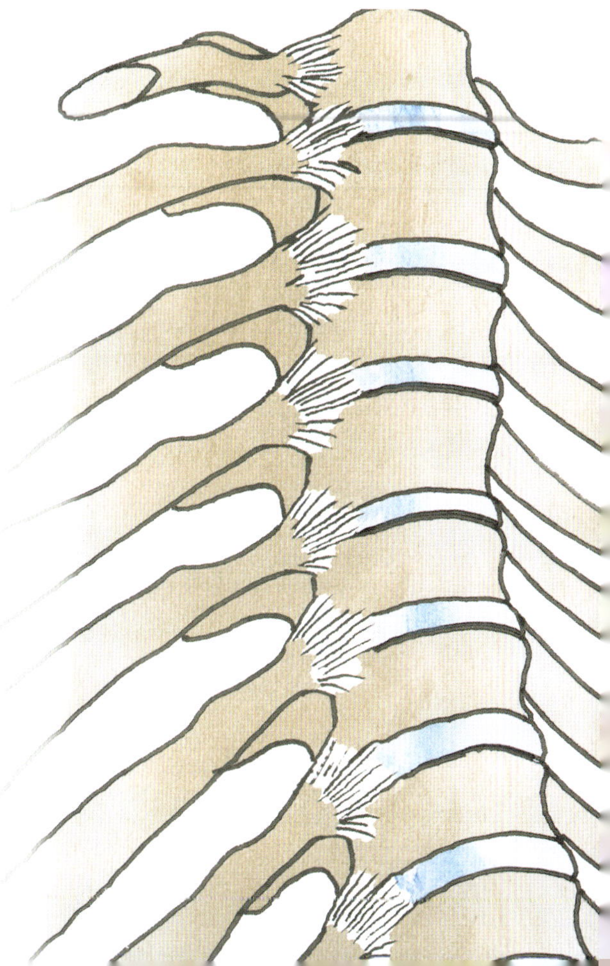

In jedem dieser Gelenke sind die Gelenkflächen durch eine Gelenkkapsel verbunden, die durch kleine Bänder verstärkt ist und etwas Synovialflüssigkeit enthält. Diese Verbindungen sind sehr klein, aber zahlreich. Sie dienen nicht nur der Verbindung von Rippen und Wirbeln, sondern sind auch reich an Sinnesrezeptoren, die das Nervensystem über ihre Position und Bewegung informieren. Die auf der Ebene dieser Einheiten erzeugten Empfindungen sind wichtig für die **Propriozeption**.*

* Propriozeption: Tiefensensibilität, Wahrnehmung des eigenen Körpers

Die unterschiedlichen kostovertebralen Achsen

Die Achse zwischen den beiden kostovertebralen Gelenken variiert auf jeder Wirbelebene, was bedeutet, dass auch die Art der Bewegungen, die die Rippen auf jeder Ebene ausführen können, variiert.

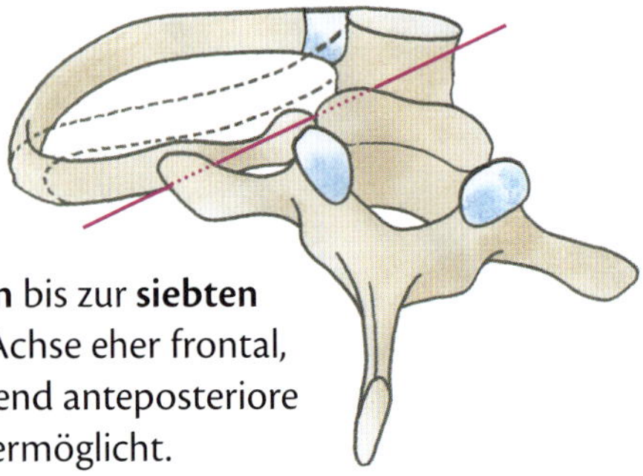

Von der **ersten** bis zur **siebten Rippe** ist die Achse eher frontal, was überwiegend anteposteriore Bewegungen ermöglicht.

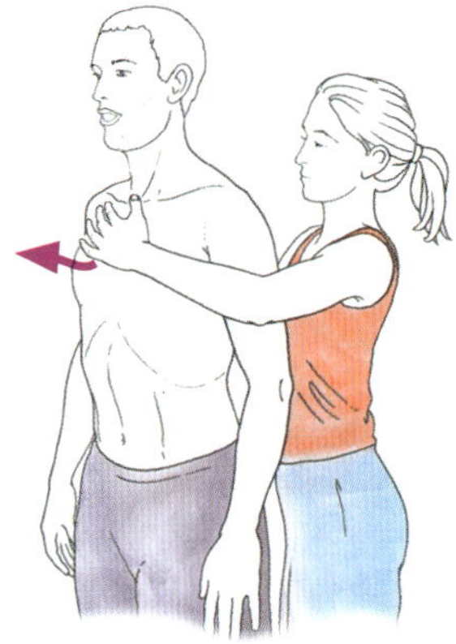

Bei gehobenem Brustkorb geht die Bewegung überwiegend nach vorne und nach hinten.

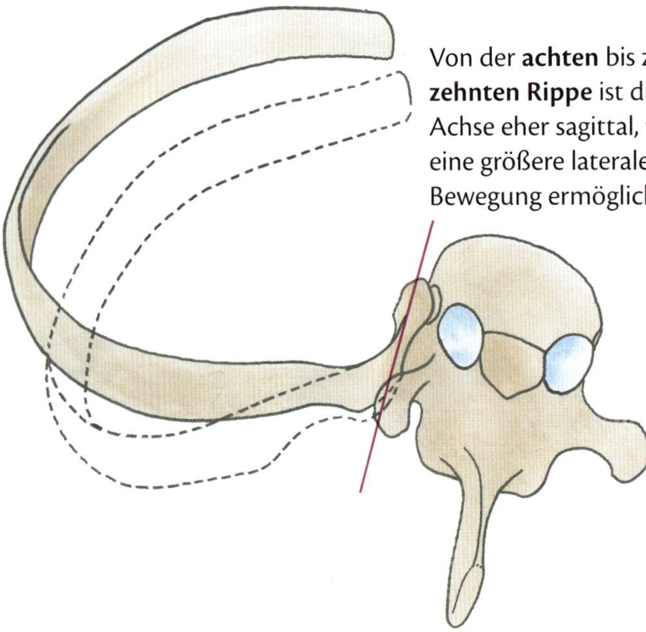

Von der **achten** bis zur **zehnten Rippe** ist die Achse eher sagittal, was eine größere laterale Bewegung ermöglicht.

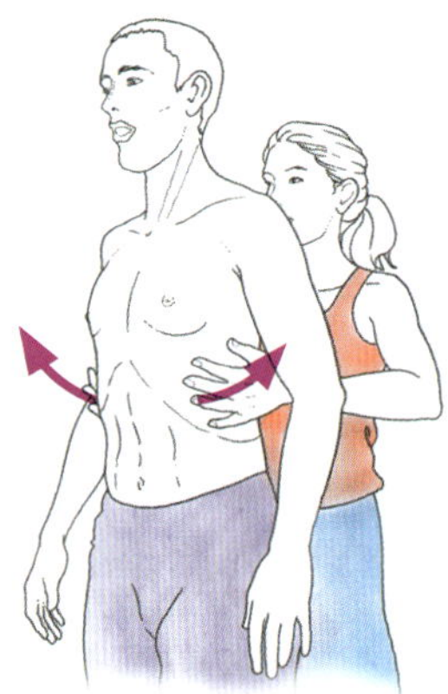

Mit anderen Worten, im Bereich des mittleren und unteren Brustkorbes sind die Bewegungsrichtungen eher nach innen (in Richtung Bauchhöhle) und nach außen (weg von der Bauchhöhle) möglich.

Die genaue Bezeichnung der Bewegungsrichtungen ist wichtig ...

Wenn man in der Stimmarbeit an den Rippenbewegungen arbeitet, ist es wichtig, dass man diese Bewegungen genau kennt, sowohl bei der Verwendung der richtigen Worte (man sollte z. B. vermeiden zu sagen „den oberen Brustkorb öffnen") als auch bei manueller Hilfe, die man geben kann, um eine bestimmte Atembewegung zu erzeugen.

Die zwei Bewegungsrichtungen der Rippen

Unabhängig von den kostovertebralen Achsen können die Rippen und der Brustkorb in zwei Hauptrichtungen bewegt werden. Im Allgemeinen bevorzugt man die eine oder die andere Richtung.

Die Bewegung der Rippen in der Sagittalebene

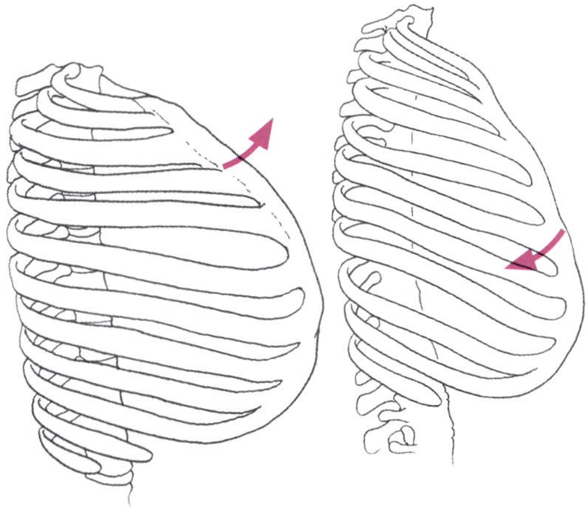

Die Rippen können der Bewegung des Brustbeins nach vorne oder hinten folgen. Dies vergrößert den sagittalen Durchmesser des Thorax, wenn das Brustbein nach oben steigt und verkleinert ihn, wenn sich das Brustbein senkt.

Auch bei den Bewegungen des Brustbeins selbst gilt es zu unterscheiden:

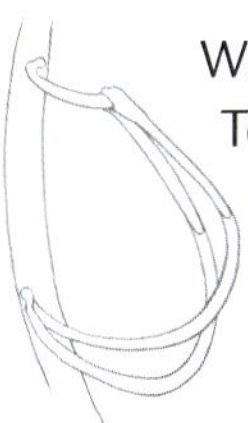

Wenn sich vor allem der untere Teil des Brustbeins nach vorne oben hebt, bewegen sich vor allem die unteren Rippen mit.

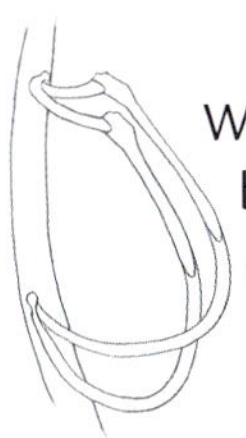

Wenn sich das ganze Brustbein bewegt, so bewegen sich auch alle Rippen.

Das Brustbein beobachten

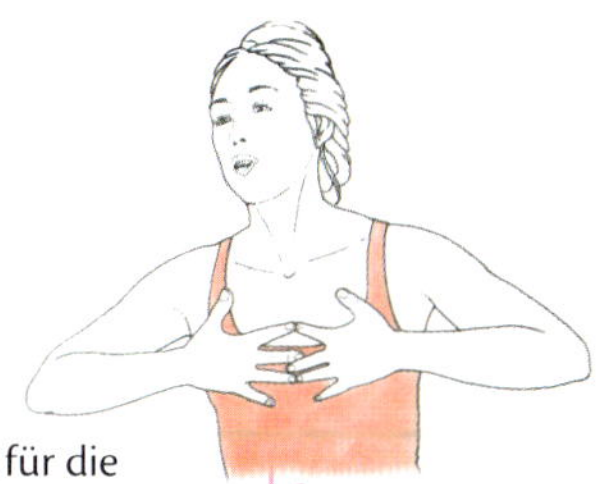

Das Brustbein zu beobachten und zu führen ist wichtig für die Stimmarbeit. Seine Ausrichtung ist das Ergebnis von Kräften innerhalb und außerhalb des Brustkorbes, insbesondere des Tonus der Inspirations- und Exspirationsmuskulatur.

Die Bewegung der Rippen in der Frontalebene („Eimerhenkelbewegung“)

Die Rippen können sich mehr zur Seite bewegen. Dies vergrößert den seitlichen Durchmesser des Brustkorbes, wenn er sich hebt, und verkleinert ihn, wenn er sich senkt.

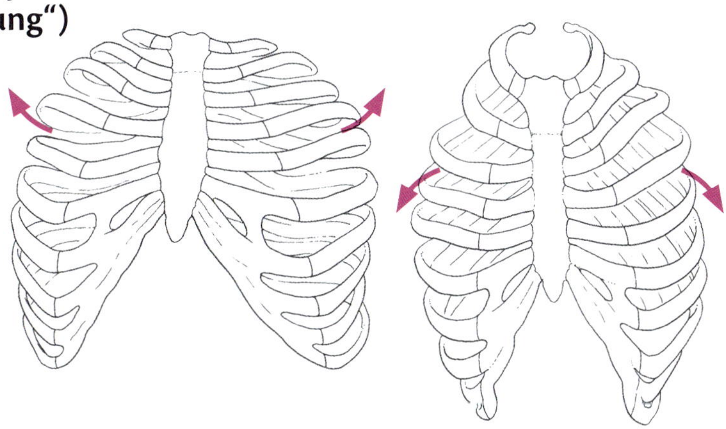

Um den Brustkorb herum: Schultergürtel und Arme

Der Schultergürtel (*Cingulum membri superioris*)

Der Schultergürtel besteht aus den Schlüsselbeinen, den Schulterblättern und dem Brustbein in der Mitte. Der Schultergürtel ist die knöcherne und gelenkige Struktur, die die Arme mit dem Rumpf verbindet. Sie soll hier nur kurz beschrieben werden.

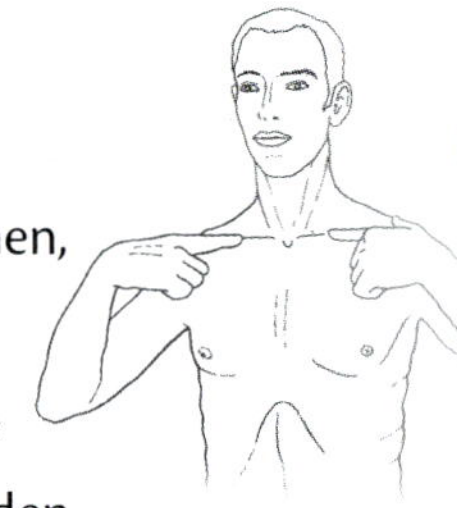

Die Schlüsselbeine ertasten

Die Schlüsselbeine sind sehr leicht direkt neben dem Hals zu den Schultern hin zu ertasten.

Das Schlüsselbein (*Clavicula*)

Das Schlüsselbein ist ein stabförmiger Knochen zwischen dem Schulterblatt und dem Brustbein. Er hat zwei Oberflächen (superior und inferior), zwei Ränder (anterior und posterior) und zwei Enden. An beiden Enden befinden sich knorpelige Gelenkoberflächen: Am äußeren Ende korrespondiert die Gelenkfläche des Schlüsselbeins mit der des Schulterdaches (äußeres Ende des Schulterblattes) und bildet so das **Schultereckgelenk** (*Articulatio acromioclavicularis*).

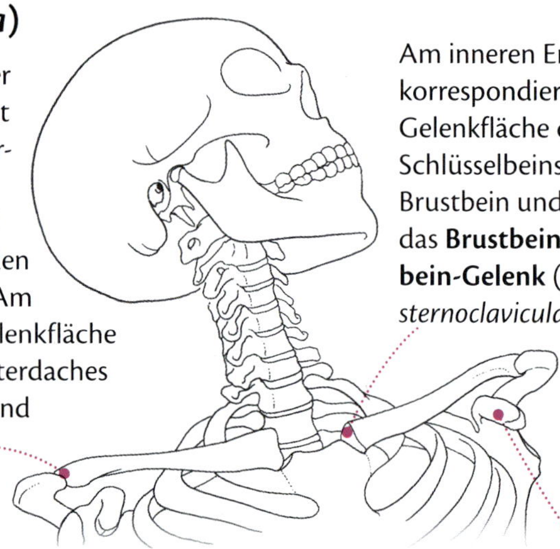

Am inneren Ende korrespondiert die Gelenkfläche des Schlüsselbeins mit dem Brustbein und bildet das **Brustbein-Schlüsselbein-Gelenk** (*Articulatio sternoclavicularis*).

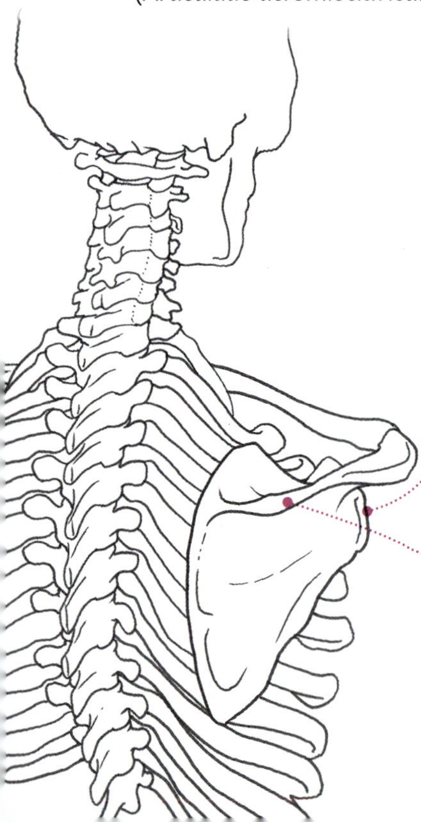

Das Schulterblatt (*Scapula*)

Das Schulterblatt ist ein flacher, dreieckiger Knochen, der seitlich auf dem Rücken des Brustkorbes liegt. Das Schulterblatt hat zwei Oberflächen (anterior und posterior), drei Ränder (superior, intern bzw. medial und extern bzw. lateral) sowie drei Winkel (superior, extern und inferior).

In Bezug auf die Stimme gibt es folgende wichtige Bezugspunkte:

- Die **Schulterblattkerbe** liegt am oberen Rand (superior) medial der Basis des **Rabenschnabelfortsatzes**.
- Im externen Winkel liegt eine **knorpelige Gelenkfläche**, die als Gelenkpfanne des Schulterblattes dient.
- Auf der posterioren Fläche kreuzt die wie eine Klinge vorstehende ***Spina scapulae***, die im ***Akromion***, dem Schulterdach, endet.
- Am vorderen Ende besitzt das *Akromion* eine Gelenkfläche.*

* Näheres dazu in *Anatomie der Bewegung*, S. 110–115.

Bewegungen des Schultergürtels

Das Zusammenspiel von Schlüsselbein und Schulterblatt ermöglicht viele unterschiedliche Bewegungen:

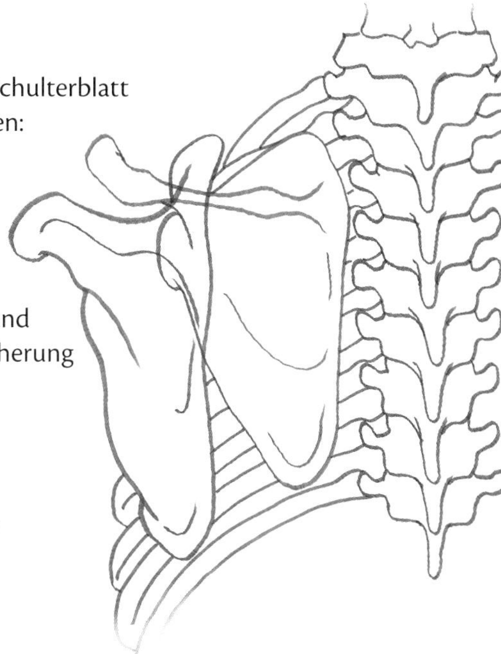

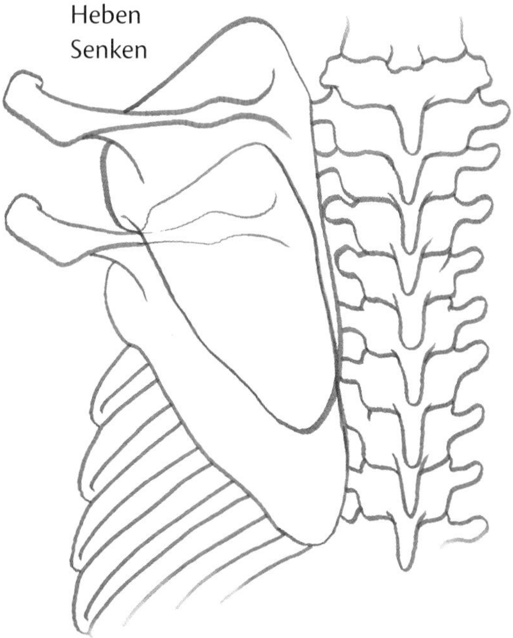

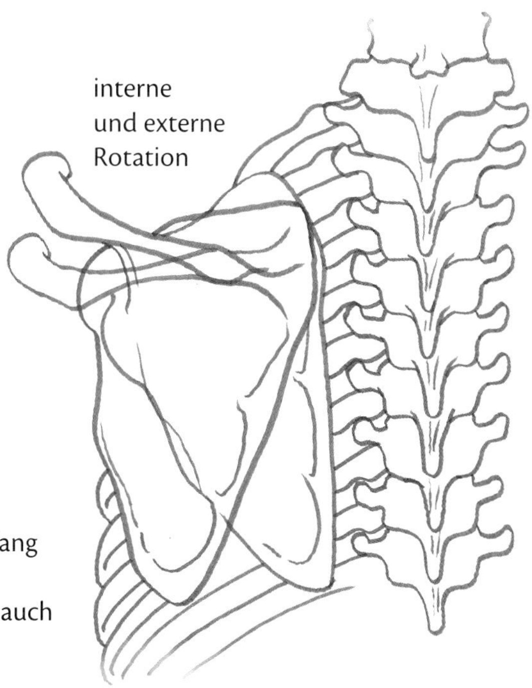

Diese Bewegungen werden in kleinerem Umfang auch vom Schlüsselbein mit ausgeführt. Das Zusammenspiel der Bewegungen beeinflusst auch den Bewegungsspielraum unserer Arme.

Arme und Schultern

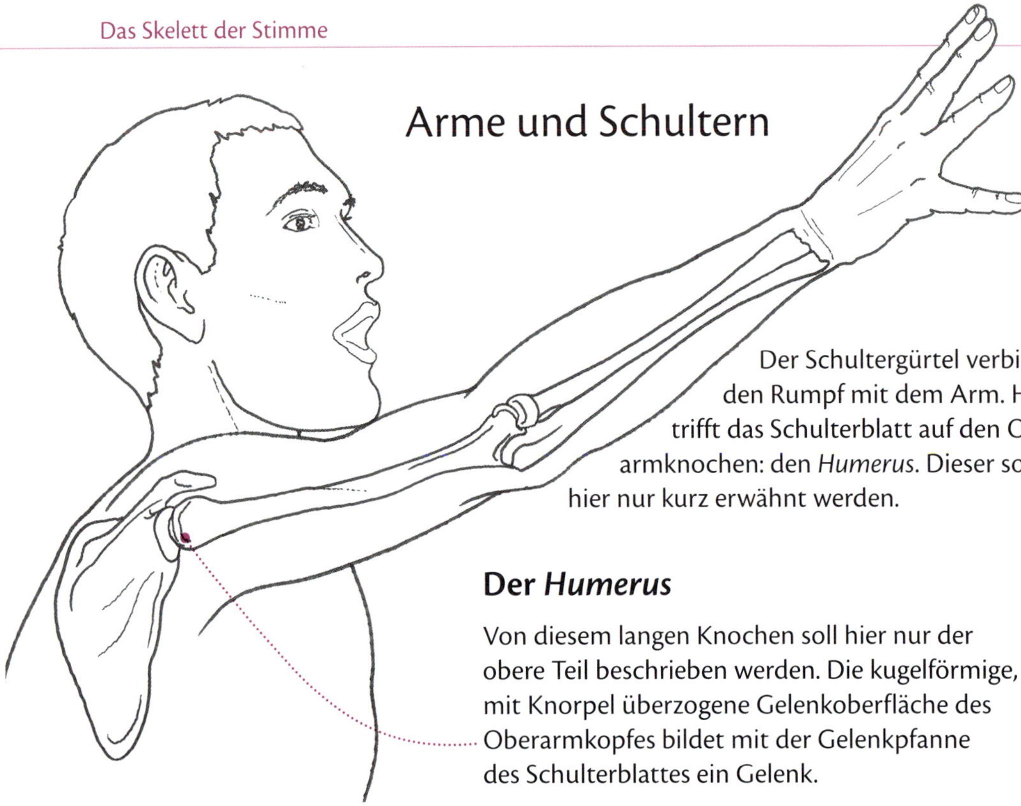

Der Schultergürtel verbindet den Rumpf mit dem Arm. Hier trifft das Schulterblatt auf den Oberarmknochen: den *Humerus*. Dieser soll hier nur kurz erwähnt werden.

Der *Humerus*

Von diesem langen Knochen soll hier nur der obere Teil beschrieben werden. Die kugelförmige, mit Knorpel überzogene Gelenkoberfläche des Oberarmkopfes bildet mit der Gelenkpfanne des Schulterblattes ein Gelenk.

Bewegungen der Schulter

Das kugelförmige Gelenk ermöglicht Bewegungen in alle Richtungen. Der Bewegungsspielraum wird durch den Schultergürtel noch vergrößert. Die Bewegung der Arme macht den Brustkorb beweglicher. Deshalb sind sie so wichtig für die Atmung und bei vorbereitenden Atemübungen.

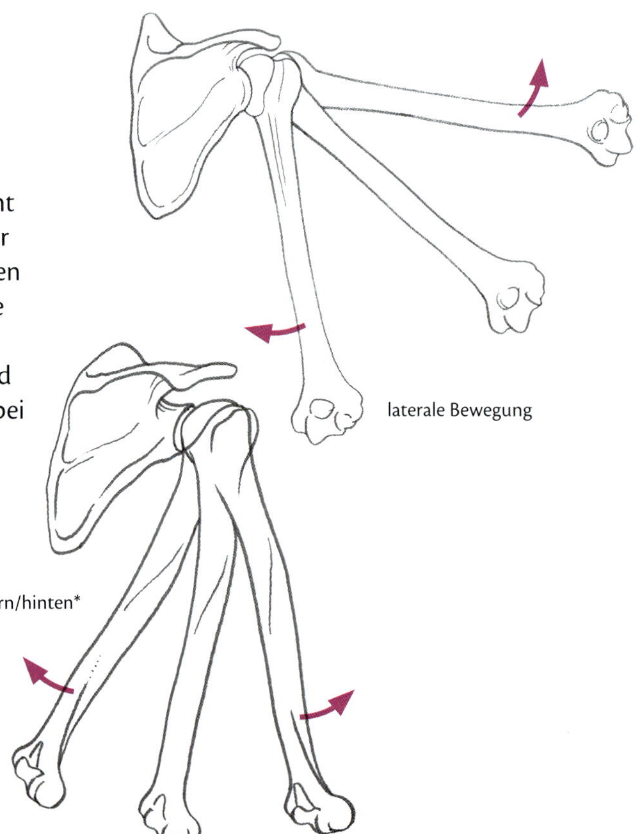

* Näheres dazu in *Anatomie der Bewegung*, S. 116–118.

Arme und Stimme

Mit herabhängenden Armen zu singen, wie man es normalerweise bei der klassischen Gesangstechnik oder in den meisten Chören praktiziert, hilft dem Brustkorb nicht, beim Singen weit und offen zu bleiben. Noch stärker ist dieser ungünstige Effekt, wenn wir Noten in den Händen halten, was bewirkt, dass der Kopf und die Halswirbelsäule nach vorne gebeugt werden.

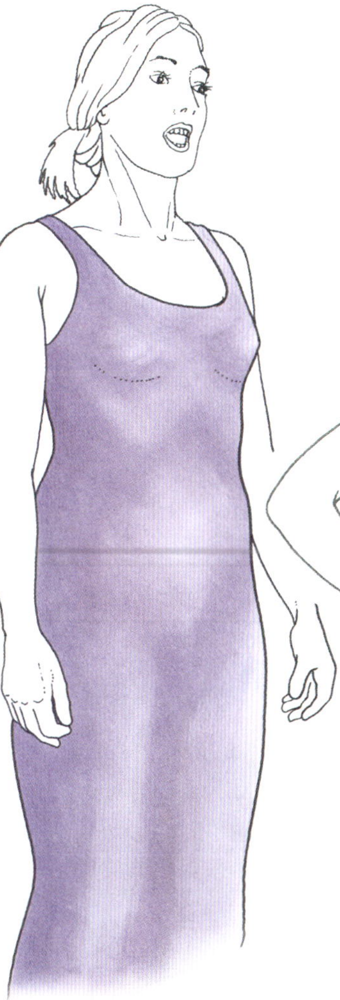

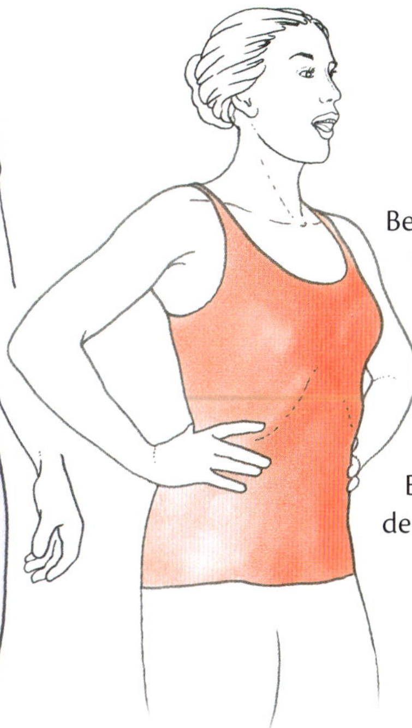

Bei der Stimmarbeit kann es mitunter hilfreich sein, die Hände auf der Hüfte oder auf dem Kopf abzulegen, sie auf die Rückenlehne eines Stuhles oder auf ein Klavier zu stützen oder hinter dem Becken zu verschränken, um den Thorax zu entlasten.

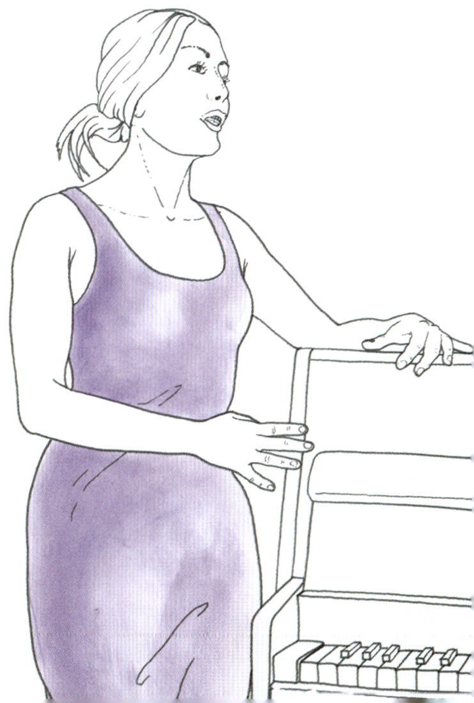

Wenn die Öffnung des Thorax allerdings bereits genug trainiert ist, kann man umgekehrt durch das absichtliche Hängenlassen der Arme den Muskeltonus der Muskeln anregen, die die Rippen heben. Das funktioniert allerdings nur, wenn die Muskelkraft dazu bereits ausreicht, was häufig nicht der Fall ist.

Die drei großen Körperregionen:

Kopf und Stimme

Der Schädel, das Skelett des Kopfes, besteht aus drei großen Teilen:

Der **obere Teil** bedeckt Großhirn und Kleinhirn. Er besteht aus gebogenen Knochenplatten und wird als **Schädeldach** bezeichnet.

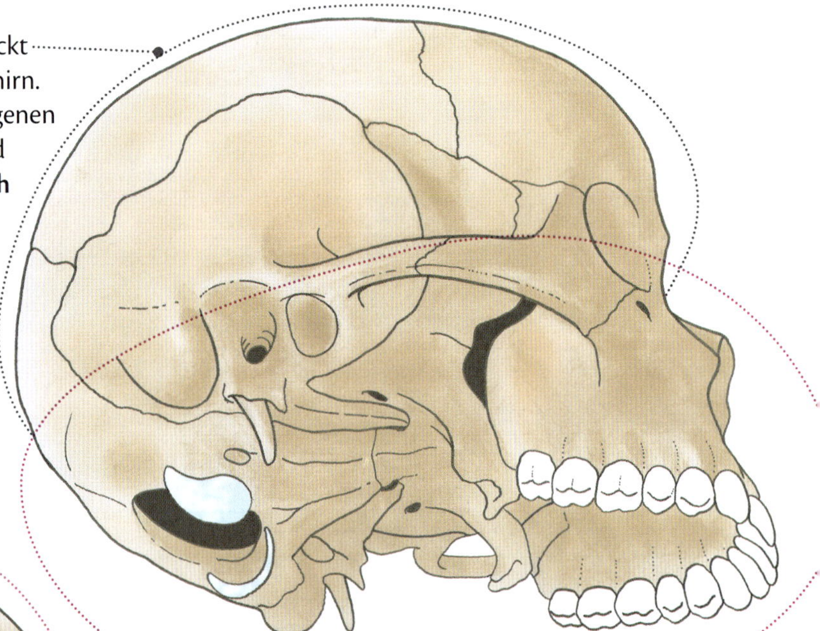

Der **untere Teil** trägt das Gehirn. Er besteht aus etwas dickeren Knochenplatten und wird als **Schädelbasis** bezeichnet.

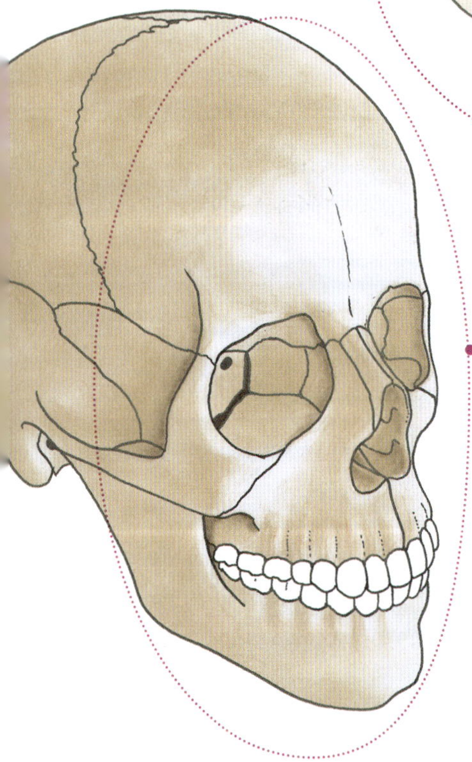

Der **vordere Teil** ist der komplexeste. Er ist aus den verschiedenen Gesichtsknochen zusammengesetzt und wird als **Gesichtsschädel** bezeichnet.

Alle Knochen des Schädels haben eine Verbindung zum Stimmapparat. An jedem von ihnen findet sich mindestens ein Muskel, ein Band oder eine Schleimhaut, die den Stimmapparat nach oben zieht. Das bedeutet, dass die Stimmarbeit den ganzen Schädel betrifft. Auf den folgenden Seiten werden diese Knochen einer nach dem anderen vorgestellt, wobei der Schwerpunkt bei der Beschreibung immer auf ihrer Verbindung zum Stimmapparat liegt.

Die Schädelbasis (*Basis cranii*)

Betrachtet man den Schädel von unten, ohne den Unterkiefer, so sieht man eine durchgehende Struktur aus Knochen, die wie ein Puzzle zusammenpassen. Dies ist die **Schädelbasis**, und sie besteht aus folgenden Teilen:

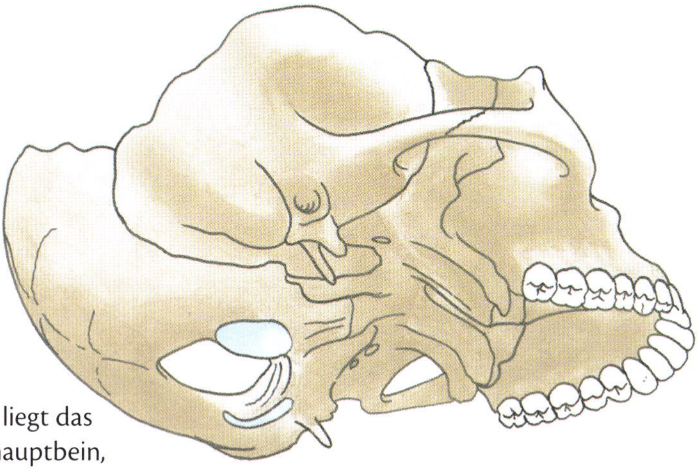

Hinten liegt das Hinterhauptbein,

weiter vorne befinden sich Teile des Keilbeins und des Schläfenbeins,

noch weiter vorne liegen der harte Gaumen und der obere Zahnbogen.

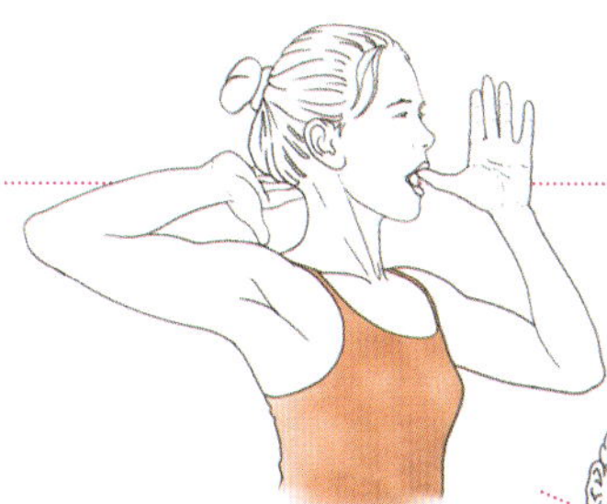

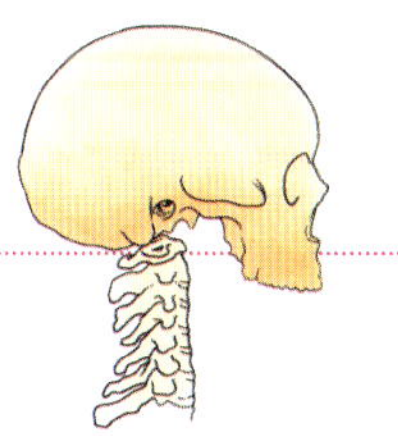

Die Schädelbasis ist eine Plattform, die in verschiedenen Richtungen ausgerichtet werden kann.

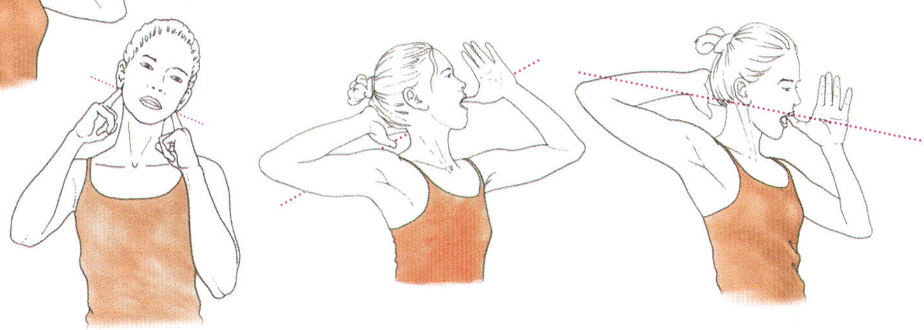

seitlich auf dem Hals

nach vorne und hinten auf dem Atlas

Die Schädelbasis wird durch die Halsmuskulatur stabilisiert und/oder mobilisiert. Einige Teile des Vokaltraktes setzen an der Schädelbasis an (siehe S. 194). Die Ausrichtung der Schädelbasis ist also wichtig, da sie die Spannung oder Entspannung dieser Elemente beeinflusst.

Der hinterste Knochen des Schädels: Das Hinterhauptbein (*Os occipitale*)

Dies ist ein platter Knochen, der aus drei Teilen besteht: Dem **Bodenteil**, den **Gelenkflächen** und der sogenannten **Hinterhauptsschuppe**.

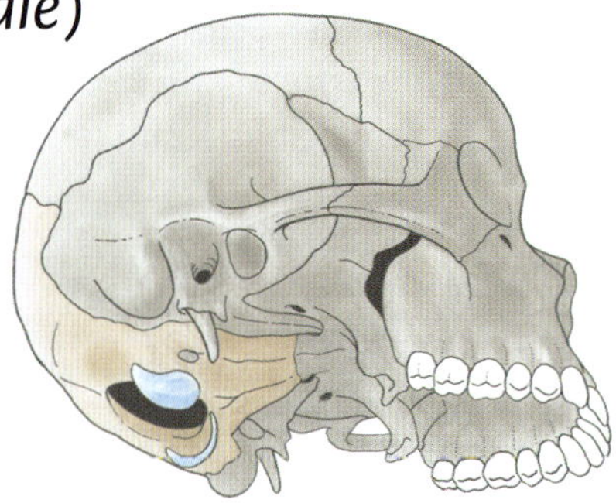

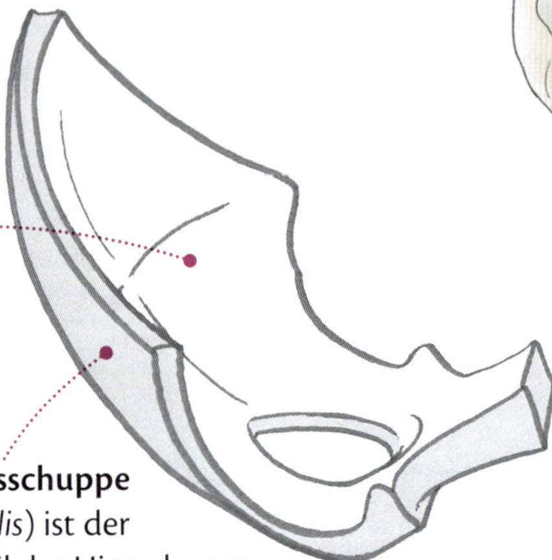

Der Bodenteil
(*Pars basilaris*)
Der keilförmige vordere Teil des Hinterkopfes ist durch ein Gelenk mit dem Keilbein verbunden. Zusammen bilden ihre unteren Flächen das Dach des Nasenrachenraums. Auf der Unterseite befindet sich ein kleiner Höcker, das *Tuberculum pharyngeum*.

Die Hinterhauptsschuppe
(*Squama occipitalis*) ist der untere hintere Teil des Hinterhauptbeins, der etwas abgeflacht ist. Die innere Oberfläche, die nach oben und vorne stark konkav ist, bildet den hinteren Teil des Schädels und beherbergt Kleinhirn und Großhirn; diese werden hier nicht im Detail beschrieben.

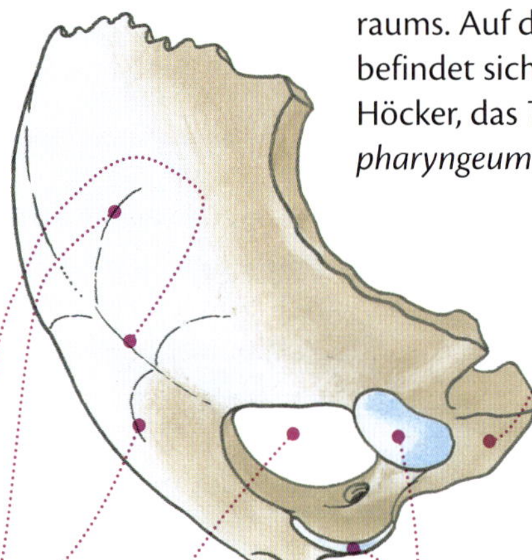

Die Außenfläche ist konvex und hat einen tastbaren Fortsatz, der als äußerer **Hinterhaupthöcker** bezeichnet wird. Auf beiden Seiten verlaufen parallel die oberen und unteren **Nackenlinien**, an denen die hinteren Halsmuskeln befestigt sind (siehe auch S. 202, 204 und 207).

Die seitlichen Gelenkflächen
(*Condyli occipitales*)
Zwischen dem Bodenteil und der Hinterhauptsschuppe befindet sich das **große Hinterhauptsloch** (*Foramen magnum*), eine Öffnung, durch welche das Rückenmark verläuft. Seitlich des *Foramen magnum* liegen beidseits Gelenkflächen für den ersten Halswirbel (Atlas), die *Condyli occipitales* (siehe auch S. 36).

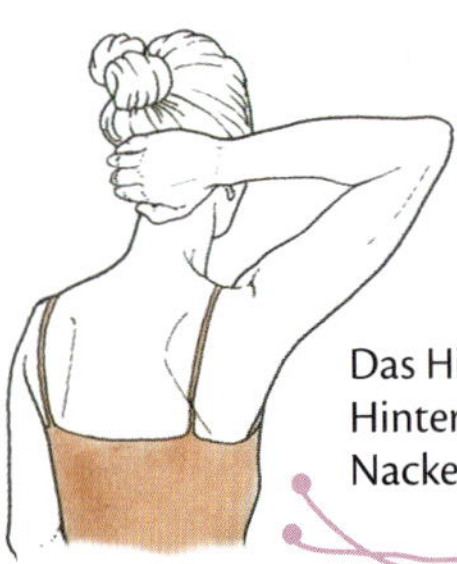

Das Hinterhauptbein kann am Hinterkopf, direkt über dem Nacken, ertastet werden.

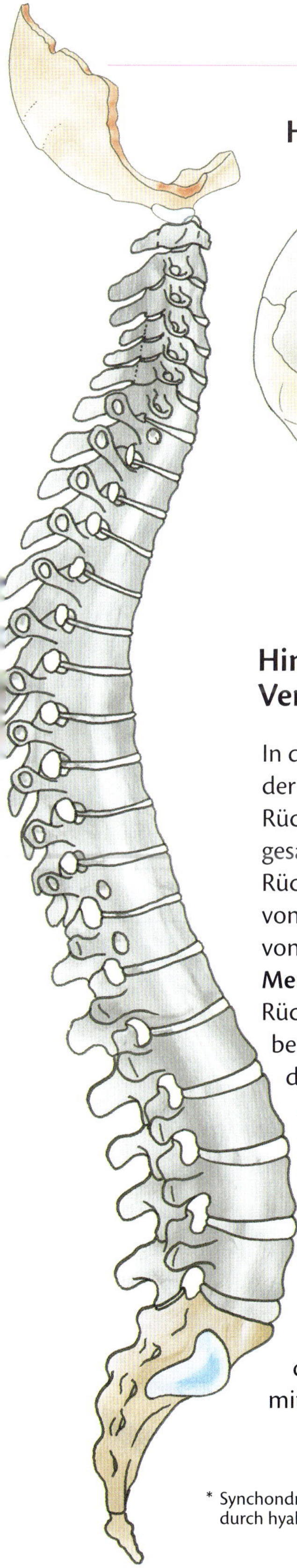

Hinterhauptbein und Keilbein: Mikrobewegungen

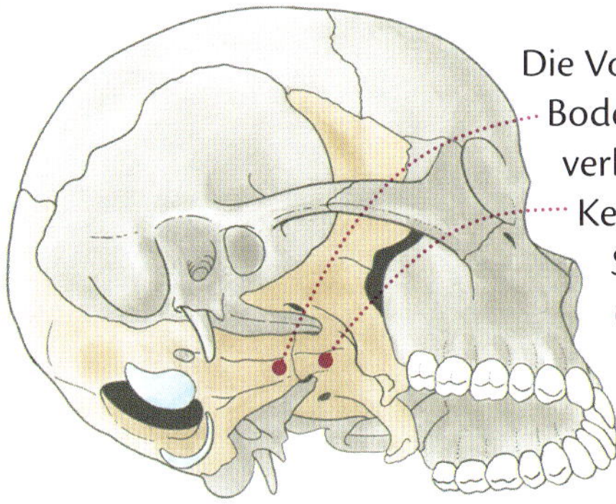

Die Vorderseite des Bodens des Hinterhauptbeins verbindet sich mit der Rückseite des Keilbeinkörpers: das ist die *Synchondrosis sphenooccipitalis,** ein Gelenk, das es dem Schädel ermöglicht, Mikrobewegungen in Flexion oder Extension auszuführen. Diese Bewegungen sind nur möglich, wenn das Hinterhauptbein relativ frei auf der Wirbelsäule sitzt.

Hinterhauptbein und Kreuzbein: eine flexible Verbindung

In der Wirbelsäule verläuft der Wirbelkanal, in dem das Rückenmark liegt. Auf seiner gesamten Länge ist das Rückenmark (wie das Gehirn) von überlappenden Schichten von Membranen, den **Meningen** (Hirn- bzw. Rückenmarkshäute) umgeben. Die äußerste und dickste dieser Membranen, die *Dura mater*, verbindet sich unten mit dem Kreuzbein und oben mit dem Hinterhauptsloch und sonst an keiner Stelle der Wirbelsäule. Das Kreuzbein und das Hinterhauptbein sind durch diese Membran miteinander verbunden.

Durch Mikrobewegungen zu stimmlicher Flexibilität

Bei der Stimmarbeit sollten wir darauf achten, dass die Wirbelsäule nicht zu steif wird, da dies zu einer Verkrampfung der Haltemuskulatur führen kann. So sichern wir die Mikroflexibilität zwischen Kreuzbein und Hinterhauptbein, die wir lediglich dann entbehren können, wenn wir extreme Stimmkraft benötigen, wie beispielsweise beim „Belting".

* Synchondrose: Verbindung zweier Knochen durch hyalinen Knorpel

Der zentrale Schädelknochen: Das Keilbein (*Os sphenoidale*)

Das Keilbein ist geformt wie ein Schmetterling oder wie eine Fledermaus.

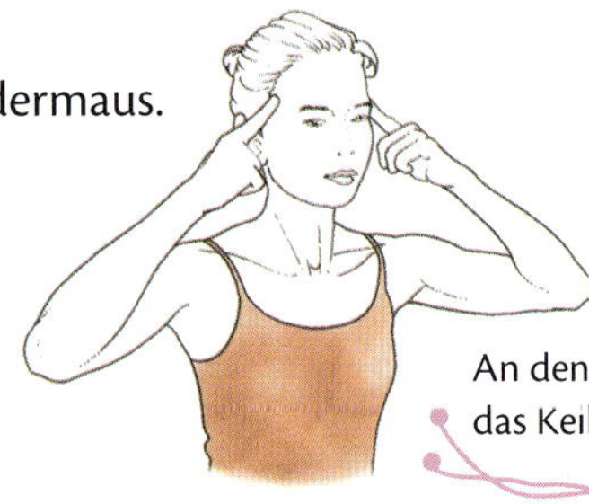

An den Schläfen kann man das Keilbein ertasten.

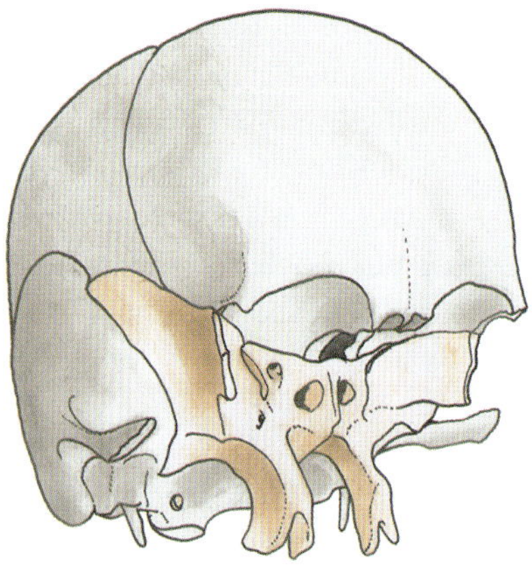

Dieser Knochen ist um einen zentralen, kubischen und hohlen Teil herum aufgebaut: den **Keilbeinkörper** (*Corpus ossis shenoidalis*). Von ihm gehen drei verschiedene symmetrische Fortsätze aus:

1. Die **kleinen Keilbeinflügel** entspringen der Oberfläche des Keilbeinkörpers und befinden sich in der Schädelhöhle.

2. Die **großen Keilbeinflügel** sind durch eine knöcherne Wurzel mit den Seitenflächen des Keilbeinkörpers verbunden. Man unterscheidet drei Seiten je nach ihren unterschiedlichen Ausrichtungen:
– die ***Facies temporalis*** bilden einen Teil der Schläfenregion,
– die ***Facies orbitalis*** bilden einen Teil der Augenhöhle,
– die ***Facies maxillaris*** sind dem Oberkieferknochen zugewandt.

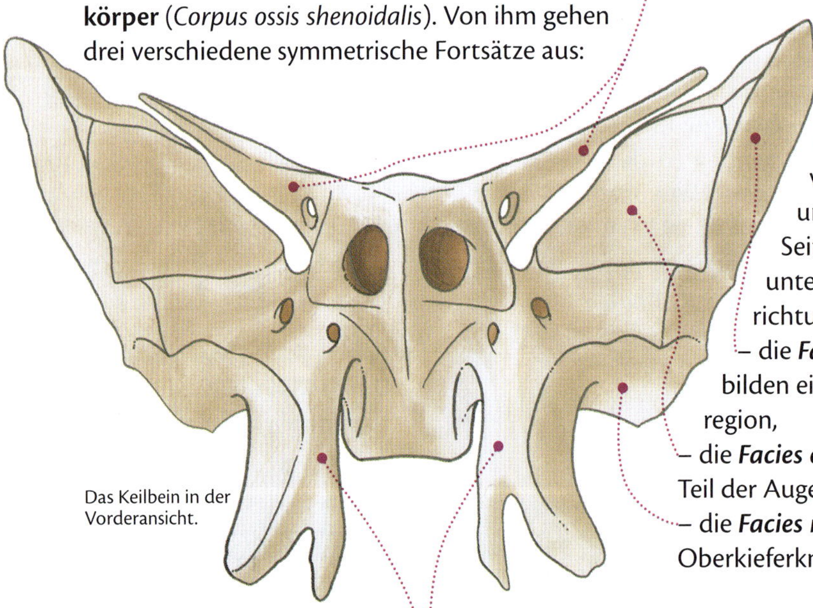

Das Keilbein in der Vorderansicht.

3. Die **Flügelfortsätze** (*Processus pterygoideus*) erstrecken sich nach unten; sie sind die wichtigsten Fortsätze in Bezug auf die Stimme (siehe auch S. 194).

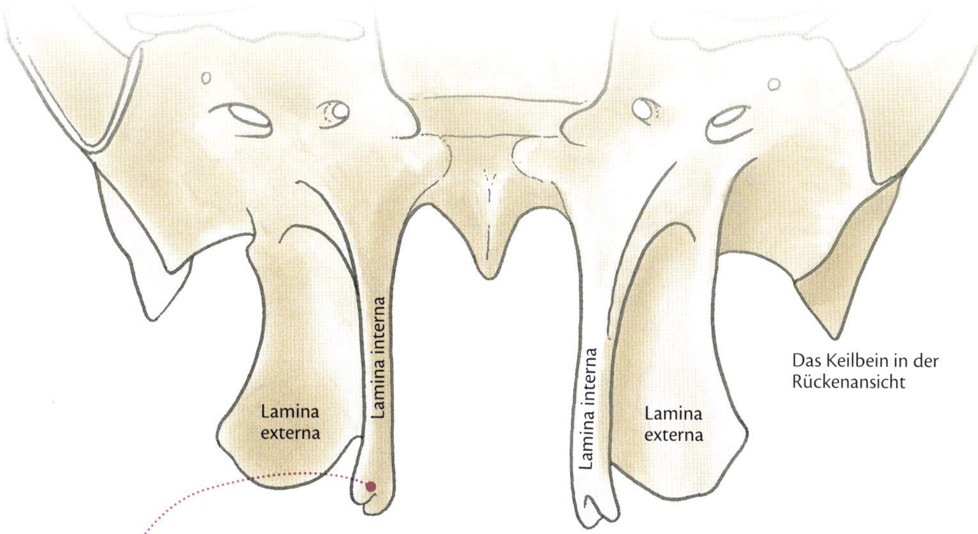

Das Keilbein in der Rückenansicht

Die Flügelfortsätze als wichtige Bezugspunkte

Die beiden Flügelfortsätze (*Processus pterygoideus*) erstrecken sich von der unteren Oberfläche des Keilbeinkörpers nach unten (wenn das Keilbein von der Gestalt her als Fledermaus betrachtet wird, sind sie die Füße). Sie bilden nach hinten hin die Form einer hohlen Schiene und haben jeweils eine *Lamina interna* (medial) und eine *Lamina externa* (lateral). Die untere Spitze der *Lamina interna* bildet einen Haken, den ***Hamulus pterygoideus***, durch den die Sehne des Gaumensegelspanner-Muskels gleitet (siehe auch S. 236).

Die Flügelfortsätze grenzen die **Choanen** (siehe S. 272) seitlich ab.

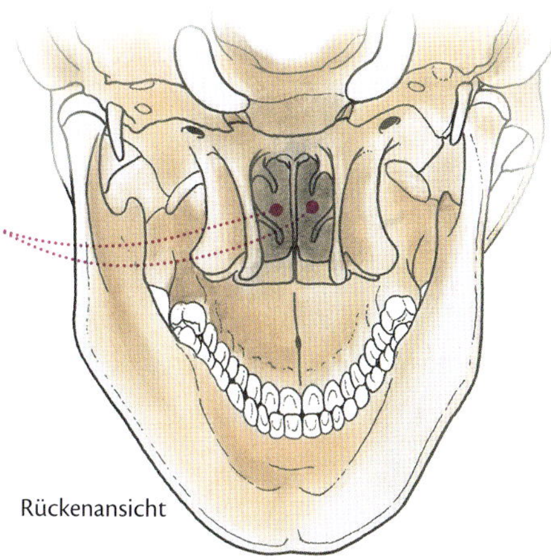
Rückenansicht

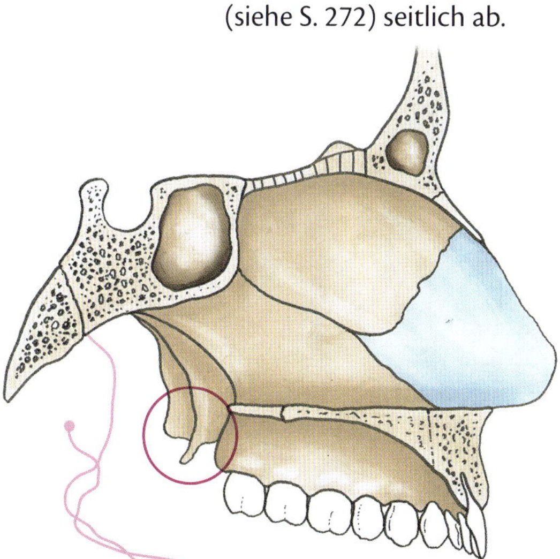

Ertasten der Knochen

Der unterste Teil des Flügelfortsatzes liegt hinter dem letzten Backenzahn und ein wenig höher als dieser. Man kann ihn mit dem Finger oder der Spitze der Zunge spüren (wenn das Zungenbändchen der Zunge so viel Bewegungsspielraum zulässt).

Die beiden Knochen der Ohren: Die Schläfenbeine (*Os temporale*)

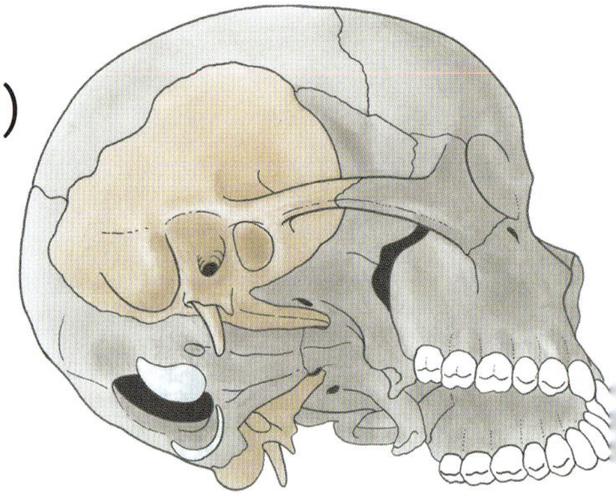

Die Schläfenbeine befinden sich ungefähr da, wo Kopfhörer die Ohren bedecken würden. Sie bestehen aus jeweils drei Teilen: dem **Felsenbein**, dem **Paukenteil** und der **Schläfenbeinschuppe**.

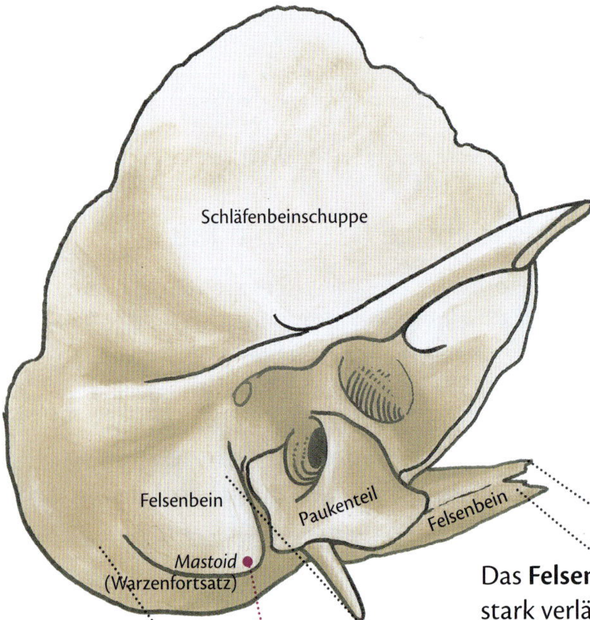

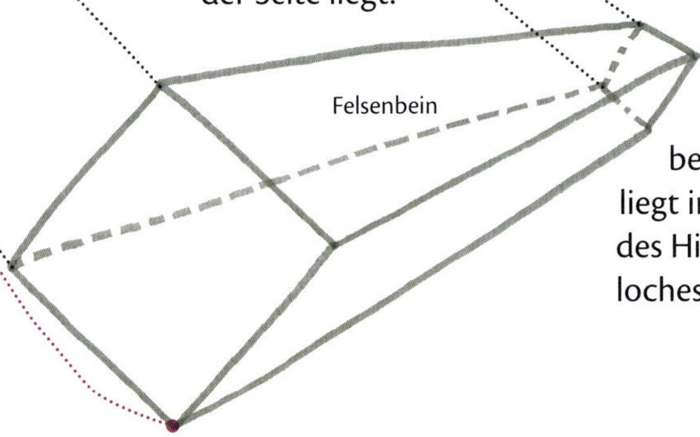

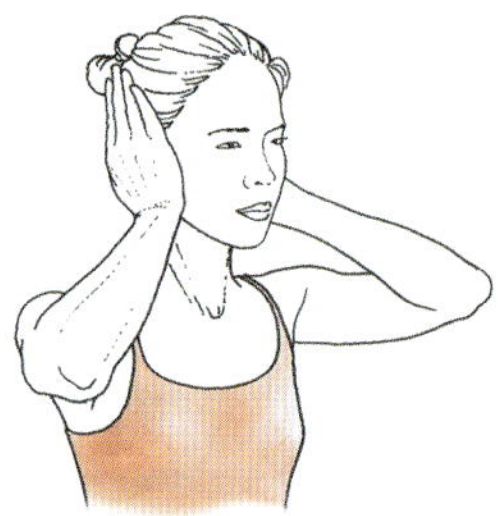

Die Schläfenbeine können um das Ohr herum ertastet werden.

Das **Felsenbein** (*Pars petrosa*) hat die Form eines stark verlängerten Pyramidenstammes, der auf der Seite liegt.

Die Basis der Felsenbeinpyramide ist massiv, aus ihrem Boden ragt der Warzenfortsatz nach unten.

Die Spitze der Felsenbeinpyramide liegt in der Nähe des Hinterhauptloches.

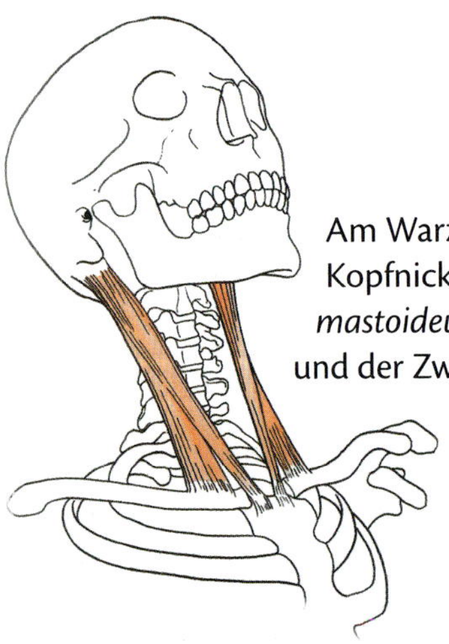

Am Warzenfortsatz setzen der Kopfnicker (*Musculus sternocleidomastoideus*, siehe auch S. 125 und 210) und der Zweibauchmuskel (*Musculus digastricus*, siehe auch S. 182) an.

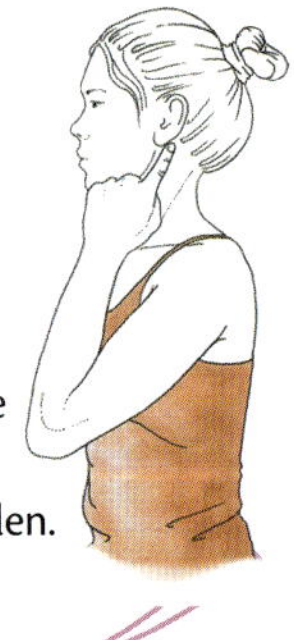

Die Warzenfortsätze können hinter den Ohren ertastet werden.

Der **Paukenteil** (*Pars tympanica*) des Schläfenbeins ist geformt wie eine Regenrinne und schließt an den vorderen Teil des soeben beschriebenen pyramidenförmigen Felsenteils an. Nach außen bildet der Paukenteil das Skelett des äußeren Gehörgangs.

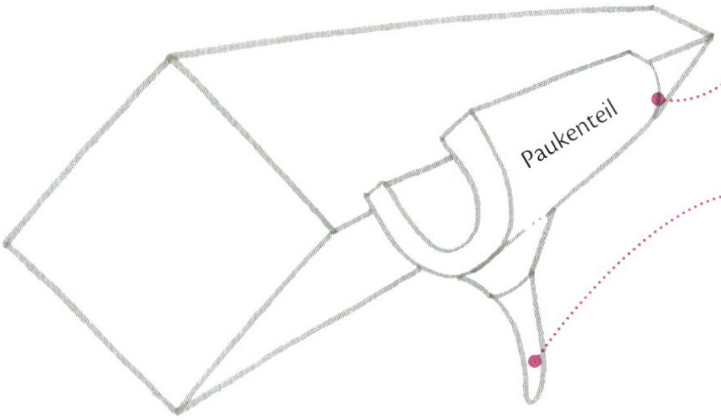

Er hat zwei Fortsätze:

- Der **Tubenwulst** liegt im inneren Teil, er umgibt die Einmündung der Ohrtrompete.
- Der **Griffelfortsatz** (*Processus styloideus ossis temporalis*) ist nach unten gerichtet, dorthin wo die Bänder und Muskeln des Kehlkopfes (siehe S. 183) sowie des Rachenraumes und der Zunge (siehe S. 249) ansetzen.

Die **Schläfenbeinschuppe** (*Pars squamosa ossis temporalis*) ist eine runde, knöcherne Platte, deren vorderes unteres Viertel nach innen eingeklappt ist. Sie ist Teil des Schädeldachs. Etwa auf halber Höhe befindet sich ein nach vorne gerichteter Fortsatz, der **Jochbeinfortsatz** (*Processus zygomaticus ossis temporalis*). Er bildet mit dem **Jochbein** und dem **Oberkieferknochen** den **Jochbeinbogen** (siehe S. 222). Auf der Unterseite des Jochbeinbogens wird das Kiefergelenk aus der *Fossa mandibularis* als Gelenkpfanne und dem **Gelenkhöckerchen** des Schläfenbeins (*Tuberculum articulare ossis temporalis*) gebildet (siehe auch S. 76).

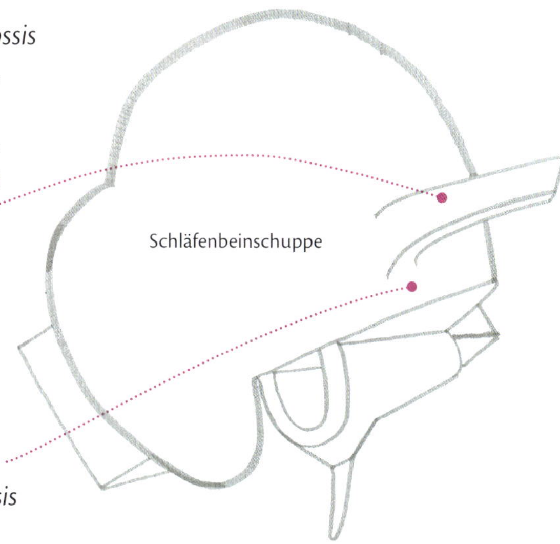

Das Jochbein (*Os zygomaticum*)

Dieser Knochen wird allgemein als Wangenknochen bezeichnet. Das Jochbein ist mit dem Oberkiefer, dem Stirnbein und dem Schläfenbein verbunden.

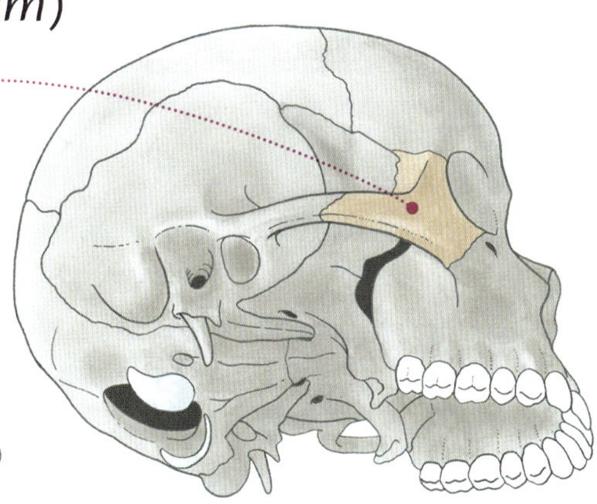

Das Jochbein kann an der höchsten Stelle der Wange ertastet werden.

Die Knochen der Nase

Der höchste Gesichtsknochen: Das Stirnbein (*Os frontale*)

Dieser flache, muschelförmige Knochen ist Teil des Schädeldachs und des Gesichtsschädels. Er besteht aus der Stirnbeinschuppe und der *Pars orbitalis*, dem Dach der Augen- und Nasenhöhlen.

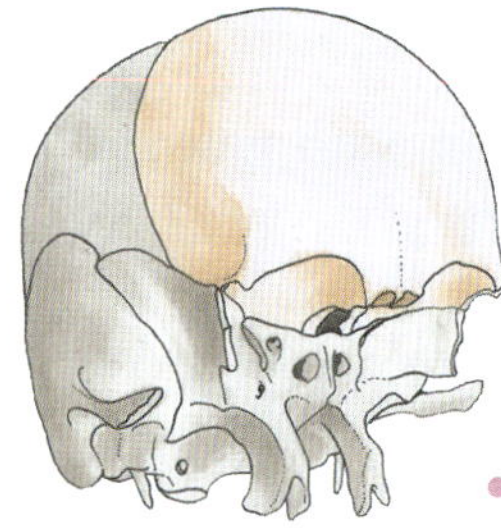

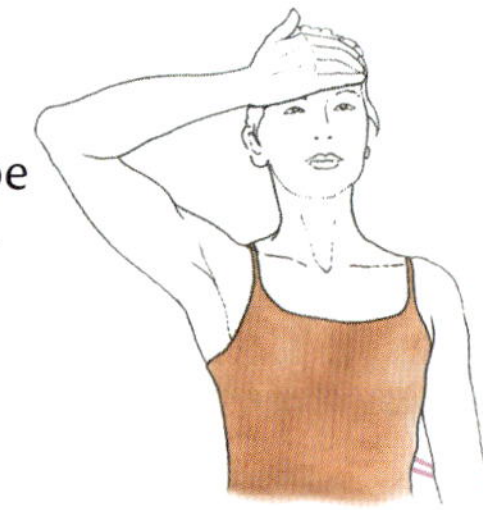

Das Stirnbein kann von der Stirn bis zum höchsten Punkt des Schädels ertastet werden.

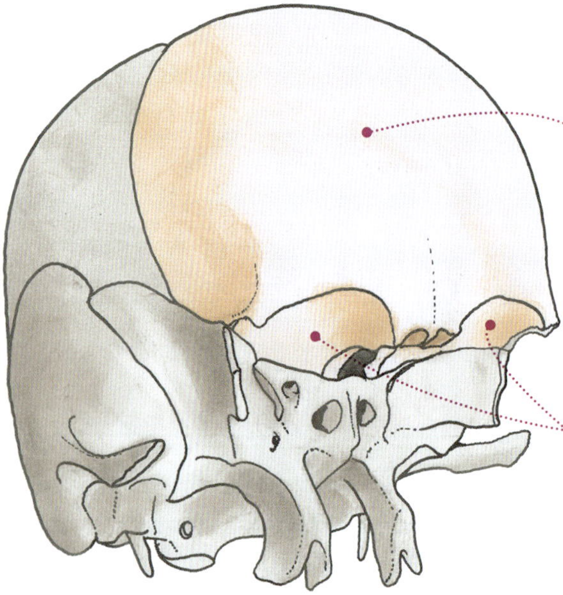

Die **Stirnbeinschuppe** (*Squama frontalis*) verläuft vom höchsten Punkt des Schädels bis zur Stirn. Oberhalb der Orbitabögen hat die Stirnbeinschuppe zwei Vorsprünge, die beiden **Augenbrauenwülste**. Sie sind durch eine sanfte Erhebung, die **Glabella**, miteinander verbunden.

Die ***Pars orbitalis*** bildet das Dach der Augen- und Nasenhöhlen. Sie besteht aus zwei relativ dünnen, nahezu dreieckigen Knochenplatten, den Orbitalplatten und der dazwischenliegenden Aussparung.

Um das Stirnbein detailliert betrachten zu können, ist hier der Rest des Gesichtsschädels nicht abgebildet.

Diese „dazwischenliegende Aussparung" (hier rosa dargestellt) verbindet sich mit dem Siebbein (grün), dem Tränenbein (orange), dem Nasenbein (blau) und dem oberen Teil des Oberkiefers (gelb). Alle diese Knochen zusammen bilden das Skelett der Nase und eine Wand zwischen den beiden Augenhöhlen.

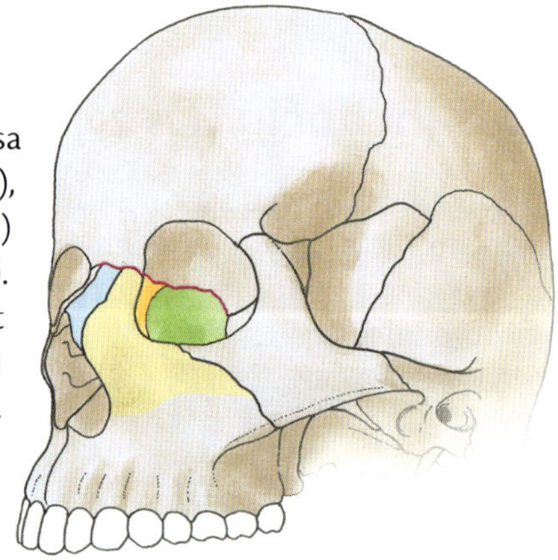

Hier ist der gesamte Gesichtsschädel abgebildet.

Weitere Informationen

Hinter den Augenbrauenwülsten befinden sich Hohlräume: die Stirnhöhlen.

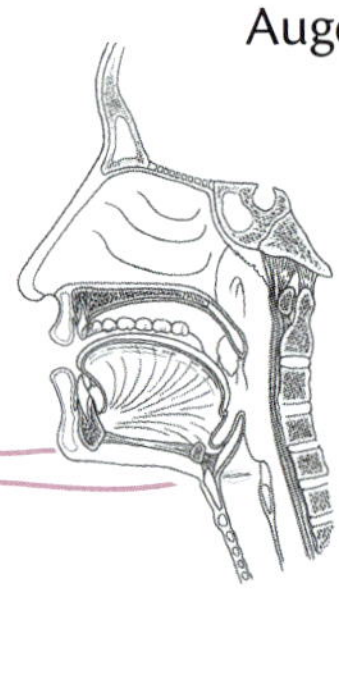

Das knöcherne Dach der Nasenhöhle: Das Siebbein (*Os ethmoidale*)

Das Siebbein ist ein komplexer, dünnwandiger Knochen und liegt mittig unter dem Stirnbein. Er besteht aus mehreren Teilen.

- Der mittlere Teil, die ***Lamina perpendicularis***, bildet einen Teil des Nasenseptums.
- Der obere Teil wird von der siebförmigen ***Lamina cribrosa*** gebildet. Sie ist das Dach der Nasenhöhle (siehe S. 272) und die Enden des Riechnervs verlaufen durch sie hindurch.
- Das paarige **Labyrinth** des Siebbeins besteht aus dünnwandigen Pneumatisationsräumen, den **Siebbeinzellen** (siehe auch S. 274).

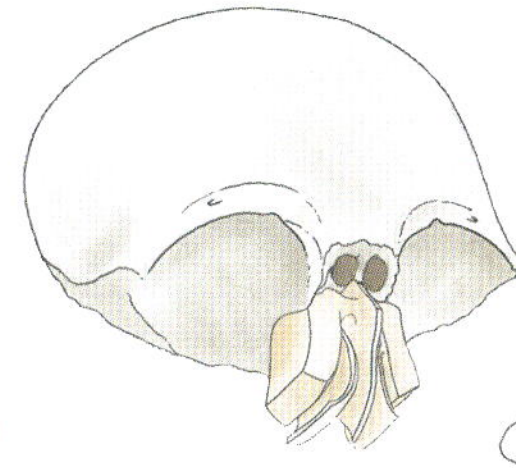

Wenn wir unsere Finger auf den oberen Teil der Nase an die Augeninnenwinkel legen, befindet sich das Siebbein hinter den Fingern.

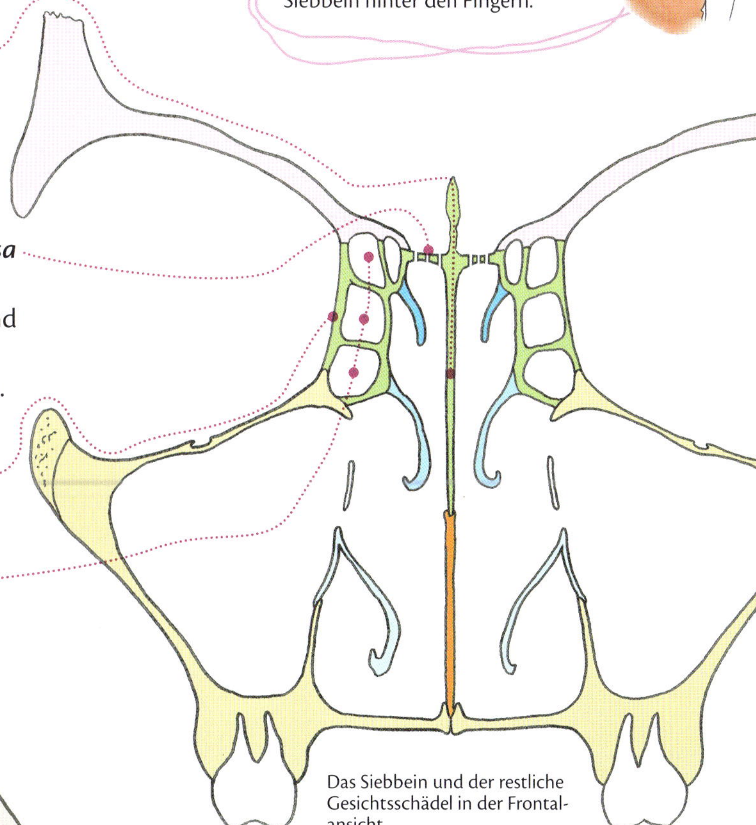

Das Siebbein und der restliche Gesichtsschädel in der Frontalansicht

Siebbein (grün), Stirnbein (rosa) Nasenmuscheln (blau), Oberkiefer (gelb).

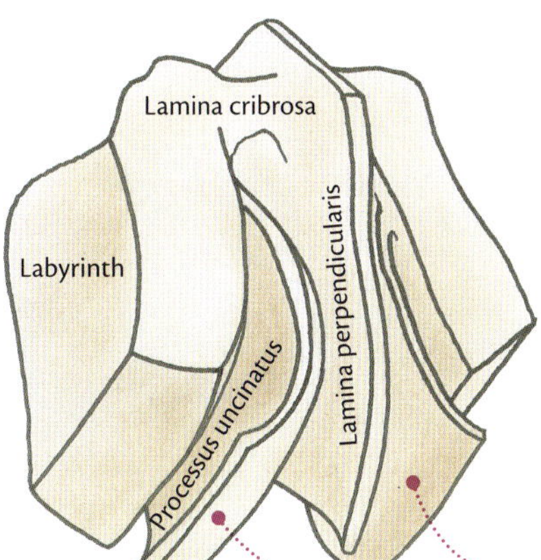

Zwischen den beiden Labyrinthen zieht eine gekrümmte Knochenlamelle nach unten, der ***Processus uncinatus***.

Zur Veranschaulichung

Um sich die Form vorzustellen, kann man sich das Hinterrad eines Fahrrads (*Lamina perpendicularis*) mit Gepäckträger (*Lamina cribrosa*) und zwei Satteltaschen (*Labyrinthe*) vorstellen.

Die Knochen der Nase

Das Pflugscharbein (*Vomer*)

Das Pflugscharbein ist ein flacher, dünner Knochen, der einem Sporn ähnelt. Es ist quasi ein Puzzleteil des knöchernen Nasenseptums. Es befindet sich unter der *Lamina cribrosa* des Siebbeins und vor dem Keilbein.

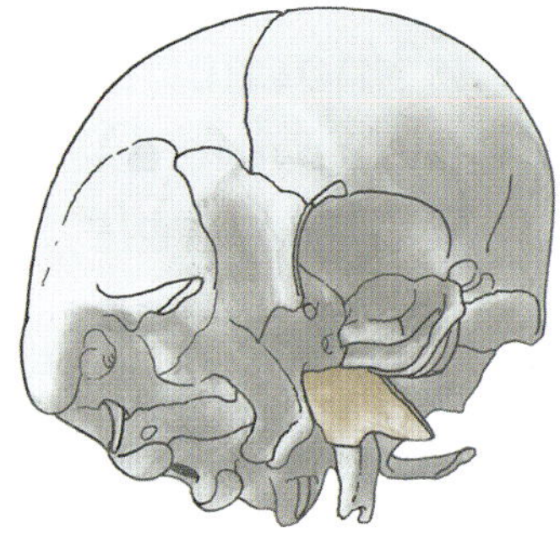

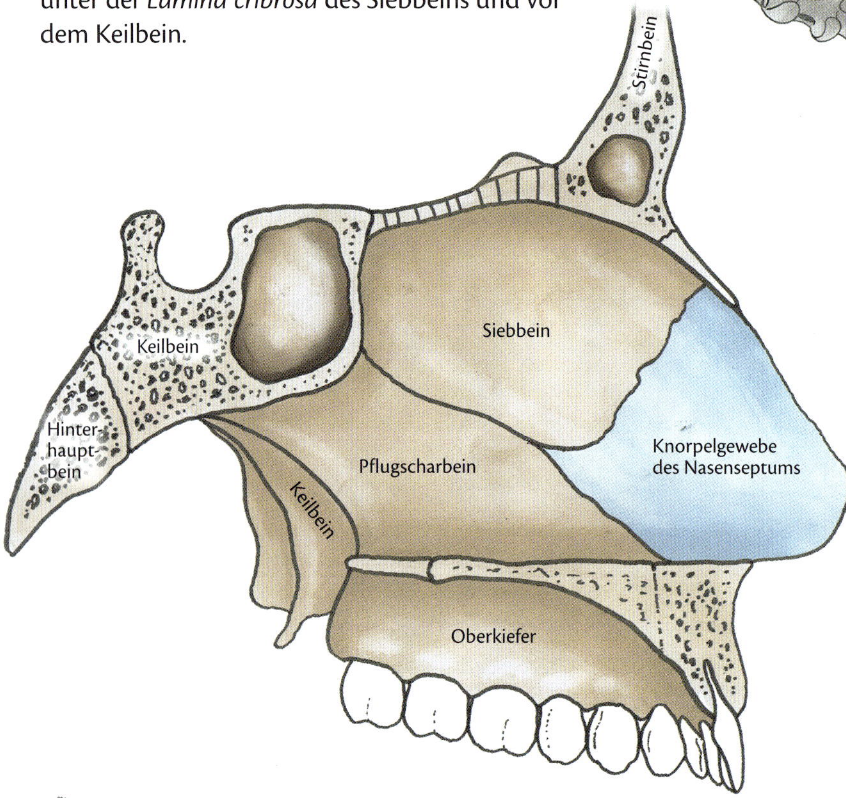

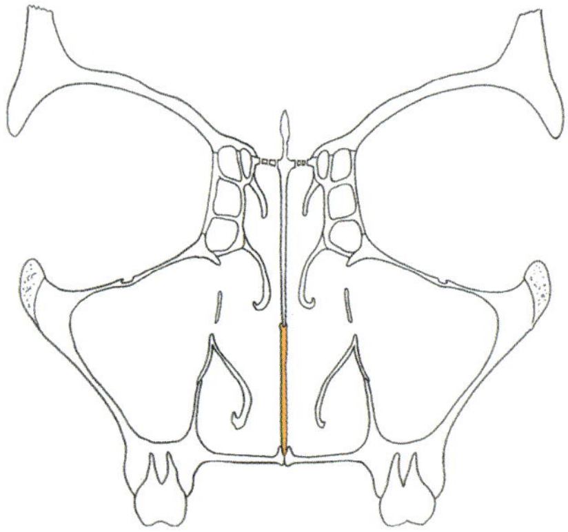

Das Pflugscharbein im frontalen Schnitt, umgeben von weiteren Gesichtsknochen: Oberkiefer, Siebbein, Stirnbein

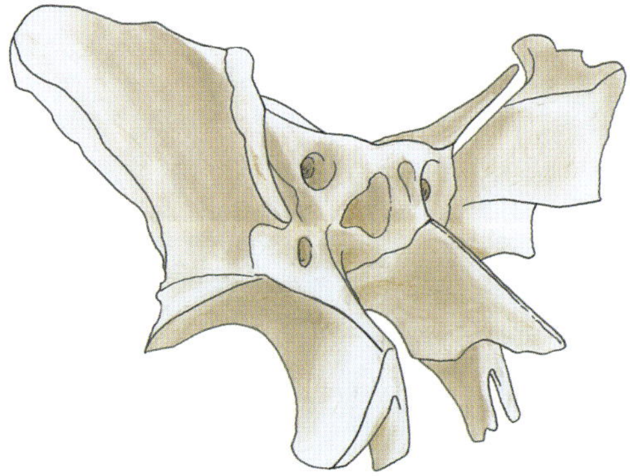

Das Pflugscharbein ist die Verlängerung des Keilbeins nach vorne.

Die Nasenmuscheln (*Concha nasalis*)

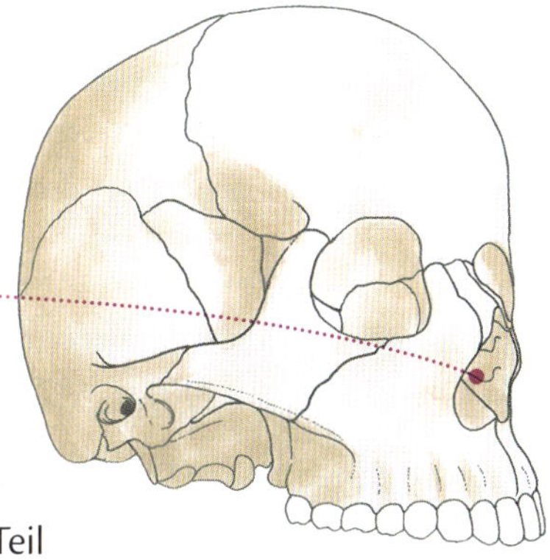

In den Nasenhöhlen befinden sich kleine Knochen: die **Nasenmuscheln**. Diese Knochenlamellen sind lang und gebogen und sehen deshalb aus wie Muschelschalen.

Sie sind horizontal an der Seitenfläche der knöchernen Nasenhöhle befestigt und zum mittleren und unteren Teil der Nase hin gebogen.

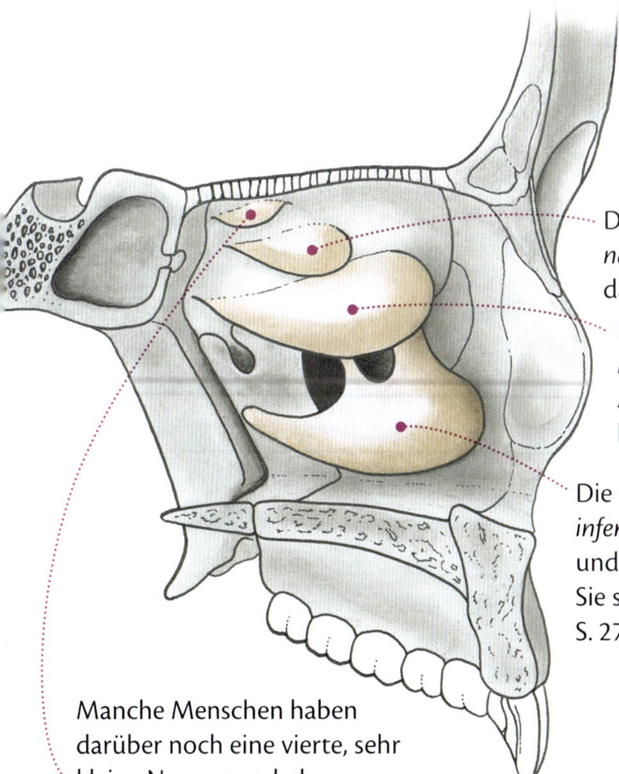

Die **obere Nasenmuschel** (*Concha nasalis superior*) ist die kleinste und in das Siebbein eingebettet.*

Die **mittlere Nasenmuschel** (*Concha nasalis media*) ist ca. acht Zentimeter lang. Auch sie ist im Siebbein eingebettet und liegt unterhalb der oberen Nasenmuschel.*

Die **untere Nasenmuschel** (*Concha nasalis inferior*) ist die längste (ca. zehn Zentimeter) und am seitlichen Teil des Oberkiefers befestigt. Sie schließt einen Teil der Kieferhöhle (siehe S. 274).

Manche Menschen haben darüber noch eine vierte, sehr kleine Nasenmuschel.

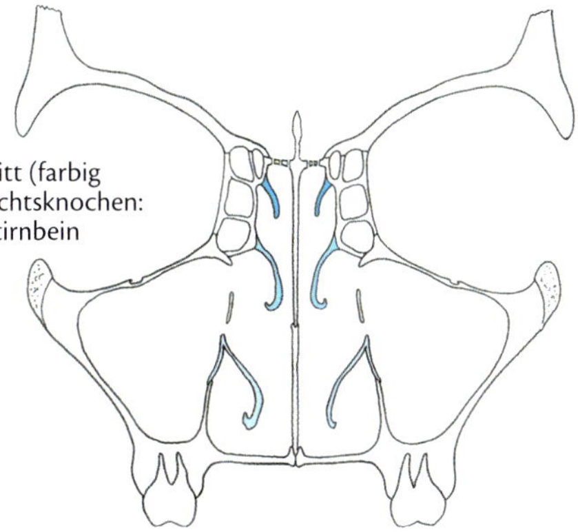

Die Nasenmuscheln im frontalen Schnitt (farbig markiert), umgeben von weiteren Gesichtsknochen: Pflugscharbein, Oberkiefer, Siebbein, Stirnbein

* Die obere und die mittlere Nasenmuschel werden von der *Facies medialis* des Siebbeins gebildet.

Der Oberkiefer (*Maxilla*)

Die beiden symmetrischen Hälften dieses Knochens (links und rechts) sind Teil des harten Gaumens, der Nasenhöhlen und der Wangen. Jede Maxilla hat drei Seiten sowie eine Basis und einen Scheitelpunkt.

Den Oberkiefer kann man auf beiden Seiten unten neben den Nasenlöchern und über der oberen Zahnreihe ertasten.

Die **obere Seite** (*Facies orbitalis*) bildet die Grenzwand zum Boden der Augenhöhle. Dieser Teil geht nach oben in einen Fortsatz über, den Stirnfortsatz des Oberkiefers (*Processus frontalis maxillae*).

Die **Basis** (*Facies nasalis*) bildet einen Teil der Seitenwand der Nasenhöhle und grenzt an den harten Gaumen. Sie wird vom Zahnbogen begrenzt.

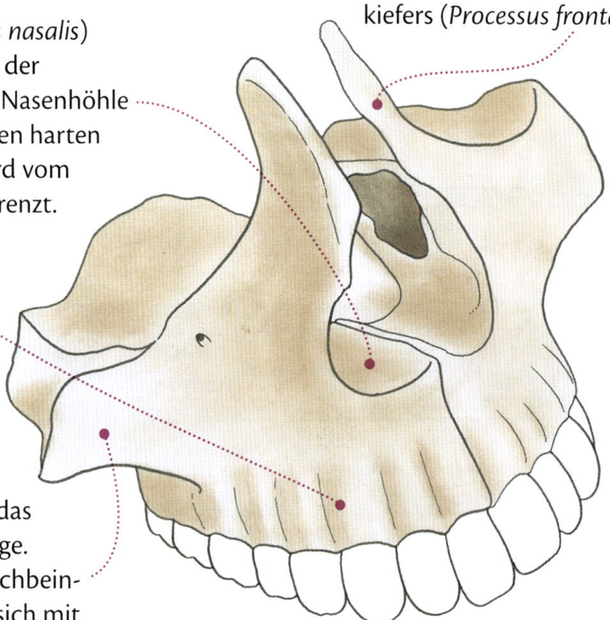

Die **vordere Seite** (*Facies anterior*) bildet das Skelett der Wange. Hier setzt der Jochbeinfortsatz an, der sich mit dem Jochbein verbindet.

Die **hintere Seite** ist Teil der Flügelgaumengrube (siehe auch S. 224).

Im Oberkiefer befindet sich die **große Kieferhöhle** (*Sinus maxillaris*), die über den Backenzähnen liegt und mit der Nasenhöhle verbunden ist.

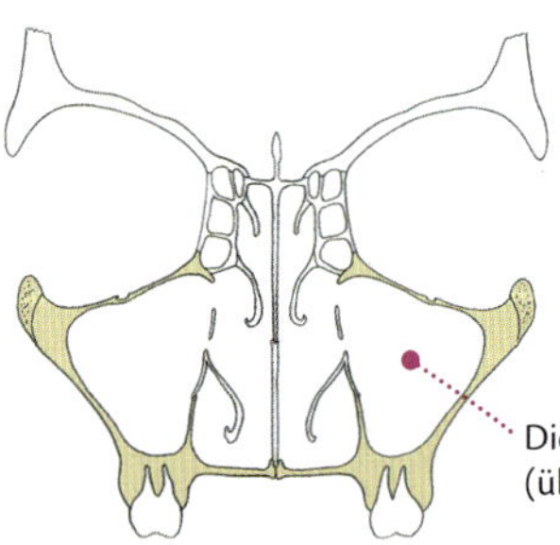

Die große Kieferhöhle (über den Backenzähnen)

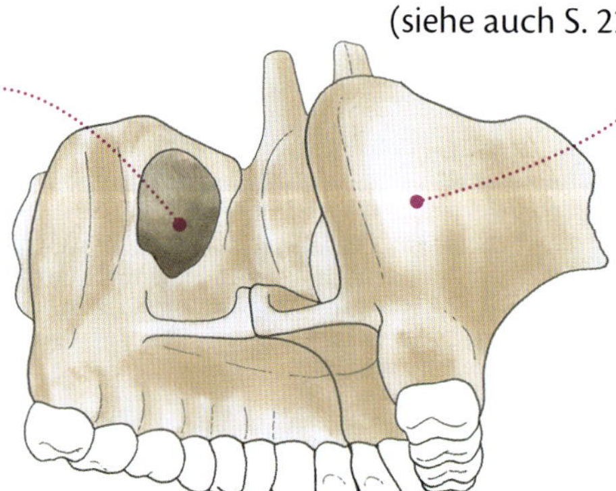

Der Oberkiefer von hinten rechts gesehen.

Das Gaumenbein (*Os palatinum*)

Dieser kleine paarige Knochen (rechte und linke Seite) liegt hinter dem Oberkiefer und ist gleichzeitig Teil des Gaumens und der Nasenhöhlen sowie der Unterseite der Augenhöhle.
Das Gaumenbein wird in die horizontale *Lamina horizontalis* und die vertikale *Lamina perpendicularis* eingeteilt. Zusammen sehen sie aus wie ein großes „L".

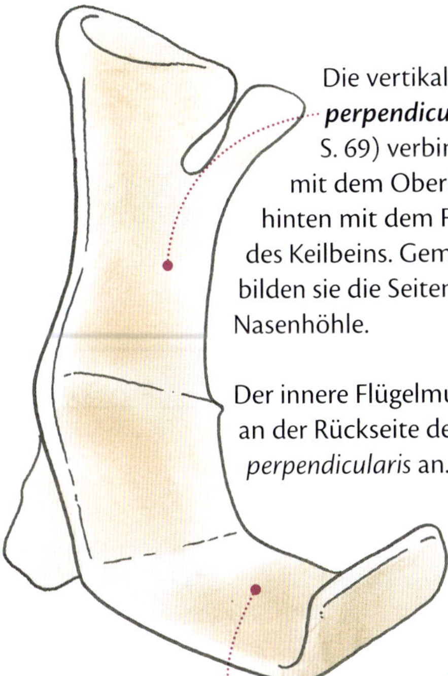

Die vertikale ***Lamina perpendicularis*** (siehe S. 69) verbindet sich vorne mit dem Oberkiefer und hinten mit dem Flügelfortsatz des Keilbeins. Gemeinsam bilden sie die Seitenwand der Nasenhöhle.

Der innere Flügelmuskel setzt an der Rückseite der *Lamina perpendicularis* an.

Die horizontale ***Lamina horizontalis*** verbindet sich ebenfalls mit beiden Teilen des Oberkiefers und bildet so das hintere Drittel des harten Gaumens. In der Mitte des Gaumens treffen sich die beiden symmetrischen Strukturen.

Der harte Gaumen, ein Puzzle aus vier Knochen

Der knöcherne Gaumen wird vorne durch die horizontalen Teile des Oberkiefers (rechts und links) gebildet, die in der Mitte durch eine „Naht", die mit der Zunge unter der Gaumenschleimhaut gut zu spüren ist, verbunden sind. Hinzu kommen die beiden Gaumenbeine: ihr horizontaler Teil erstreckt sich hinter dem harten Gaumen.

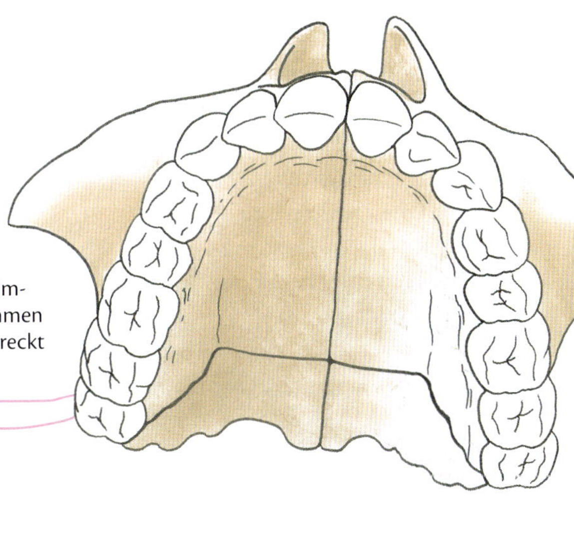

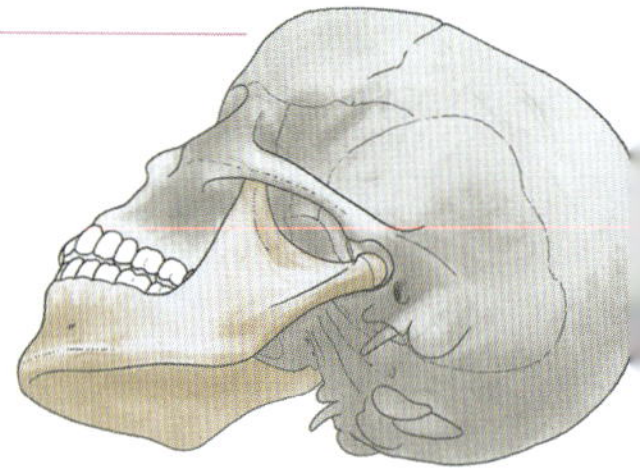

Der Unterkiefer (*Mandibula*)

Dieser Knochen bildet den beweglichen Teil unseres Kiefers. Er hat zwei symmetrisch aufsteigende Äste, die Unterkieferäste (*Rami mandibulae*), und eine horizontale Basis, die als **Unterkieferkörper** (*Corpus mandibulae*) bezeichnet wird.

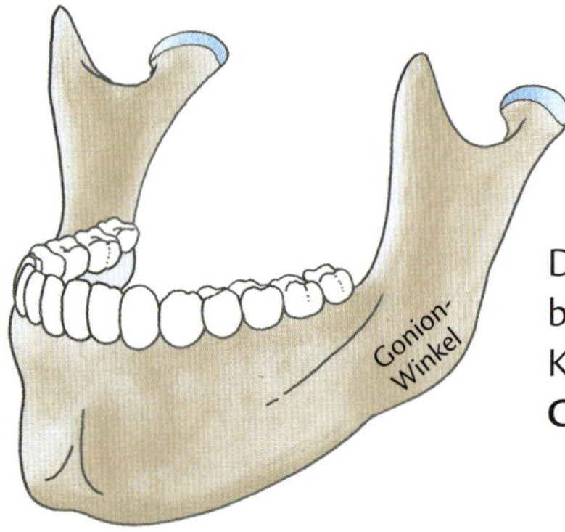

Der zwischen diesen beiden Teilen entstehende Kieferwinkel wird auch **Gonion-Winkel** genannt.

Der Unterkieferkörper

Der Unterkieferkörper ist dick und hufeisenförmig gebogen. Die Innenseite ist konkav, die Außenseite konvex gewölbt. Man unterscheidet die zwei Teile:

- den **oberen Teil** (*Pars alveolaris*)
- und den **unteren Teil**. Er bildet die Unterkieferbasis (*Basis mandibulae*).

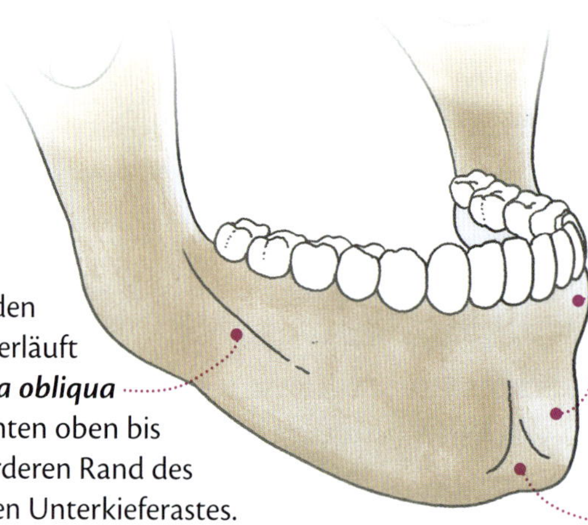

Auf beiden Seiten verläuft die ***Linea obliqua*** nach hinten oben bis zum vorderen Rand des jeweiligen Unterkieferastes.

Auf der Außenfläche befindet sich mittig eine vertikale Erhöhung, das ***Tuberculum mentale***.

Der obere Rand des Unterkieferkörpers ist mit Hohlräumen, den sogenannten **Zahnfächern** (*Alveolis dentalis*), gefüllt, in denen die Zahnwurzeln liegen.

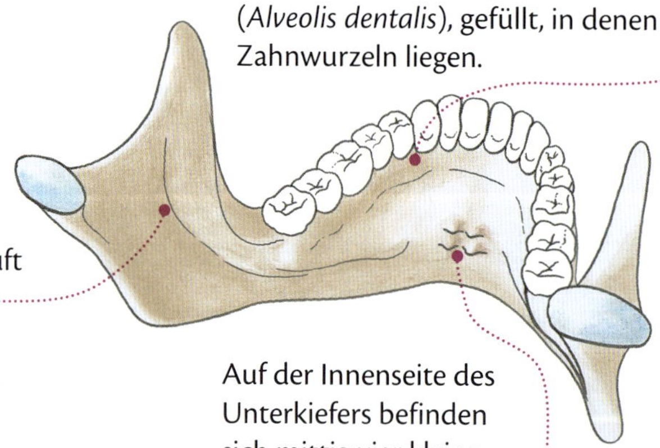

Auf beiden Seiten verläuft die ***Linea mylohyoidea*** nach oben in Richtung des Hinterkopfes zu den Unterkieferästen.

Auf der Innenseite des Unterkiefers befinden sich mittig vier kleine Fortsätze, die ***Spinae mentales***.

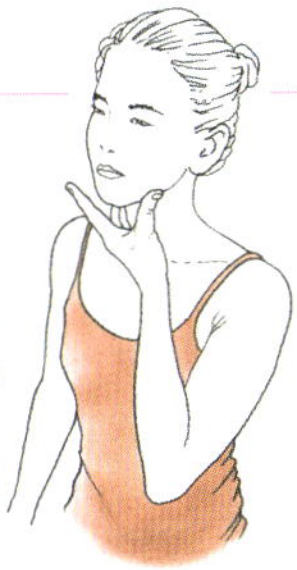

Den Unterkiefer kann man auf beiden Seiten des Kinns ertasten.

Die Unterkieferäste (*Rami mandibulae*)

Die Unterkieferäste besitzen:

einen dreiteiligen **oberen Abschnitt** (siehe unten),

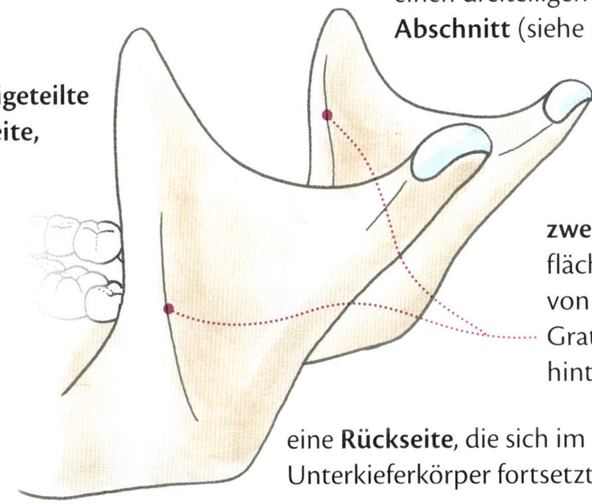

eine **zweigeteilte Vorderseite,**

zwei Seiten (Innenfläche, Außenfläche), von denen jede einen Grat hat, der nach hinten hin absteigt,

eine **Rückseite**, die sich im Unterkieferkörper fortsetzt.

Die drei Teile des oberen Abschnitts:

Die ***Incisura mandibulae*** ist eine halbmondförmige Vertiefung des aufsteigenden Unterkieferasts zwischen dem Kronenfortsatz und dem Kiefergelenkköpfchen.

Das **Kiefergelenkköpfchen** (*Caput mandibulae*) ist eine konvexe, ovale Gelenkoberfläche.

Der **Kronenfortsatz** ist ein dünner, nach oben gerichteter Knochenvorsprung.

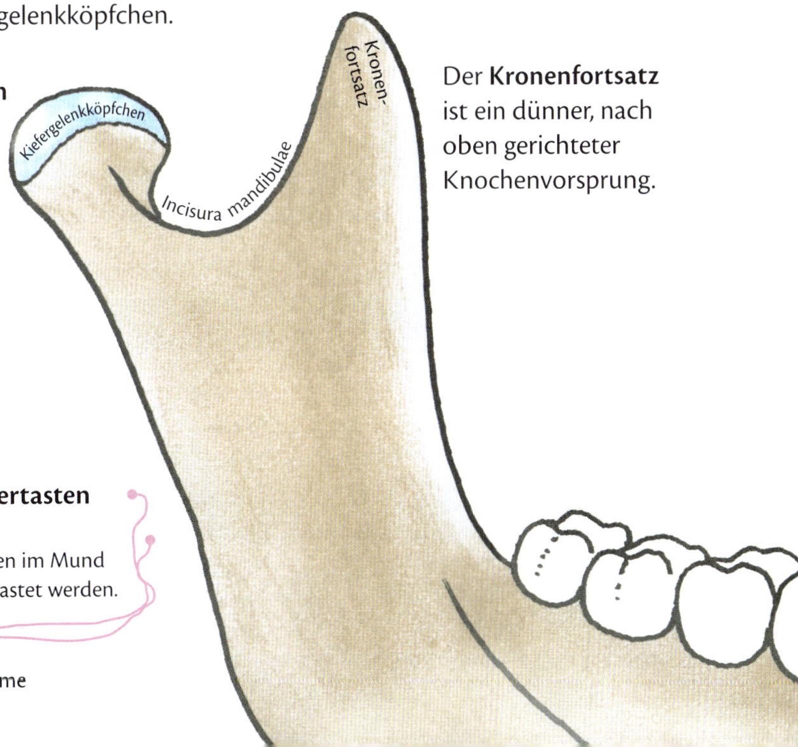

Die Kieferfortsätze ertasten

Die Kieferfortsätze können im Mund mit der Zungenspitze ertastet werden.

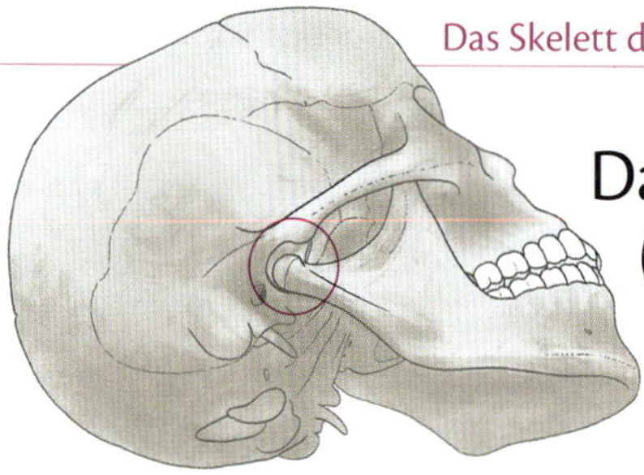

Das Kiefergelenk (*Articulatio temporomandibularis*)

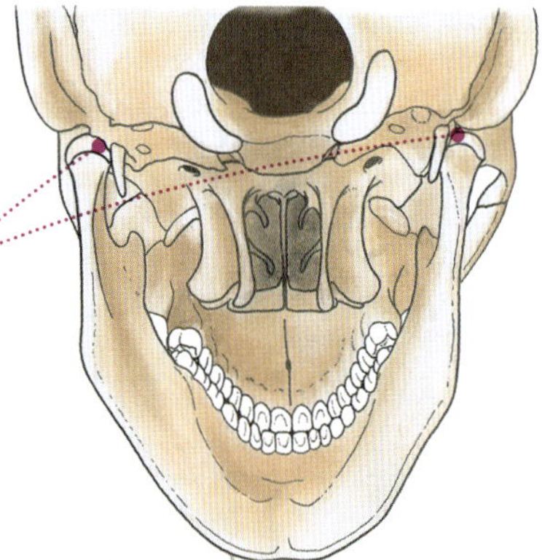

Der Unterkiefer besitzt zwei gleiche, einander gegenüberliegende Gelenke, die immer gleichzeitig bewegt werden. Sie liegen beidseits am Schläfenbein, das Teil der seitlichen Schädelbasis ist, und am Unterkiefer (*Mandibula*).

Die zwei wichtigen Gelenkoberflächen des Schläfenbeins

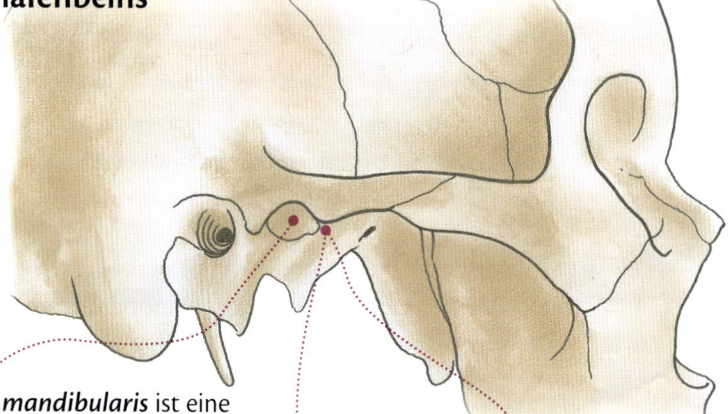

Die ***Fossa mandibularis*** ist eine konkave, nach unten gerichtete Gelenkfläche, die hinter dem Gelenkkopf und vor dem Rand des Gehörgangs liegt. Sie tritt mit dem **Kiefergelenkköpfchen** nur bei den wichtigen Retropulsionsbewegungen des Unterkiefers in Kontakt.

Das **Gelenkköpfchen** des Schläfenbeines, dessen Oberfläche teilweise zylinderförmig und nach unten konvex ist, befindet sich auf der unteren Oberfläche des Jochbeinfortsatzes (siehe auch S. 67).

Auf dem Unterkiefer: die Kiefergelenkköpfchen

Die Kiefergelenkköpfchen bestehen aus einem vorderen Teil, der mit Knorpelgewebe überzogen ist, und einem etwas kleineren, fast vertikalen hinteren Teil, der nicht mit Knorpelgewebe überzogen ist.

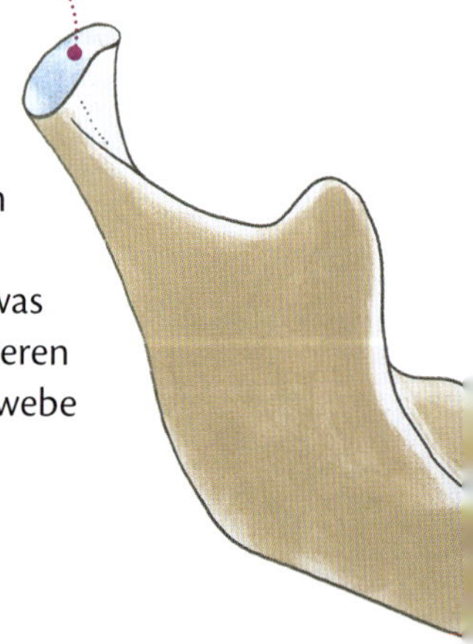

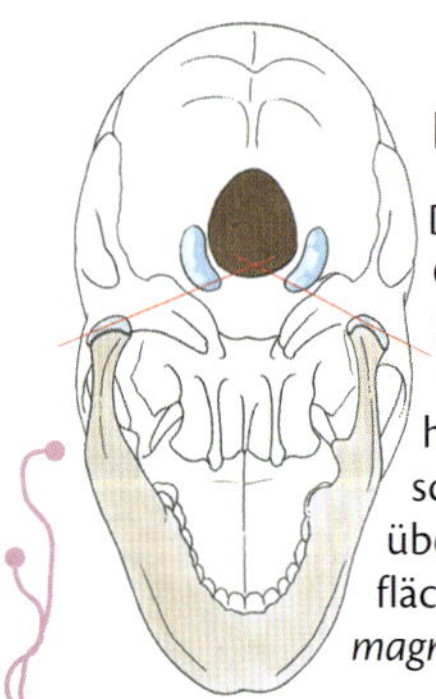

Weitere Informationen

Die Hauptachsen der Gelenkflächen des Schläfenbeines verlaufen schräg nach hinten innen und schneiden die der gegenüberliegenden Gelenkflächen am *Foramen magnum* (siehe auch S. 62).

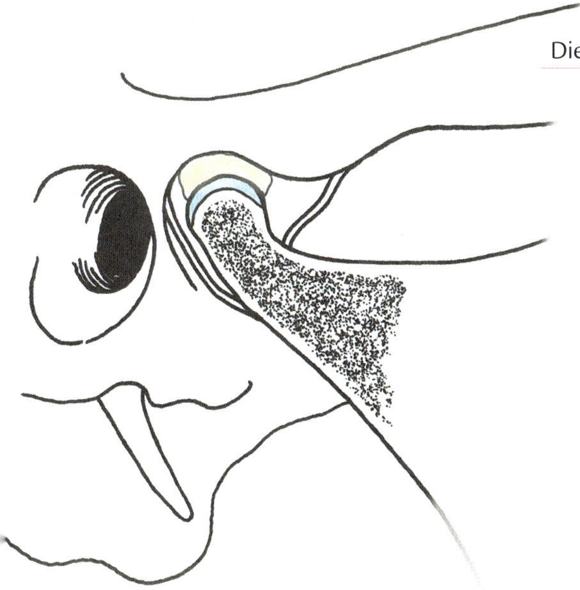

Hier ist der knorpelfaserige Meniskus gelb dargestellt und das Knorpelgewebe der Gelenkköpfchen blau.

Zwischen den Gelenkflächen: der Meniskus

Der **Meniskus** ist eine knorpelfaserige Scheibe. Seine Oberfläche ist im hinteren Teil konvex gewölbt und trifft auf die *Fossa mandibularis*. Seine konkave Vorderseite ist mit dem Kiefergelenkköpfchen verbunden.

Die doppelt konkave Wölbung des Meniskus ermöglicht die Verbindung von zwei Gelenkköpfchen, die beide konvex gewölbt sind und deshalb nicht ineinander passen.

Der Meniskus ist durch Faserringe gelenkig mit dem Gelenkköpfchen des Oberkiefers verbunden, was ihm eine gewisse Beweglichkeit ermöglicht.

Verbindende Strukturen

Die Gelenkflächen sind von einer lockeren, dünnen Kapsel aus Bindegewebsfasern umgeben. Diese wird durch den Meniskus unterbrochen, der zwei Kapselkammern bildet, eine obere und eine untere. Jede Kammer ist mit einer **Gelenkinnenhaut** ausgekleidet, die **Gelenkflüssigkeit** produziert.

Die Gelenkkapsel wird durch Bänder verstärkt, insbesondere die lateralen Bänder:

- Das interne laterale Band ist hier nicht dargestellt.
- Das **externe laterale Band** ist hier in zwei Teilen dargestellt, dem vorderen und dem hinteren.

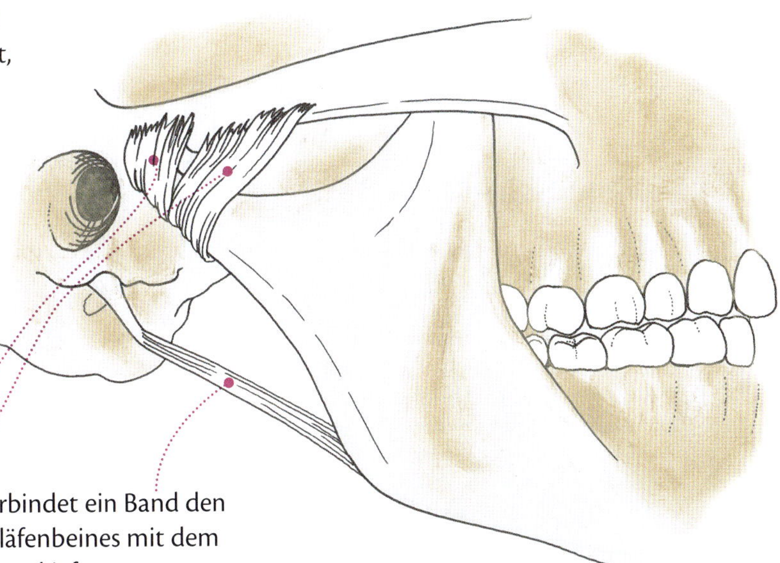

Etwas weiter unten verbindet ein Band den Griffelfortsatz des Schläfenbeines mit dem Gonion-Winkel des Unterkiefers.

Bewegungen des Kiefergelenks

Das Kiefergelenk ermöglicht es uns, zahlreiche Bewegungen auszuführen, die die Form des Mundes verändern und dadurch auch Einfluss auf unsere Stimme haben.

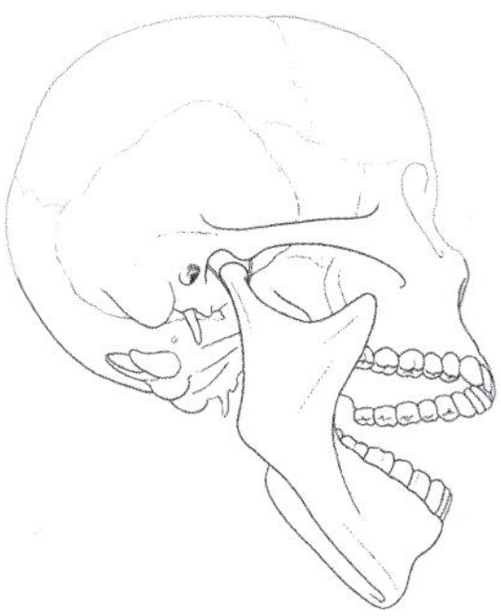

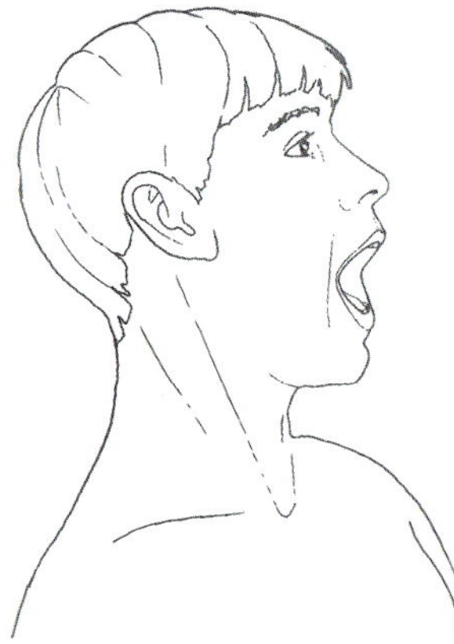

Öffnen und Schließen des Kiefers

Wenn der Unterkieferknochen gesenkt wird, öffnen wir unseren Mund. Wenn wir den Unterkiefer heben, schließen wir den Mund (hier nicht abgebildet).

Wird der Mund passiv geöffnet (wie wenn „die Kinnlade herunterfällt"), rollt das Gelenkköpfchen des Unterkiefers in die *Fossa mandibularis* des Schläfenbeins. Wird der Mund aktiv geöffnet (wie wenn wir „den Mund aufreißen"), rollt das Kiefergelenkköpfchen nicht in die *Fossa mandibularis*, sondern wird gegenüber dem Gelenkköpfchen des Schläfenbeins leicht nach vorne verschoben. Das kann man ertasten, wenn man die Fingerspitzen auf die Gelenkköpfchen legt (ca. ein Zentimeter vor dem Eingang zum Gehörgang).

Kopf oder Kiefer

Bei diesen Bewegungen wird meist der Kiefer bewegt und nicht der Kopf. Allerdings bewegt sich der Kopf in der Regel auch leicht. Es kann aufschlussreich sein, mit dieser Bewegung zu experimentieren und das Kiefergelenk zu bewegen, indem man den Kiefer fixiert und die Bewegung nur mit dem Kopf macht.

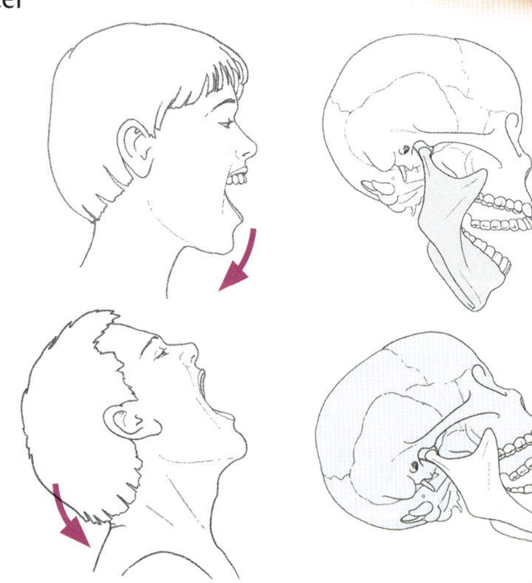

Bewegungen in der Sagittalebene

Diese sogenannten „Schlittenbewegungen“ werden durch ein Gleiten zwischen dem Gelenkköpfchen des Schläfenbeins und dem Meniskus ermöglicht. Der Kiefer kann in folgende Richtungen gleiten:

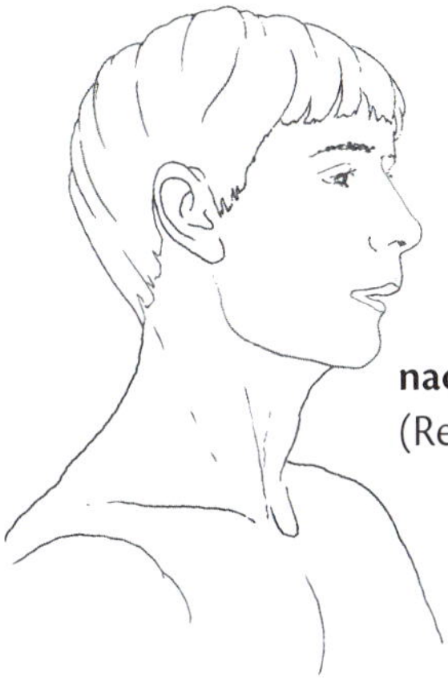

nach hinten
(Retrusion)

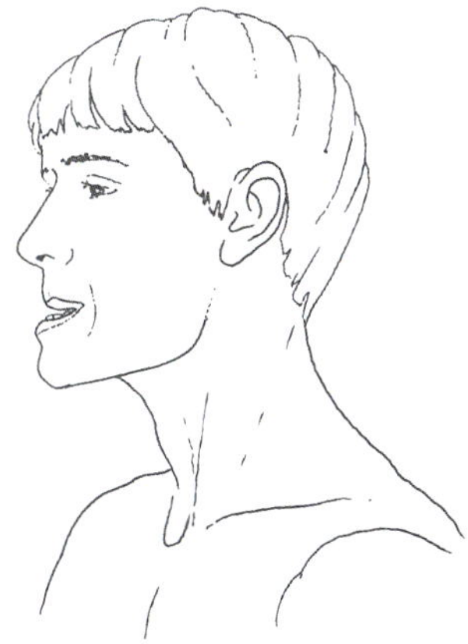

nach vorne
(Protrusion)

Unterkiefer und Kopfhaltung

Wenn man entspannt auf dem Rücken liegt, senkt sich der Kiefer (der Mund öffnet sich) und bewegt sich gleichzeitig ein wenig nach hinten (Retrusion). Diese Bewegungen sind passiv und nur minimal, wenn der Kopf am Atlas gestreckt ist (falls diese Streckung ebenfalls gering ist).

Wenn die Bewegung umgekehrt und der Kopf gesenkt ist, geschieht das Gegenteil. Die Position des Kopfes beeinflusst daher die Position des Unterkiefers. Manchmal ist die Amplitude der Bewegung minimal, aber bei der Stimmarbeit ist sie immer eine wichtige Variable, da jede Veränderung der Position des Unterkiefers wiederum die Bewegung der Zunge und alles, was daran hängt, beeinflusst.

Laterale Bewegungen in der Frontalebene

Hier wird der Unterkiefer zur Seite, also lateral, bewegt. Diese Bewegungen nennt man Laterotrusion. Ein Gelenkköpfchen vollführt eine Rotation um sich selbst, während das andere in die Protrusion geht. (Mehr zu den beteiligten Muskeln auf S. 224.)

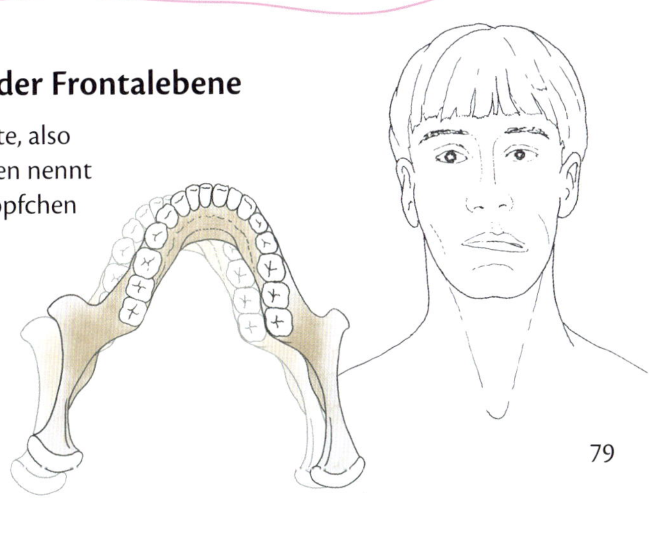

Die Zahnbögen und die Zähne

Auf diesen Teil des Mundes gehen wir hier kurz ein, da die Zähne bezüglich der exakten Position zur Zunge eine wichtige Rolle für die Genauigkeit der Artikulation spielen.

Der obere Zahnbogen

Er wird durch die unteren Ränder des rechten und linken Oberkiefers gebildet, die zu einem einzigen Bogen verbunden sind. Der Knochen ist hier verdickt und beinhaltet die Alveolen (Zahnfächer).

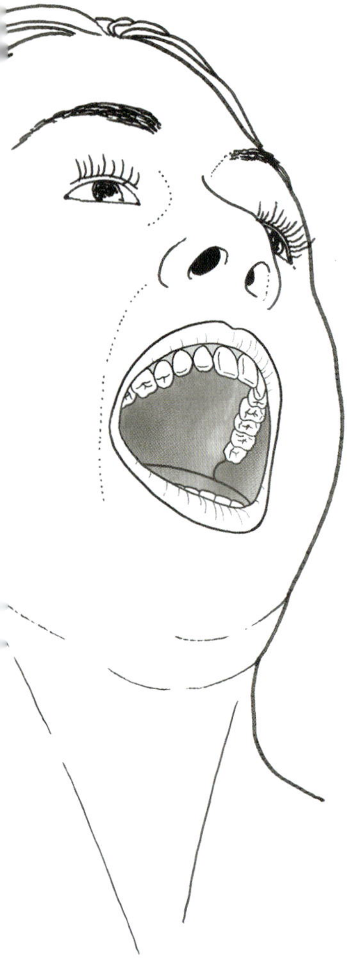

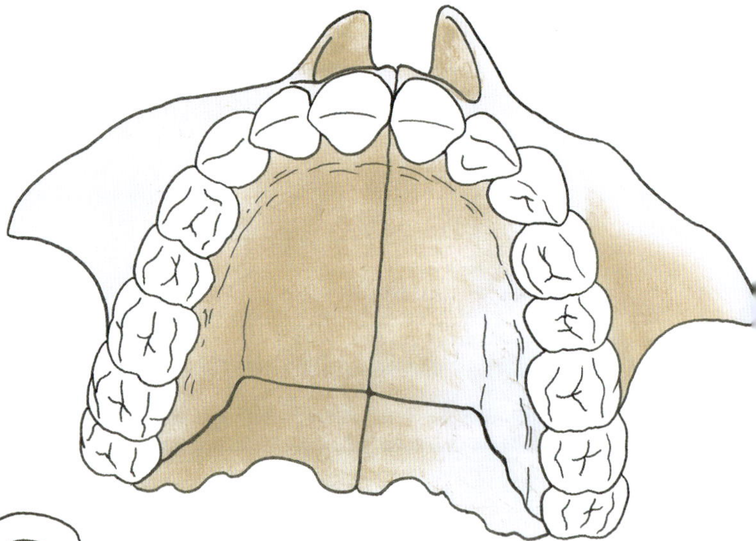

Der untere Zahnbogen

Er wird vom oberen Teil des Unterkieferkörpers gebildet. Auch hier befinden sich im Knochen eine Reihe von Zahnfächern.

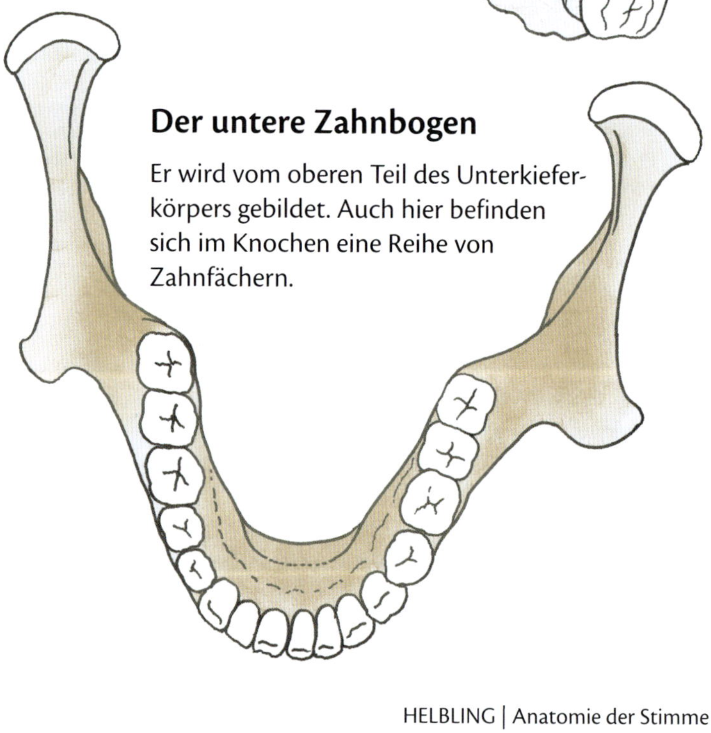

Die Zähne

Zähne können als Organe betrachtet werden, die aus einer harten Krone und einer oder mehreren Wurzeln bestehen, welche in den Zahnfächern verankert sind.
Zähne bestehen im Wesentlichen aus **Zahnbein** (*Dentin*).
An der Außenseite sind die Zähne auf der Ebene der Zahnkrone von **Zahnschmelz** überzogen, der sehr hart ist, und auf der Ebene der Zahnwurzel von **Zahnzement**.

Innen besteht der Zahn aus Weichgewebe: dem **Zahnmark** (*Pulpa dentis*), das Nerven und Blutgefäße enthält.
Es gibt vier Zahntypen bei Erwachsenen:

- die abgeflachten Schneidezähne ganz vorne,
- die spitzen Eckzähne,
- die vorderen Backenzähne und
- die hinteren Backenzähne mit ihren breiten, unregelmäßigen Kronen.

Die Zähne sind auf zwei Arten auf den Kieferknochen befestigt:

- Durch Einbettung: Jeder Zahn entspricht genau einer Alveolarhöhle.
- Durch die Wurzelhaut (*Ligamentum periodontale*). Diese verbindet auf der Wurzelebene die Alveolarwand mit dem Zahnzement.

Zunge und Zähne

Wenn die Zunge gerade nicht am Kauvorgang oder an der Artikulation beteiligt ist, sollte sie am harten Gaumen anliegen. Die Zungenspitze sollte an den Gaumenfalten liegen, den querverlaufenden Schleimhautfalten hinter und über den Alveolen der Schneidezähne.

Die Zunge sollte nicht von hinten gegen die Zähne drücken. Tatsächlich liegt die Zungenspitze, außer während des Schluckens, immer vorn an den Gaumenfalten: Wenn sie auf den Zähnen aufläge, würde sie sie nach vorne drücken und sie verschieben.

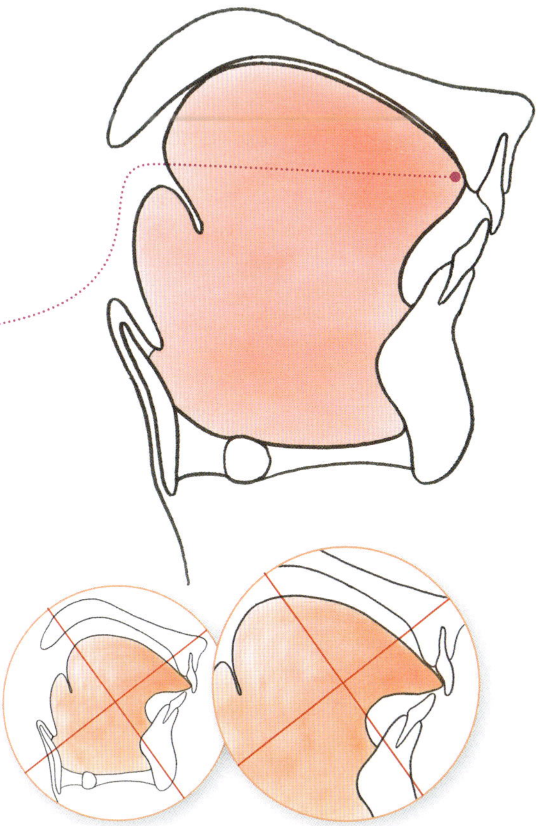

Das Zungenbein (*Os hyoideum**)

Das Zungenbein liegt oberhalb des Kehlkopfes. Es ist zwar klein (20 bis 25 Millimeter breit, 30 Millimeter lang), aber sehr wichtig für die Stimme, da viele Bänder und Muskeln des Stimmapparates mit ihm verbunden sind.

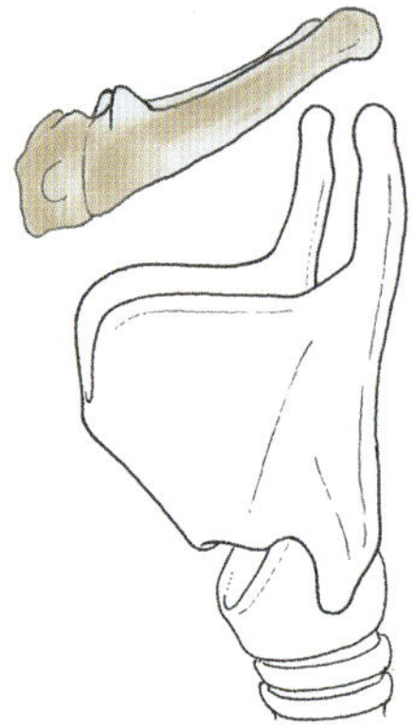

Es besteht aus mehreren Teilen:

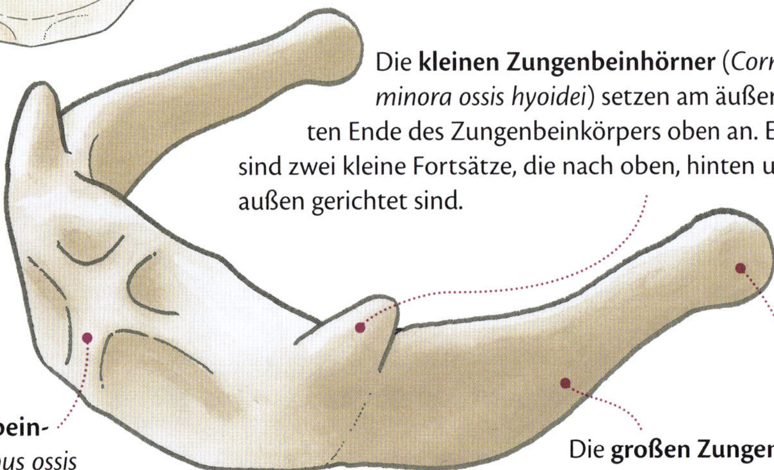

Die **kleinen Zungenbeinhörner** (*Cornua minora ossis hyoidei*) setzen am äußersten Ende des Zungenbeinkörpers oben an. Es sind zwei kleine Fortsätze, die nach oben, hinten und außen gerichtet sind.

Der **Zungenbeinkörper** (*Corpus ossis hyoidei*) ist der breiteste Teil des Zungenbeins. Er hat zwei Flächen (anterior, posterior) und zwei Ränder (superior, inferior).

Die **großen Zungenbeinhörner** (*Cornua majora ossis hyoidei*) sind die Verlängerung des Zungenbeinkörpers nach hinten. Am Ende der großen Zungenbeinhörner befindet sich eine **knöcherne Verdickung**, das *Tuberculum* der großen Zungenbeinhörner.

Das Zungenbein ertasten

Das Zungenbein befindet sich beim Übergang der Vorderseite des Halses (vertikal) zur Unterseite des Unterkiefers (horizontal). Man kann es mit Daumen und Zeigefinger ertasten, es liegt direkt oberhalb des Schildknorpels (siehe S. 141).

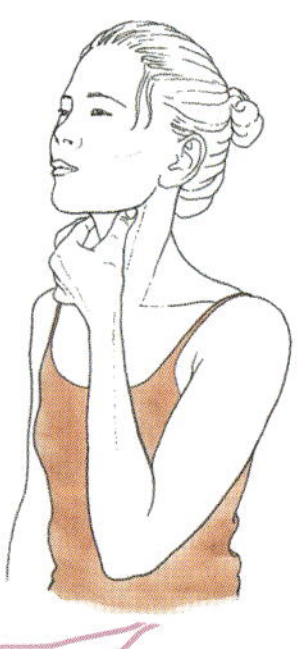

* hyoeides: griech. „u-förmig"

Das Zungenbein ist nicht durch Gelenke mit einem anderen Knochen des Körpers verbunden. Es ist durch folgende Muskeln und Bänder am Schädel und am Unterkiefer oben aufgehängt:

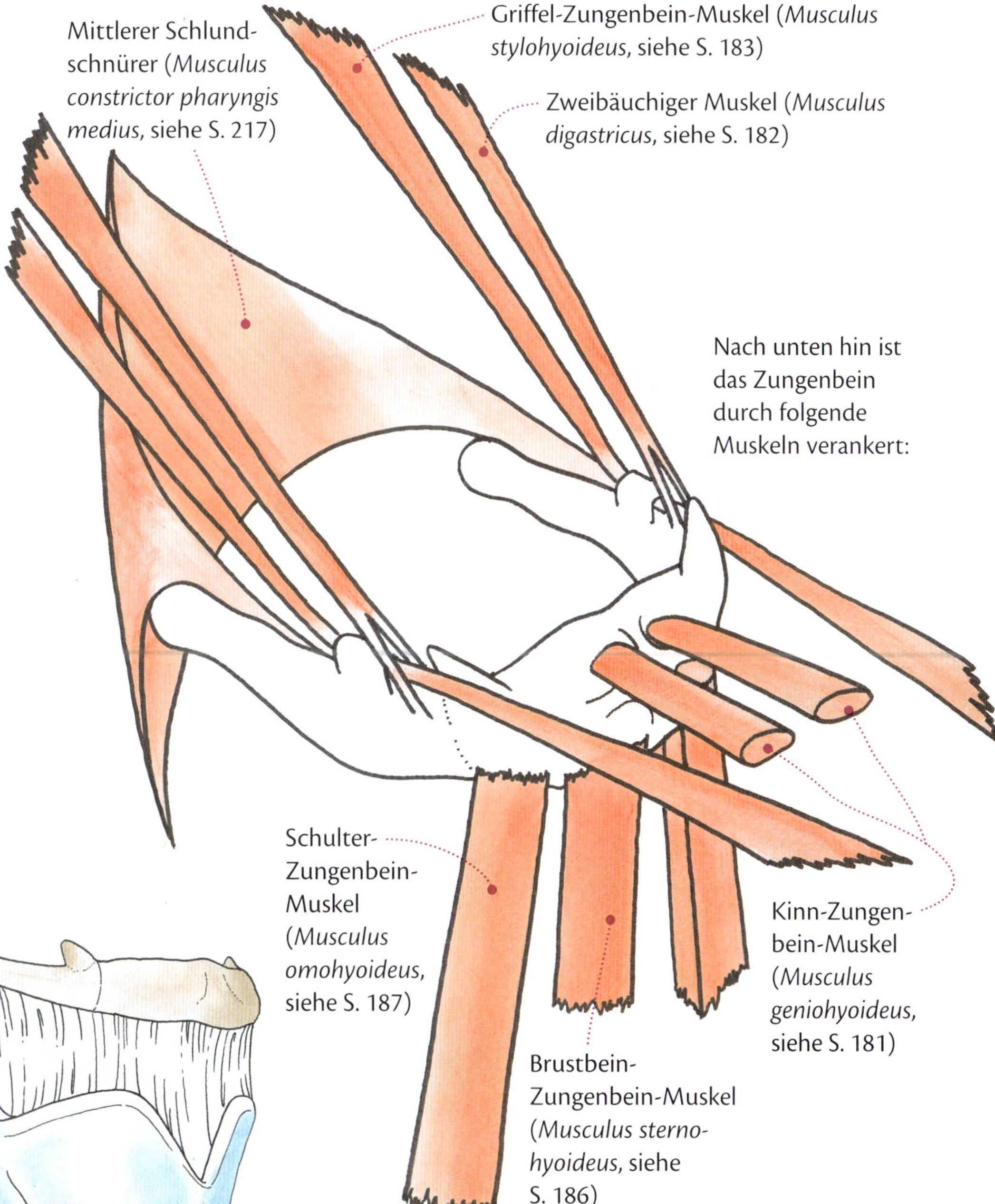

Nach unten hin ist das Zungenbein durch folgende Muskeln verankert:

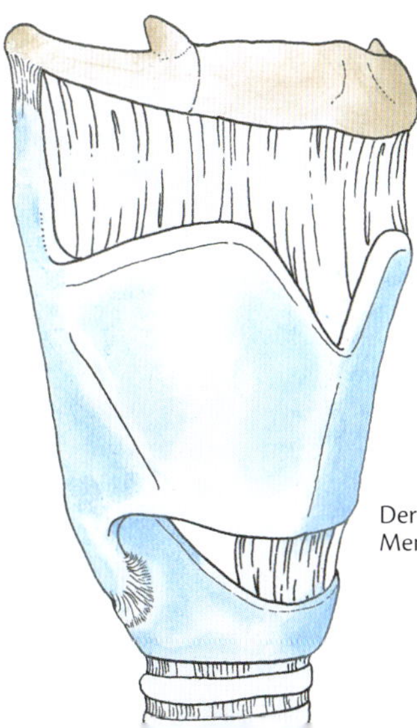

Der Schildknorpel ist durch eine Membran am Zungenbein aufgehängt.

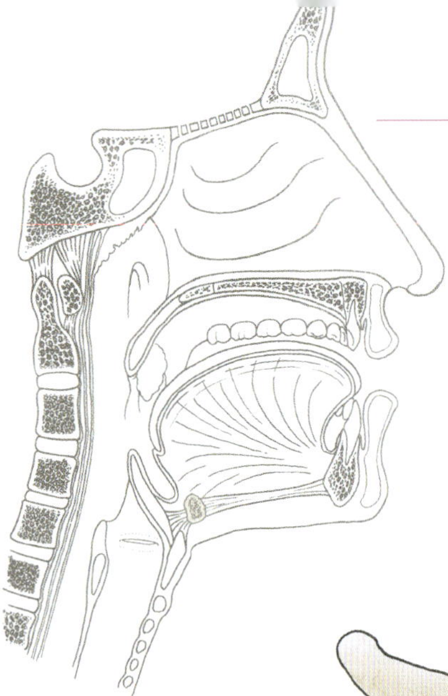

Das Zungenbein, seine Umgebung, seine Aufgaben

Im Querschnitt erkennt man das Zungenbein als einen kleinen knöchernen Punkt, der mit vielen anderen Strukturen verbunden ist.

Das Zungenbein und seine Umgebung

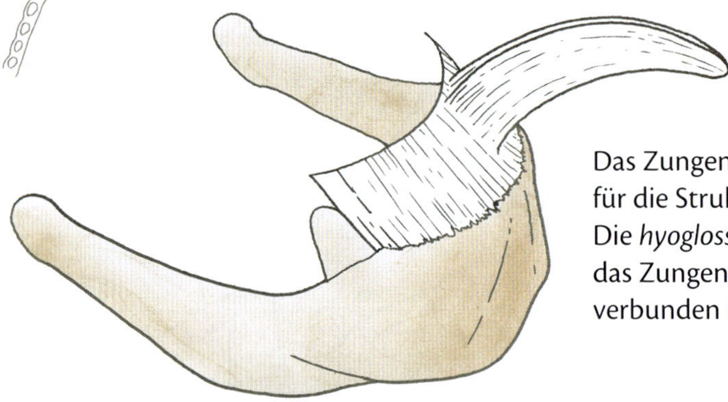

Das Zungenbein ist die Basis für die Strukturen der Zunge. Die *hyoglossische Membran* sowie das Zungenseptum sind mit ihm verbunden (siehe S. 244).

Zudem dient das Zungenbein als Ankerpunkt für die Strukturen des Mundraumbodens. Der Kiefer-Zungenbein-Muskel (*Musculus mylohyoideus*) sowie der Kinn-Zungenbein-Muskel (*Musculus geniohyoideus*, siehe S. 181) sind mit dem vorderen Teil des Zungenbeinkörpers verbunden.

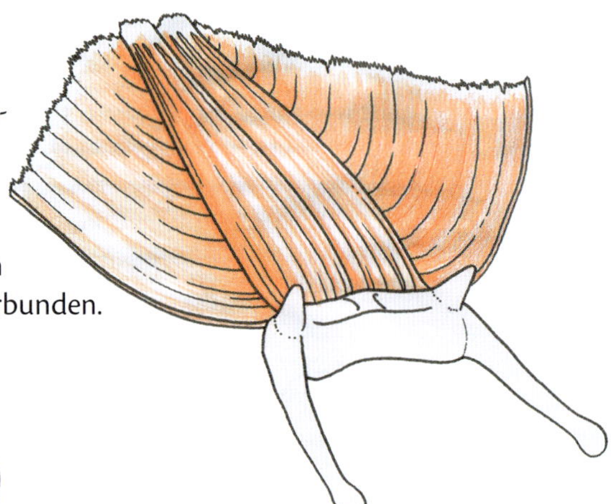

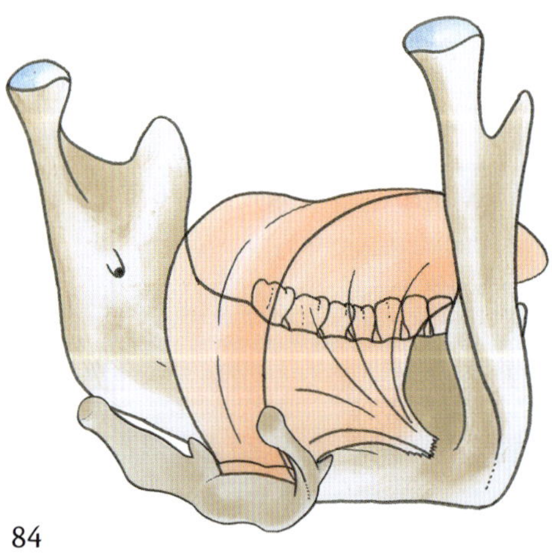

Weiterhin ist es mit dem *Musculus genioglossus* (siehe S. 246) verbunden, dem größten Teil der menschlichen Zunge.

Das Zungenbein dient auch als einer der vorderen Befestigungspunkte für den Rachen: Der mittlere Schlundschnürer (*Musculus constrictor pharyngis medius*, siehe S. 217) setzt an den großen Zungenbeinhörnern an.

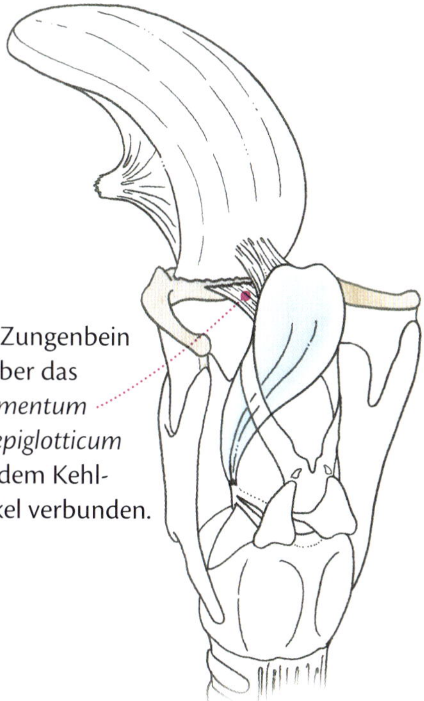

Das Zungenbein ist über das *Ligamentum hyoepiglotticum* mit dem Kehldeckel verbunden.

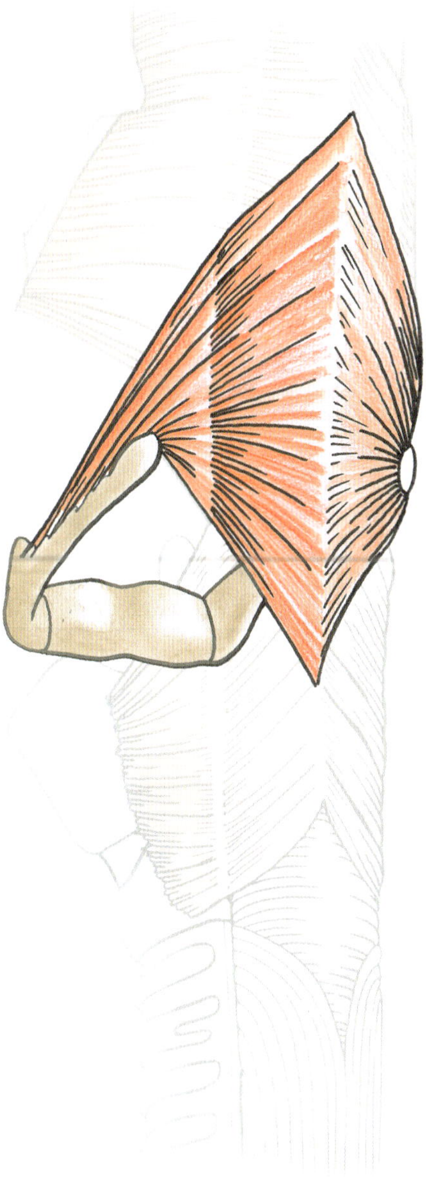

Das Zungenbein hat viele Aufgaben

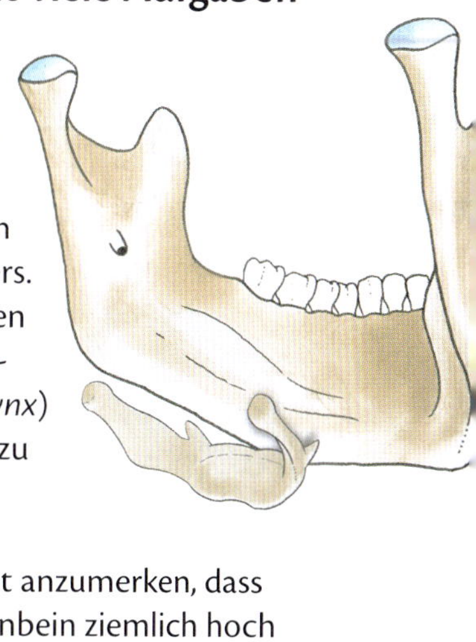

Das Zungenbein liegt wie ein „Miniatur-Hufeisen" unterhalb und hinter dem „Hufeisen" des Unterkiefers. Bei der Atmung hält es den Kehlkopf (*Larynx*) auf Abstand zum Rachen (*Pharynx*) und hilft, die Kehle offen zu halten.

Im Kontext der Stimme ist anzumerken, dass bei Säuglingen das Zungenbein ziemlich hoch im Rachen liegt. Im Alter von etwa zwei Jahren wandert es in den Hals hinab, was die Resonanzfähigkeit von Rachen und Kehlkopf erhöht. Dadurch entsteht ein zweiter Resonanzbereich, welcher die Vokalbildung unterstützt (siehe S. 197).

Einleitung S. 88

Die Brust- und die Bauchhöhle S. 89

Die Brusthöhle (*Cavitas thoracis*) S. 90
Die Bauchhöhle (*Cavitas abdominalis*) S. 92
Das Zwerchfell (*Diaphragma*): Ein „doppelseitiges Klebeband“ zwischen Brust- und Bauchhöhle S. 94
Der Atemapparat und das kontrollierte Ausatmen S. 95

Die Atemorgane und ihre Umgebung S. 96

Die Lunge als Atemorgan S. 96
Die Bronchien und die Luftröhre S. 98

Die Atemmuskulatur und die Stimme S. 99

Die Ausatemmuskulatur: Muskeln, die Stimmatmung erzeugen S. 100

Die quer verlaufenden Bauchmuskeln (*Musculus transversus abdominis*) S. 101
Die schrägen Bauchmuskeln S. 102
Der gerade Bauchmuskel (*Musculus rectus abdominis*) S. 104
Bauchmuskulatur und Stimmarbeit S. 105
Der Damm und der Beckenboden S. 108

Die Einatemmuskulatur S. 112

Das Zwerchfell (*Diaphragma*) S. 113
Die Zwischenrippenmuskeln (*Musculi intercostales*) S. 118
Der vordere Sägemuskel (*Musculus serratus anterior*) S. 119
Der kleine Brustmuskel (*Musculus pectoralis minor*) S. 120
Der große Brustmuskel (*Musculus pectoralis major*) S. 121
Die Rippenhebemuskeln (*Musculi levatoris costarum*) S. 122
Der Kopfnicker (*Musculus sternocleidomastoideus*) S. 123
Die Skalenusmuskeln (*Musculi scaleni*) S. 124

Die Haltemuskulatur als Stütze des Atemapparates S. 126

Die Wirbelsäulenmuskulatur S. 127
Die langen Rückenmuskeln S. 128
Die vordere Haltemuskulatur S. 129

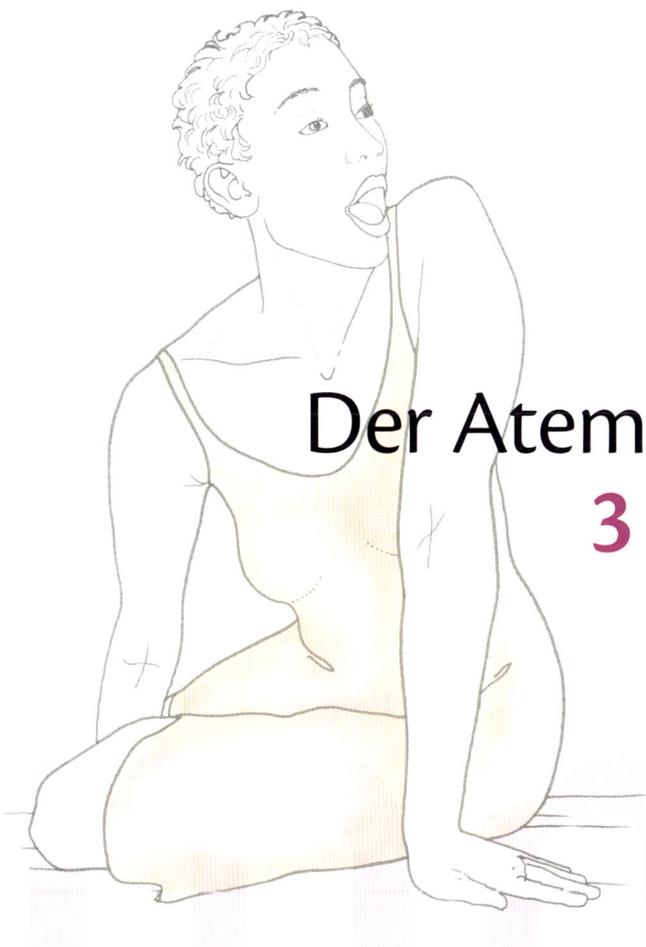

Der Atemapparat

3

Einleitung

Für eine Klangerzeugung muss unter Druck gesetzte Luft (siehe S. 282) von unten an die Stimmlippen (siehe S. 146) gelangen. Diese Luft befindet sich in der Lunge (und zwar nur in der Lunge, nicht im Bauch), den Bronchien und der Luftröhre.

Die Ansammlung von Luft direkt unter den Stimmlippen erzeugt den sogenannten **subglottischen** Druck. (Mehr zur *Glottis** siehe S. 171 ff.)

Innerhalb des Stimmapparates ermöglicht es der Atemapparat, Luft unter Druck zu setzen. Dieses Kapitel beschäftigt sich deshalb mit der Anatomie des Atemapparates und allen Komponenten, die dazu beitragen, diesen Luftdruck zu erzeugen und zu dosieren. Zum Atemapparat gehört natürlich die Lunge, aber auch der gesamte Rumpf und der Teil des Halses, der sich unterhalb der Glottis befindet.

Weitere Informationen

Die unter Druck stehende Luft wird genutzt, um die Stimmlippen in Schwingungen zu versetzen und so eine Schallwelle zu erzeugen (mehr dazu im Kapitel über den Kehlkopf ab S. 148).

Beim Atmen lassen sich zwei Phasen beschreiben:

Phase 1
In der Lunge befindet sich Luft und die Glottis ist geschlossen (siehe S. 171).

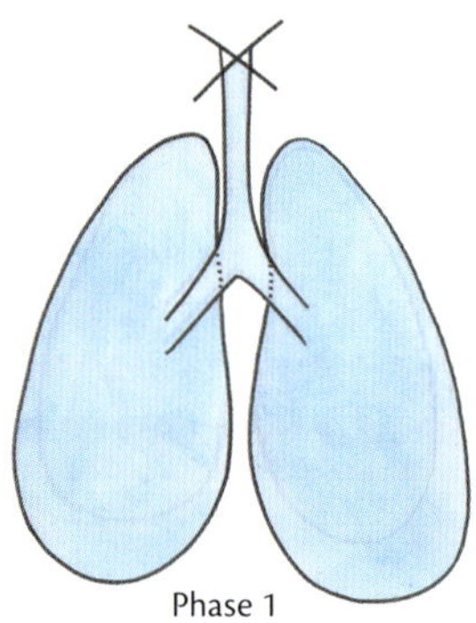

Phase 1

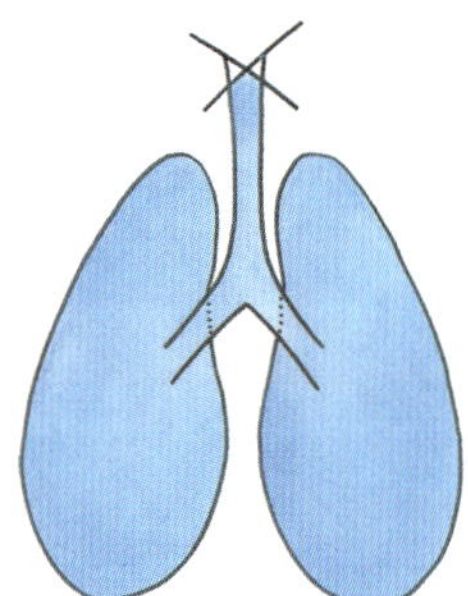

Phase 2

Phase 2
Wenn sich das Lungenvolumen verkleinert, versucht die Luft zu entkommen. Das geht aber nicht, weil die Glottis geschlossen ist. Dadurch erhöht sich der Luftdruck, was hier durch die dunklere Farbe dargestellt ist. Die Lunge bildet so einen mit Luft gefüllten Ballon, der unter Druck steht. So entsteht der **subglottische Druck**.

Man wird sehen (S. 101), dass dieser Druck entsprechend den Bedürfnissen der Stimme dosiert werden kann, insbesondere durch das Spiel der Ausatmungsmuskulatur, aber auch der Inspiratoren, die auf das Lungenvolumen einwirken.

* Als *Glottis* (Stimmritze) bezeichnet man den Raum zwischen den Stimmlippen.

Die Brust- und die Bauchhöhle

Der Atemapparat besteht aus zwei Körperbereichen, die wie Behältnisse sind. Diese nennt man „Höhlen", und sie stehen vertikal übereinander:

- Die Brusthöhle
- Die Bauchhöhle

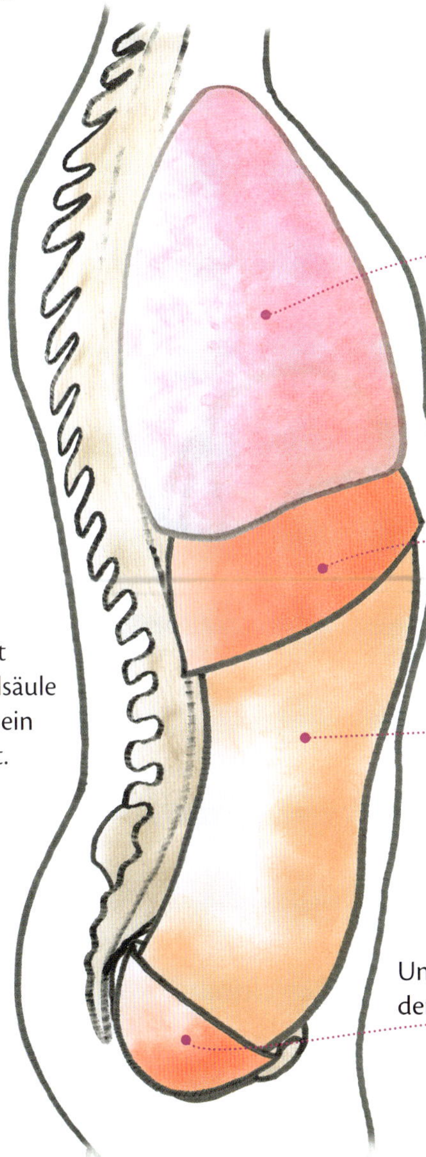

Die Brusthöhle ist mit den inneren Organen des Brustbereiches gefüllt. In Bezug auf die Stimme ist hier vor allem die Lunge von Bedeutung.

Das Zwerchfell trennt den Brustraum vom Bauchraum.

Von hinten wird der Atemapparat durch die Wirbelsäule gestützt, die wie ein Stabilisator wirkt.

Die Bauchhöhle ist mit den inneren Organen des Bauchraumes gefüllt.

Unter der Bauchhöhle liegt der Beckenboden.

Die Brusthöhle (*Cavitas thoracis*)

In der Brusthöhle befinden sich die inneren Organe, die oberhalb des Zwerchfells liegen, zusammen mit dem Gewebe, das sie jeweils umgibt. Man kann die Brusthöhle als „Behälter“ mit dem entsprechenden „Inhalt“ beschreiben.

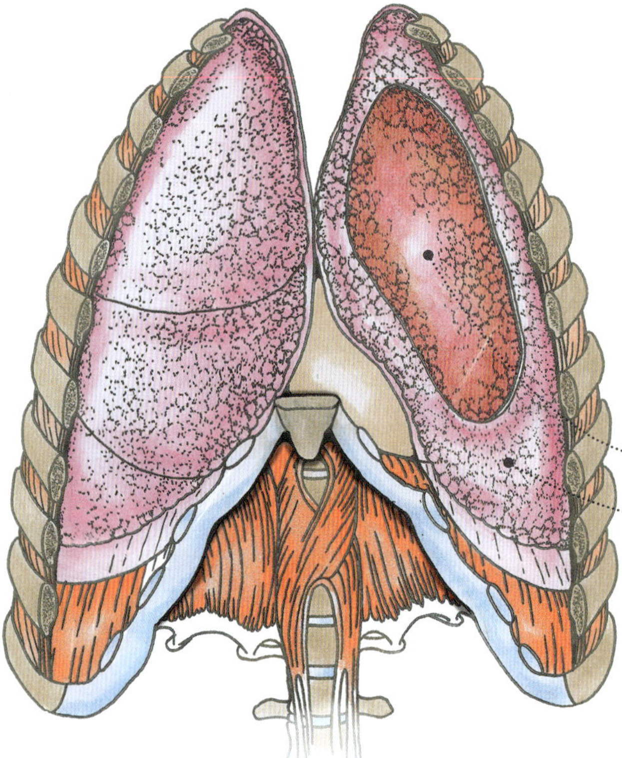

Der „Behälter“

Der Brustkorb (Thorax),
die Zwischenrippenmuskulatur (*Musculi intercostales*),
das Zwerchfell (*Diaphragma*).

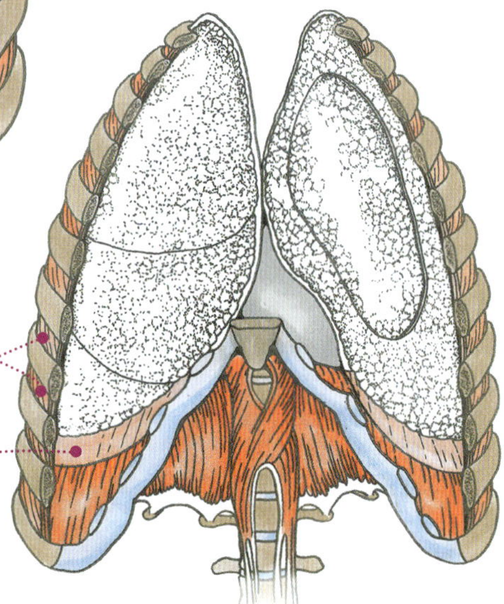

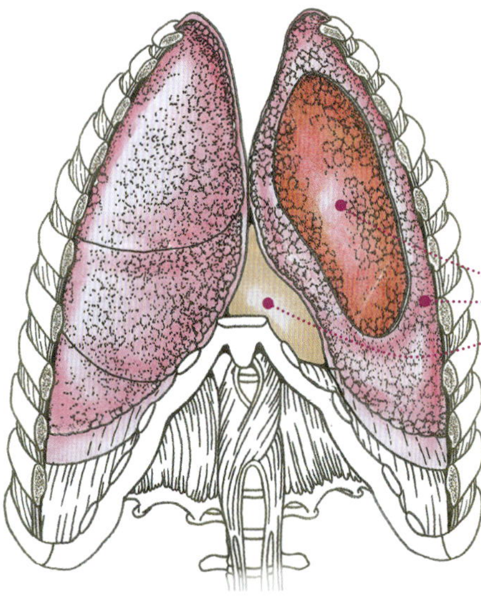

Der „Inhalt“

Die Lunge (*Pulmo*) befindet sich im Rippenfell.
Das Herz (*Cor, Cardia*) liegt im Herzbeutel.
Der Mittelfellraum (*Mediastinum*) ist nicht abgebildet.
Die Bronchien und die Luftröhre bis zur Glottis sind nicht abgebildet.

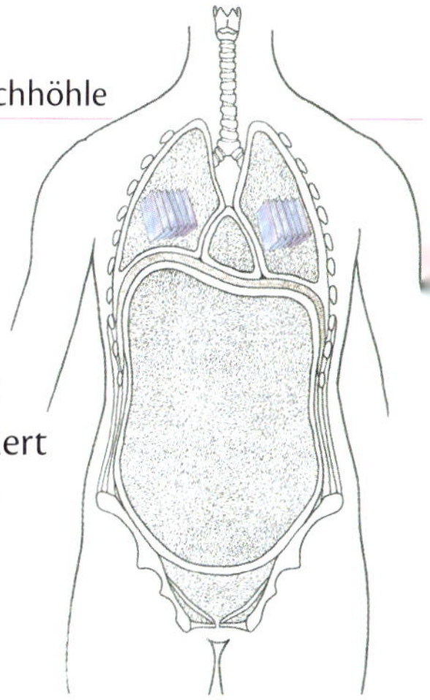

Mechanische Eigenschaften der Brusthöhle

In der Brusthöhle entsteht der subglottische Druck, der dann zur Stimmproduktion führt. Um zu verstehen, wie der Druckausgleich und die Erzeugung der Druckunterschiede funktionieren, kann man sich ein Gefäß vorstellen, das mit Luft gefüllt ist. Der Umfang dieses Gefäßes kann verändert werden, etwa wie bei einem Akkordeon. Es gibt eine Öffnung, die über ein Ventil (die Glottis) geöffnet und geschlossen werden kann und somit den Luftaustausch nach außen ermöglicht oder verhindert.

Wenn sich der Umfang des Gefäßes verringert ...

... und die Glottis geöffnet ist (Ventil geöffnet), so entsteht ein Luftstrom nach außen. Das ist die Ausatmung.

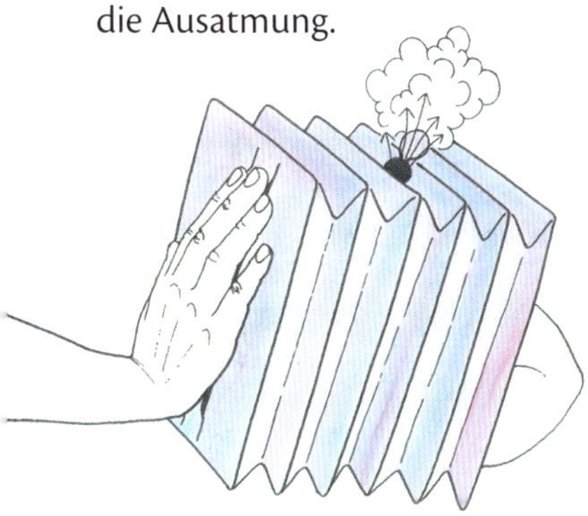

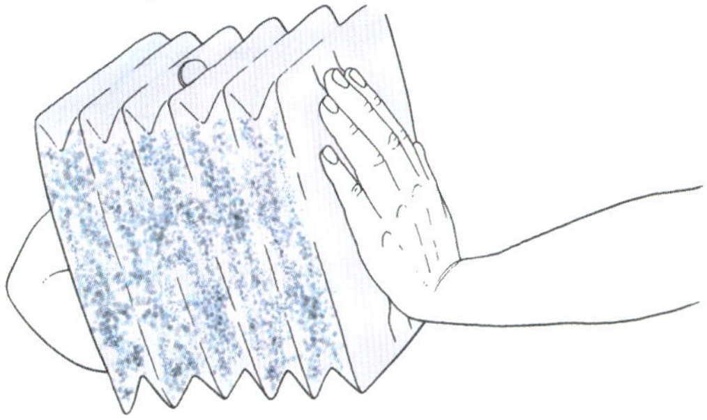

... und die Glottis geschlossen ist (Ventil geschlossen), so verstärkt sich der subglottische Druck.

Diese Bewegung wird meist von den Exspirationsmuskeln (Ausatmungsmuskeln) ausgeführt, jedoch nicht immer.

Wenn sich der Umfang des Gefäßes vergrößert ...

... und die Glottis geöffnet ist (Ventil offen), so strömt Luft hinein. Das ist die Einatmung.

Ist die Glottis geschlossen (Ventil geschlossen), so verringert sich der subglottische Druck.

Diese Bewegung wird meist von den Inspirationsmuskeln (Einatemmuskeln) ausgeführt, jedoch nicht immer.

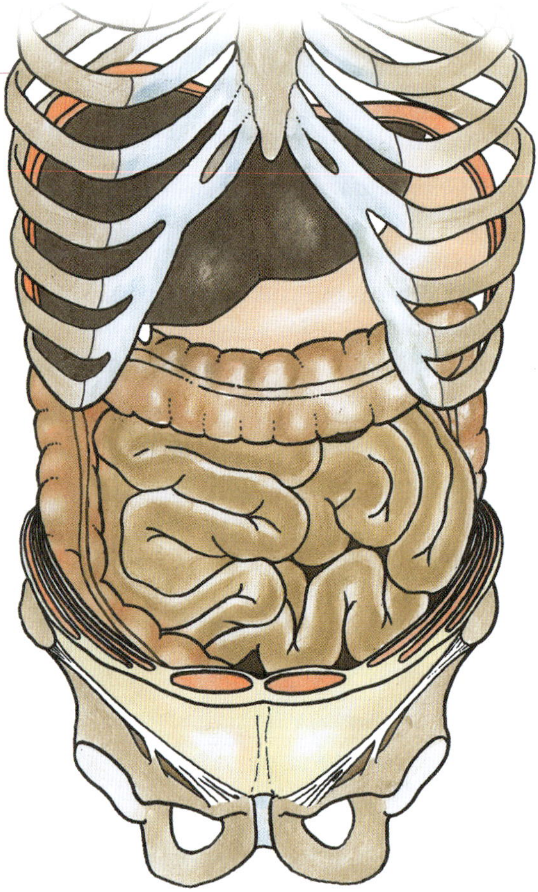

Die Bauchhöhle (*Cavitas abdominalis*)

Die Bauchhöhle beinhaltet die inneren Organe, die sich unterhalb des Zwerchfells befinden.
Hier wird sie als „Behälter" mit dem entsprechenden „Inhalt" beschrieben.

Der „Behälter"

Das Becken,
der Beckenboden (nicht abgebildet),
die Bauchmuskulatur,
die Lendenwirbelsäule (nicht sichtbar),
der untere Teil des Brustkorbes,
das Zwerchfell.

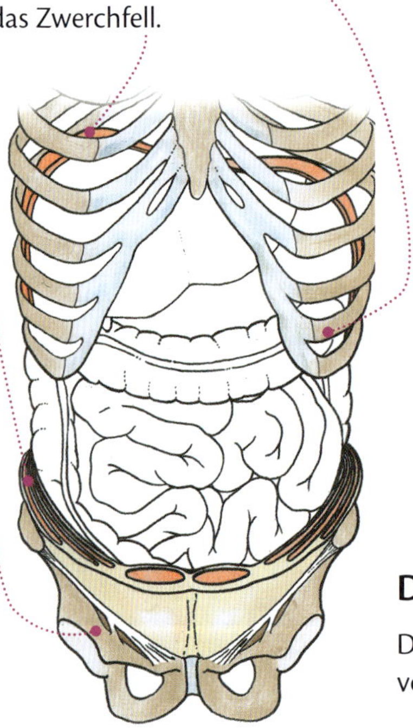

Der „Inhalt"

Die inneren Organe von Bauch und Becken.

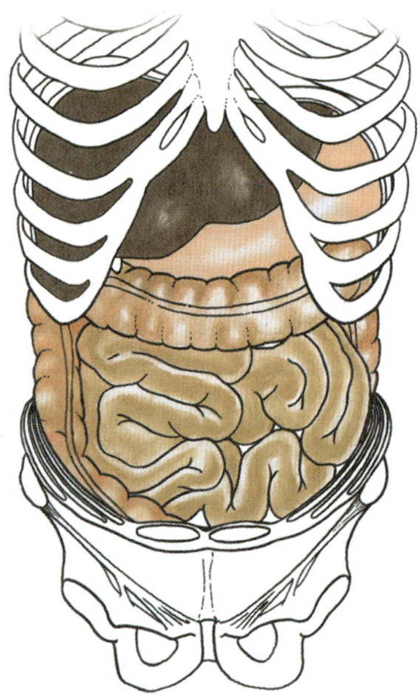

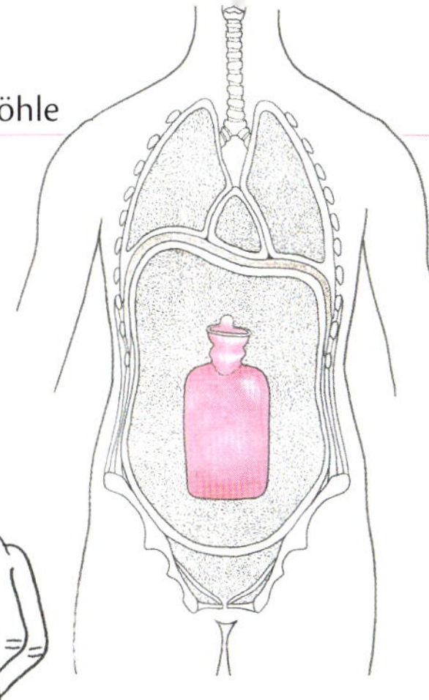

Mechanische Eigenschaften der Bauchhöhle

Im Gegensatz zur Brusthöhle, die durch die Lungen mit Luft gefüllt ist, kann man sich die inneren Organe der Bauchhöhle eher wie eine mit Wasser gefüllte Wärmflasche vorstellen. Anhand einer Wärmflasche kann man zwei Eigenschaften gut darstellen:

- sie kann verformt werden,
- sie kann nicht komprimiert werden.

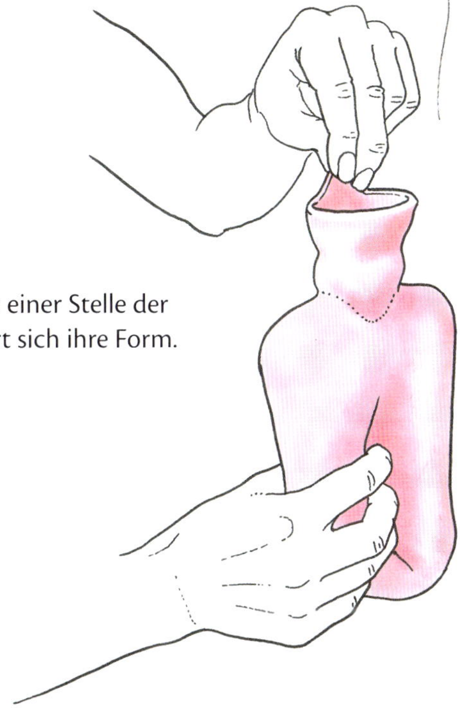

Verformbar
Zieht oder drückt man an einer Stelle der Wärmflasche, so verändert sich ihre Form. Sie ist also verformbar.

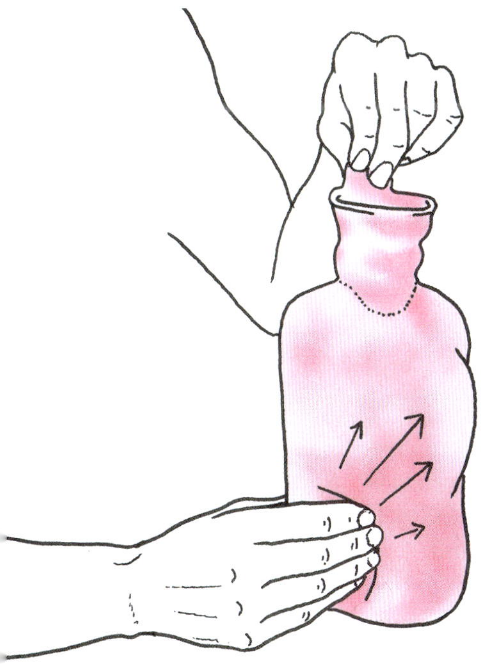

Nicht komprimierbar
Das Volumen der Wärmflasche bleibt jedoch immer gleich. Es kann nicht zusammengedrückt werden und ist somit nicht komprimierbar.

Jede Veränderung der Form wird immer an einer anderen Stelle der Wärmflasche ausgeglichen. Wenn wir an einer Seite ziehen oder drücken, verformt sich die Wärmflasche an anderer Stelle.

Meistens sind es die umliegenden Muskeln, die dafür sorgen, dass sich die inneren Organe verformen, also das Zwerchfell, die Bauchwandmuskulatur und der Beckenboden. Es können aber auch andere Kräfte auf sie einwirken, wie beispielsweise die Schwerkraft.

Das Zwerchfell (*Diaphragma*): Ein „doppelseitiges Klebeband" zwischen Brust- und Bauchhöhle

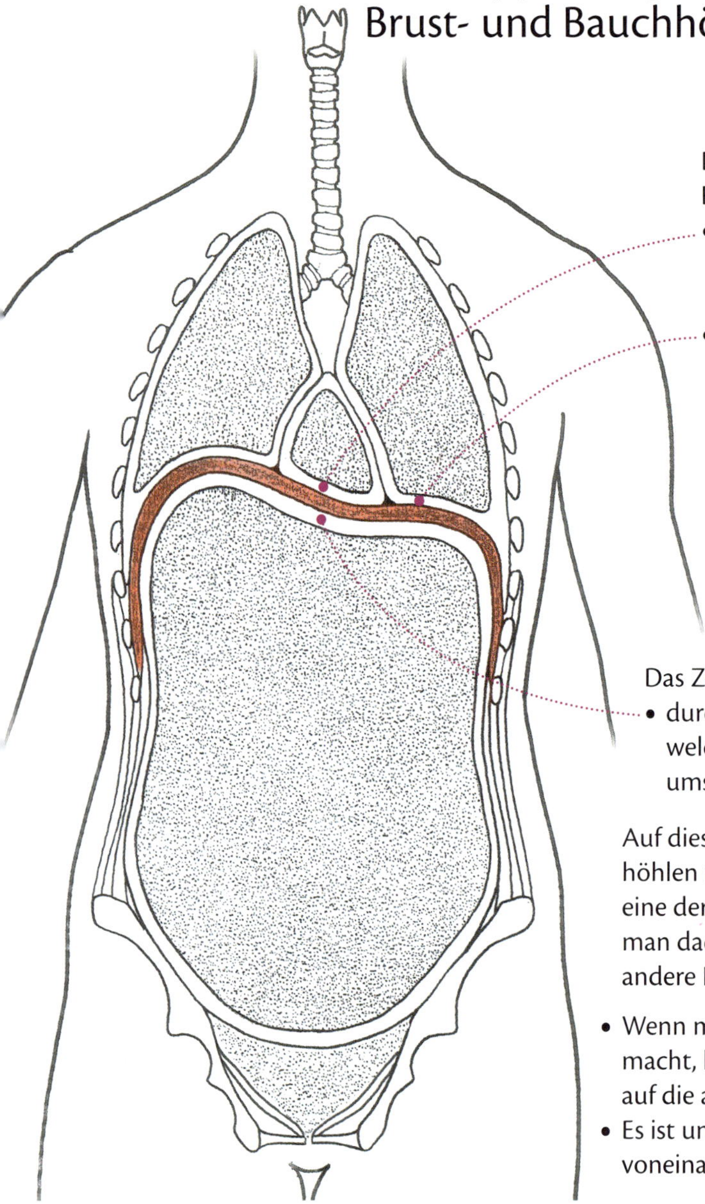

Das Zwerchfell* haftet an der Brusthöhle:

- durch den Herzbeutel (*Pericardium*), welcher das Herz umgibt,
- durch das Rippenfell (*Pleura*), das die Lungen umgibt.

Das Zwerchfell haftet an der Bauchhöhle:

- durch das Bauchfell (*Peritoneum*), welches den Großteil der Bauchorgane umschließt.

Auf diese Weise sind die beiden Körperhöhlen miteinander verbunden. Wenn man eine der beiden Höhlen bewegt, nimmt man dadurch automatisch Einfluss auf die andere Höhle.

- Wenn man mit einer Höhle eine Bewegung macht, kann man dadurch gezielt Einfluss auf die andere Höhle nehmen.
- Es ist unmöglich, die beiden Teile getrennt voneinander zu bewegen.

Die beiden Körperhöhlen sind also immer miteinander verbunden, und damit auch ihre mechanischen Bewegungseigenschaften. Diese Interaktion ist ein Schlüssel zur Funktionsweise des Atemapparates. Sie erklärt zum Beispiel, wie man durch die Bewegung der Bauchmuskulatur und des Beckenbodens einen subglottischen Druck erzeugen kann.

* „Zwerch": mittelhochdeutsch für „quer"; „fell": germanisch für „Haut"

Der Atemapparat und das kontrollierte Ausatmen

Der Luftdruck der Ausatemluft kann durch die „Schließmuskelfunktion“ des Kehlkopfes kontrolliert werden. Dieser kann sich zusammenziehen wie ein Flaschenhals („Schließmuskelfunktion“ siehe S. 164).

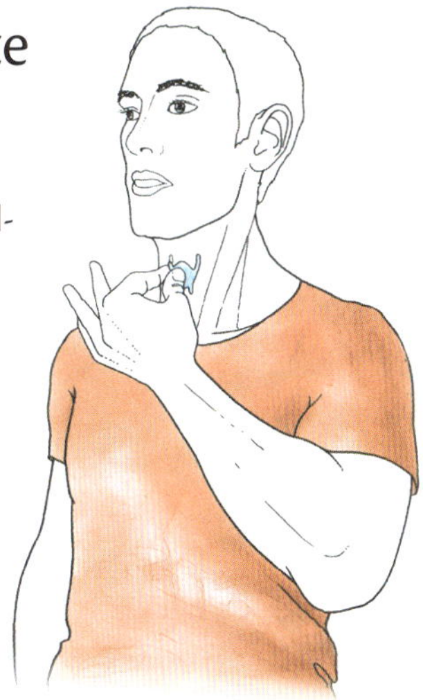

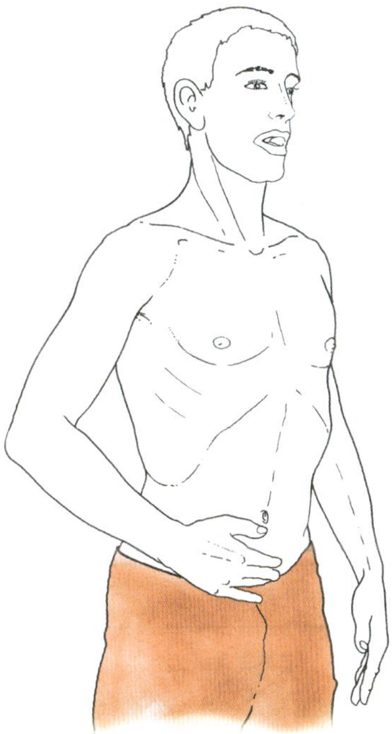

Man kann auch den Luftdruck verändern, wenn man die Druckverhältnise im Brust- und Bauchbereich verändert.
Man kann den Druck …

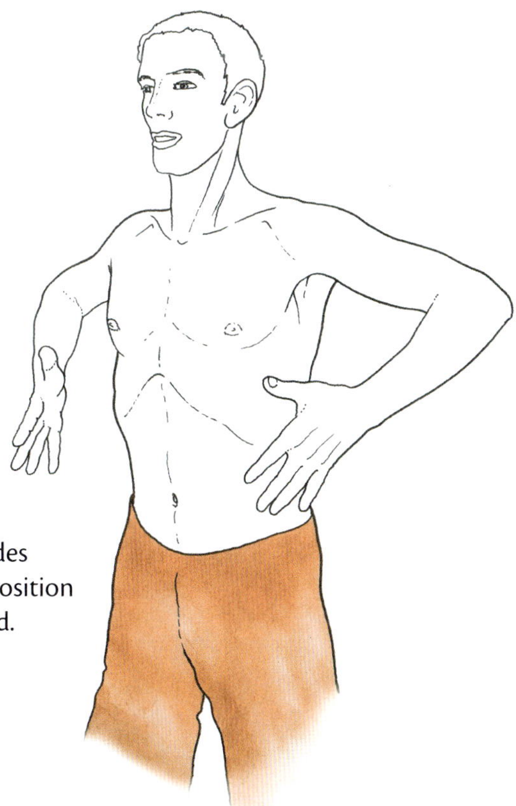

… verstärken,
meistens durch Kontraktion der Ausatemmuskulatur (Bauch- und Beckenbodenmuskulatur),

… verringern,
meistens dadurch, dass ein Teil des Atemapparates in der Einatemposition bleibt, während ausgeatmet wird.

Die Atemorgane und ihre Umgebung

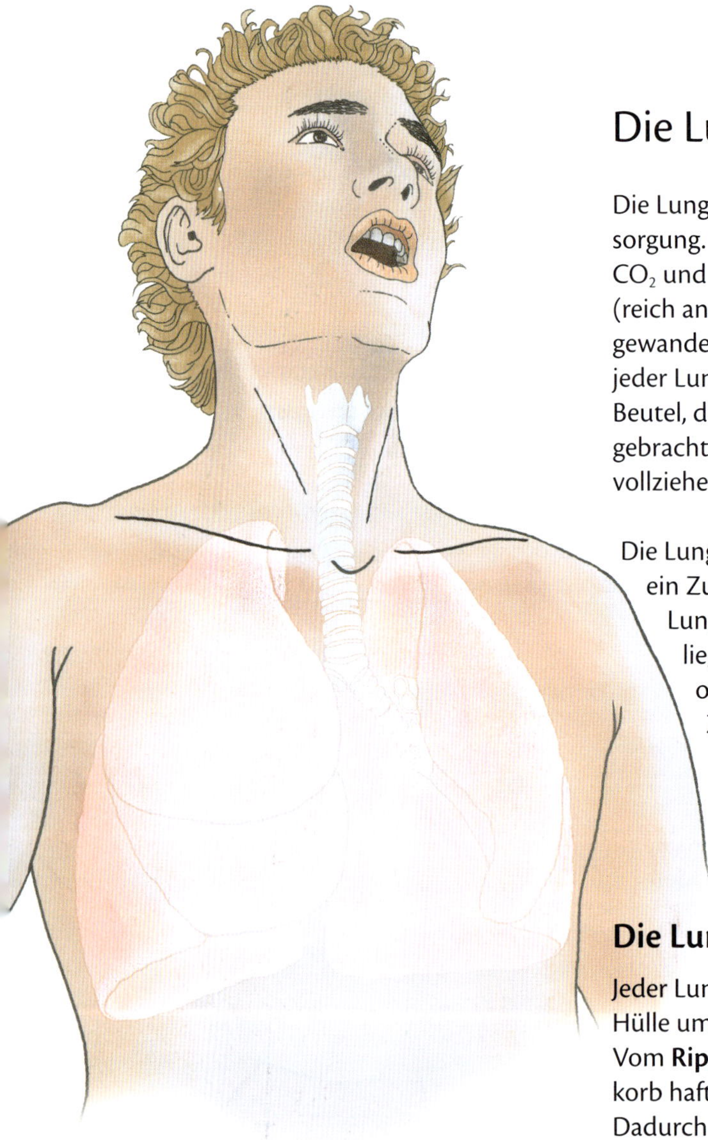

Die Lunge als Atemorgan

Die Lunge ist das Organ der Sauerstoffversorgung. Hier wird venöses Blut (reich an CO_2 und arm an Sauerstoff) in arterielles Blut (reich an Sauerstoff und arm an CO_2) umgewandelt. Um dies zu erreichen, enthält jeder Lungenflügel etwa 300 Millionen kleine Beutel, die Alveolen, in denen die Luft dazu gebracht wird, diesen Gasaustausch zu vollziehen.*

Die Lungenflügel sind in etwa geformt wie ein Zuckerhut. Oben befindet sich die Lungenspitze (*Apex pulmonis*), unten liegt die Lunge mit ihrer breiten, nach oben konkaven Basis auf dem Zwerchfell auf.

Die Lunge und die Brusthöhle

Jeder Lungenflügel ist von einer doppelten Hülle umgeben:
Vom **Rippenfell**, welches locker am Brustkorb haftet, und unten vom Zwerchfell. Dadurch beeinflussen Bewegungen der Rippen und des Zwerchfells immer auch die Form der Lungenflügel.

* Mehr Informationen zu den Atemorganen in *Respiration* von B. Calais-Germain, S. 57–77.

Die Elastizität der Lunge und die Stimme

Zwischen den Lungenbläschen (*Alveolen*) befindet sich ein Gewebe mit vielen sehr elastischen Fasern (*Elastin*), welches die Alveolen zusammenhält.

Achtung!

Die Abbildungen auf dieser Seite zeigen nicht die Lunge selbst, sondern eine vergrößerte Ansicht der Alveolen.

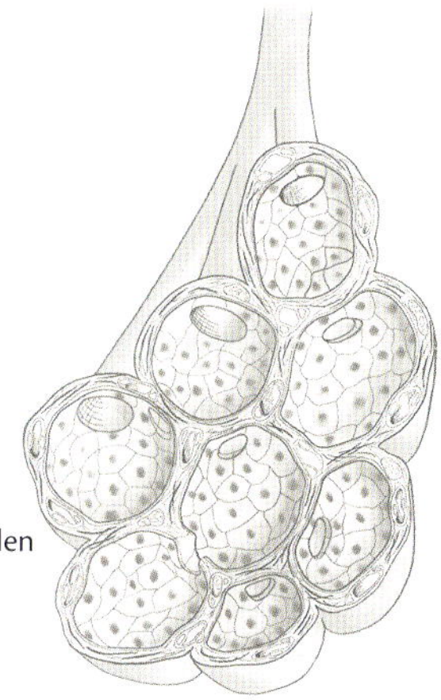

Entspannte Lungenalveolen

Durch das elastische Bindegewebe sind die Lungenflügel insgesamt elastisch.

Man kann die Lunge *lateral* dehnen. Das passiert, wenn man die Rippen öffnet.

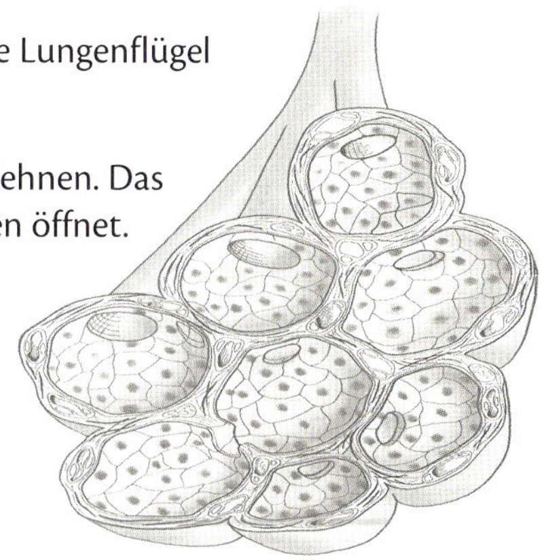

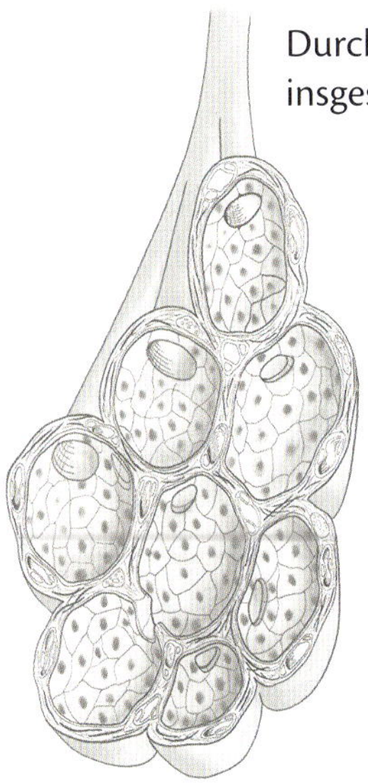

Man kann die Lunge kann auch *vertikal* ausdehnen. Das passiert, wenn sie vom Zwerchfell gezogen wird.

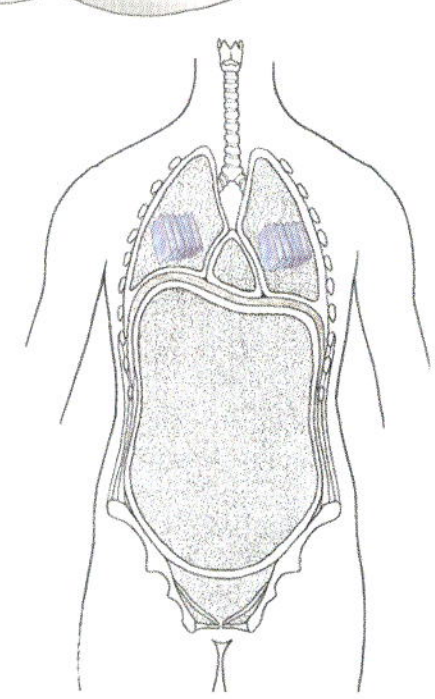

Dass die Lunge nach dem Einatmen durch ihre Elastizität wieder in ihre ursprüngliche Form zurückkehrt, ist eine grundlegende Funktion der Atemdynamik und ermöglicht das passive Ausatmen.

Es funktioniert so, als hätte man in einem Gefäß voll Luft (siehe S. 93) in alle Richtungen Gummibänder gespannt.

Für die Stimme bedeutet dieser „Rückstoß“, dass allein durch die Elastizität der Lunge ein schwacher Klang von kurzer Dauer erzeugt werden kann, zum Beispiel, wenn man mit leiser Stimme spricht. Diese elastische Kraft ist besonders wichtig, wenn man tief einatmet und dann mit der anschließenden Ausatmung beginnt; in diesem Moment sind die Alveolen durch die Kraft der Inspirationsmuskulatur weit geöffnet und die „Lungenelastizität“ ist sehr stark. Vielleicht zu stark: Manchmal muss die Ausatmung gebremst werden, besonders bei Gesangstechniken, bei denen ein sehr gleichmäßiger Druck auf die Glottis erzeugt werden soll, um einen gleichmäßigen Klang zu erzeugen. In diesem Fall nutzt man die Inspirationsmuskulatur, um den elastischen Rückstoß zu hemmen.

Die Bronchien und die Luftröhre

Die Alveolen der Lunge sind mit der Außenseite durch eine Reihe von Röhren verbunden. Diese Strukturen sind zuerst sehr klein: die Alveolargänge (*Ductus alveolaris*), danach die immer größer werdenden Bronchiolen. Schließlich gehen sie in die **Bronchien** über, die sich ihrerseits zu einem großen Hauptbronchus (*Bronchus principalis*) pro Lungenflügel verbinden. Die Hauptbronchien der beiden Lungenflügel treffen aufeinander und verbinden sich zu einer einzelnen Struktur, der Luftröhre (*Trachea*). Diese verläuft durch den oberen Brustkorb und die untere Halshälfte hinauf zum Kehlkopf.

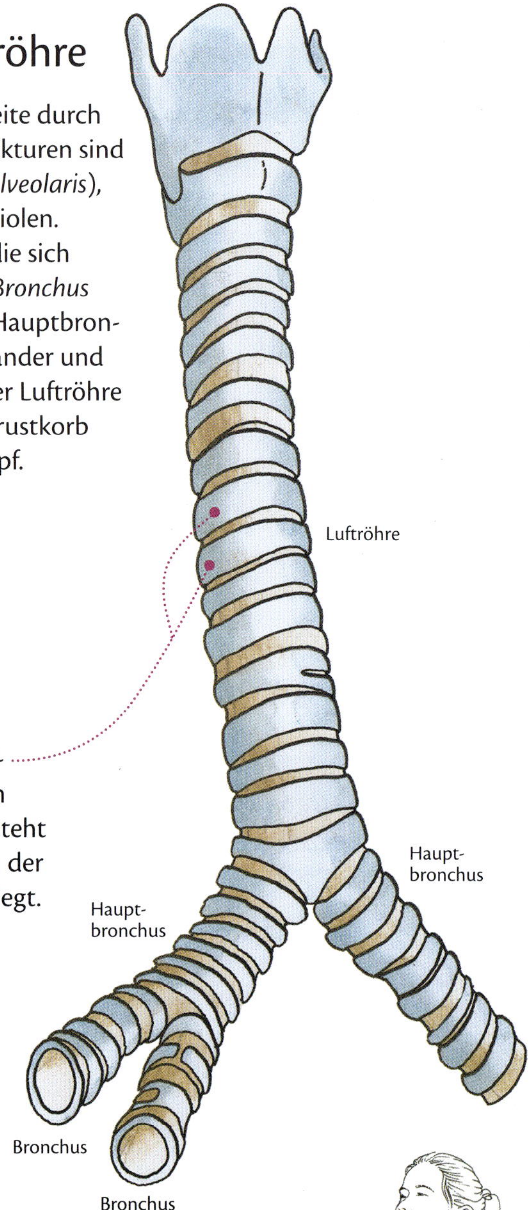

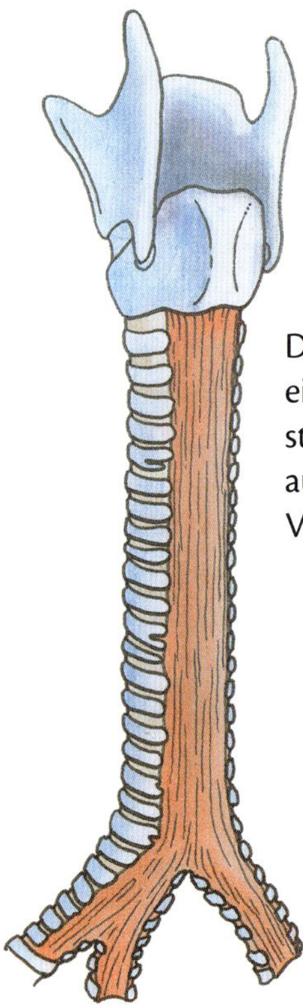

Die Luftröhre wird durch hufeisenförmige Knorpelspangen stabilisiert. Ihre Rückseite besteht aus einer Muskelwand, die an der Vorderseite der Speiseröhre liegt.

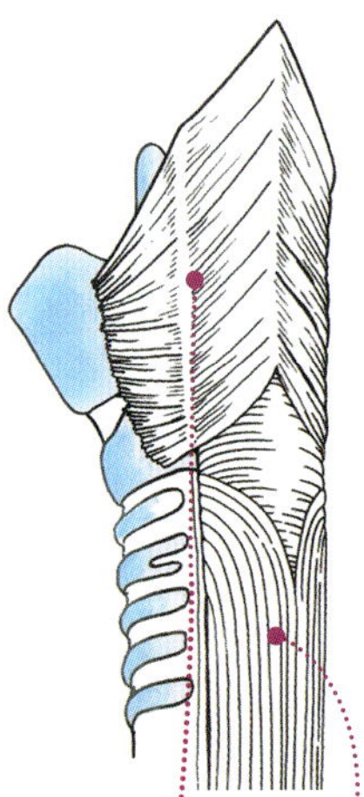

Auf der Rückseite des Kehlkopfes befindet sich der untere Schlundschnürer. Dieser verlängert sich nach unten hin durch die Speiseröhre, die auf der Rückseite der Luftröhre liegt.

Ertasten der Luftröhre

Im unteren Teil des Halses ist die Luftröhre zu spüren. Bitte keinen Druck ausüben!

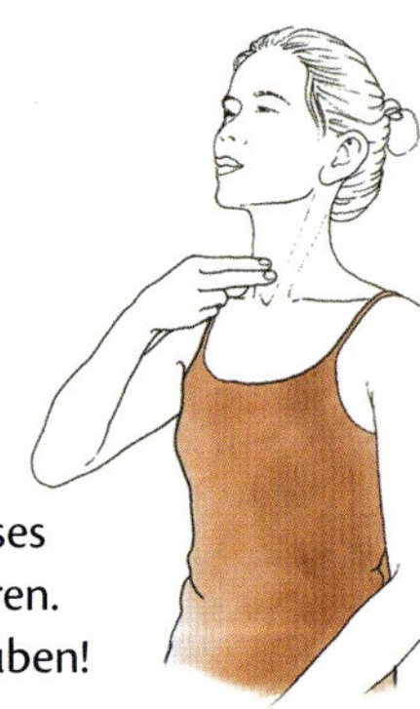

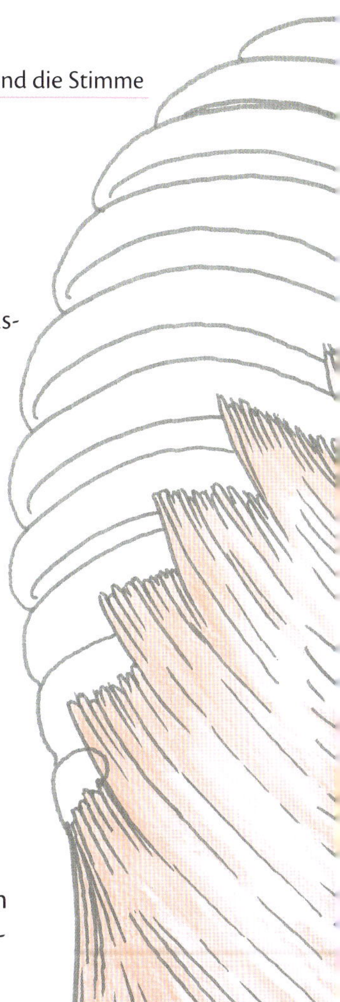

Die Atemmuskulatur und die Stimme

Für die Phonation benötigt man unbedingt die Aktivität der Atemmuskulatur. Auf den folgenden Seiten wird diese sowohl in Bezug auf den Atem- als auch in Bezug auf den Stimmapparat beschrieben.

Es handelt sich dabei um

- Die Ausatemmuskeln (exspiratorische Atemmuskeln, siehe S. 100–111):
  - ihre Funktion bei der Ausatmung,
  - ihre Funktion bei der Stimmerzeugung:
  diese Muskeln können den subglottischen Druck verstärken.
- Die Einatemmuskeln (inspiratorische Atemmuskeln, siehe S. 112–125):
  - ihre Funktion bei der Einatmung,
  - ihre Funktion bei der Stimmerzeugung:
  diese Muskeln können die Aktion der Ausatemmuskulatur beeinflussen und den subglottischen Druck vermindern.

Bei der Stimmerzeugung kontrahieren beide Muskelgruppen mit ihren entgegengesetzten Wirkungen zur selben Zeit, um den richtigen Kraftaufwand zu erzielen. Ein solches Phänomen nennt man Synergie/Antagonismus.

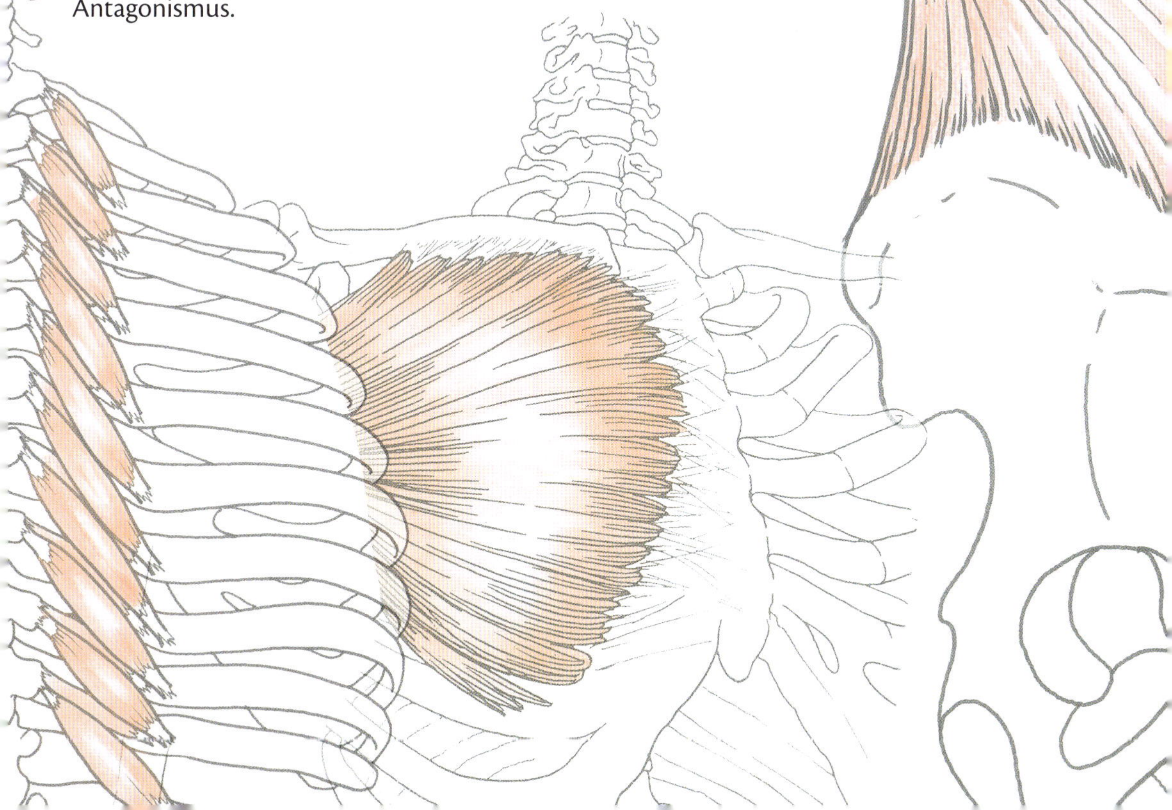

Die Ausatemmuskulatur: Muskeln, die Stimmatmung erzeugen

Auf den folgenden Seiten werden die Muskeln vorgestellt, die das Ausatmen ermöglichen und somit die Stimme unterstützen.
Zunächst ist dabei zu beachten, dass die Ausatmung in Ruhe keiner Muskelaktivität bedarf. Dabei wird der Druck ausschließlich durch die Elastizität des Lungengewebes bewirkt.

Dieses Phänomen findet sich in einigen alltäglichen Sprechsituationen:

Wenn man sehr vertraulich spricht, z. B. wenn man einem nahen Zuhörer mit leiser Stimme etwas vorliest oder wenn man kurze Sätze spricht. In diesen Fällen genügt die elastische Rückholkraft der Lungen für die Stimmgebung.

Wofür sind die Exspirationsmuskeln also gut? Sie helfen beim vollständigen Ausatmen und dienen damit:

- der Verlängerung der Ausatemdauer (wir verwenden dann das sogenannte „Lungen-Reservevolumen", das bei der Phonation, insbesondere beim Singen, häufig vorkommt),
- der Erhöhung des subglottischen Drucks, damit man lauter singen oder höhere Töne erzeugen kann.

Die wichtigsten Ausatemmuskeln sind die Bauchmuskeln, acht Muskeln, also vier Muskelpaare, die auf der Vorderseite und an den Seiten des Bauches angeordnet sind.

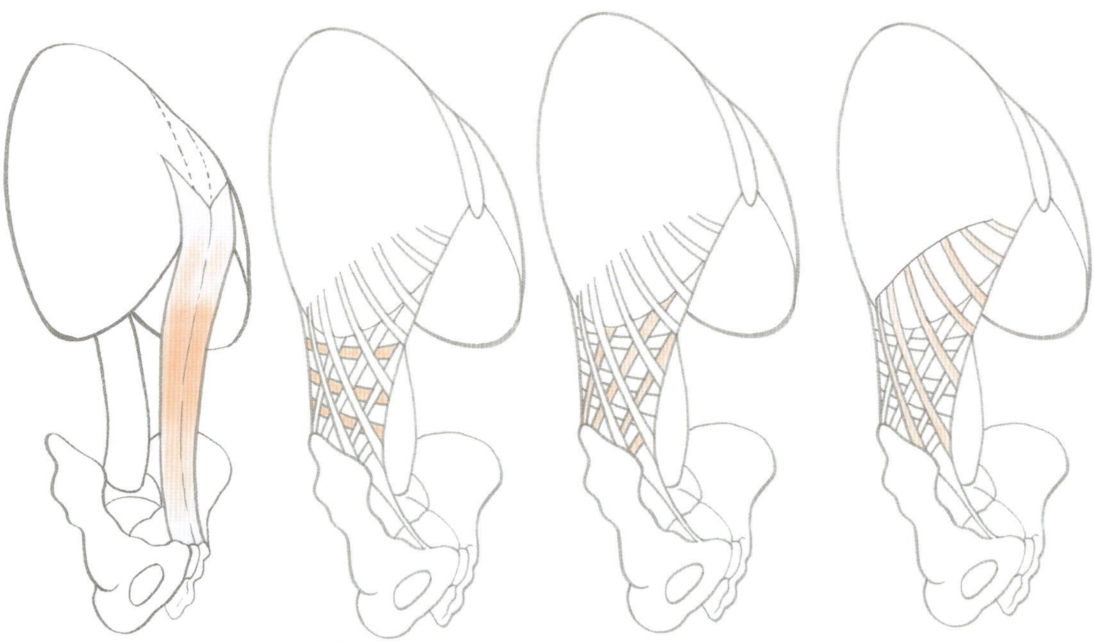

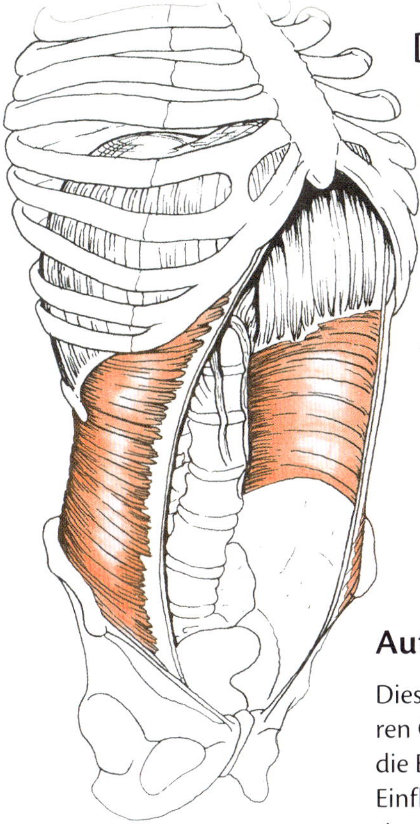

Die quer verlaufenden Bauchmuskeln (*Musculus transversus abdominis*)

Diese lateral ventral gelegenen Muskeln sind die tiefsten der seitlichen Bauchmuskeln. Ausgehend von Fasersträngen, durch die sie mit den Lendenwirbeln verbunden sind, erstrecken sich die Muskelfasern horizontal um die Taille. Vorne gehen sie in eine große Faserfläche über, eine querverlaufende **Aponeurose**.*

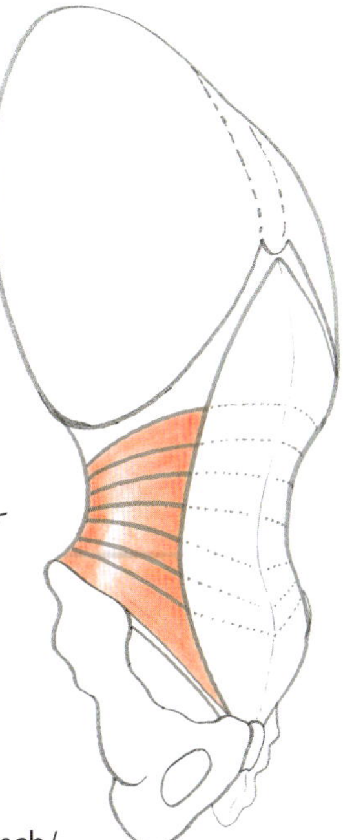

Aufgabe bei der Atmung

Diese Muskeln beeinflussen die inneren Organe am stärksten, bzw. sie sind die Bauchmuskeln mit dem geringsten Einfluss auf das Skelett. Bei der Kontraktion ziehen die Muskelfasern die Taille zusammen und bewirken so das Ausatmen.

Aufgabe bei der Stimmerzeugung

Bei der Stimmerzeugung wirken die queren Bauchmuskeln synergetisch/antagonistisch auf das Zwerchfell. Sie tragen zur Ausatmung bei, während das Zwerchfell die Ausatmung zurückhält. Diese Funktion wird im Gesang oft genutzt, um den subglottischen Druck zu regulieren.

Achtung!

Dieser Muskel wirkt größtenteils im Bereich der Taille, kann aber auch Druck nach unten auf den Beckenboden ausüben (siehe S. 108).

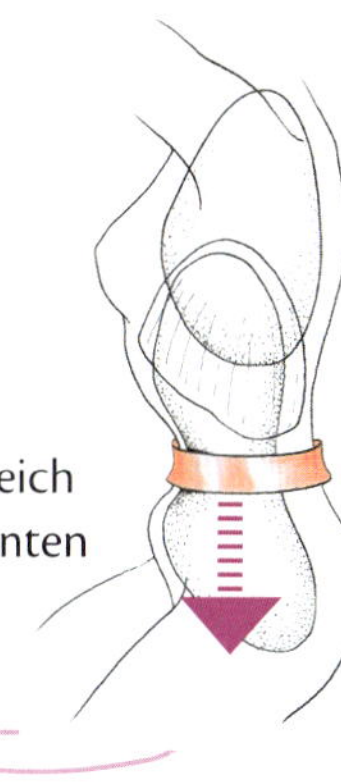

* Aponeurose: flächenhafte, breite Sehne

Die schrägen Bauchmuskeln

Die schrägen Bauchmuskeln befinden sich an der seitlichen Vorderseite des Rumpfes. Sie setzen an den Beckenkämmen an.

Die inneren schrägen Bauchmuskeln (*Musculus obliquus internus abdominis*)

Diese Muskeln bedecken die queren Bauchmuskeln und bilden die mittlere Schicht der seitlichen Bauchmuskulatur. Ihre Fasern können sich zusammenziehen und verlaufen nach vorne oben um die Taille.
Ein Teil von ihnen endet am unteren Rand des Brustkorbes.
Der andere Teil geht in eine breitflächige faserige Aponeurose über. In der Mitte des Bauches entsteht aus diesen faserigen Verflechtungen der beiden Seiten die ***Linea alba***, ein Strang aus Bindegewebe.

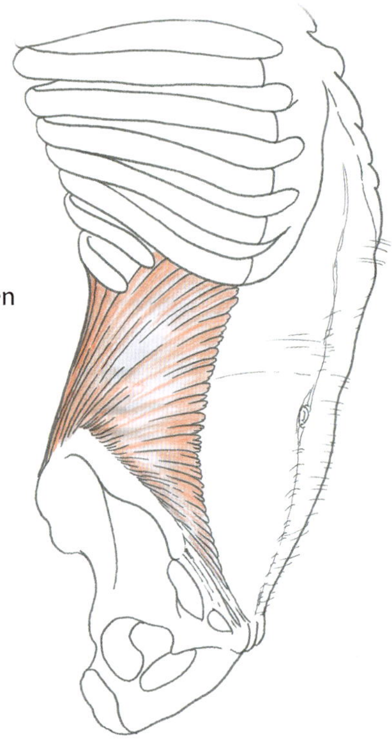

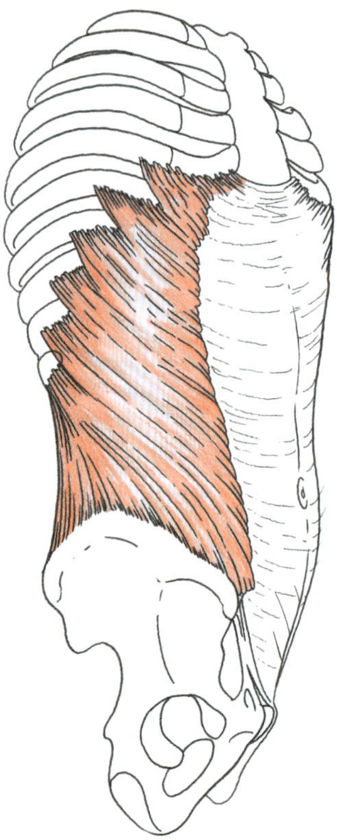

Die äußeren schrägen Bauchmuskeln (*Musculus obliquus externus abdominis*)

Diese Muskeln bedecken die inneren schrägen Bauchmuskeln und bilden die äußere Schicht der seitlichen Bauchmuskulatur. Ihre Fasern können sich zusammenziehen und verlaufen nach hinten oben um die Taille.
Ein großer Teil endet dann auf Höhe der unteren sieben Rippen. Der andere Teil geht in eine breitflächige faserige Aponeurose über. In der Mitte des Bauches entsteht aus den faserigen Verflechtungen der beiden Seiten die *Linea alba*, ein Strang aus Bindegewebe.

Aufgabe der schrägen Bauchmuskeln beim Atmen

Neben der Mobilisierung des Skeletts tragen sie zusammen mit den anderen Bauchmuskeln dazu bei, die Bauchorgane an ihrem Platz zu halten.
Ihre Fasern ziehen die Taille zusammen, was das Ausatmen auslöst.

Aufgabe der schrägen Bauchmuskulatur bei der Stimmerzeugung

Bei der Stimmerzeugung wirken die schrägen Bauchmuskeln (wie auch bereits die queren Bauchmuskeln, siehe S. 101) synergetisch/antagonistisch im Bezug auf das Zwerchfell.
Sie tragen zur Ausatmung bei, während das Zwerchfell die Ausatmung zurückhält. Diese Funktion wird im Gesang oft genutzt, um den subglottischen Druck zu regulieren.

Achtung!

Wenn die Kontraktion dieser Muskeln nicht gänzlich nach oben gerichtet ist, so entsteht auch immer etwas Druck auf den Beckenboden (siehe S. 108).

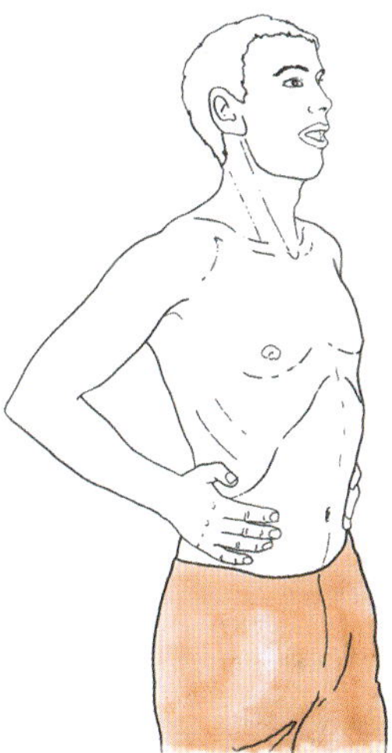

Die inneren schrägen Bauchmuskeln ertasten

Genau wie die queren, können auch die inneren schrägen Bauchmuskeln nicht ertastet werden, da sie vollständig von den äußeren schrägen Bauchmuskeln bedeckt sind. Der Bereich, wo sie ansetzen, ist jedoch zu spüren. Er liegt zwischen den unteren Rippen und den Beckenkämmen seitlich an der Taille.

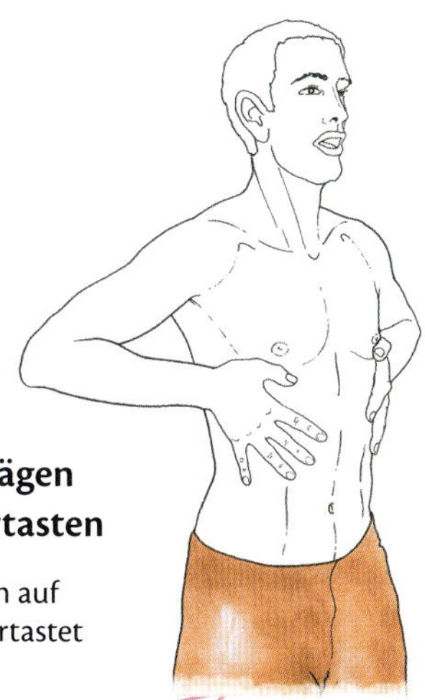

Die äußeren schrägen Bauchmuskeln ertasten

Diese Muskeln können auf den Seiten der Taille ertastet werden.

Mehr Informationen über die Funktion der Bauchmuskeln finden sich im Buch *Abdos sans risques* von B. Calais-Germain

Der gerade Bauchmuskel (*Musculus rectus abdominis*)

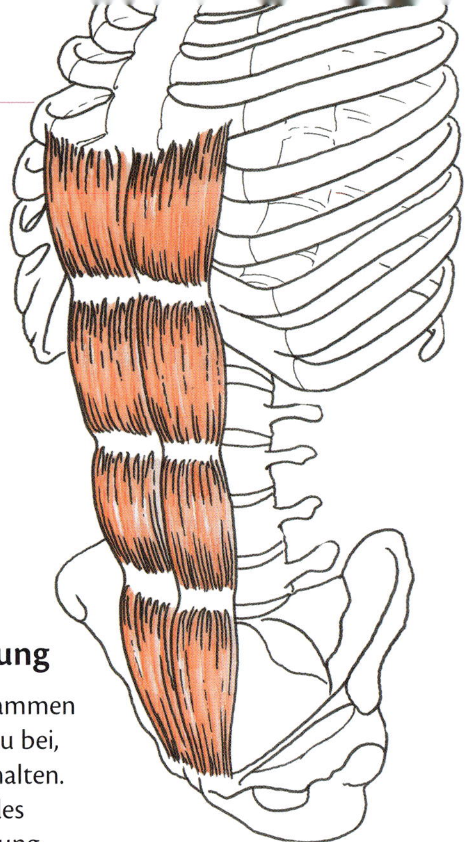

Der gerade Bauchmuskel befindet sich als einziger vollständig auf der Vorderseite des Rumpfes. Die fast parallel zum Brustkorb aufsteigenden Muskelfasern entspringen unten am Schambein und setzen am Brustbein bzw. am Rippenknorpel der fünften, sechsten und siebten Rippe an.

Die Aufgabe des geraden Bauchmuskels bei der Atmung

Er bewegt das Skelett und trägt zusammen mit den anderen Bauchmuskeln dazu bei, die Bauchorgane an ihrem Platz zu halten. Die Fasern straffen die Vorderseite des Bauches und fördern so die Ausatmung.

Die Aufgabe des geraden Bauchmuskels bei der Stimmerzeugung

Bei der Stimmerzeugung wirkt der gerade Bauchmuskel synergetisch/antagonistisch im Bezug auf das Zwerchfell, wie auch die oben beschriebenen queren und schrägen Bauchmuskeln. Er trägt zur Ausatmung bei, während das Zwerchfell die Ausatmung zurückhält. Diese Funktion wird im Gesang oft genutzt, um den subglottischen Druck zu regulieren.

Anwendung im Bezug auf Stimme

Die verschiedenen Segmente der geraden Bauchmuskeln können unabhängig voneinander kontrahiert werden.
- Nacheinander von unten nach oben kontrahiert entsteht eine nach oben gerichtete Kraft zum Kehlkopf hin, die zur Erzeugung von Klang beiträgt.
- Nacheinander von oben nach unten kontrahiert kann die Stimmintensität gesteuert werden (es ist jedoch zu beachten, dass dies den Druck auf den Beckenboden erhöht; siehe S. 108).

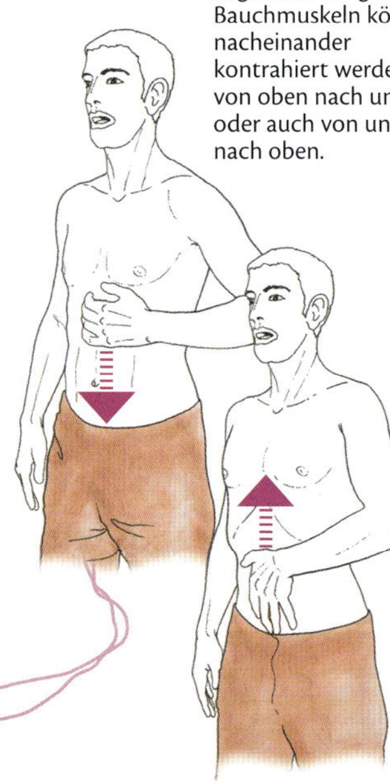

Die verschiedenen Segmente der geraden Bauchmuskeln können nacheinander kontrahiert werden, von oben nach unten, oder auch von unten nach oben.

Bauchmuskulatur und Stimmarbeit

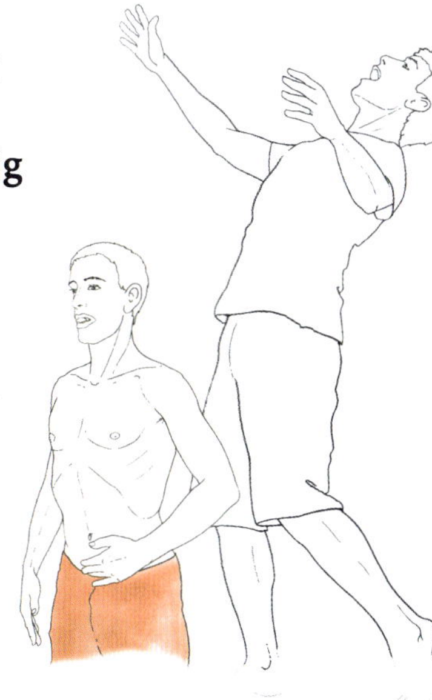

Die Bauchmuskulatur beeinflusst gleichzeitig das Skelett und die inneren Organe.

Die Bauchmuskulatur kann das Skelett bewegen, fixieren oder bremsen. Ebenso kann sie auch die Eingeweide im Bauch bewegen oder festhalten. Diese beiden Aktionen geschehen meist kombiniert und beeinflussen sich gegenseitig.

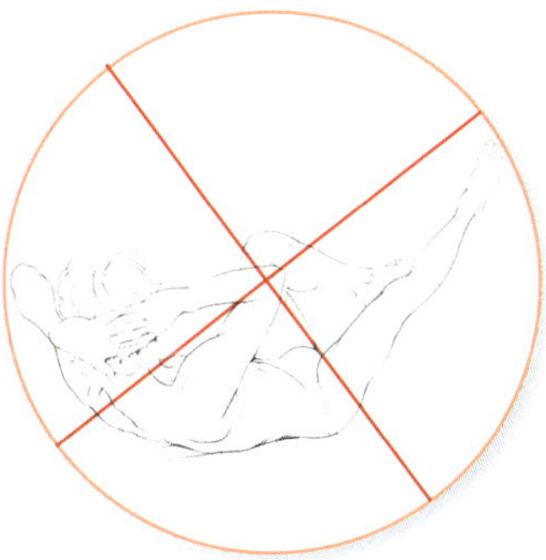

Für die Stimmarbeit ist es nicht unbedingt sinnvoll, die Bauchmuskulatur in ihrer Skelettfunktion durch Liegestütze oder Beinheben zu trainieren. Es ist im Gegenteil wichtig, ihre Fähigkeit, die inneren Organe zu mobilisieren, auf verschiedene Arten zu trainieren, insbesondere bei der Stimmerzeugung.

Die Bauchmuskulatur kann abschnittweise auf die inneren Organe einwirken.

Wir können verschiedene Bereiche der Bauchmuskulatur individuell kontrahieren. Dies ist möglich, weil die Bauchmuskeln auf sieben verschiedenen Ebenen von Spinalnerven innerviert sind.

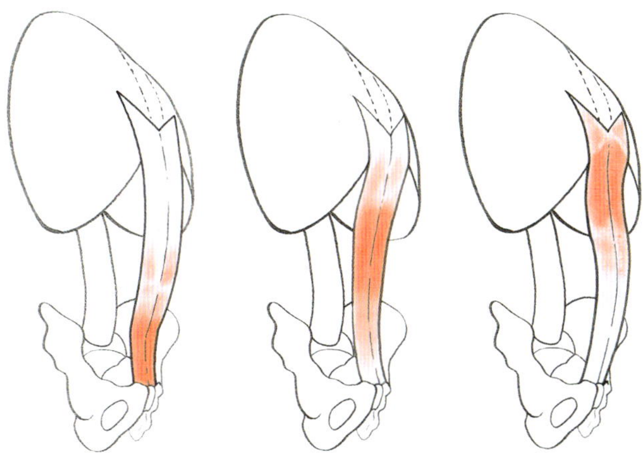

Die Kontraktion der Bauchmuskulatur kann in Abschnitten geschehen

Es ist wichtig zu lernen, wie man die Bauchmuskulatur ohne Probleme in Abschnitten kontrahieren kann: man kann sich den Bauch wie eine Art „Klaviatur" vorstellen. Dadurch kann die Kontraktion auf einer bestimmten Ebene der Bauchmuskulatur z. B. mit dem Zwerchfell oder dem Beckenboden koordiniert werden, um verschiedene Wirkungen auf das Ausatmen zu erzielen.

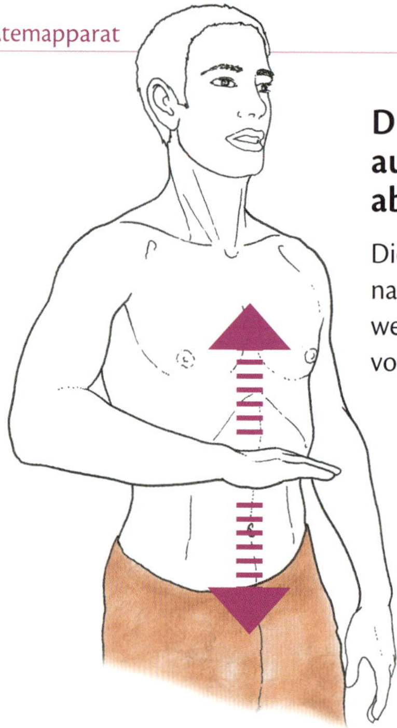

Die Wirkung der Bauchmuskulatur auf die Organe kann auf- oder absteigend sein

Die Bauchmuskeln können sukzessive von oben nach unten oder von unten nach oben kontrahiert werden. Der Druck auf die inneren Organe hängt von der jeweiligen Kontraktionsrichtung ab.

Kontraktion von unten nach oben

Es ist wichtig, die Kontraktion von unten nach oben mühelos steuern zu lernen. Gleichzeitig sollte die Kontraktion jedoch immer wieder kurz in die andere Richtung gelenkt werden, um den Rumpf im Gleichgewicht zu halten.

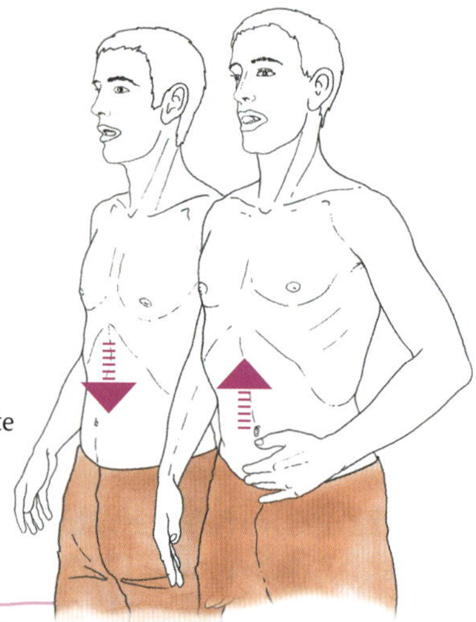

Die nach unten gerichtete Bauchkontraktion kann zu Hernien* auf der Ebene der unteren Bauchmuskelansätze führen.
Der erhöhte Druck im Bauchraum kann dazu führen, dass der Dünndarm gegen die Bauchwand gepresst wird und durch Lücken zwischen den am Beckenkamm ansetzenden Bauchmuskeln gleitet. Dieser Effekt wird verstärkt, wenn die Bauchmuskeln in Synergie bzw. Antagonie mit dem Zwerchfell arbeiten, welches ebenfalls einen Abwärtsdruck in Richtung des Beckens ausübt.

Wichtig!

Deshalb ist es so wichtig, die Kontraktion der Bauchmuskeln von unten nach oben steuern zu lernen.

* Bruch der Bauchwand, durch den Eingeweide hervortreten können.

Alle Bauchmuskeln senken den Brustkorb

Für die Stimme ist diese Aktion der Bauchmuskeln nicht immer förderlich.

Denn zusätzlich verstärken die Bauchmuskeln den oben beschriebenen Effekt der abwärts gerichteten Kontraktion.

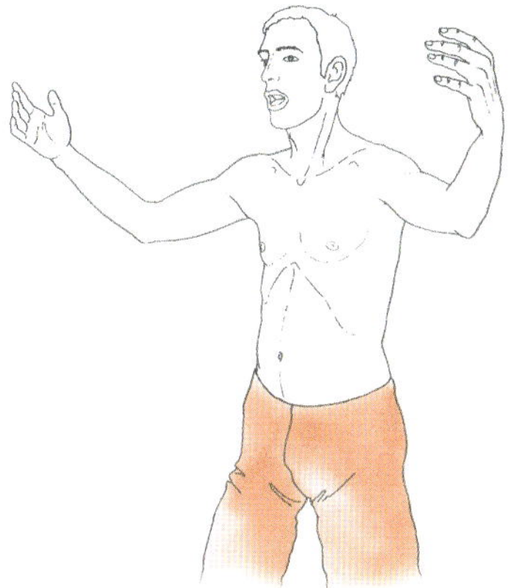

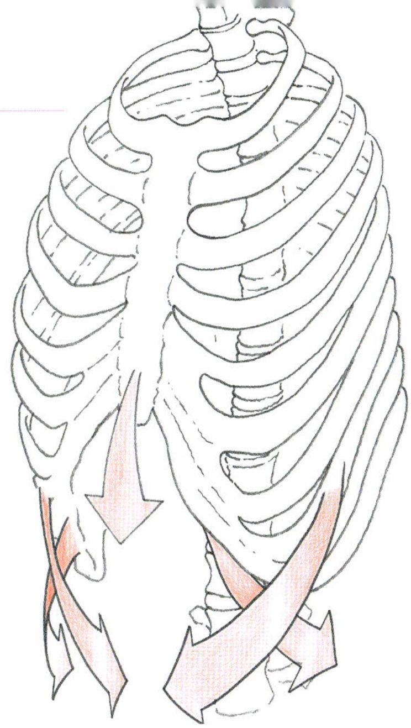

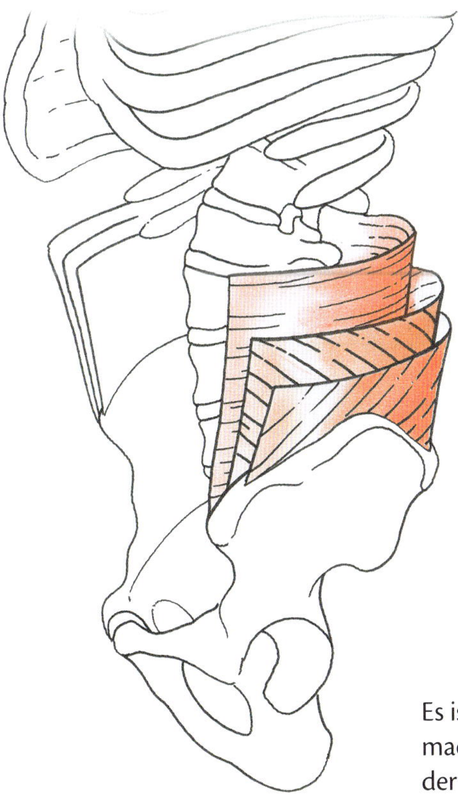

Nicht alle Bauchmuskeln befinden sich auf der Vorderseite des Rumpfes

Nur die beiden geraden Bauchmuskeln befinden sich vorne, d. h. der größte Teil der Bauchmuskulatur befindet sich an den Seiten des Rumpfes, in drei übereinanderliegenden Schichten auf jeder Seite:

- die queren Bauchmuskeln,
- die inneren schrägen Bauchmuskeln,
- die äußeren schrägen Bauchmuskeln.

Es ist wichtig, sich bewusst zu machen, woher die Kontraktion der Bauchmuskeln bei der Stimmerzeugung kommt:
Die Kontraktion findet genauso an den Seiten wie auch vorne statt.

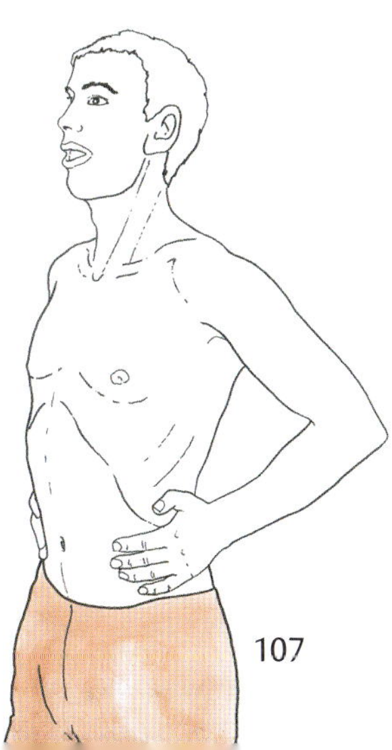

Der Damm und der Beckenboden

Der Damm (*Perineum*) ist der Gewebebereich zwischen dem Anus und den äußeren Geschlechtsorganen im kleinen Becken. Die Bezeichnung umfasst alle dort vorkommenden Gewebestrukturen: Knochen, Muskeln, innere Organe des Beckens, Haut etc.

Die horizontalen Muskeln dieser Region werden unter dem Namen **Beckenboden** zusammengefasst. Diese Bezeichnung zeigt bereits, dass diese Muskeln die Aufgabe einer Stütze für die darüberliegenden Organe des Becken- und Bauchraumes übernehmen.

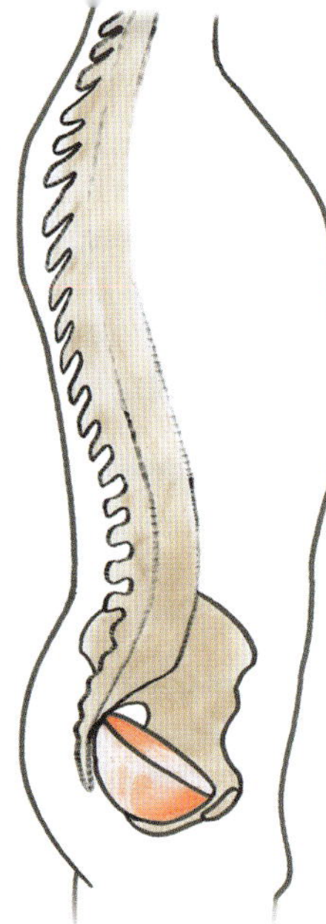

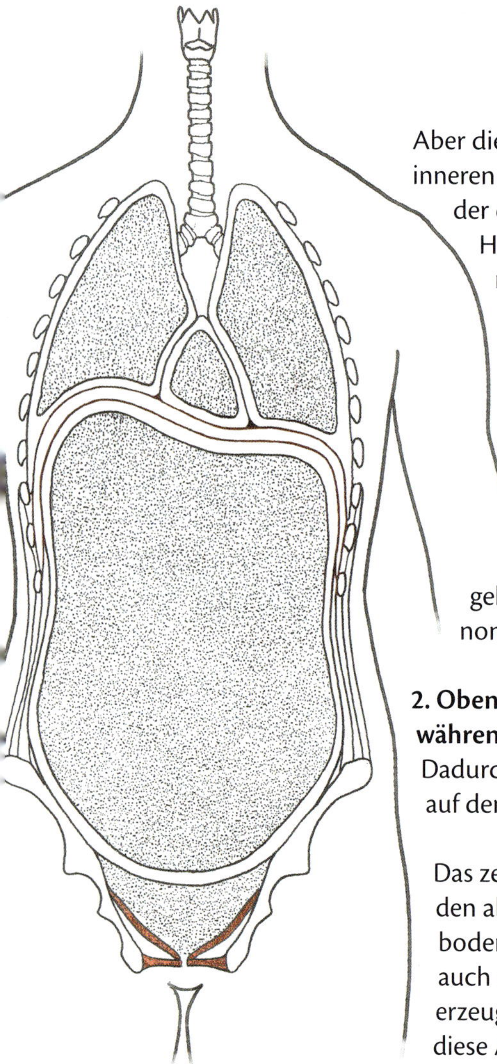

Aber dieser „Boden" trägt viel mehr als nur das Gewicht der inneren Organe. Er trägt auch den abwärts gerichteten Druck, der durch die unterschiedlichen Körperfunktionen wie Husten, Urinieren, Stuhlgang, Geburt und eben auch manchmal durch den Stimmeinsatz entsteht. Warum ist das so?

1. Die Stimmatmung braucht einen gewissen Druck unterhalb der Stimmlippen.
Dieser Druck entsteht meistens im Bauchraum und mithilfe der Bauchmuskulatur. Selten führt eine Kontraktion der Bauchmuskeln nur zu einem nach oben gerichteten Druckaufbau. Ein Teil des Drucks geht auch nach unten, wo er vom Beckenboden aufgenommen wird.

2. Oben trifft der Druck auf eine „Bremse", die Glottis, die während der Phonation fast geschlossen ist.
Dadurch wird der Druck wieder nach unten geschickt, wo er auf den Beckenboden trifft.

Das zeigt, wie wichtig der Beckenboden ist. Nicht nur um den abwärts gerichteten Druck abzufangen (der Beckenboden muss in der Lage sein, diesen auszuhalten), sondern auch als aktiver Teil der Muskeln, die den Druck nach oben erzeugen, der für die Stimmerzeugung notwendig ist. Um diese Aufgaben erfüllen zu können, braucht der Beckenboden einen ausreichenden Tonus.

Die Beckenbodenmuskulatur

Diese Muskeln gibt es sowohl bei Männern als auch bei Frauen. Allerdings ist der Beckenboden bei Männern „geschlossen" und die äußeren Geschlechtsorgane (Hoden, Penis) befinden sich außen am Beckenboden. Bei Frauen befindet sich im vorderen Teil des Beckenbodens eine Spalte, die für den Geschlechtsakt und die Geburt notwendig ist. Diese Öffnung (Urogenitalspalte) ist ein Schwachpunkt in der weiblichen Bauchhöhle. Deshalb ist es wichtig, dass die angrenzenden Muskeln (Schambein-Mastdarm-Muskel, *Musculus puborectalis*) ausreichend gestärkt sind, damit der Beckenboden seine unterstützenden Funktionen erfüllen kann.

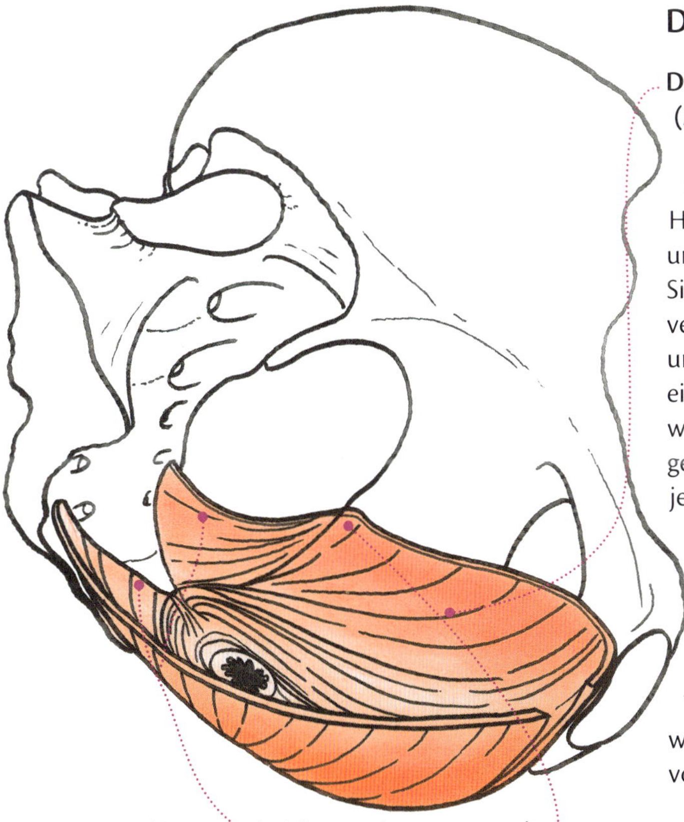

Die tiefe Muskulatur

Der Afterhebermuskel (*Musculus levator ani*)
Dieser Muskel ist vorne am Schambein, am sogenannten Hüftloch (*Foramen obturatorium*) und am aufsteigenden Bereich des Sitzbeins befestigt. Seine Fasern verlaufen symmetrisch zur Mitte und nach hinten. So bildet er quasi eine Hängematte, die mehr oder weniger konvex nach unten gewölbt ist (die Form ändert sich je nach Druck oder Gewicht, welches auf ihm lastet).

Die Aufgabe
Der Afterhebermuskel hebt sich in Richtung des mittleren Teils des kleinen Beckens. Er bewegt so den Darmausgang nach vorne und oben.

Der Steißbeinmuskel (*Musculus coccygeus*)
Der Steißbeinmuskel verläuft vom **Sitzbeinstachel** (siehe S. 43) zum Kreuzbein und zum Steißbein. Seine Struktur ergänzt die des Afterhebers, sie bilden zusammen quasi eine Hängematte in der Form einer Schüssel.
Seine Aufgabe: Der Steißbeinmuskel vervollständigt die Wirkung des Afterhebermuskels im hinteren Bereich des Beckenbodens. Er bewegt das Kreuzbein und das Steißbein ein wenig nach vorne. Diese Bewegung heißt „Kontranutation". Manchmal ist diese Bewegung spürbar, wenn wir mit unserer Stimme arbeiten und versuchen, den Beckenboden bewusst zu kontrahieren.

Mehr Details dazu in *La périnée féminin* von B. Calais-Germain, S. 57–77)

Die oberflächliche Beckenbodenmuskulatur

Diese Muskeln sind sehr klein und befinden sich unterhalb der Afterheber- und Steißbeinmuskeln. Während der Stimmerzeugung dienen sie vor allem dazu, die Aktivität der tiefen Muskeln zu unterstützen. Sie sollen nur kurz erwähnt werden.

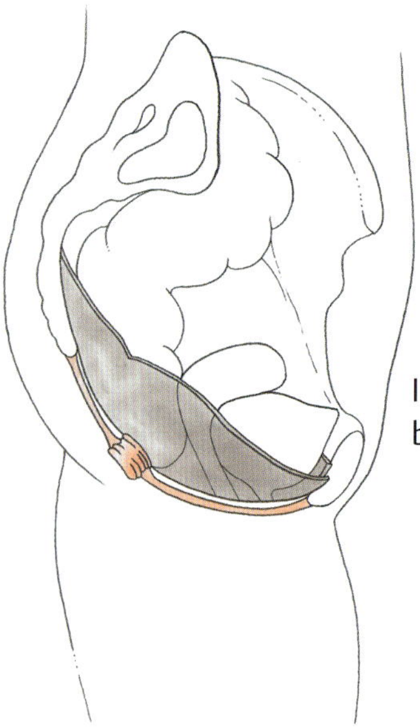

Der ***Musculus bulbospongiosus*** liegt im vorderen Teil des kleinen Beckens. Er ist mit dem Afterschließmuskel verbunden und weiter hinten durch ein Faserband mit dem Steißbein.

Im weiblichen Becken begrenzt er die Vulva.

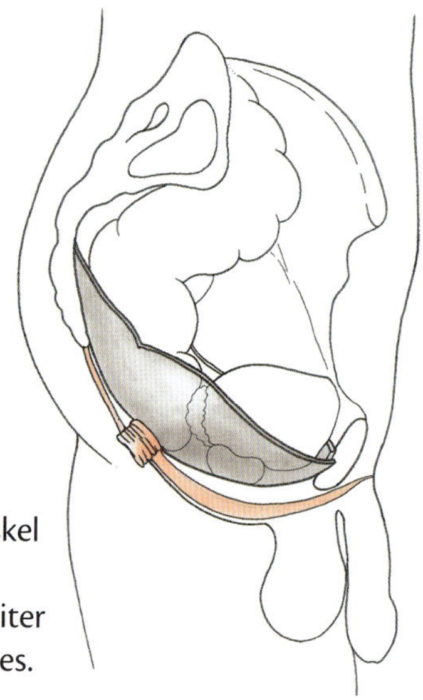

Im männlichen Becken liegt dieser Muskel unter dem horizontalen Teil des Penis, stabilisiert diesen und verläuft dann weiter nach vorne oberhalb des vertikalen Teiles.

Der quere oberflächliche Dammmuskel
Dieser Muskel (nicht abgebildet) hat seinen Ursprung am Sitzbein und verläuft in das Zentrum des muskulären Beckenbodens (*Centrum tendineum perinei*).

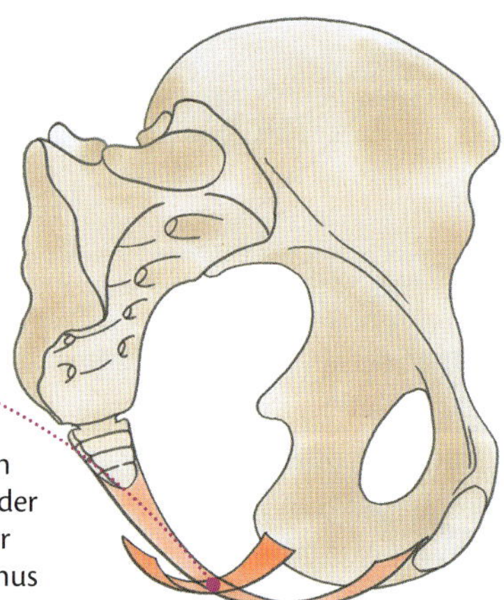

Das *Centrum tendineum perinei*

Dieser Bereich ist wichtig, da er sowohl das Zentrum ist als auch den Ort darstellt, an dem sich die Muskelfasern der tiefen und der oberflächlichen Schichten treffen. Dieser Muskelbereich hat nur dann eine direkte Verbindung zur Stimme, wenn der Muskeltonus zu schwach ist und das zu einer ungeordneten Klangerzeugung führt, der sozusagen das Fundament fehlt. Das zeigt noch einmal, wie wichtig der Muskeltonus und die Koordination des Dammes für die Stimmarbeit sind.

Beckenboden und Druck

Unterschiedliche Situationen bei der Stimmatmung verändern die Kräfte, die auf die Beckenbodenmuskulatur einwirken.
Hier werden ausgewählte Beispiele dargestellt, die Situationen können allerdings noch sehr viel unterschiedlicher sein.

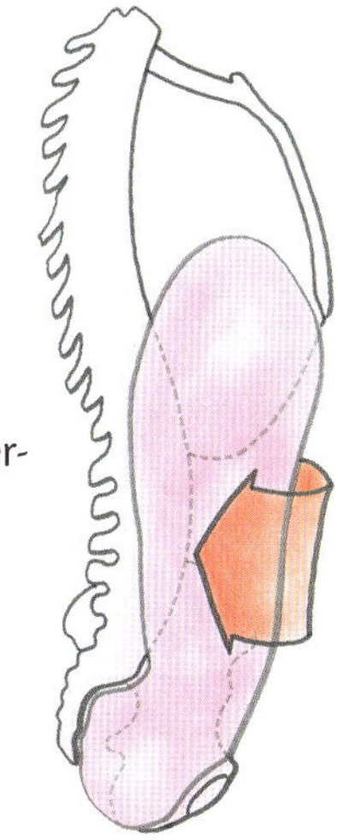

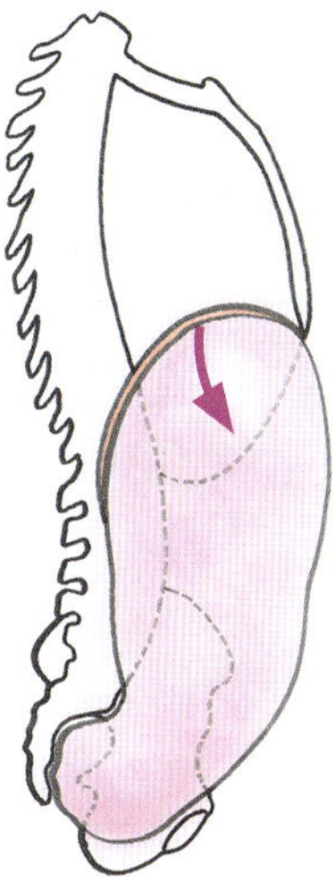

Wenn man ausatmet und die Bauchmuskeln nicht von unten nach oben, sondern im Mittel- oder Oberbauch zusammenzieht, wird die Bauchmasse nach unten gedrückt, wodurch ein vertikaler Druck auf den Beckenboden entsteht.

Wenn man einatmet, indem man das Zwerchfell absenkt, oder wenn man ausatmet und dabei das Zwerchfell unten hält, wird die Bauchmasse in Richtung Bauchwand und auch zum Beckenboden hin gedrückt, wodurch Druck auf den Beckenboden entsteht.

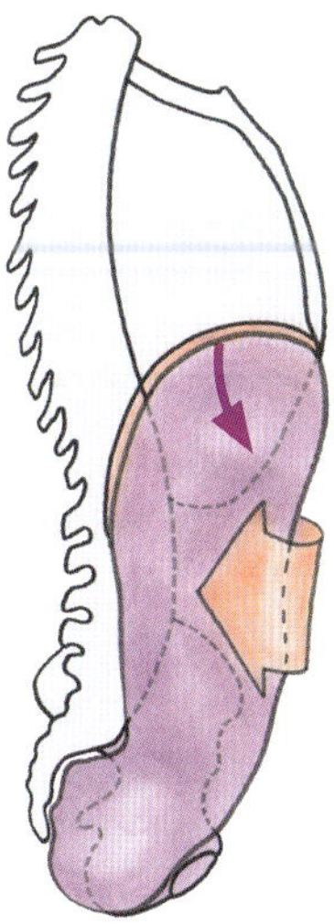

Bei der Stimmarbeit können diese beiden Vorgänge gleichzeitig eingesetzt werden:
Beispielsweise wenn das Zwerchfell unten gehalten wird, um die Lunge offen zu halten, und man gleichzeitig durch Kontraktion der Bauchmuskeln Druck erzeugt. Der daraus resultierende Druck auf den Beckenboden ist sehr groß.
In diesen Momenten ist es wichtig, dass sich der Beckenboden zusammenziehen kann, um dem Druck standzuhalten, der auf ihm lastet.

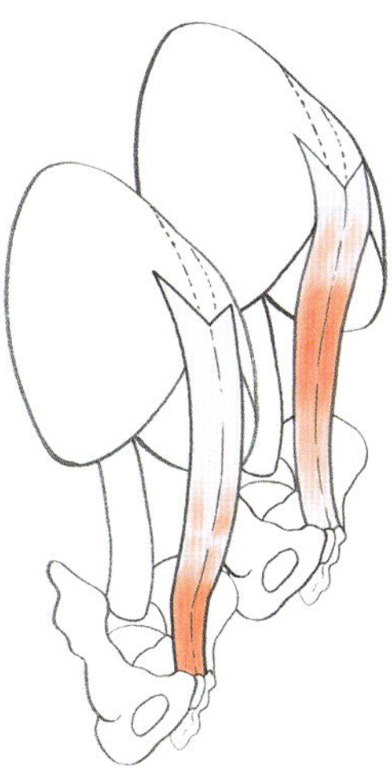

Wenn man ausatmet und sich die Bauchmuskeln von unten nach oben zusammenziehen, wird die Bauchmasse nach oben gedrückt. Das verringert den Druck auf den Beckenboden.

Wenn man einatmet, indem man die Rippen öffnet (siehe S. 121) oder wenn man die Rippen während des Ausatmens weit hält, wird die Bauchmasse zum Brustkorb gezogen. Dadurch wird der Druck auf den Beckenboden minimiert (nicht dargestellt).

Die Einatemmuskulatur

Auf den folgenden Seiten werden die Muskeln beschrieben, die für das Einatmen, die Inspiration zuständig sind. Welchen Nutzen haben diese Muskeln überhaupt für die Stimme, wo diese doch beim Ausatmen erzeugt wird?
Zuerst bringen sie natürlich Luft in die Lungen.
Aber sie dienen oft auch dazu, das Ausatmen zu bremsen und dadurch den subglottischen Luftstrom zu regulieren.

Es gibt zwei Arten von Inspirationsmuskeln:

- Das **Zwerchfell** (*Diaphragma*) ist natürlich der stärkste Inspirationsmuskel. Es befindet sich unterhalb der Lunge und im Inneren des Brustkorbes (weitere Informationen dazu auf den folgenden Seiten).
- Die **Zwischenrippenmuskeln** (*Musculi intercostales*) und die inspiratorischen Atemhilfsmuskeln. Anders als das Zwerchfell setzen sie alle an der Außenseite des Brustkorbes an. Diese Muskeln können helfen, die Alveolen zu öffnen. Sie sind nicht ständig an der Atmung beteiligt, können aber bei Bedarf hinzugenommen werden.

Die Kräftigung der letztgenannten Muskeln ist besonders für die Vorbereitung der Stimmerzeugung aus zwei Gründen wichtig: Diese Muskeln ermöglichen Variationen des Einatmens, aber sie halten ebenso den Brustkorb offen und verstärken so die Wirksamkeit der Bauchmuskulatur auf die Ausatmung.
Auf den nächsten Seiten werden diese Muskeln beschrieben, beginnend mit dem Zwerchfell.
Dabei ist zu beachten, dass für die Stimmarbeit eher die Muskulatur des Brustbereiches statt der des Halses genutzt werden sollte, damit die Kehlkopfmuskulatur frei arbeiten kann.

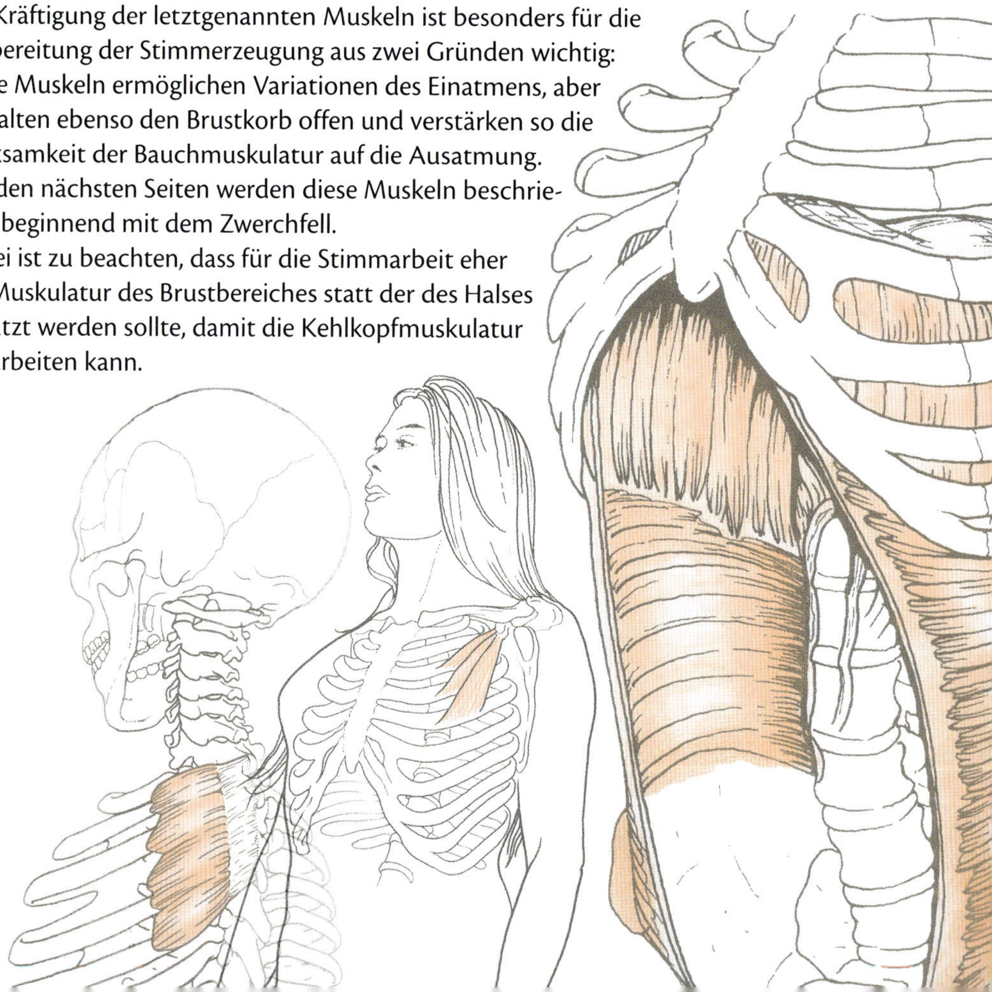

Das Zwerchfell (*Diaphragma*)

Das Zwerchfell ist ein großer, kuppelförmiger, konkav zum Bauchraum liegender Muskel zwischen Brusthöhle und Bauchhöhle.
Es besteht aus zwei Teilen.

In der Zwerchfellmitte befindet sich das sehnige ***Centrum tendineum***, das selbst nicht kontrahieren kann. Dieser Teil ist in etwa geformt wie ein Kleeblatt, weshalb man seine drei Teile auch als Blätter bezeichnen könnte. Es gibt ein vorderes und zwei hintere Blätter, eines rechts und eines links.

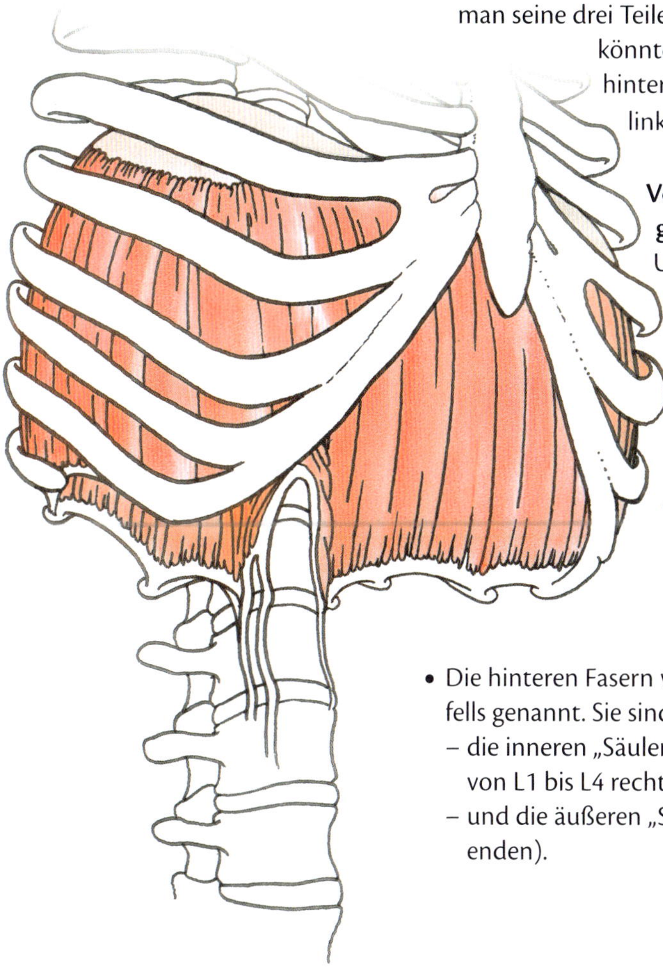

Von diesem sehnigen Zentrum gehen Muskelfasern aus, die bis zur Umhüllung des Brustkorbes ausstrahlen und in drei Teilen enden.

- Die kleinen vorderen Fasern des Brustbeinteils des Zwerchfells (*Pars sternalis*) setzen an der Hinterseite des Schwertfortsatzes des Brustbeins an.
- Die Fasern des Rippenteils des Zwerchfells (*Pars costalis*) entspringen beidseits an den Innenseiten der siebten bis zur letzten Rippe und deren Rippenknorpel.
- Die hinteren Fasern werden auch „Säulen“ des Zwerchfells genannt. Sie sind in zwei Kategorien unterteilt:
  - die inneren „Säulen“ (die an den Lendenwirbelkörpern von L1 bis L4 rechts und L1 bis L3 links enden)
  - und die äußeren „Säulen“ (die in faserigen Bögen enden).

Mehr zum Zwerchfell

Innerhalb des Brustkorbes trifft das Zwerchfell direkt auf die queren Bauchmuskeln und die Muskelfasern greifen ineinander. Diese Nähe erleichtert den Muskeln ihre synergetischen/antagonistischen Funktionen bei der Stimmerzeugung (siehe S. 103).

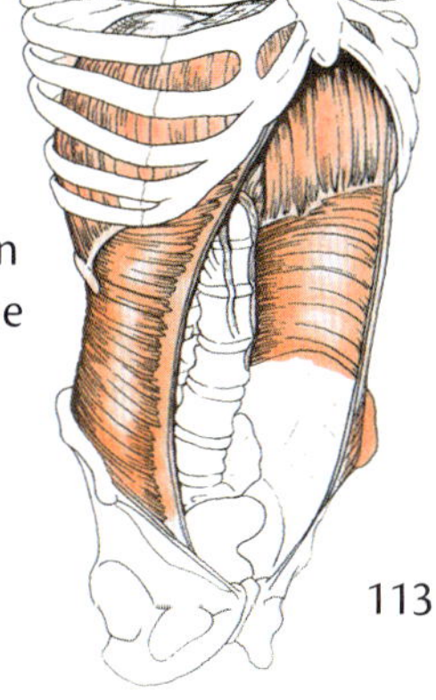

Die Aufgabe des Zwerchfells bei der Atmung

Das Zwerchfell ist der wichtigste Muskel bei der Einatmung. Es kann auf zwei verschiedene Arten arbeiten, die häufig gleichzeitig ausgeführt werden und sich auch durchmischen können:

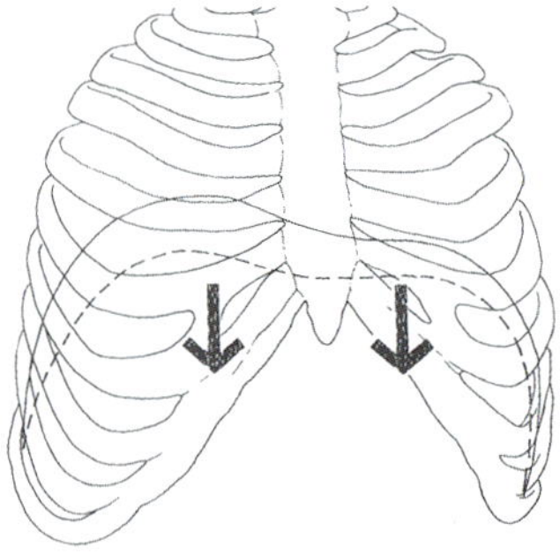

Auf und ab „wie ein Kolben"
Bei der Kontraktion senkt sich das *Centrum tendineum* ab. Dadurch werden die Lungenflügel in Richtung des unteren Teils des Rumpfes gezogen, das Lungenvolumen wird vergrößert und die Einatmung wird ausgelöst (siehe S. 93). Um dem sich nach unten wölbenden Zwerchfell Platz zu geben, werden die inneren Organe nach unten verdrängt. Weil sich dadurch der Bauch nach außen wölbt, wird dieser Vorgang oft als „Bauchatmung" bezeichnet.

Den Brustkorb weit machen
Die Bauchmuskulatur kann das Absenken des *Centrum tendineum* hemmen. In diesem Fall zieht das Zwerchfell ausgehend von seiner festen Mitte an den Rippen, die es anhebt. Jedes Heben der Rippen erweitert den Durchmesser des Thorax (siehe S. 55).
Somit öffnet das Zwerchfell den Boden des Brustkorbes und macht ihn weit. Auch diese Bewegung ruft ein Einatmen hervor.

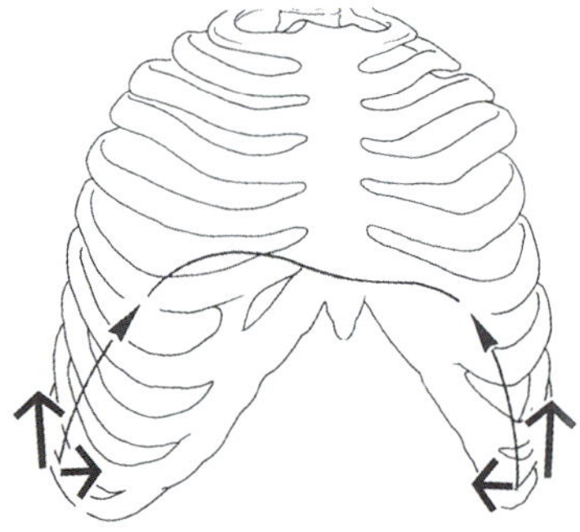

Viel wichtiger: die Aufgabe des Zwerchfells bei der Stimmproduktion

Die Tonerzeugung geschieht nicht bei der Ein-, sondern bei der Ausatmung. In diesem Fall unterstützt das Zwerchfell also nicht den Einatemvorgang, sondern es hält im Gegenteil den Luftstrom der bereits eingeatmeten Luft, die wieder hinauswill, zurück.
Das Zwerchfell bremst also die elastische Rückkehr der Lungenflügel nach oben und dosiert dadurch zusammen mit der Zwischenrippenmuskulatur den Luftstrom, der auf die Stimmlippen trifft.*
Das Zwerchfell kann also auf zwei unterschiedliche Arten das Ausströmen der Luft bei der Tongebung beeinflussen:

- der Bauch ist nach außen gewölbt, während man singt,
- der untere Brustkorb ist weit, während man singt.

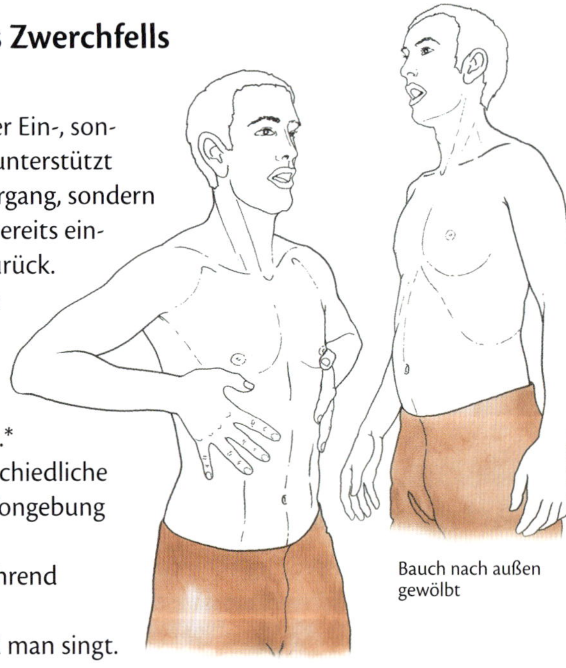

Bauch nach außen gewölbt

Brustkorb weit geöffnet

* Das Zusammenwirken dieser Muskeln bezeichnen wir als „Atemstütze".

Das Zwerchfell in Verbindung mit dem Kehlkopf (*Larynx*) und dem Rachenraum (*Pharynx*)

Das Zwerchfell haftet an der Basis von Lunge und Herz durch Brustfell und Herzbeutel. Diese wiederum haften an vielen Elementen zwischen den Lungenflügeln. Alles zusammen wird als Mittelfellraum (*Mediastinum*) bezeichnet. Von diesen Elementen sollen im Besonderen die Speiseröhre (*Ösophagus*) und die Luftröhre (*Trachea*) genauer beschrieben werden.

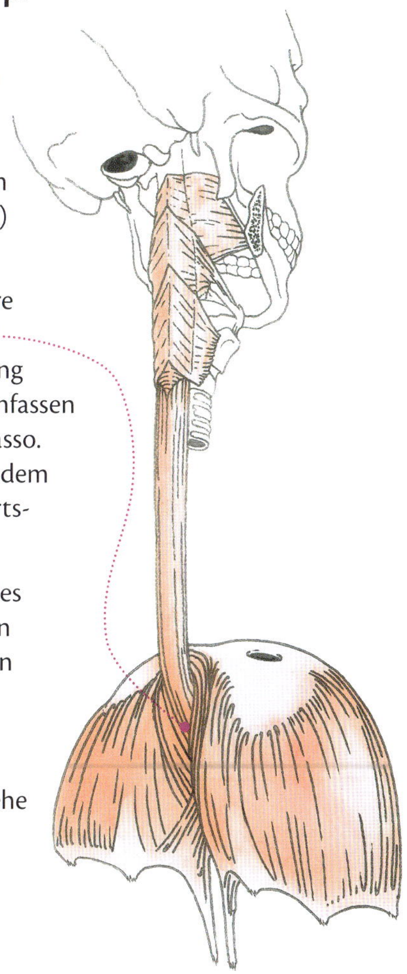

An der Unterseite des Brustkorbes durchquert die Speiseröhre das Zwerchfell durch eine Öffnung, die als „Ösophaguslücke" bezeichnet wird. Die Speiseröhre verläuft dann weiter Richtung Bauch und mündet in den Magen. In der Ösophaguslücke umfassen die hinteren Fasern des Zwerchfells die Speiseröhre wie ein Lasso. Die Speiseröhre ist teilweise durch fibröses Bindegewebe mit dem Zwerchfell verbunden und folgt deshalb den Auf- und Abwärtsbewegungen des Zwerchfells.

Die Speiseröhre setzt oben am Ring- und am Schildknorpel des Kehlkopfes an (siehe S. 98). Das führt wiederum dazu, dass ein Absenken des Zwerchfells sich auch auf den Kehlkopf und den Rachenraum auswirken kann.

- Der Kehlkopf wird abgesenkt (zu den Auswirkungen siehe S. 188–189).
- Der Rachenraum wird verlängert (zu den Auswirkungen siehe S. 219).

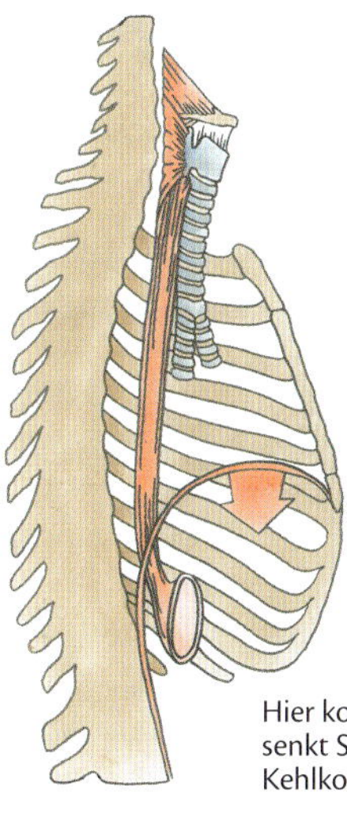

Hier kontrahiert das Zwerchfell und senkt Speiseröhre, Luftröhre und Kehlkopf.

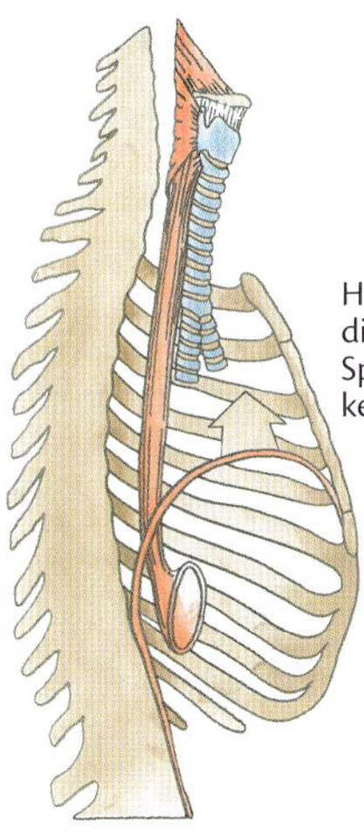

Hier ist das Zwerchfell nicht mehr aktiv, die Lunge hebt sich wieder und Speiseröhre, Luftröhre und Kehlkopf kehren in ihre Ausgangsposition zurück.

Ertasten der Luftröhre

Das Absenken des Kehlkopfes kann leicht ertastet werden, wenn man die Finger an den Schildknorpel legt und dabei gähnt.

Anmerkung: Das Zwerchfell kann sich auch ohne Einatmung absenken und damit möglicherweise den Kehlkopf/Rachen mit absenken.

Wenn man den Bauch beim Einatmen locker lässt: die „falsche" Zwerchfellatmung

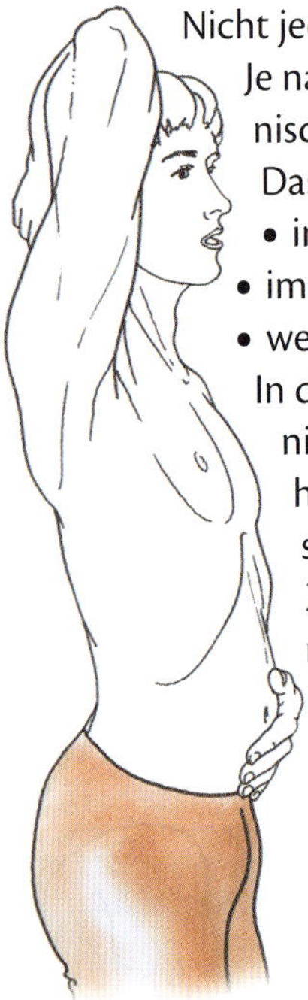

Nicht jede Bauchatmung ist immer auch eine Zwerchfellatmung. Je nach Körperhaltung kann es passieren, dass der Bauchinhalt sich mechanisch nach vorne und/oder nach unten bewegt.

Das passiert

- in der Vertikalen (im Stehen oder Sitzen),
- im Vierfüßlerstand,
- wenn man auf der Seite liegt.

In diesen Positionen muss das Zwerchfell nicht kontrahiert werden, um den Bauch herauszudrücken, sondern dies geschieht schon allein durch die Schwerkraft. Das Zwerchfell ist nicht aktiv, oder wenn, dann nur minimal. Es folgt dem Absinken des Bauchraumes, weil es an ihm haftet (siehe S. 96).

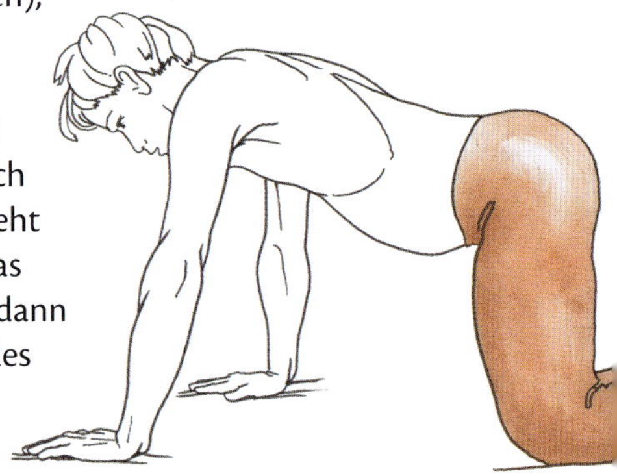

Weitere Informationen

Diese Form des Einatmens ähnelt sehr stark den Vorgängen bei der Zwerchfellatmung. Aber es fühlt sich anders an: Das Zwerchfell „drückt" den Bauch nicht, sondern es ist „locker" – d. h. wir entspannen die Bauchmuskulatur.

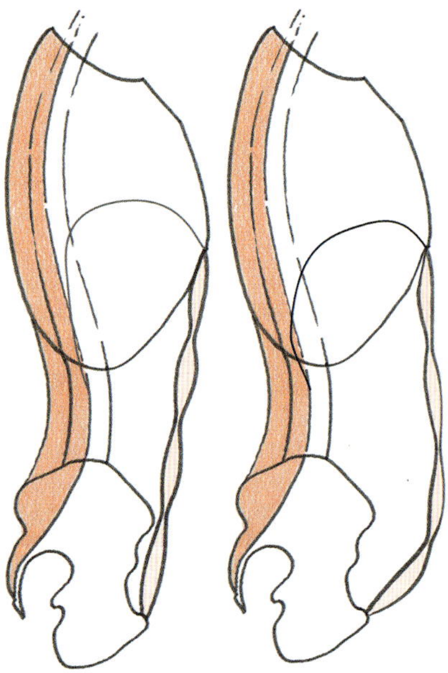

Diese Form der Atmung ist insbesondere dann sinnvoll, wenn wir im Stehen singen und zwischen den Phrasen schnell einatmen müssen, da diese Atmung schneller ist als die aktive Zwerchfellatmung. Für die Stimmerzeugung wird die Bauchmuskulatur dann nach und nach wieder kontrahiert. Dies setzt natürlich eine stabile Haltung voraus (Näheres zur Haltemuskulatur siehe S. 126–129). Sie muss trotz der völligen Entspannung der Bauchmuskulatur an ihrem Platz bleiben, da sie sonst während der Entspannung am Rumpf ziehen und den ganzen Körper destabilisieren könnte.

Halbwahrheiten über das Zwerchfell

„Man kann das Zwerchfell nicht spüren, weil es nicht innerviert ist."
Das stimmt nicht ganz. Das Zwerchfell ist von Nervenzweigen innerviert, die von den letzten sechs Interkostalnerven kommen, sowie von Nerven, die vom Solarplexus ausgehen. Man kann auch die serösen* Membranen spüren, die dem Zwerchfell anliegen: das Brustfell, den Herzbeutel (oben) und das Bauchfell (unten).
Diese Membranen sind von zahlreichen Zwerchfell- und Interkostalnerven durchdrungen.

„Man kann das Zwerchfell nicht kontrollieren, da die Atmung ein Reflex ist."
Das stimmt nicht immer. Die alltägliche Atmung ist in der Regel ein Reflex. Das heißt, sie wird vom Nervensystem kontrolliert und ist unbewusst (wir müssen nicht aktiv darüber nachdenken) und unwillkürlich (wir beschließen nicht, zu atmen).
So gesehen ist es zutreffend, dass die Bewegung des Zwerchfells meistens durch Reflexe gesteuert wird.

Dieser Reflex kann jedoch zeitweise zu einer bewussten und willkürlichen Handlung werden: das heißt, man kann sich für einen Moment dazu entscheiden, mit einer bewussten Bewegung zu atmen, z. B. tiefer zu atmen, den Atem mehr in den Brustkorb oder den Bauchraum zu leiten oder sogar die Atmung anzuhalten (*Apnoe*) usw. Man muss betonen, dass dies natürlich nur im Rahmen dessen geschehen kann, was man überleben kann. Man kann die Atmung nicht weiter verlängern oder verkürzen, als das auch von den pysiologischen Gegebenheiten her möglich ist. In diesem Zusammenhang wird die Wirkung des Zwerchfells auf einer freiwilligen und bewussten Ebene gesteuert. Diese bewusste Kontrolle der Atmung machen sich einige Atemtechniken und Methoden der Stimmerzeugung zu Nutzen, zumindest in der Anfangsphase.
Wenn man eine solche Bewegung oft genug wiederholt, muss man sie irgendwann nicht mehr bewusst machen: der Impuls für diese Bewegung ist unbewusst geworden.

„Alle Atmung ist Zwerchfellatmung."
Hier muss man differenzieren: Obwohl das Zwerchfell zweifellos der wichtigste Muskel des Einatmens ist, kann man an sich selbst experimentieren, um zu sehen, ob man auch nur mithilfe der anderen Inspirationsmuskeln einatmen kann – besonders wenn sie trainiert sind und der Brustkorb beweglich ist. Theoretisch ist es auch möglich, ohne jegliche Muskelanstrengung einzuatmen (wie auf der vorherigen Seite beschrieben).

* Serös: mit einer Körperflüssigkeit ausgekleidet, um die Gleitfähigkeit der Membranen zu gewährleisten.

Die Zwischenrippenmuskeln (*Musculi intercostales*)

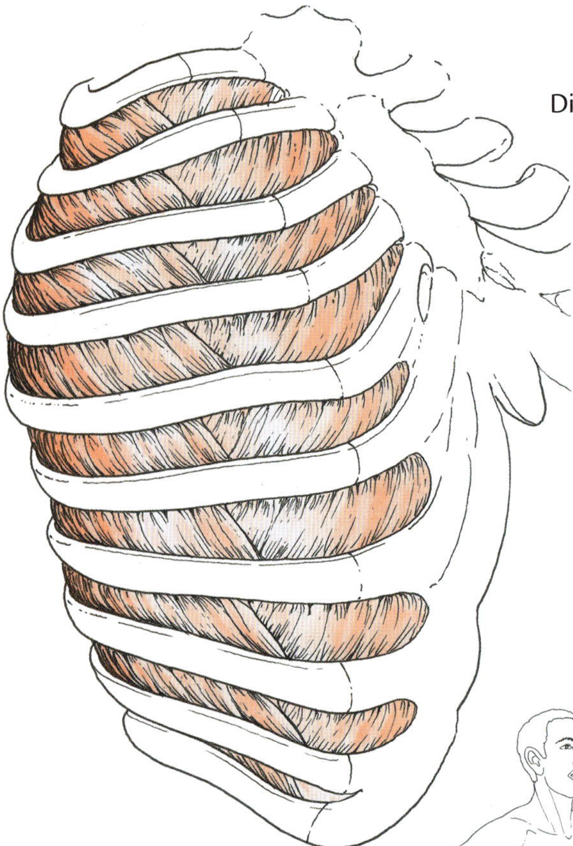

Diese Muskeln sind klein, aber zahlreich. Sie liegen zwischen den Rippen und ziehen jeweils von der Unterseite einer Rippe zum Oberrand der darunterliegenden Rippe.

Es gibt zwei Schichten:

- Die **inneren Zwischenrippenmuskeln** verlaufen in der Tiefe schräg von oben nach unten und von vorne nach hinten. Sie helfen bei der Ausatmung.
- Die **äußeren Zwischenrippenmuskeln** verlaufen oberflächlich von oben nach unten und von hinten nach vorne. Sie helfen bei der Einatmung.

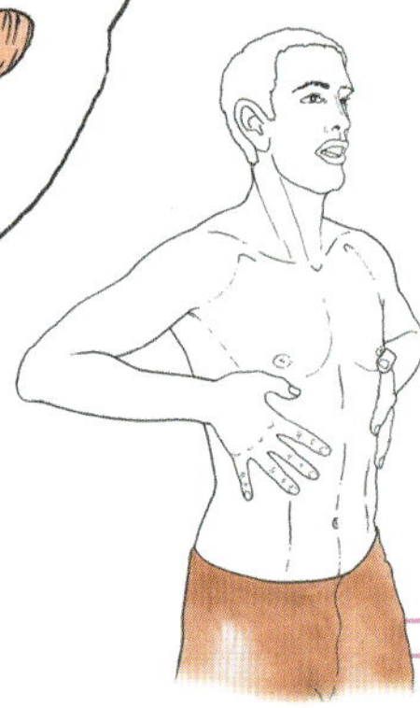

Ertasten der Zwischenrippenmuskeln

Die Zwischenrippenmuskulatur kann an den Seiten des Brustkorbes zwischen den Rippen ertastet werden.

Die Aufgabe bei der Atmung und der Stimmerzeugung

Diese zwischen den Rippen liegende Muskulatur zieht zunächst einmal die Rippen zueinander. Dadurch wird die Gruppe von Rippen zu einer einheitlichen, beweglichen Struktur aus Muskeln und Knochen.

Wenn sich die erste Rippe beim Einatmen hebt, so bewegen sich auch die restlichen Rippen nach oben.

Wenn sich die zwölfte Rippe beim Ausatmen senkt, so bewegen sich auch die restlichen Rippen nach unten.

Diese Muskulatur ist also sowohl am Ein- als auch am Ausatmen beteiligt.

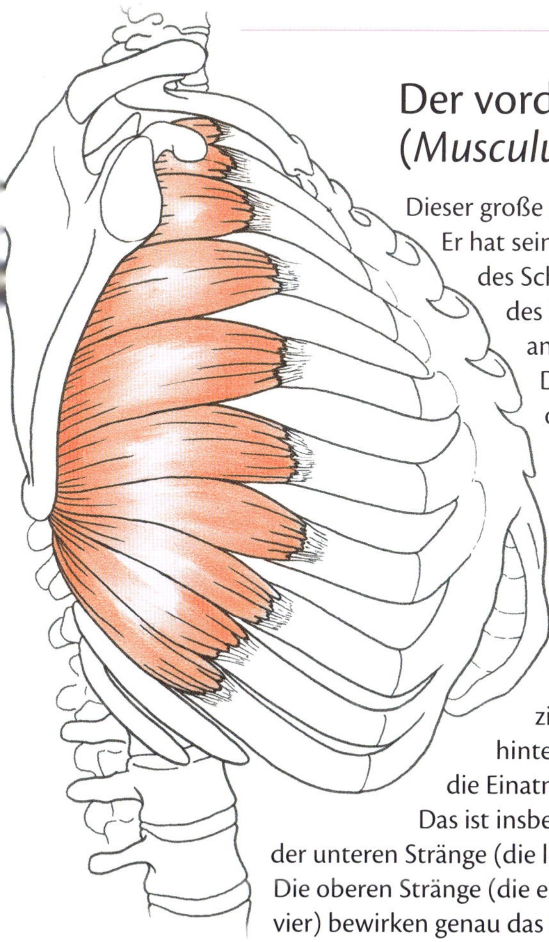

Der vordere Sägemuskel (*Musculus serratus anterior*)

Dieser große Muskel erstreckt sich seitlich am Brustkorb. Er hat seinen Ursprung an der mittleren Innenkante des Schulterblattes und bildet zehn Stränge entlang des Brustkorbes, die an den oberen zehn Rippen ansetzen.

Die oberen Fasern verlaufen aufwärts zu den oberen Rippen, die mittleren Fasern verlaufen horizontal, und die unteren Fasern verlaufen abwärts zu den unteren Rippen.

Seine Aufgabe bei der Atmung

Der vordere Sägemuskel zieht die Rippen nach hinten oben und fördert so die Einatmung.

Das ist insbesondere die Aufgabe der unteren Stränge (die letzten fünf). Die oberen Stränge (die ersten drei oder vier) bewirken genau das Gegenteil und sind daher an der Ausatmung beteiligt.

Der vordere Sägemuskel ist ein starker Einatemmuskel der der Rippen, dessen Wirkung an den Seiten gut zu spüren ist.

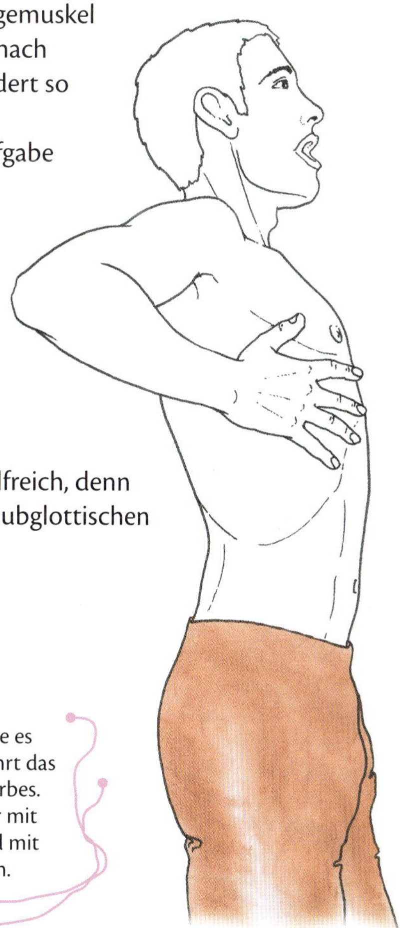

Aufgabe bei der Stimmproduktion

Der vordere Sägemuskel ist als Muskel des Einatmens sehr hilfreich, denn er trägt dazu bei, das Ausatmen zu bremsen und somit den subglottischen Druck zu kontrollieren und zu steuern.

Vorsicht bei einem „festen" Brustkorb

Wenn der vordere Sägemuskel überstrapaziert wird, wie es bei bestimmten Stimmtechniken der Fall sein kann, führt das möglicherweise zu einer gewissen Steifheit des Brustkorbes. Es ist daher ratsam, die Übung dieser Techniken immer mit Übungen für Rippenbeweglichkeit zu kombinieren und mit Übungen für andere Inspirationsmuskeln abzuwechseln.

Der kleine Brustmuskel (*Musculus pectoralis minor*)

Dieser kleine Muskel erstreckt sich unter dem Schlüsselbein über die Vorderseite des Brustkorbes. Er entspringt am Rabenschnabelfortsatz des Schulterblattes (siehe S. 56), steigt in Richtung der Brustkorbmitte ab und endet auf der dritten, vierten und fünften Rippe.

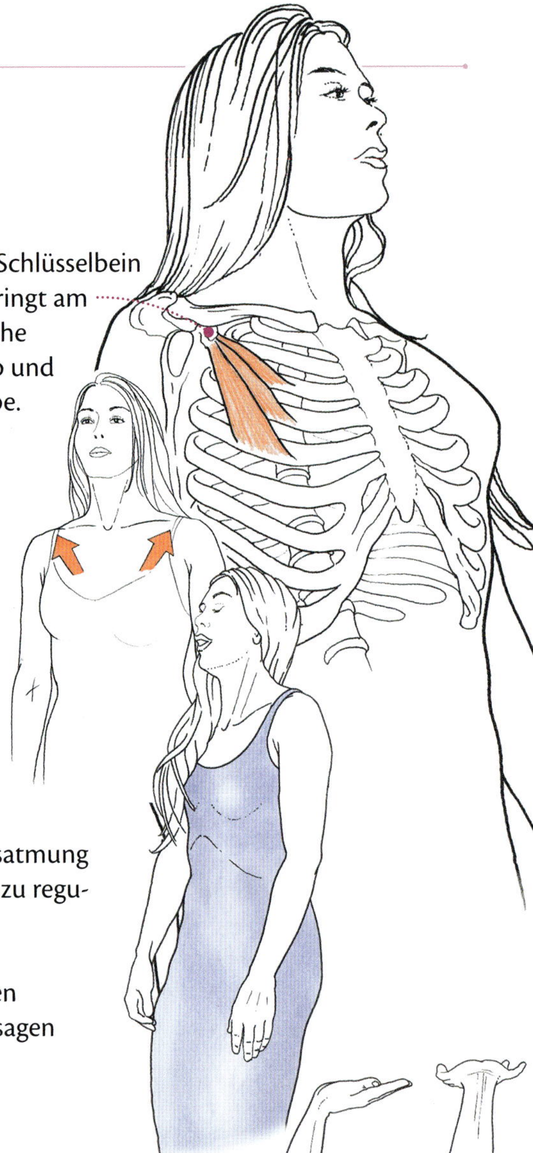

Aufgabe bei der Atmung

Dieser Muskel zieht die oberen Rippen nach oben und löst so eine Einatmung wie bei einem „Pumpenschlegel" aus. Der kleine Brustmuskel ist zwar nur ein kleiner Einatemmuskel, aber seine Wirkung ist sehr wichtig für die Beweglichkeit der Schlüsselbeinregion.

Aufgabe während der Stimmproduktion

Dieser Inspirationsmuskel kann helfen, die Ausatmung zu bremsen, und so den subglottischen Druck zu regulieren.

Man kann häufig beobachten, dass beim Singen die Schultern hochgezogen werden, wenn Passagen besonders hoch oder besonders fein sind.

Lockerung der Schultern

Aber Vorsicht, denn wenn die Schultern nach vorne gebeugt sind, kann dieser Muskel verkürzt und während des Einatmens schwerer zu aktivieren sein. In diesem Fall kann es helfen, den Muskel (im Stehen oder Liegen) zu dehnen, indem man die Arme lang nach oben über den Kopf streckt. So kann die Beweglichkeit im Schulter- und Brustkorbbereich wiedererlangt werden.

Der große Brustmuskel (*Musculus pectoralis major*)

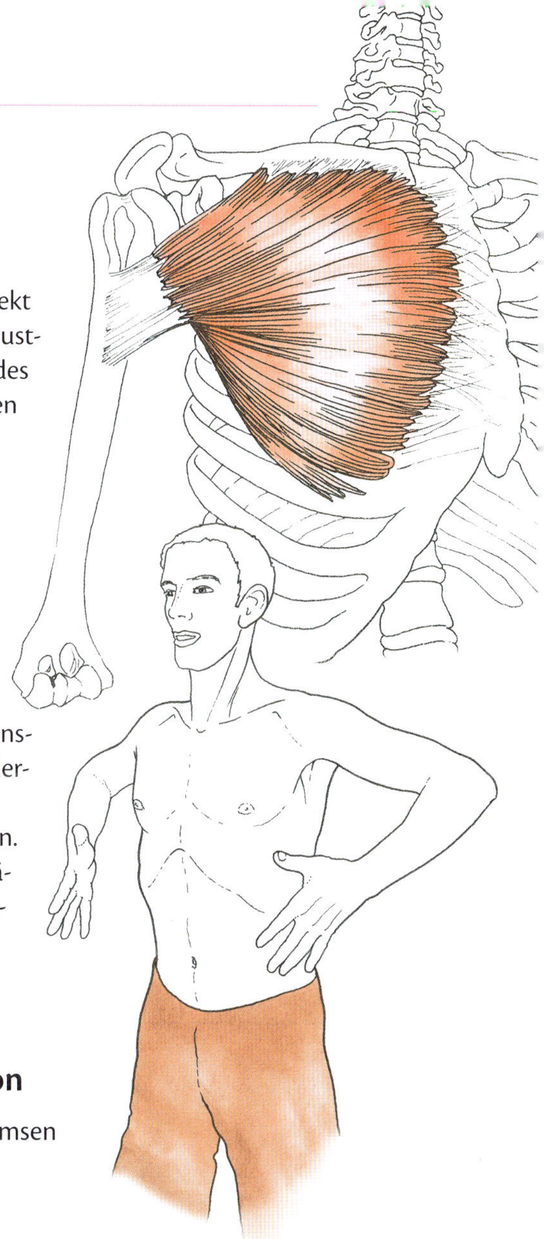

Dieser große Oberflächenmuskel erstreckt sich (direkt unter der Haut liegend) über die Vorderseite des Brustkorbes. Er entspringt an den inneren zwei Dritteln des Schlüsselbeins und am Brustbein. Von dort verlaufen die Muskelstränge zum Oberarmknochen hin und setzen an dessen Vorderseite oben an.

Aufgabe bei der Atmung

Dieser Muskel zieht die Rippen nach hinten oben und fördert so das Einatmen (wie bei einem „Eimerhenkel"). Die unteren Fasern (die an der fünften bis achten Rippe enden) führen diese Bewegung aus. Auf dieser Ebene ist er ein Inspirationsmuskel der Rippen. Seine Bewegung ist an der Vorderseite des Brustkorbes gut zu spüren und zwar dort, wo das Brustbein und die Rippen aufeinandertreffen. Die Zwischenrippenräume erweitern und verschmälern sich beim Ein- und Ausatmen. Die oberen Muskelstränge (nahe des Schlüsselbeins) haben die umgekehrte Wirkung: Sie senken das Schlüsselbein und wirken daher exspiratorisch.

Aufgabe während der Stimmproduktion

Dieser Inspirationsmuskel kann die Ausatmung bremsen und damit den subglottischen Druck regulieren.

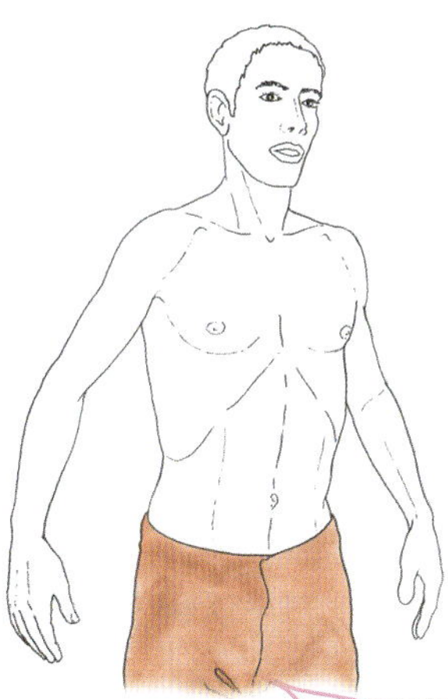

Lockerung der Schultern

Vorsicht: Wenn die Schultern nach innen gezogen sind, kann dieser Muskel verkürzt sein und lässt sich während des Einatmens schwer aktivieren. Man kann die Beweglichkeit trainieren, indem man die Arme lang zur Seite streckt.

Die Rippenhebemuskeln (*Musculi levatoris costarum*)

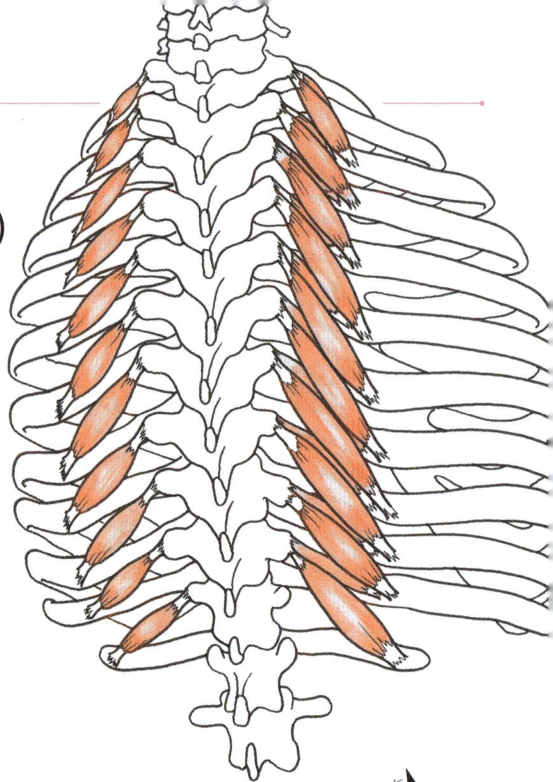

Diese Muskeln sind klein aber zahlreich. Sie liegen in der Tiefe auf der Rückseite des Brustkorbes. Sie entspringen auf der Ebene jedes Wirbels an den Querfortsätzen und bestehen jeweils aus einem kurzen Strang, der nach außen hin absinkt und auf der darunterliegenden Rippe ansetzt, und einem langen Strang, der ebenfalls nach außen hin abfällt, jedoch an der Seite der zwei Ebenen tiefer liegenden Rippe ansetzt.

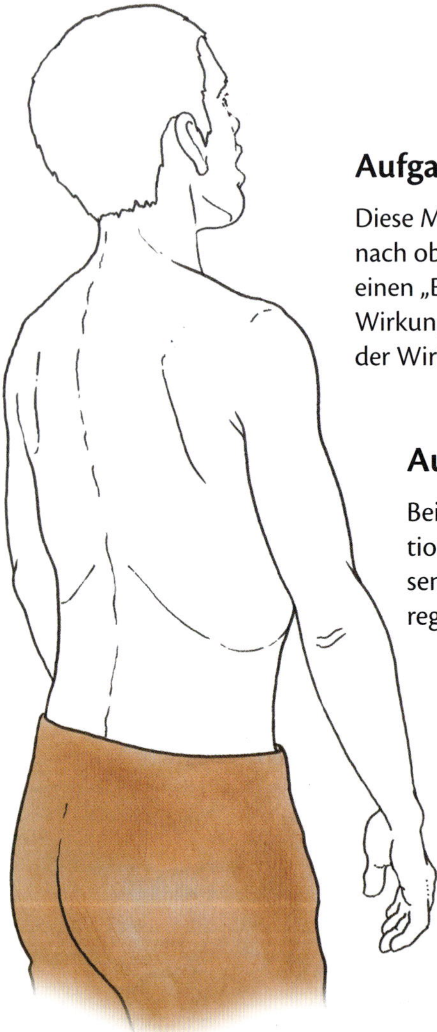

Aufgabe bei der Atmung

Diese Muskeln ziehen die Rippen auf jeder Ebene nach oben und rufen so ein Einatmen wie bei einen „Eimerhenkel" hervor. Man kann ihre Wirkung auf der Rückseite des Brustkorbes nahe der Wirbelsäule spüren.

Aufgabe bei der Stimmproduktion

Bei der Stimmerzeugung können diese Inspirationsmuskeln helfen, die Ausatmung zu bremsen und dadurch den subglottischen Druck zu regulieren.

In den Rücken atmen

Diese Muskeln sind besonders wichtig für solche Menschen, die dazu neigen, den Rumpf (oder sogar den Kopf) während der Stimmerzeugung nach vorne zu schieben. Sie tragen dazu bei, die Körperhaltung wieder aufzurichten. Man kann sie gut spüren und trainieren, indem wir den Rumpf beugen (entweder in aufrechter oder liegender Position), wodurch sich die Rippen hinten öffnen.

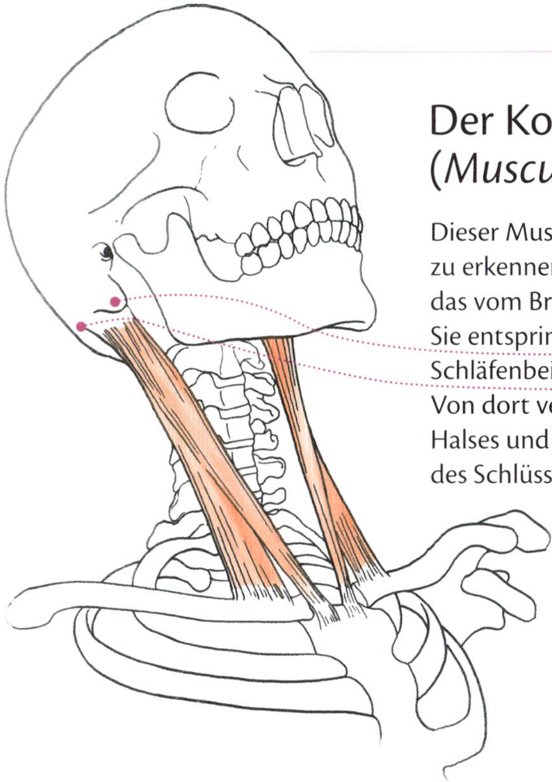

Der Kopfnicker (*Musculus sternocleidomastoideus*)

Dieser Muskel ist auf der Vorderseite des Halses gut zu erkennen: die beiden Kopfnicker formen ein „V", das vom Brustbein aus zu den Seiten des Kopfes verläuft. Sie entspringen oben am ***Processus mastoideus*** des Schläfenbeines (siehe S. 66) und am **Hinterhauptbein**. Von dort verlaufen sie nach vorne in die Mitte des Halses und setzen am Brustbein und auf der Innenseite des Schlüsselbeins an.

Zum Ertasten der Kopfnicker siehe S. 125.

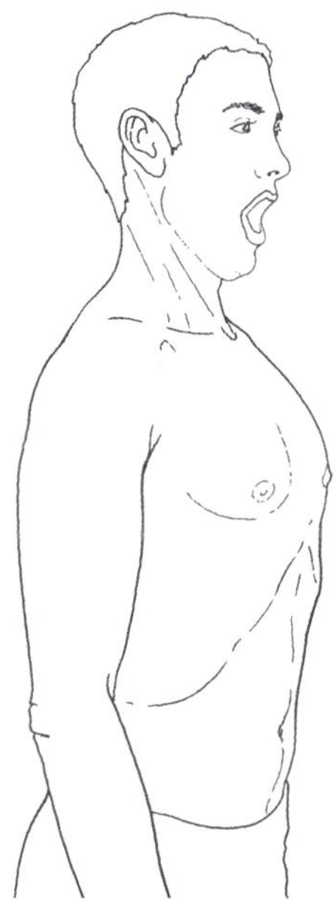

Aufgabe beim Atmen

Diese beiden Muskeln heben das Brustbein und rufen so ein Einatmen im oberen Teil der Lungen hervor.

Aufgabe bei der Stimmproduktion

Bei der Stimmproduktion können diese Muskeln dabei helfen, das Ausatmen zu bremsen und so den subglottischen Druck zu regulieren.

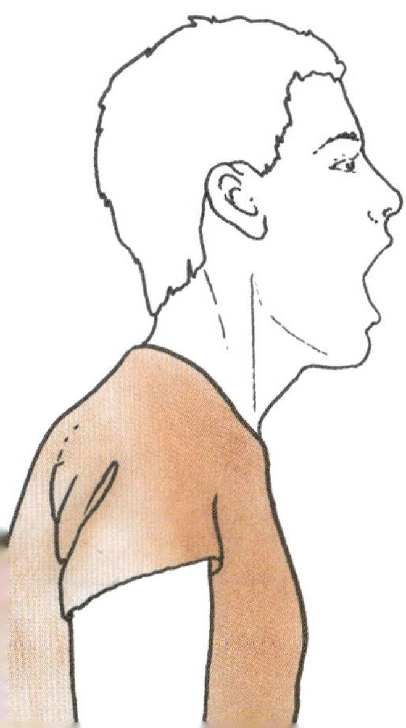

Nur moderater Einsatz des Kopfnickers bei der Stimmerzeugung

Wenn wir die Kopfnicker bei der Stimmerzeugung kontrahieren, erzeugt das enorme Spannung in diesem Bereich des Halses, insbesondere im vorderen Halsbereich. Hier befindet sich auch die äußere Kehlkopfmuskulatur (siehe S. 180), deren Aufgabe es ist, die Höhe des Kehlkopfes im Hals und im Verhältnis zum Mund zu auszugleichen. Es ist deshalb Vorsicht geboten, diese beiden Funktionen nicht zu verwechseln.Wenn man also beim Einatmen die Inspirationsmuskulatur der Rippen benutzt, sollte man lieber diejenigen Muskeln benutzen, die sich weiter unten im Brustkorb befinden.

Die Skalenusmuskeln (*Musculi scaleni*)

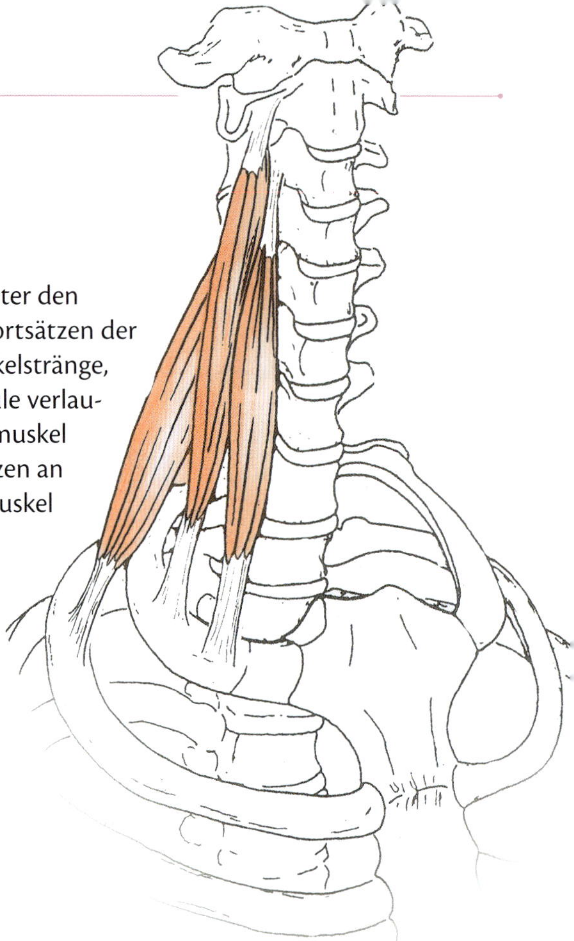

Diese drei Muskeln befinden sich genau hinter den Kopfnickern. Sie entspringen an den Querfortsätzen der Halswirbel Axis bis C7 und bilden drei Muskelstränge, die hintereinander neben der Halswirbelsäule verlaufen. Der vordere und der mittlere Skalenusmuskel verlaufen schräg nach vorne unten und setzen an der ersten Rippe an. Der hintere Skalenusmuskel verläuft vertikaler und setzt an der zweiten Rippe an.

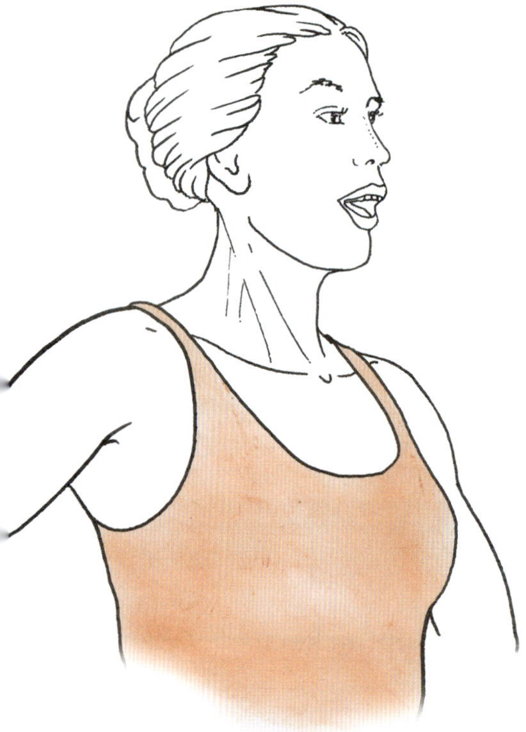

Aufgabe bei der Atmung

Diese Muskeln ziehen die beiden ersten Rippen nach oben und rufen so ein Einatmen hervor. Diese Bewegung findet in einem Bereich des Brustkorbes mit relativ geringem Lungenvolumen statt, weshalb diese Atmung wenig effektiv ist. Jedoch liegt hier der Ausgangspunkt für eine Bewegung, die sich über die Zwischenrippenmuskulatur durch den gesamten Brustkorb fortsetzt.

Aufgabe bei der Stimmproduktion

Bei der Stimmerzeugung arbeiten diese Muskeln in Synergie mit den anderen costalen Inspirationsmuskeln. Sie können dabei helfen, das Ausatmen zu bremsen und so den subglottischen Druck zu regulieren.

Moderater Einsatz der Skalenusmuskeln

Vorsicht: genau wie die Kopfnicker haben die Skalenen allein durch ihre Nähe starken Einfluss auf den Bereich der Halswirbelsäule. Sie können dadurch Spannungen im Kehlkopfbereich hervorrufen.

Kopfnicker und Skalenusmuskeln ertasten

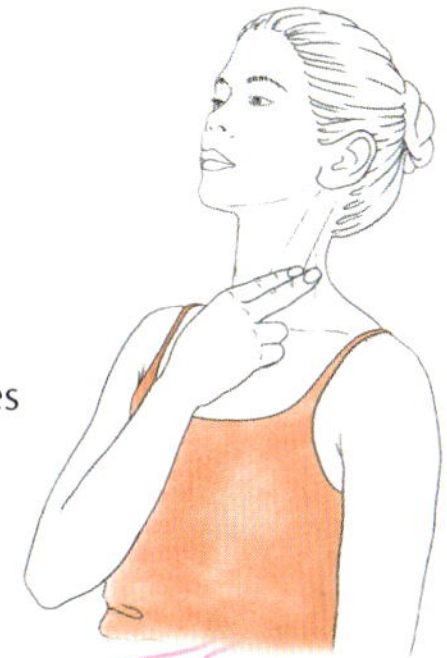

Diese Muskeln sind gut zu spüren, wenn man einatmet, als würde man schluchzen. Die Kopfnicker sind leicht zu erkennen, wenn man Kopf, Hals und Rumpf nach hinten neigt und dabei die Finger auf die Seiten des Halses legt. Man spürt die Skalenusmuskeln ungefähr auf der Mitte des Halses, direkt hinter den Kopfnickern. Wenn man die linke Seite des Halses mit der rechten Hand betastet und den Zeigefinger auf den Kopfnicker legt, liegt der Mittelfinger automatisch auf dem Skalenusmuskel.

Vorsicht: Dieser Bereich ist sehr sensibel – also nur tasten, nicht drücken!

Die Wirkung der Skalenusmuskeln kann sich ins Gegenteil kehren:

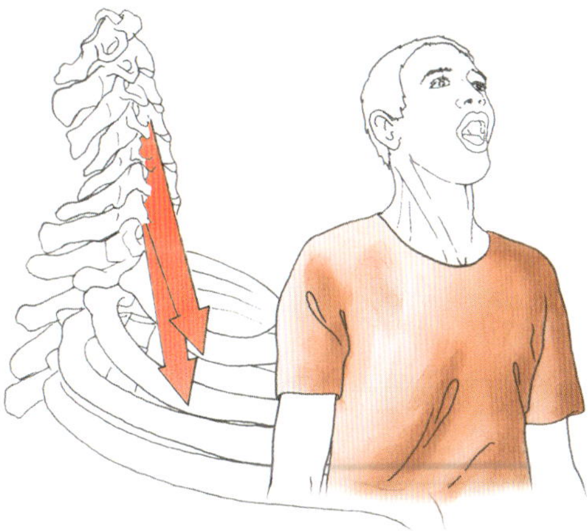

Wenn die Halswirbelsäule bereits nach hinten gekrümmt ist, so verstärkt die beidseitige Kontraktion der Skalenusmuskeln diese Krümmung noch.

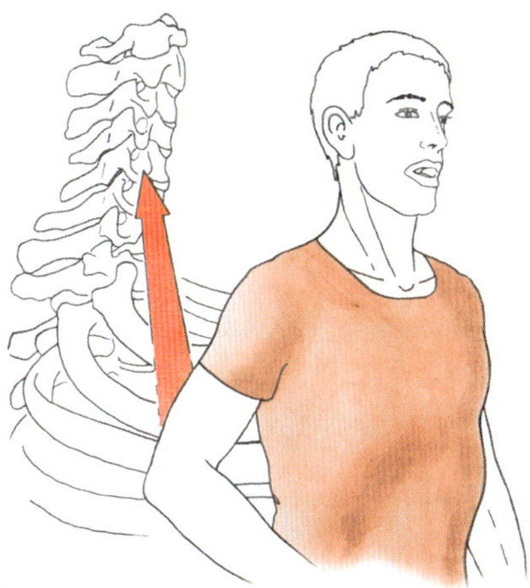

Wenn die Halswirbel übereinander liegen, so kann die beidseitige Kontraktion der Skalenusmuskeln die beiden ersten Rippen anheben.

Frage und Antwort

„Ich singe täglich und habe gelesen, dass häufiges hohes Einatmen vorne mit dem Kopfnicker zu Verspannungen im Nacken führen kann. Das ist bei mir der Fall. Nun weiß ich nicht, wie ich die Kontraktion des Kopfnickers und der Skalenusmuskulatur während des Einatmens verringern kann. Sollte ich eher die Atmung in die Region unter dem Schlüsselbein oder in den Brustkorb trainieren?"

Ja, man sollte trainieren, wie man in den unteren Brustkorb oder in den Bauch einatmet, damit die Muskeln des Kehlkopfes (siehe S. 156–163, 181–187) nicht blockiert sind, sondern ihre Aufgaben richtig ausführen können.

Die Haltemuskulatur als Stütze des Atemapparates

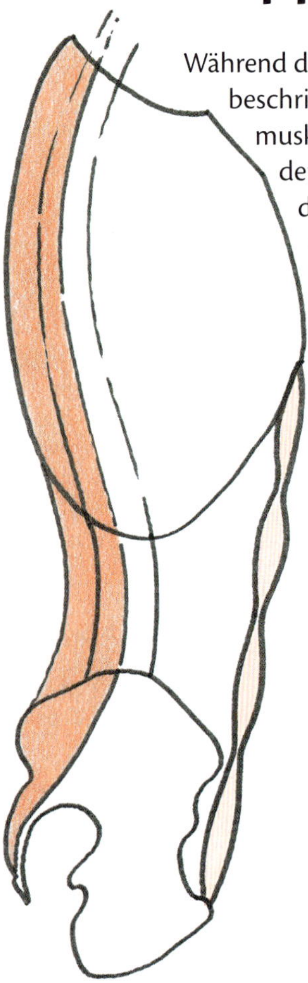

Während der Stimmerzeugung finden die auf den vorherigen Seiten beschriebenen Atemvorgänge statt. Gleichzeitig stützt die Haltemuskulatur den Körper und hält ihn aufrecht. Dies gilt insbesondere für den Rumpf und den Hals, bei denen folgende Muskeln diese Funktion ausüben:

- die hintere Rumpfmuskulatur, die wir insgesamt als „Rückenmuskulatur" bezeichnen
- die Muskeln, die sich tief im Rumpf, direkt neben der Wirbelsäule befinden.*

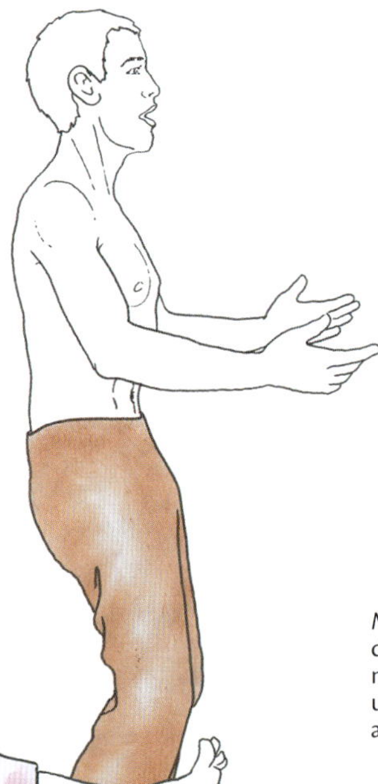

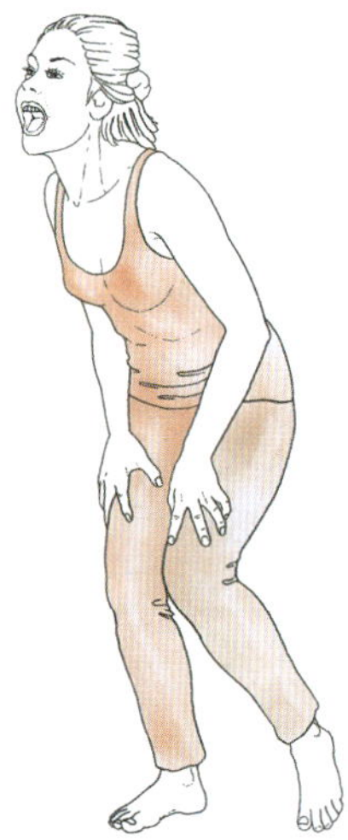

Man kann bei der Stimmproduktion die Aufgabe der Haltemuskulatur minimieren. Beispielsweise, indem wir uns auf unseren eigenen Körper oder auf einen Gegenstand stützen.

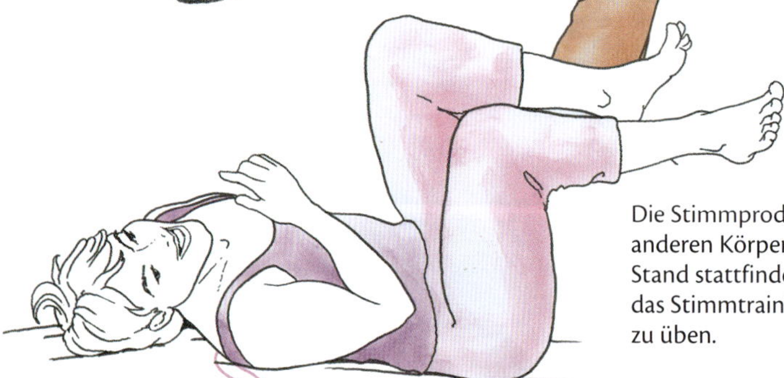

Gesangshaltungen

Die Stimmproduktion kann sehr wohl auch in anderen Körperhaltungen als dem aufrechten Stand stattfinden. Deshalb kann es sinnvoll sein, das Stimmtraining in verschiedenen Positionen zu üben.

* Wir können hier nur auf einige dieser Muskeln eingehen. Für ein tiefergehendes Verständnis sei die Lektüre von *Anatomie der Bewegung*, S. 74–87 empfohlen.

Die Wirbelsäulenmuskulatur

Zur Rückenmuskulatur gehört die Wirbelsäulenmuskulatur, die entlang der Wirbelsäule verläuft und zwischen den Wirbeln ansetzt.

Die tiefsten Muskeln (nicht dargestellt) bilden eine Reihe von kleinen Bündeln, die zwischen den Dorn- sowie den Querfortsätzen ansetzen.

Sie sind von den ***transversospinalen Muskeln*** bedeckt, die von den Querfortsätzen der Wirbel zu den Dornfortsätzen der darüberliegenden Wirbel verlaufen.

Sie bilden auf jeder Wirbelebene vier übereinanderliegende Schichten, die mit den Muskeln der darüberliegenden Wirbelebene überlappen.

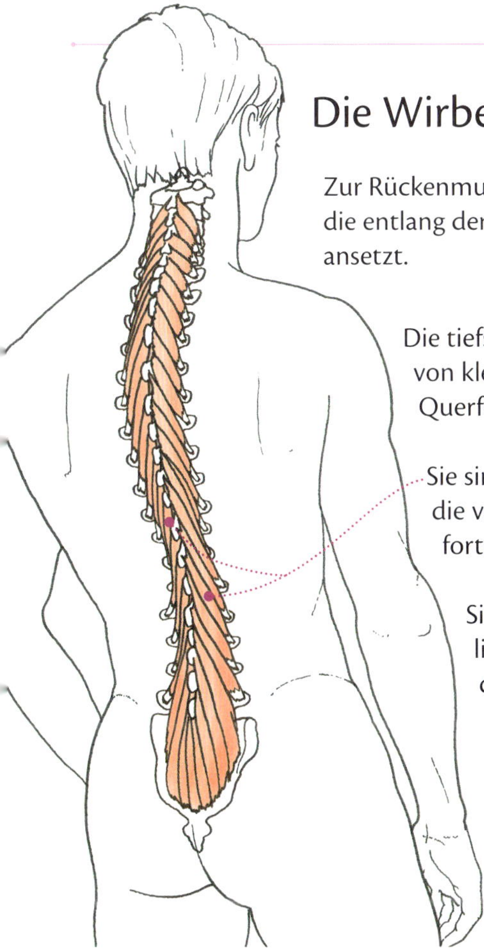

Die *transversospinalen Muskeln* bilden eine Art Fischgrät-Muster entlang der Wirbelsäule.

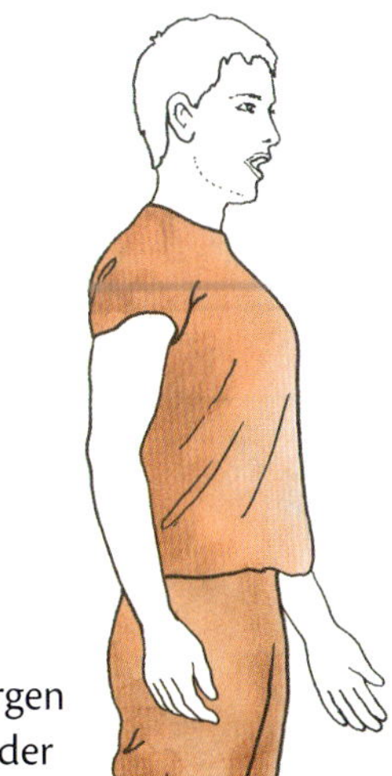

Die Aufgabe der Wirbelsäulenmuskulatur

Im aufrechten Stand arbeiten diese Muskeln ständig daran, die vertikale Ausrichtung der Wirbelsäule auszubalancieren. Sie sorgen allerdings nicht für die vertikale Aufrichtung des Brustkorbes oder des Beckens. Sie widmen sich ausschließlich der Stabilität in der vertikalen Achse.

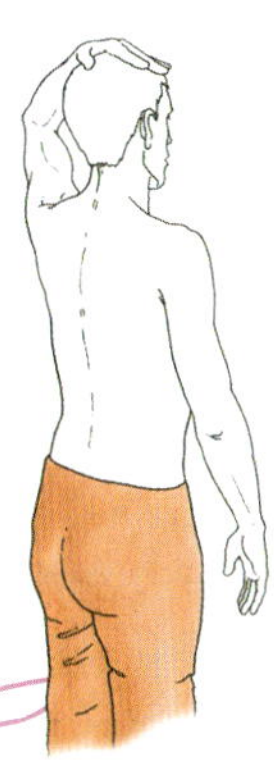

Die Spinalmuskulatur trainieren

Die gängigste Übung zur Stärkung der Wirbelsäulenmuskulatur ist, etwas auf dem Kopf zu tragen oder mit dem Kopf gegen den Widerstand einer oder beider auf den Kopf gelegter Hände zu drücken.

Die langen Rückenmuskeln

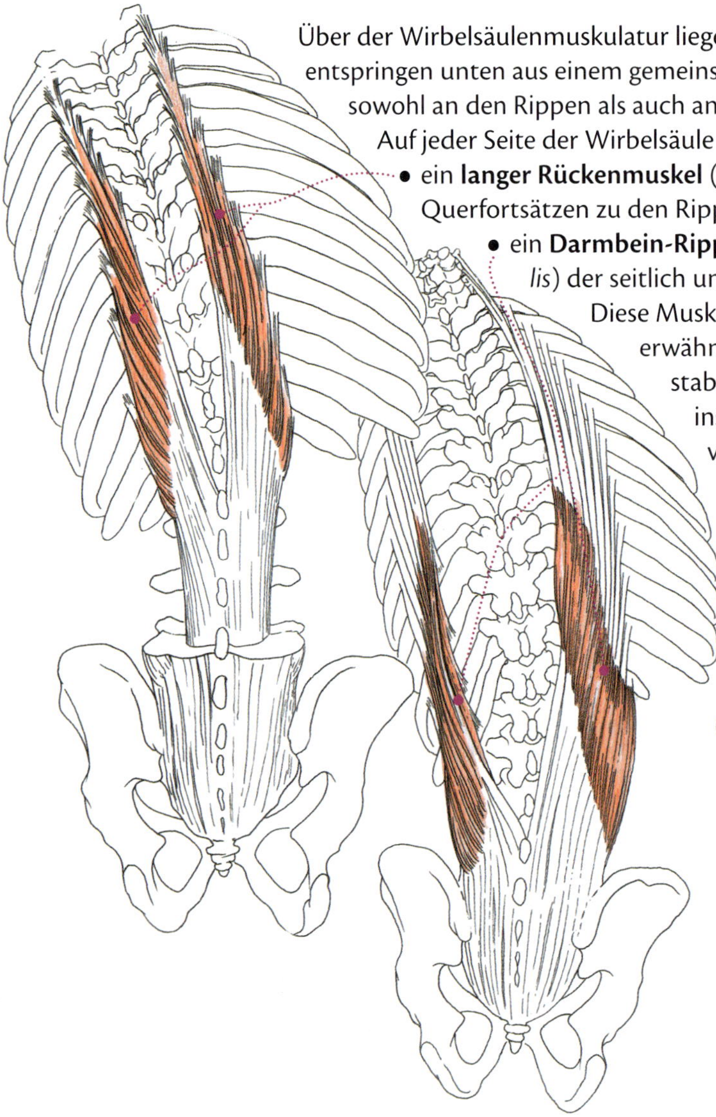

Über der Wirbelsäulenmuskulatur liegen längere Muskeln. Diese entspringen unten aus einem gemeinsamen Muskelstrang und setzen sowohl an den Rippen als auch an den Wirbeln an.

Auf jeder Seite der Wirbelsäule verläuft

- ein **langer Rückenmuskel** (*Musculus longissimus*) von den Querfortsätzen zu den Rippen,
- ein **Darmbein-Rippen-Muskel** (*Musculus iliocostalis*) der seitlich und zu den Rippen hin verläuft.

Diese Muskeln sind stärker als die bereits erwähnten Wirbelsäulenmuskeln und stabilisieren im Stehen den Rumpf, insbesondere wenn er sich aus der vertikalen Ebene heraus bewegt.

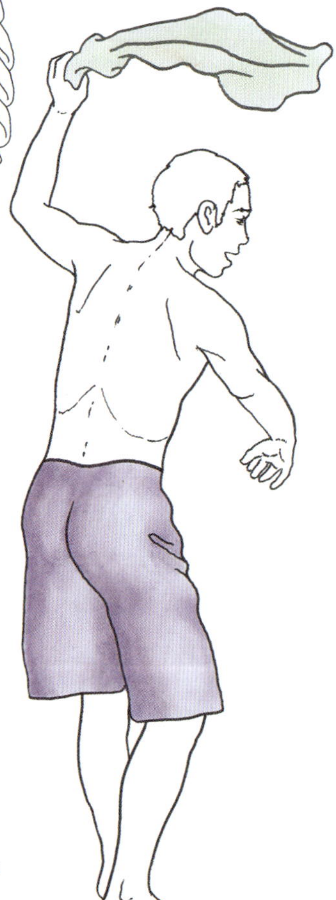

Stimme und Bewegung

Heutzutage ist es nicht ungewöhnlich, dass Sängerinnen und Sänger in einer nicht-vertikalen, sehr gebeugten Position singen.

Die vordere Haltemuskulatur

Vor der Wirbelsäule befinden sich sehr nah an der Spinalachse Muskeln, die die Wirkung der Rückenmuskulatur ausgleichen.

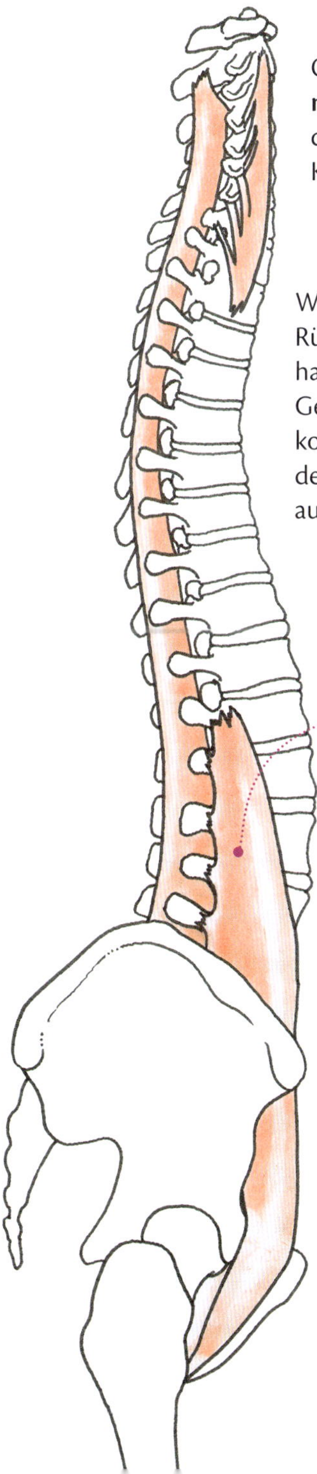

Oben befinden sich die **langen Halsmuskeln** (*Musculus longus colli*) und die **vorderen Halsmuskeln** (mehr in Kapitel 5, S. 208–209).

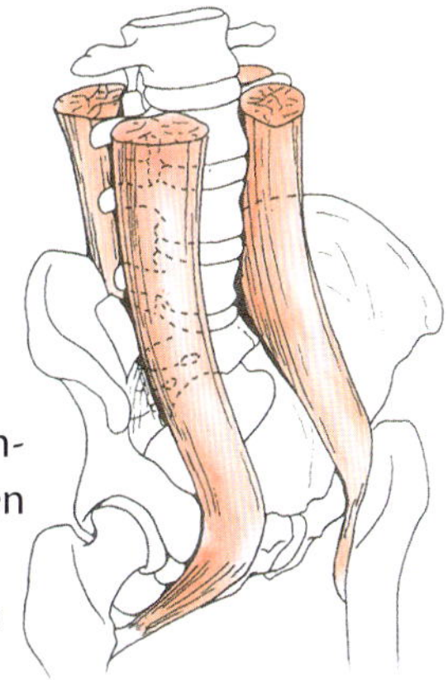

Weiter unten, im Rückenbereich, gleicht hauptsächlich das Gewicht des Brustkorbes die Wirkung der Rückenmuskulatur aus.

Die Rücken- und die Lendenmuskeln formen vier „Spanndrähte" um die Lendenwirbelsäule.

Unten, im Lendenbereich, befindet sich je ein **Lendenmuskel** (*Psoas*) auf jeder Seite. Dieser Muskel entspringt am zwölften Brustwirbel und den fünf Lendenwirbeln (an den Seiten der Wirbelkörper und an den Querfortsätzen). Er steigt ab, durchquert das Becken und setzt auf dem kleinen Rollhügel (*Trochanter minor*) des Oberschenkelknochens an.

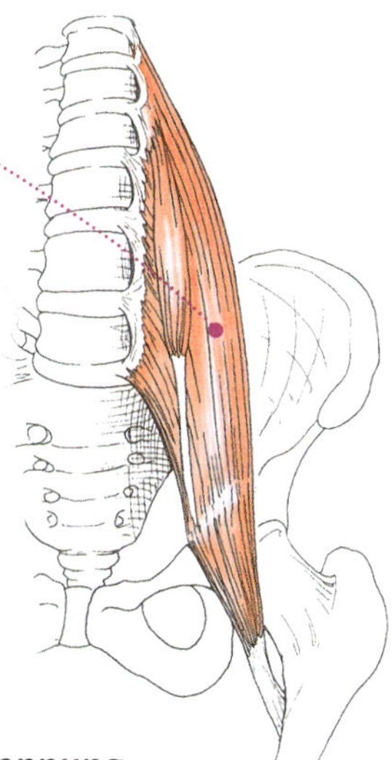

Anspannung und Entspannung

Es kann helfen, die Lendenmuskeln anzuspannen, möglicherweise sogar während der Stimmerzeugung, indem man das Knie anhebt und so die Hüfte beugt. Leider ist dieser Muskel oft zu stark angespannt bzw. verspannt. Dann ist es empfehlenswert, den Lendenmuskel zu entspannen und zu dehnen.

Der Kehlkopf (*Larynx*): Ursprung unserer Stimme S. 132

Die Kehlkopfknorpel S. 134

Der Ringknorpel (*Cartilago cricoidea*) S. 136
Die zwei Stellknorpel (*Cartilago arytaenoidea*) S. 138
Der Schildknorpel (*Cartilago thyroidea*) S. 140
Der Kehldeckel (*Cartilago epiglottica*) S. 142

Bänder (*Ligamentum*) und Membranen (*Membrana*) S. 144

Bänder und Membranen, die den Kehlkopf mit den umliegenden Strukturen verbinden S. 144
Bänder und Membranen, welche die verschiedenen Teile des Kehlkopfes untereinander verbinden S. 145

Die Gelenke S. 150

Die Kehlkopfknorpel sind durch vier Gelenke untereinander beweglich S. 150
Bewegungsmöglichkeiten der Kehlkopfknorpel S. 152

Die innere Kehlkopfmuskulatur S. 155

Der (einzige) Öffner: „Posticus“ (*Musculus cricoarytaenoideus posterior*) S. 156
Die Muskeln zwischen den Stellknorpeln, welche die Stimmlippen schließen: *Transversus* und *Obliquus* (*Musculus interarytaenoideus transversus* und *obliquus*) S. 158
Der Muskel der Höhe: „CT“ (Ring-Schildknorpel-Muskel, *Musculus cricothyroideus*) S. 160
Der Muskel, der die Glottis schließt: Der *Lateralis* (Ring-Stellknorpel-Muskel, *Musculus cricoarytaenoideus lateralis*) S. 161
Angelehnt an das *Ligamentum vocale*: der *Musculus vocalis* S. 162
Die Muskulatur der Taschenfalten S. 163
Die „Schließmuskelfunktion“ des Kehlkopfes S. 164

Die Kehlkopfschleimhaut (*Mucosa*) S. 165

Die Aufgabe der Schleimhaut bei der Stimmproduktion S. 166
Die Aufgabe der Schleimhaut bei der Phonation
(Myoelastisch-aerodynamische Theorie) S. 167

Die drei Ebenen des Kehlkopfes S. 168

Die subglottische Ebene (unterhalb der Glottis) S. 169
Die Glottisebene (auf der Höhe der Glottis) S. 170
Die supraglottische Ebene (oberhalb der Glottis) S. 176

Die äußere Kehlkopfmuskulatur S. 180

Die Muskulatur oberhalb des Zungenbeins S. 181
Die Muskulatur unterhalb des Zungenbeins S. 184

Der Kehlkopf
4

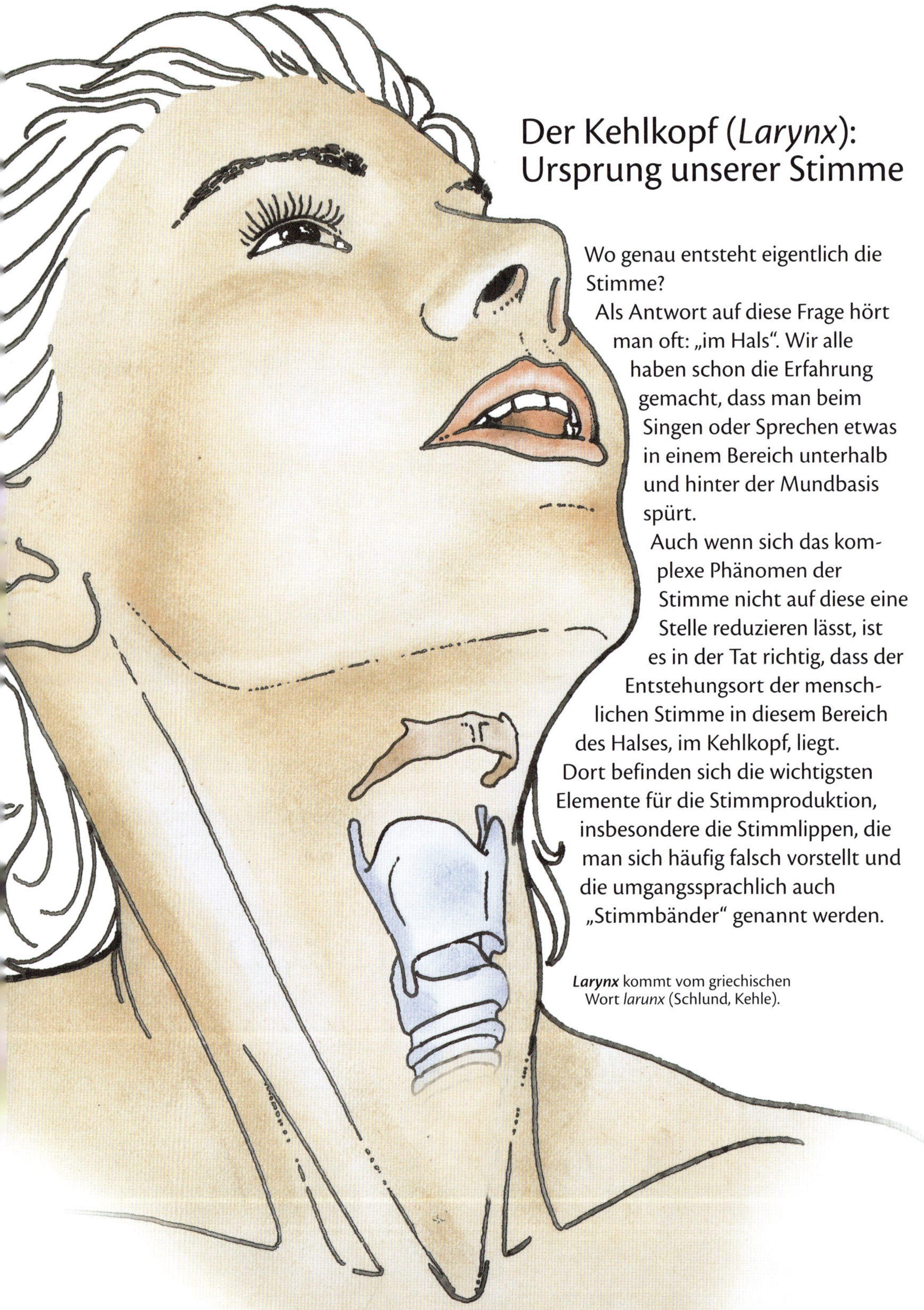

Der Kehlkopf (*Larynx*): Ursprung unserer Stimme

Wo genau entsteht eigentlich die Stimme?

Als Antwort auf diese Frage hört man oft: „im Hals". Wir alle haben schon die Erfahrung gemacht, dass man beim Singen oder Sprechen etwas in einem Bereich unterhalb und hinter der Mundbasis spürt.

Auch wenn sich das komplexe Phänomen der Stimme nicht auf diese eine Stelle reduzieren lässt, ist es in der Tat richtig, dass der Entstehungsort der menschlichen Stimme in diesem Bereich des Halses, im Kehlkopf, liegt. Dort befinden sich die wichtigsten Elemente für die Stimmproduktion, insbesondere die Stimmlippen, die man sich häufig falsch vorstellt und die umgangssprachlich auch „Stimmbänder" genannt werden.

Larynx kommt vom griechischen Wort *larunx* (Schlund, Kehle).

Der Kehlkopf liegt etwa in der Mitte des Halses, auf der Höhe des fünften bzw. sechsten Halswirbels. Seine Position kann variieren. Zum einen kann der Hals seine Haltung verändern und mit ihm auch der Kehlkopf, und zum anderen kann sich der Kehlkopf um ca. sechs Zentimeter nach oben oder unten bewegen.

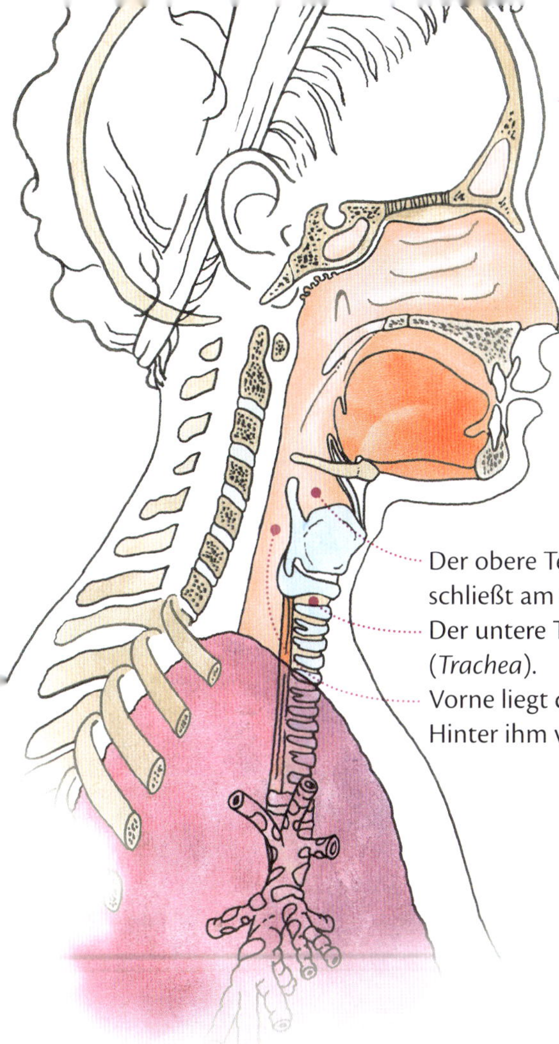

Der obere Teil öffnet sich in den **Rachen** (*Pharynx*) und schließt am untersten Teil der Zunge an.
Der untere Teil befindet sich an der Spitze der **Luftröhre** (*Trachea*).
Vorne liegt der Kehlkopf direkt unter der Haut.
Hinter ihm verläuft die **Speiseröhre** (*Oesophagus*).

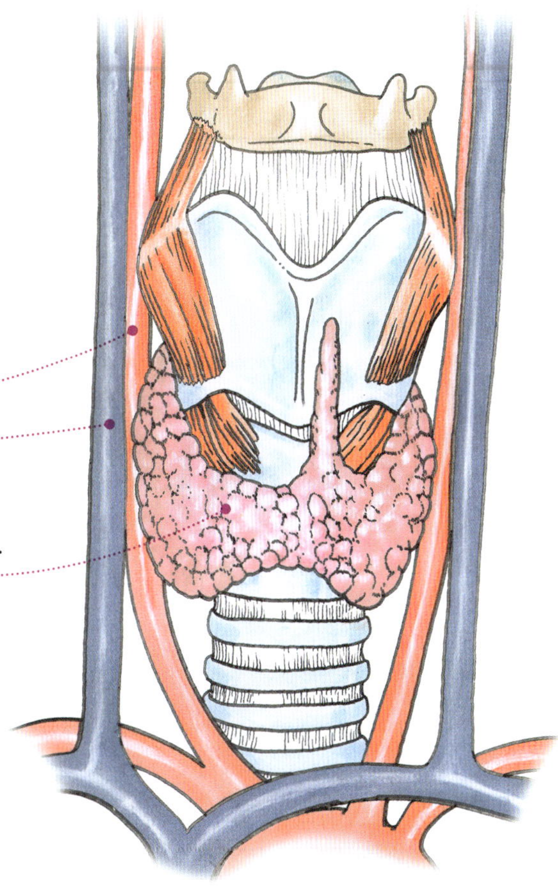

An den Seiten des Kehlkopfes verlaufen große Halsgefäße: die **Halsschlagadern** und die **Halsvenen.**

Am unteren Ende ist der Kehlkopf teilweise von der **Schilddrüse** bedeckt.

Die Kehlkopfknorpel

Der Kehlkopf hat die Form eines Hohlorgans.* Allerdings ist er nicht weich wie die inneren Organe, denn seine Form entsteht durch ein Knorpelgerüst, das sogenannte Kehlkopfskelett. Durch diese Struktur bleibt die Glottis in Ruhestellung geöffnet, was für die Atmung von elementarer Bedeutung ist.

Die Kehlkopfknorpel sind beweglicher als Knochen, deshalb ist der Kehlkopf gleichzeitig stabil und beweglich.** Sie sind zudem durch Gelenke miteinander verbunden. Dadurch kann die Form des Kehlkopfes verändert werden, etwa wenn unterschiedlich starker Druck auf ihn einwirkt, oder wenn die an ihm befestigten Muskeln an ihm ziehen.

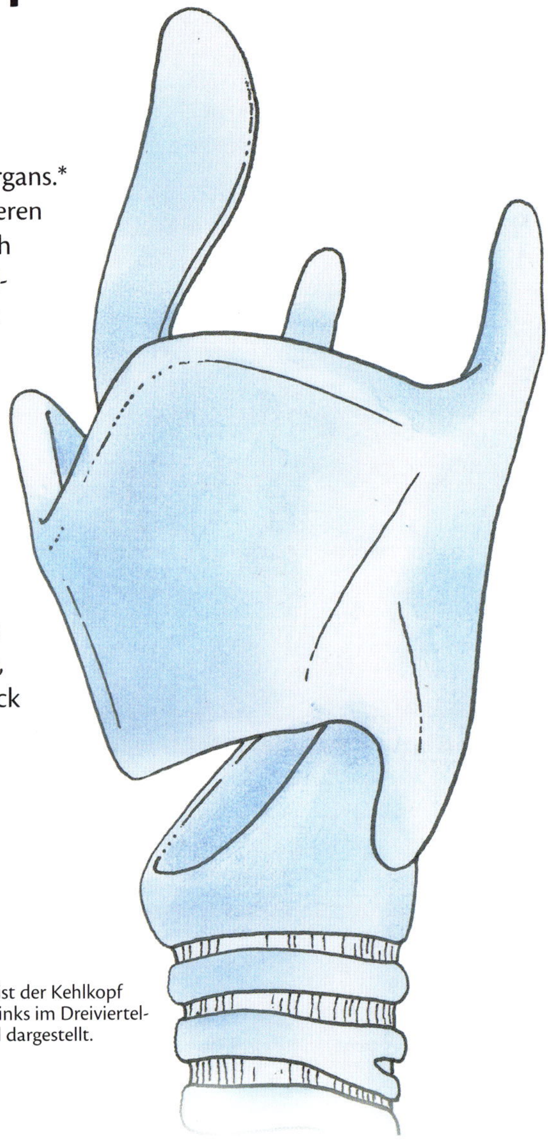

Hier ist der Kehlkopf von links im Dreiviertelprofil dargestellt.

Beim Blick auf den gesamten Kehlkopf sind die Knorpel nicht sichtbar, da sie mit Membranen, Muskeln und Schleimhaut bedeckt sind.
Aber mit etwas Erfahrung kann man unter der Schleimhaut Teile der Knorpel erkennen, z. B. bei einer Laryngoskopie (siehe S. 179) oder einem Sagittalschnitt des Kehlkopfes (siehe folgende Seiten).

* Als Hohlorgan bezeichnet man ein Organ, das mit seinem Gewebe einen Hohlraum umschließt.
** Diese Flexibilität verliert sich mit zunehmendem Alter, denn die Kehlkopfknorpel neigen dazu, ab einem Alter von fünfzehn Jahren zu verknöchern und steifer zu werden.

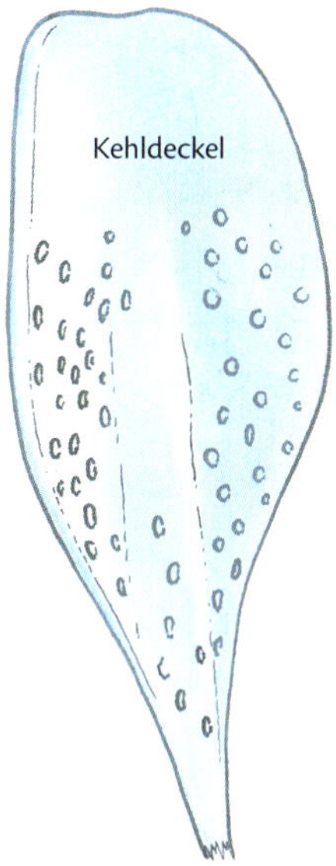

Fünf von den Kehlkopfknorpeln sind vergleichsweise groß:

- der Ringknorpel,
- der Schildknorpel,
- die beiden Stellknorpel
- und der Kehldeckel.

Außerdem gibt es noch vier ganz kleine Kehlkopfknorpel: Zwei kleine Hörnchenknorpel sowie zwei kleine Keilknorpel, die aus den Spitzen der Stellknorpel hervorragen. Auf diese kleinen Knorpel werden wir in diesem Buch nicht detailliert eingehen.

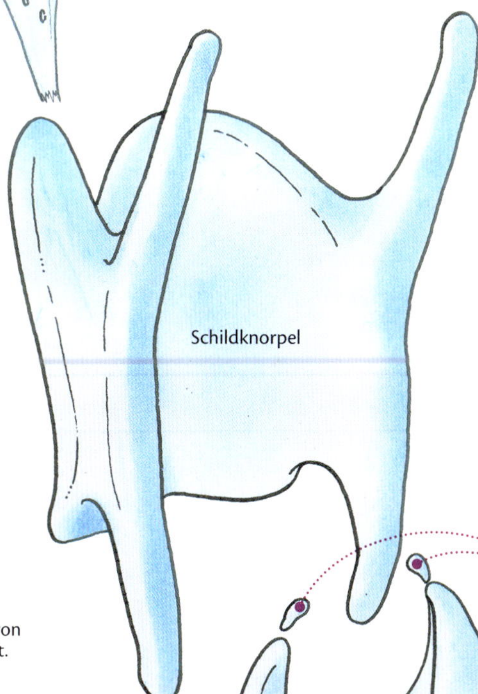

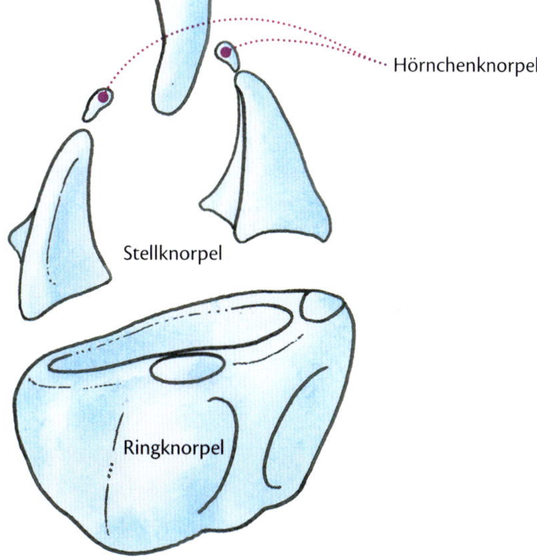

Hier ist der Kehlkopf von links hinten dargestellt.

Auf den folgenden Seiten werden die Knorpel einer nach dem anderen vorgestellt und dabei von verschiedenen Seiten und in unterschiedlichen Konstellationen gezeigt. Achtung: für eine deutlichere Darstellung sind die Bilder stark vergrößert.

Der Ringknorpel (*Cartilago cricoidea*)

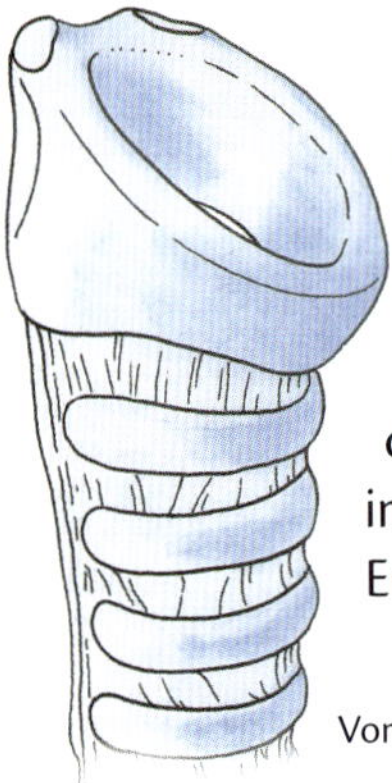

Von vorne links.

Der Ringknorpel ist der unterste der Kehlkopfknorpel. Er befindet sich an der Spitze der Luftröhre und ist geformt wie ein Ring. Weil er etwas dicker ist als die Luftröhre selbst, sieht er in etwa aus wie das obere, etwas wulstige Ende eines Flaschenhalses.

Der Ringknorpel von oben.

Weitere Informationen

Cricoid kommt vom griechischen Wort *krikos* (Ring).

Die Form des Ringknorpels ist vergleichbar mit der eines Siegelrings, dessen Siegel nach hinten gerichtet ist. Die Siegel-Seite ist höher und dicker und hat oben zwei kleine ovale Gelenkflächen.

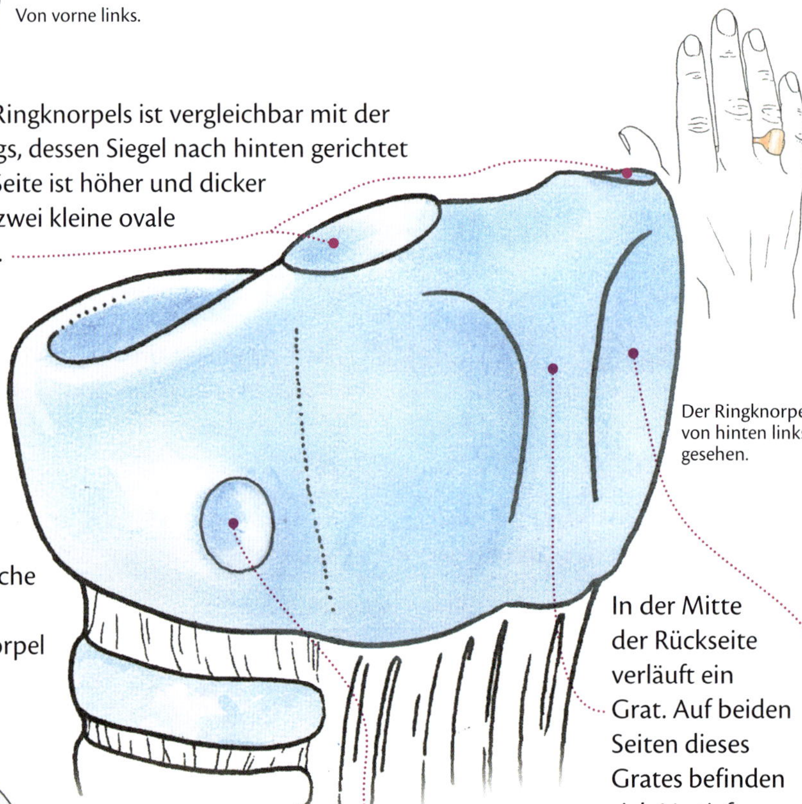

Der Ringknorpel von hinten links gesehen.

Jede Gelenkfläche ist mit jeweils einem Stellknorpel verbunden.

In der Mitte der Rückseite verläuft ein Grat. Auf beiden Seiten dieses Grates befinden sich Vertiefungen, an denen der hintere Ring-Stellknorpel-Muskel (*Posticus*) ansetzt (siehe S. 156).

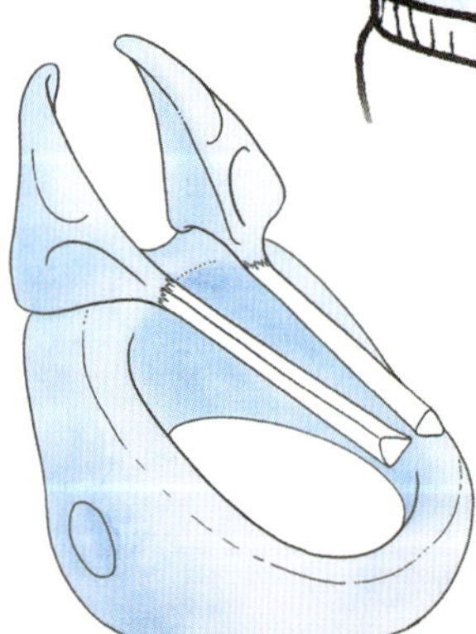

Auf jeder Seitenfläche des Ringknorpels befindet sich eine Oberfläche, die mit den kleinen Hörnern des Schildknorpels ein Gelenk bilden (siehe S. 150).

Am vorderen Teil, dem Ringknorpelbogen, sitzt vorne ein kleines Höckerchen. Rechts und links neben diesem Höckerchen entspringt der CT (*Musculus cricothyroideus*, siehe S. 160).

An den oberen Rändern setzen die Lateralis (*Musculus cricoarytaenoideus lateralis*, siehe S.161) an.

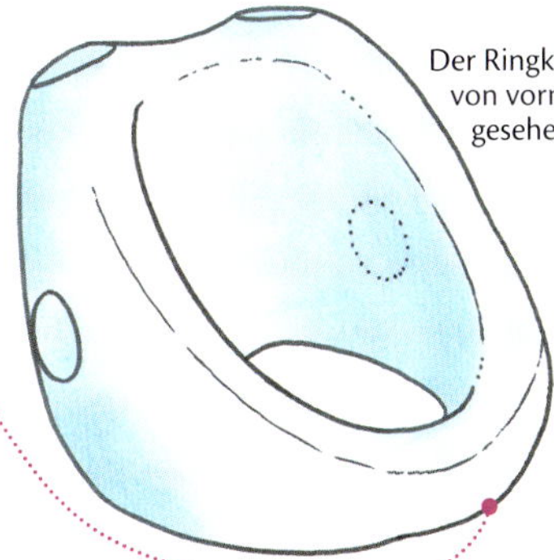

Der Ringknorpel von vorne rechts gesehen.

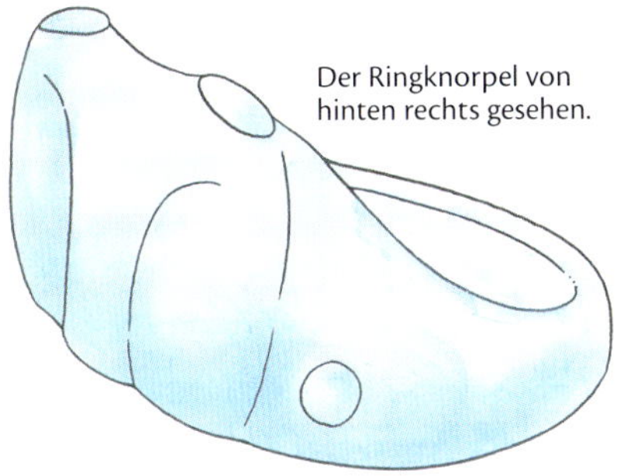

Der Ringknorpel von hinten rechts gesehen.

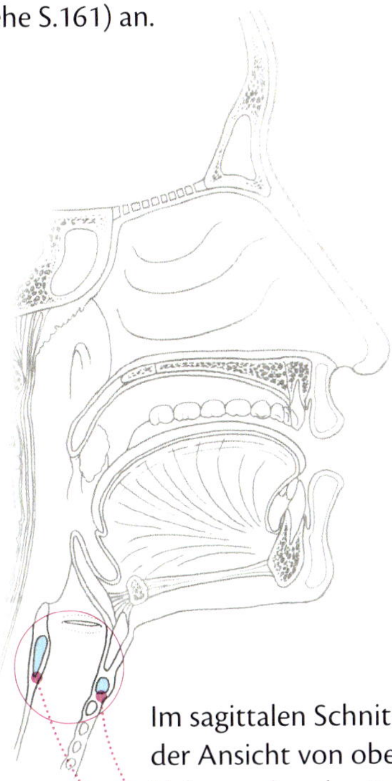

Im sagittalen Schnitt oder auch bei der Ansicht von oben sieht man den kleinen schmalen Bogen an der Vorderseite und die erhöhte „Siegelseite" an der Rückseite des Kehlkopfes.

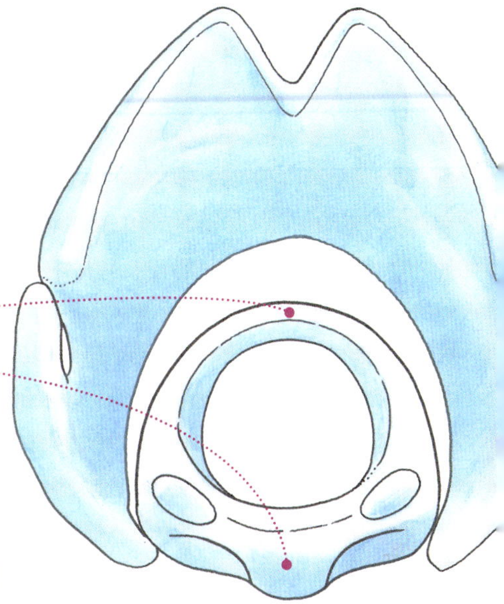

Der Kehlkopf von oben gesehen.

Den Ringknorpel ertasten

Der vordere Teil des Ringknorpels kann vorsichtig am oberen Ende der Luftröhre (auf der Abbildung in Höhe des linken Zeigefingers) oder darüber bis zum Rand des Schildknorpels (auf der Abbildung in Höhe des rechten Zeigefingers) ertastet werden.

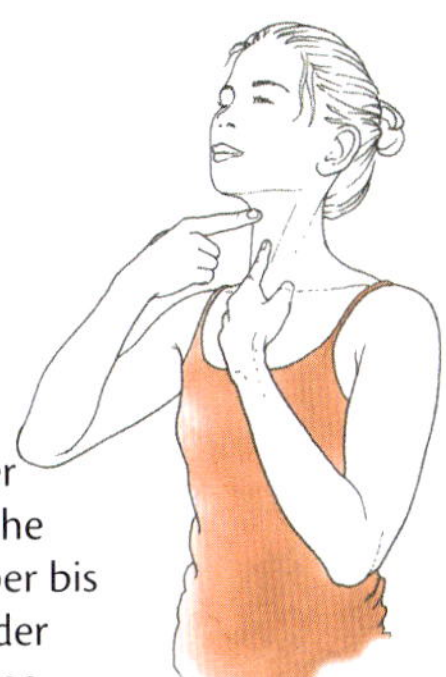

Die zwei Stellknorpel (*Cartilago arytaenoidea*)

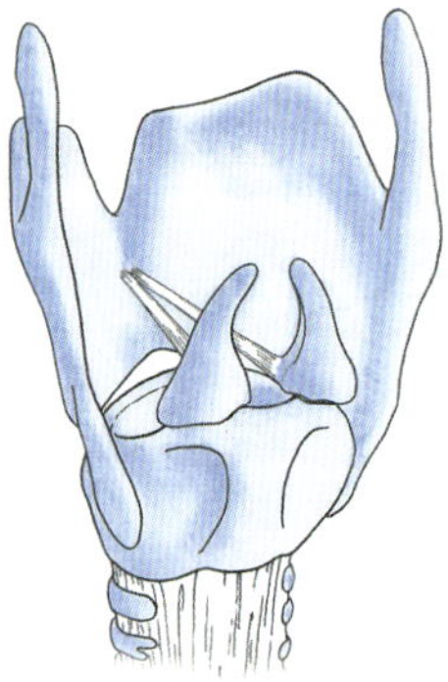

Die beiden winzigen Stellknorpel liegen nebeneinander am oberen Rand der Verdickung des Ringknorpels. Auf dieser Doppelseite sind sie stark vergrößert dargestellt.Tatsächlich sind sie nur etwa einen halben Zentimeter hoch.

> Die Stellknorpel werden auch als Aryknorpel bezeichnet.

Jeder einzelne ist geformt wie ein Tetraeder (vierseitige Pyramide) und besteht aus:

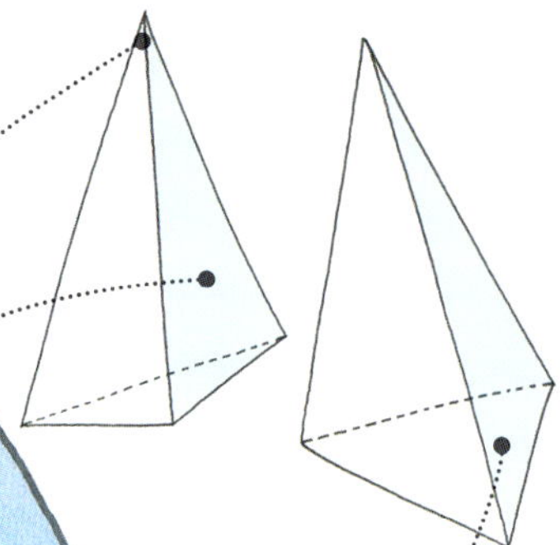

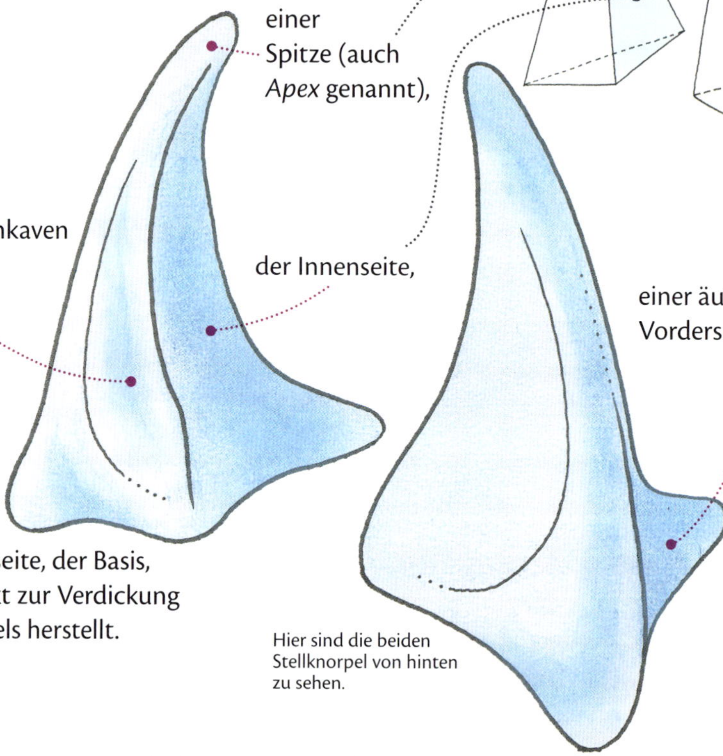

einer Spitze (auch *Apex* genannt),

einer leicht konkaven Rückseite,

der Innenseite,

einer äußeren Vorderseite

und der Unterseite, der Basis, die den Kontakt zur Verdickung des Ringknorpels herstellt.

Hier sind die beiden Stellknorpel von hinten zu sehen.

Auf der äußeren Vorderseite befinden sich zwei Vertiefungen:

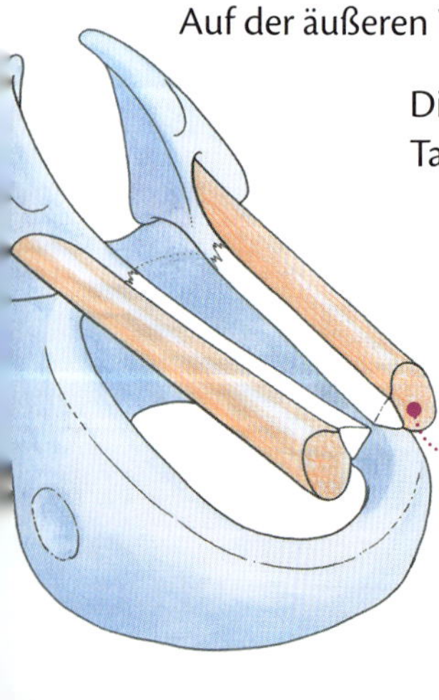

Die eine in der oberen Hälfte, in der die Taschenfalten (S. 163 ff.) ansetzen.

Die andere weiter unten, durch einen kleinen Grat von der oberen getrennt, ein halbkugelförmiges Grübchen nahe der Basis.
Dort setzt der *Musculus vocalis* an (siehe S. 162).

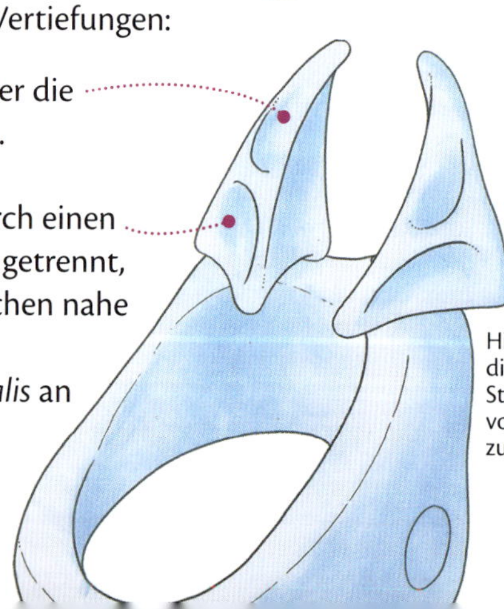

Hier sind die beiden Stellknorpel von vorne zu sehen.

Am unteren Ende der Stellknorpel befinden sich zwei charakteristische Fortsätze:

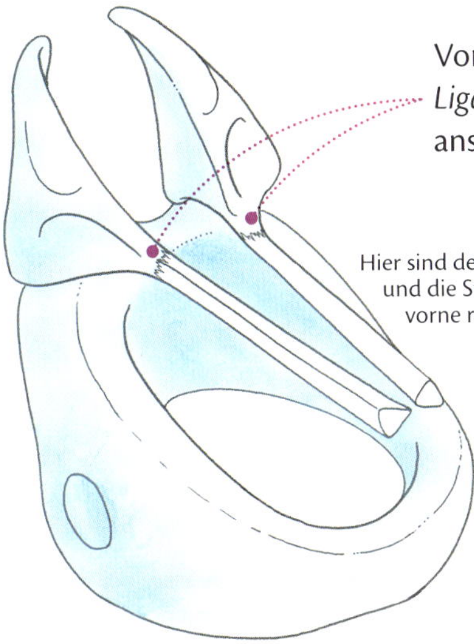

Vorne liegt der ***Processus vocalis***, an dem das *Ligamentum vocale* (das eigentliche „Stimmband") ansetzt (siehe S. 145).

Hier sind der Ringknorpel und die Stellknorpel von vorne rechts zu sehen.

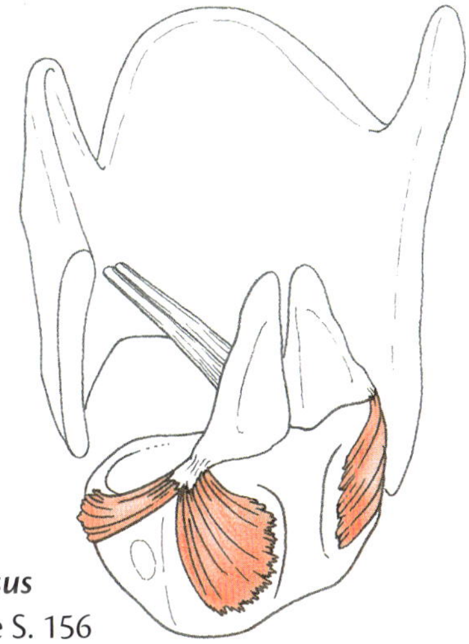

Hinten und etwas nach außen gerückt liegt der ***Processus muscularis***, an dem der *Posticus* und die *Lateralis* (siehe S. 156 und S. 161) ansetzen.

Hier sind die beiden Stellknorpel von hinten links zu sehen.

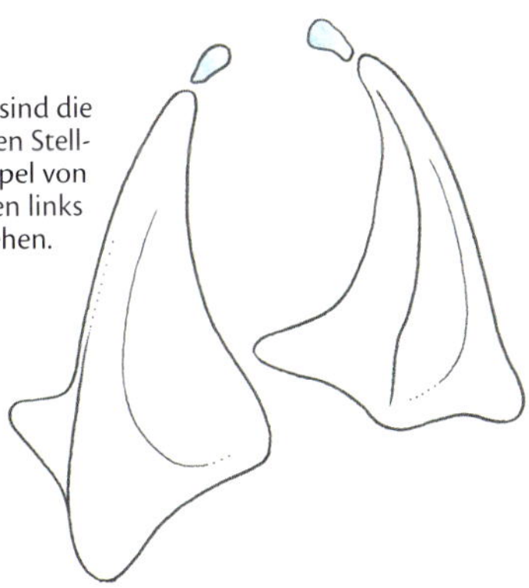

An den Spitzen sitzen die winzigen Hörnchenknorpel (*Cartilago corniculata*), die mit den Stellknorpeln kleine Gelenke bilden.

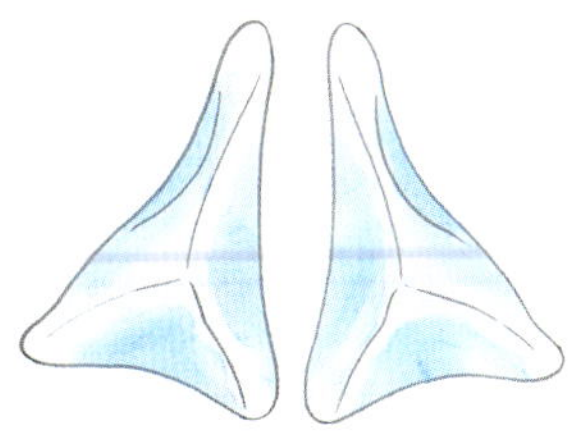

Blick von oben auf die Stellknorpel.

Betrachtet man den Kehlkopf von oben, so sieht man, dass die Kehlkopfschleimhaut kleine Ausbuchtungen bildet, in der sich die Stellknorpel befinden.

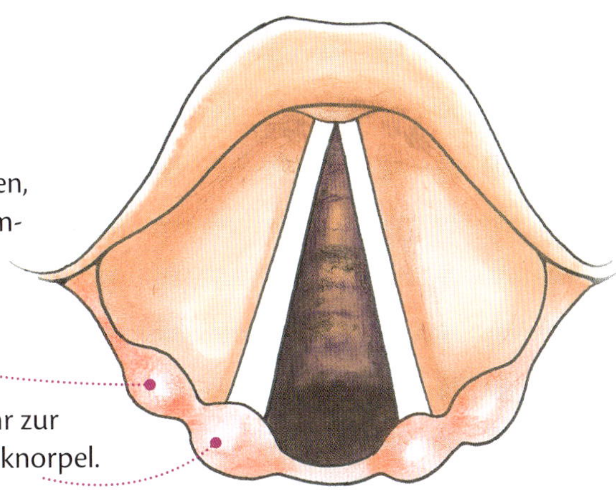

In zwei weiteren Ausbuchtungen mehr zur Mitte hin liegen die beiden Hörnchenknorpel.

Die Stellknorpel sind die beweglichsten der Kehlkopfknorpel (siehe S. 154).

Der Schildknorpel (*Cartilago thyroidea*)

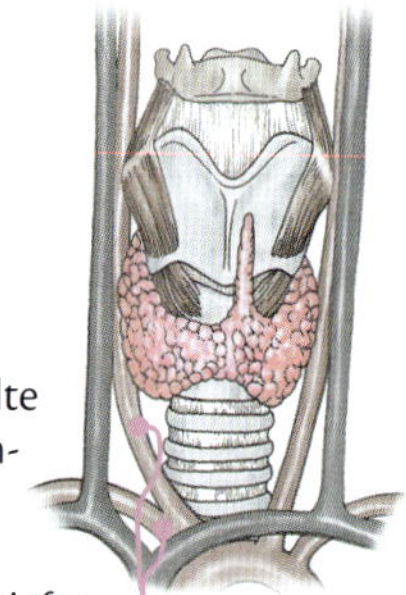

Der Schildknorpel ist der größte der Kehlkopfknorpel. Er sieht in etwa aus wie die Rückseite eines geöffneten Buches oder wie ein Schmetterling.

> **Achtung!**
> Nicht verwechseln sollte man ihn mit der gleichnamigen Drüse. Die Schilddrüse (*Glandula thyroidea*) liegt etwas tiefer, vor dem Ringknorpel.

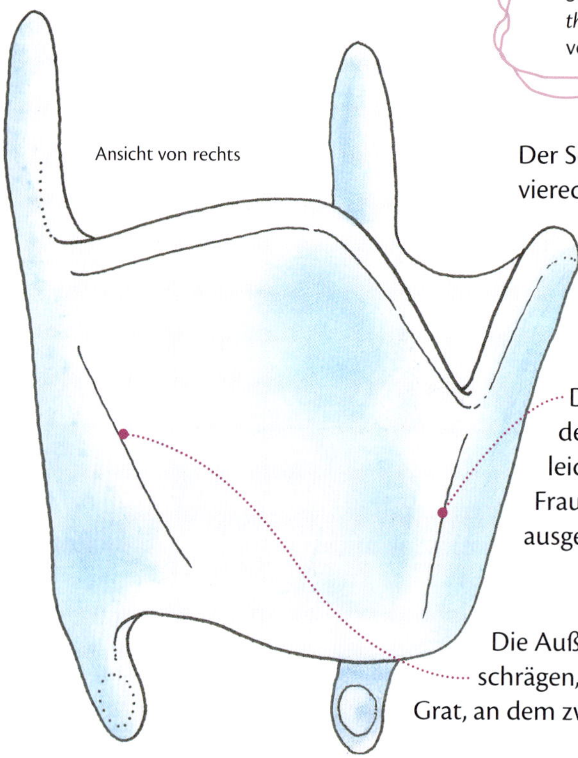

Der Schildknorpel besteht aus zwei fast viereckigen Platten, die vorne in einem Winkel aufeinander treffen, der je nach Geschlecht variiert (90 Grad bei Männern, 120 Grad bei Frauen).

Die Außenfläche des Winkels bildet den **„Adamsapfel"**, der bei Männern leicht erkennbar ist. Er existiert auch bei Frauen, aber er ist kleiner und weniger ausgeprägt.

Die Außenflächen der Platten haben einen schrägen, nach unten und vorne verlaufenden Grat, an dem zwei Muskeln befestigt sind:

- der *Musculus thyrohyoideus* (verläuft vom Schildknorpel nach oben zum Zungenbein),
- der *Musculus sternothyroideus* (verläuft vom Schildknorpel nach unten zum Brustbein).

Der Schildknorpel entspricht der Größe des gesamten Kehlkopfes mit den Stimmlippen.

Auf der Rückseite sind die beiden Platten oben und unten durch Fortsätze verlängert:

- Oben ermöglichen die großen Hörner eine Verbindung mit dem Zungenbein.
- Unten haben die kleinen Hörner kleine Gelenkflächen auf der Innenseite (siehe S. 150), welche die Gelenkverbindung mit dem Ringknorpel ermöglichen.

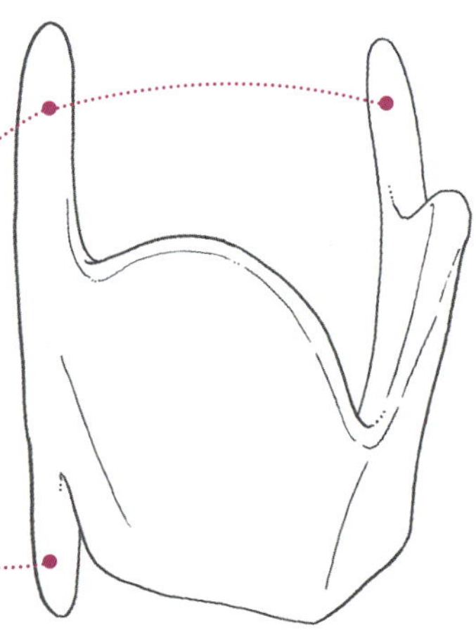

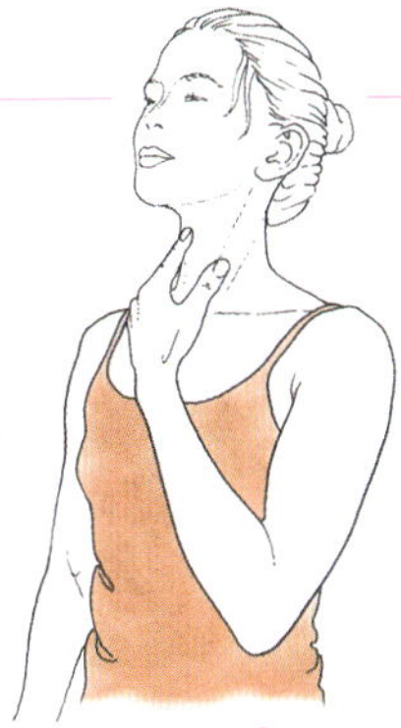

Unter der Haut

Man kann ihn berühren: Der Schildknorpel liegt direkt unter der Haut etwa in der Mitte des Halses. Bei Männern ist er besser sichtbar (der Winkel ist stärker ausgeprägt und der Knorpel etwas größer). Die Spitze, wo die beiden Platten aufeinander treffen, sowie die Platten jeweils an den Seiten des Halses können ertastet werden.

Vorsicht: Ertasten Sie den Schildknorpel bitte sehr vorsichtig und ohne Druck.

Der Schild

Das Wort *thyroid* kommt vom griechischen Wort *thyreoides* für „geformt wie ein (Schutz-)Schild".

Am oberen Rand des Schildknorpels findet sich eine Einkerbung, die ***Incisura thyroidea***, welche manchmal unter der Haut sichtbar ist.

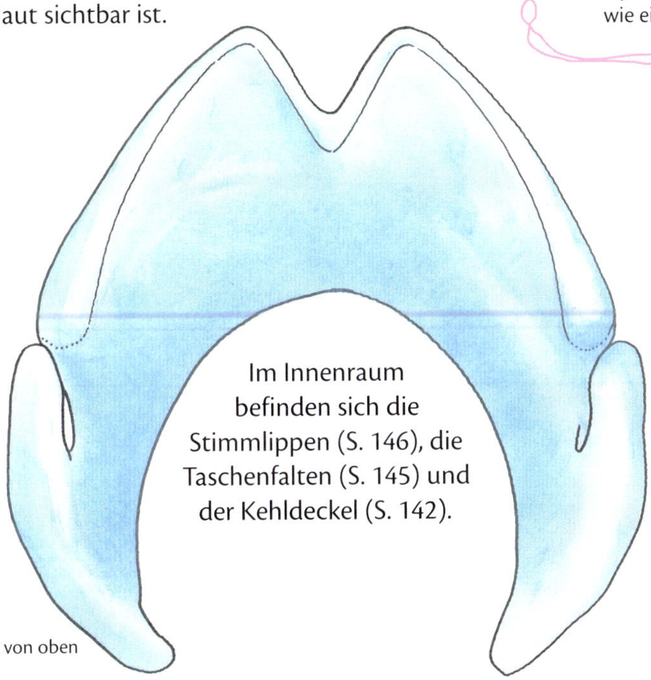

Ansicht von oben

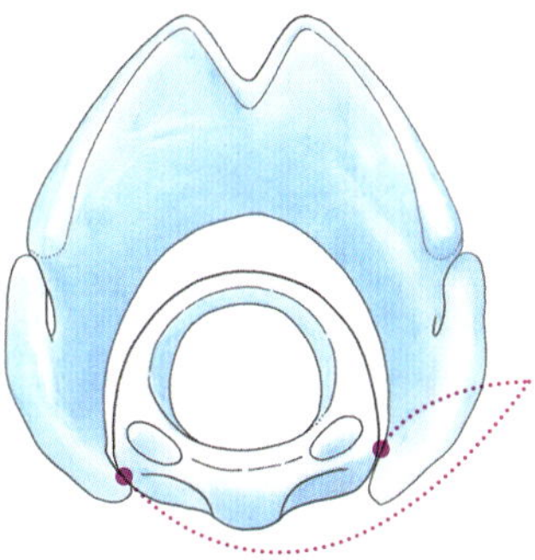

Ansicht von oben

An den kleinen Hörnern ist der Schildknorpel mit dem Ringknorpel über ein Gelenk verbunden (S. 136).

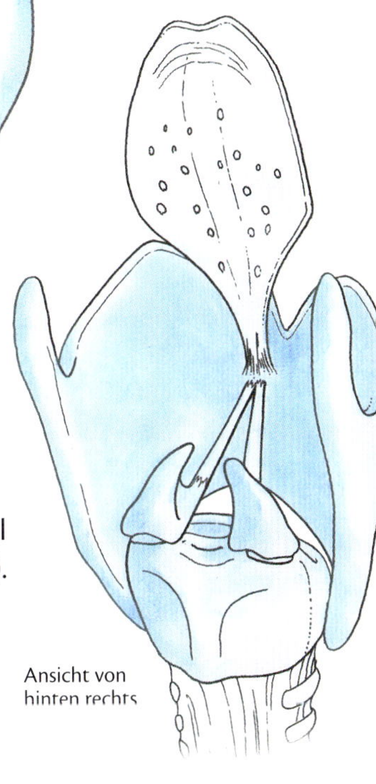

Ansicht von hinten rechts

Der Kehldeckel (*Cartilago epiglottica*)

Der Kehldeckel ist ein ovaler Knorpel ungefähr in der Form eines Kartoffelchips oder eines Blütenblattes. Er bedeckt die Glottis.

Im Profil betrachtet ist er gebogen wie ein abgeflachtes S.

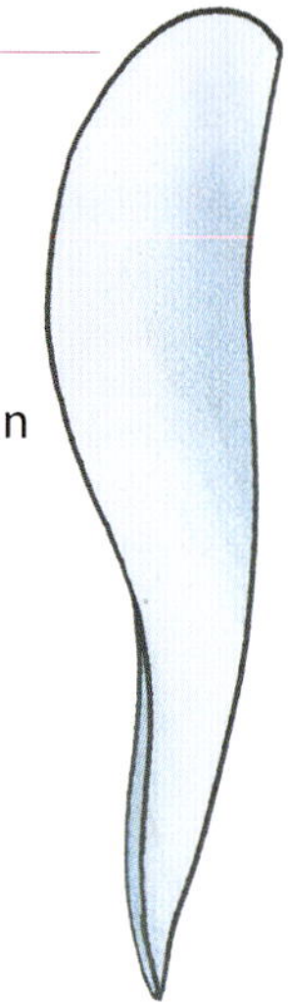

Der obere Teil endet in zwei abgerundeten Spitzen. Der Kehldeckel ist beweglich.

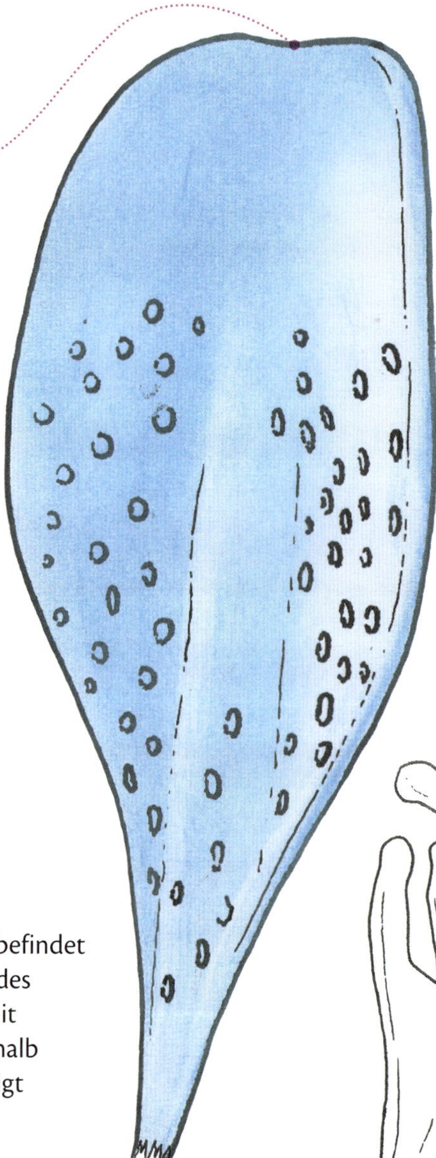

Die Rückseite (hier dargestellt) ist übersät mit kleinen Löchern.

Die Seitenflächen des Kehldeckels dienen als Ansatzpunkt für die *Membrana aryepiglottica*.

Der schmale untere Teil befindet sich in der Einbuchtung des Schildknorpels und ist mit einem Band knapp oberhalb der Taschenfalten befestigt (siehe S. 145).

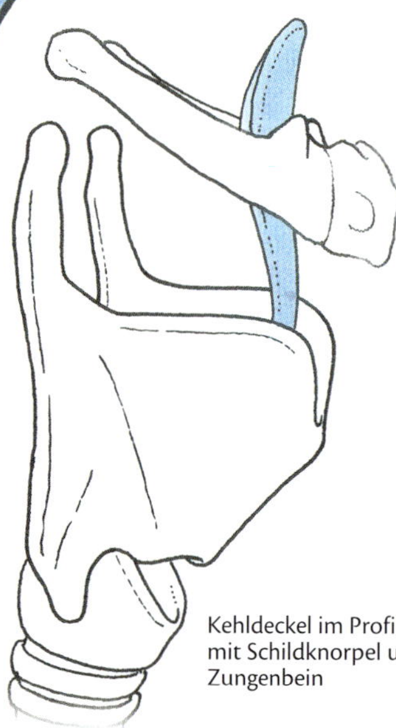

Kehldeckel im Profil mit Schildknorpel und Zungenbein

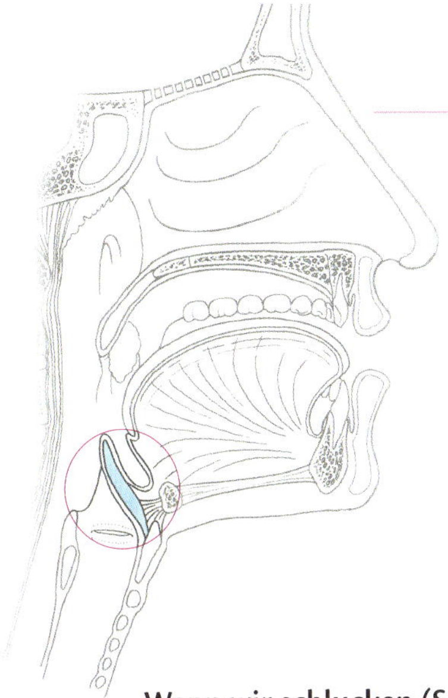

Im Querschnitt sieht der Kehldeckel aus wie eine dünne Klinge, die sich hinter dem Zungenbein befindet.

Der Kehldeckel beim Schlucken

Wenn wir schlucken (Speichel, Wasser oder Nahrung) ...

- ziehen wir die Zunge nach hinten, insbesondere den hinteren Teil,
- gleichzeitig steigt der Kehlkopf um etwa zwei bis drei Zentimeter.

Dadurch bewegt sich der Kehldeckel und legt sich horizontal über die Öffnung der Luftröhre wie ein Deckel, der ein Behältnis verschließt. Es kann dann nichts mehr zum Kehlkopf gelangen, insbesondere keine Nahrung (siehe S. 164).

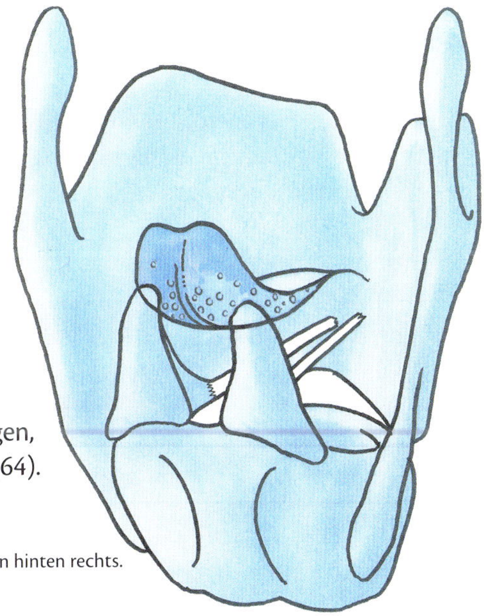

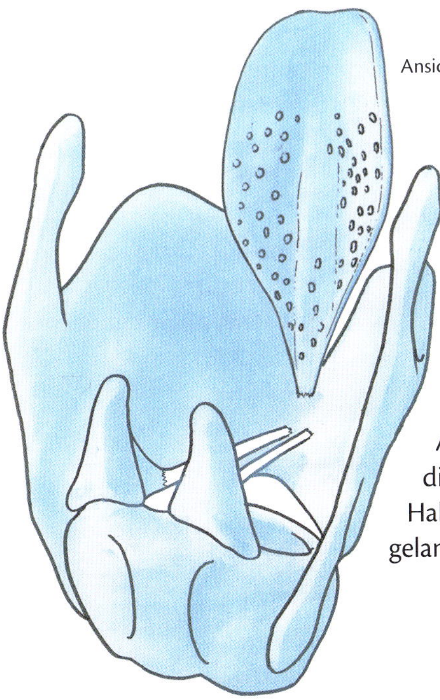

Ansichten von hinten rechts.

Wenn wir nicht schlucken ...

- befindet sich der hintere Teil der Zunge etwas weiter vorne,
- außerdem sinkt der Kehlkopf etwas ab und der Kehldeckel steht vertikal, wie ein geöffneter Büchsendeckel.

Die Luft kann nun durch den Kehlkopf strömen.

Aber Vorsicht: auch Nahrungsmittel können in dieser geöffneten Position leicht in den „falschen Hals", also in die Luftröhre statt in die Speiseröhre gelangen.

Die Verbindung von Kehldeckel und Zunge wird auf der folgenden Seite beschrieben.

Bänder (*Ligamentum*) und Membranen (*Membrana*)

Die Kehlkopfknorpel werden durch Bänder und Membranen an ihrem Platz gehalten.

Bänder und Membranen, die den Kehlkopf mit den umliegenden Strukturen verbinden

Die *Plicae glossoepiglotticae* (*mediana* und *laterales*)* verbinden den Kehldeckel mit den Schleimhäuten an der Zungenbasis. Die *Plicae pharyngoepiglotticae* (nicht dargestellt) verbinden die Seitenkanten des Kehldeckels (*Epiglottis*) mit der Rachenschleimhaut.

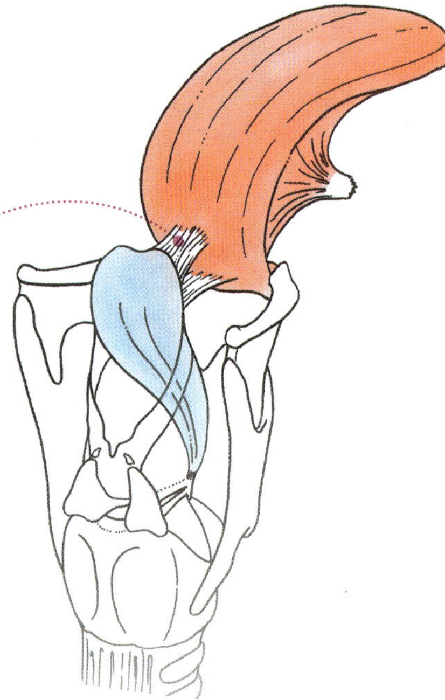

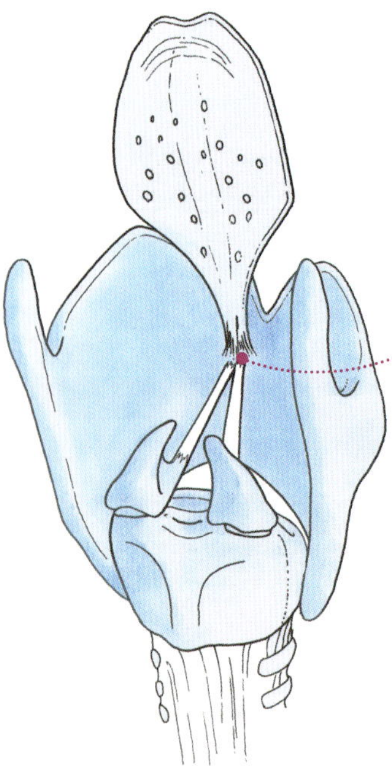

Das *Ligamentum thyroepiglotticum* verbindet die Basis des Kehldeckels mit dem Inneren des Schildknorpels.

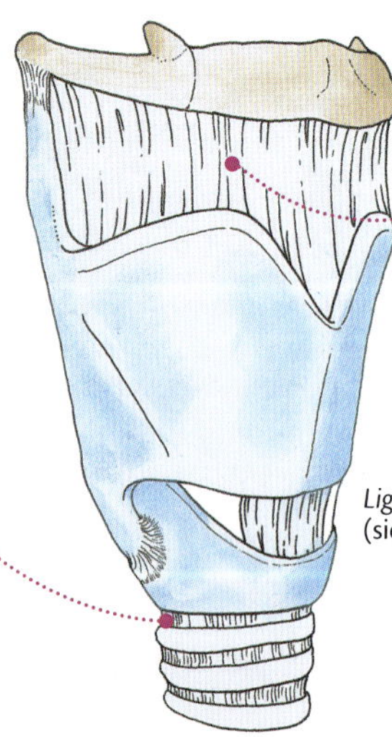

Der Schildknorpel ist durch die aus Bindegewebe bestehende *Membrana thyrohyoidea* mit dem Zungenbein verbunden.

Ein Band aus Bindegewebe verbindet den unteren Teil des Ringknorpels mit dem obersten Knorpelring der Luftröhre.

* Als Plica bezeichnet man eine Schleimhautfalte.

Bänder und Membranen, welche die verschiedenen Teile des Kehlkopfes untereinander verbinden

Das Innere des Kehlkopfknorpels ist mit einer elastischen Fasermembran, der **respiratorischen Membran**, ausgekleidet. Diese ist an drei Stellen verstärkt und etwas verdickt:

- Zwischen der Seitenkante des Kehldeckels (*Epiglottis*) und der Vorderkante der Stellknorpel (*Cartilagoarytaenoidea*) liegen die *Ligamenta aryepiglottica*.
- Von der halbkugelförmigen Vertiefung der Stellknorpel bis zur Hohlfalte des Schildknorpels verlaufen die *Ligamenta vestibulare*, verdickte Bänder an der Außenseite der Taschenfalten (siehe S. 176).
- Von den Stimmfortsätzen der Stellknorpel zum Schildknorpel liegen unter den oben beschriebenen Bändern die eigentlichen Stimmbänder *(Ligamentum vocale)* (siehe S. 146–147).

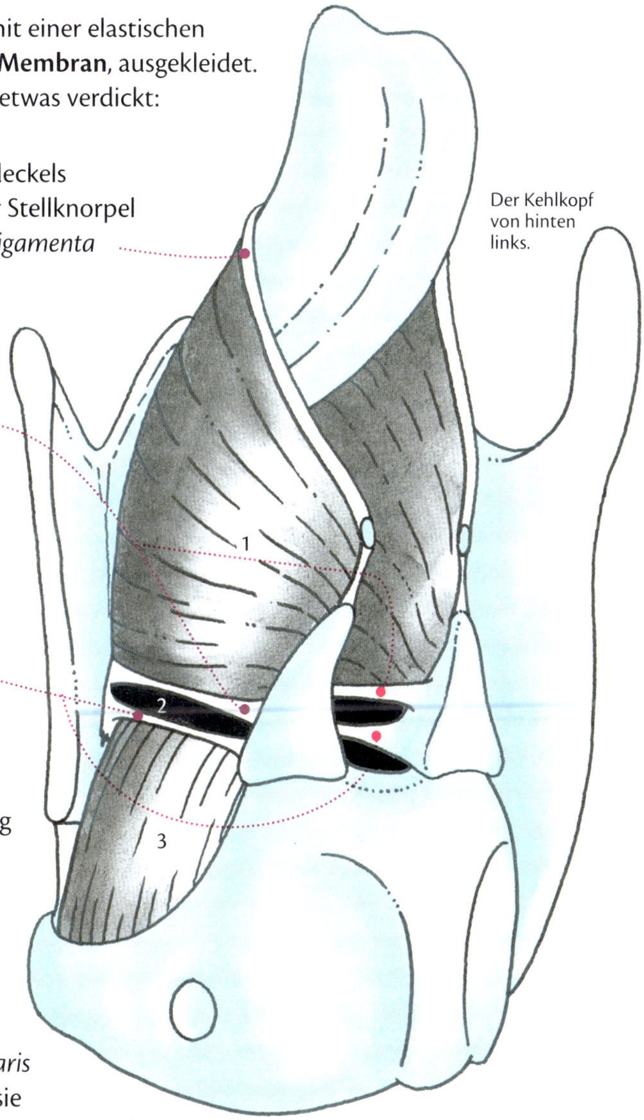

Der Kehlkopf von hinten links.

Diese Membran trägt, jeweils abhängig von dem Bereich, in dem sie sich befindet, unterschiedliche Namen:

- Zwischen dem *Ligamentum aryepiglottica* und dem *Ligamentum vestibularis* nennt man sie ***Membrana quadrangularis*** (1);
- zwischen dem *Ligamentum vestibularis* und dem *Ligamentum vocale* heißt sie ***Membrana vestibulum laryngis*** (2) (siehe S. 176);
- der unterste Teil der Membran verläuft von der Oberseite des Ringknorpels zu dem *Ligamentum vocale* und heißt ***Membrana cricothyroidea*** (3).
  Sie liegt in einer schiefen Ebene, unten eher seitlich, weiter oben etwas mittiger. Ihr Seitenabschnitt wird manchmal als *Conus elasticus* („elastischer Kegel", siehe S. 169) bezeichnet.

Ergänzt wird diese Membran durch eine weitere Membran, die vom oberen Rand des Ringknorpels bis zum unteren Rand des Schildknorpels verläuft. Sie ist vorne verdickt und bildet dort das *Ligamentum cricothyroideum medianum* (auf der vorigen Seite zu sehen).

Stimmlippen – Stimmbänder

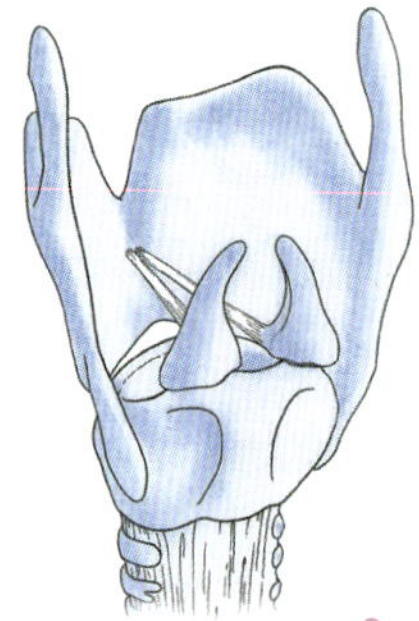

Poesie ...

Man stellt sich die Stimmlippen oft anders vor, als sie in Wirklichkeit sind. Manche vermuten, sie seien vertikal, andere wiederum stellen sich vor, sie seien wie Saiten einer Gitarre oder es gäbe zahlreiche unterschiedliche Stimmbänder.

Facts

Die Stimmlippen setzen jeweils an den Stimmfortsätzen der Stellknorpel an. Am Schildknorpel sind sie an den nach innen gerichteten Fortsätzen befestigt, etwa auf halber Höhe. Hier berühren sich das rechte und das linke Stimmband.

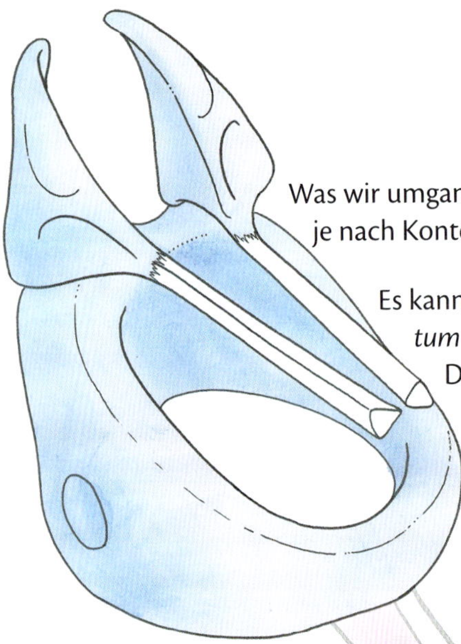

Was wir umgangssprachlich als **„Stimmband“** bezeichnen, kann je nach Kontext zwei unterschiedliche Bereiche bezeichnen.

Es kann sein, dass wir nur die Stimmbänder (*Ligamentum vocale*) meinen, die tatsächlich Bändern ähneln. Diese weißlichen Faserstränge sind zwischen den Stellknorpeln und dem Schildknorpel gespannt.

Manchmal aber sind die gesamten **Stimmlippen** gemeint, die sich zusammensetzen aus:

- dem *Ligamentum vocale*,
- dem *Musculus vocalis* (auch *Musculus thyroarytaenoideus internus*, siehe S. 162), welcher an der Außenseite der eigentlichen Bänder ist,
- der Schleimhaut, mit der die Innenfläche der Bänder überzogen ist (siehe S. 165).

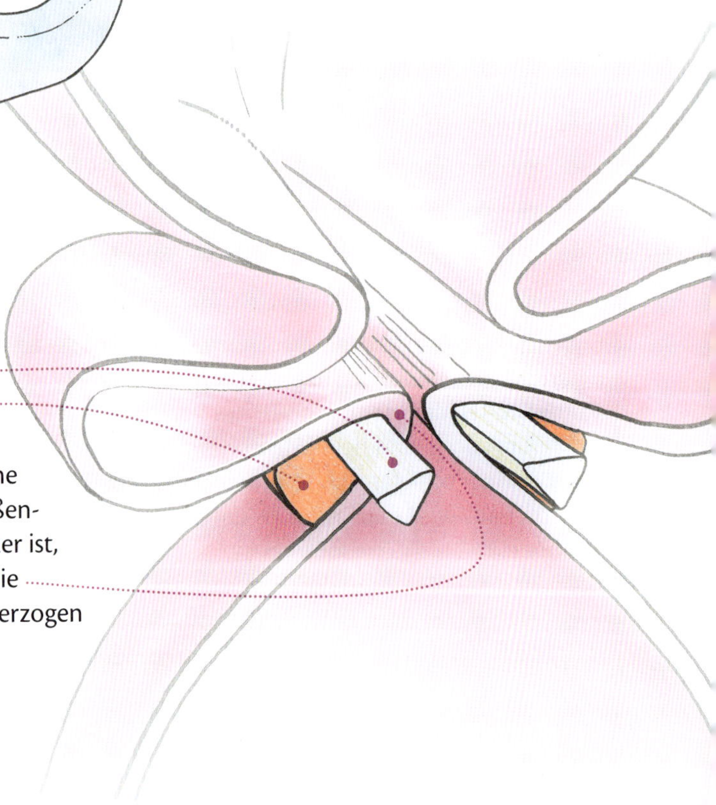

Jedes *Ligamentum vocale* besteht aus drei Teilen bzw. drei Schichten:

- Die innerste Schicht (an die Schleimhaut angrenzend) besteht aus lockerem Gewebe mit wenigen elastischen Fasern;
- die mittlere Schicht besteht vor allem aus elastischen Fasern;
- die äußere Schicht besteht aus Kollagenfasern, die fast nicht dehnbar sind. Sie liegt direkt neben dem *Musculus vocalis*.

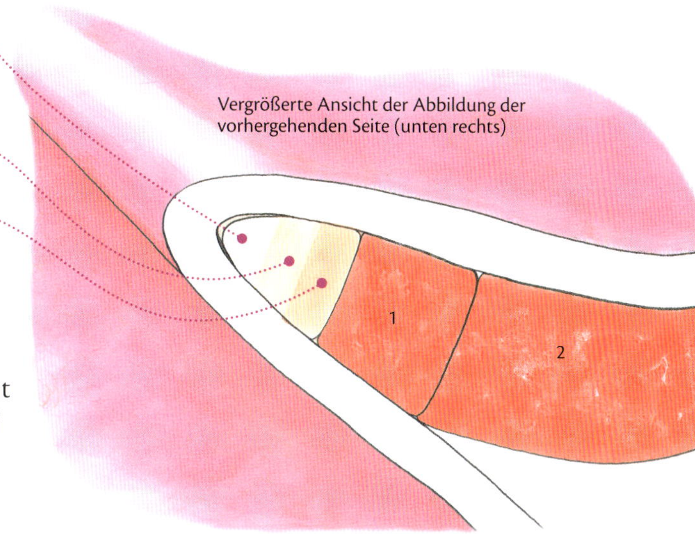

An der Außenseite des Musculus vocalis (1) (auch: *Musculus thyroarytaenoideus internus*), setzt der *Musculus thyroarytaenoideus externus* (2) an, der selbst nicht zur Stimmlippe gehört. Er verläuft nach außen oben und bildet die Trennwand des Kehlkopfvorhofes .

Wenn wir die Stimmlippen insgesamt betrachten, so ergeben sich also fünf verschiedene Schichten. Von innen nach außen sind das: Schleimhaut, innere Schicht des Stimmbandes, mittlere Schicht, äußere Schicht und *Musculus vocalis*.

Von unten nach oben und umgekehrt

Um die Fasern der Stimmbänder elastisch zu erhalten und zu trainieren, ist es sinnvoll, Stimmübungen von tiefen Tönen (ungedehnte Fasern) zu hohen Tönen (gedehnte Fasern) und umgekehrt zu machen und diese regelmäßig zu wiederholen.

Die der Glottis zugewandten Ränder der *Ligamenta vocalia* und die entsprechende Schleimhaut bilden den „freien Rand" der Stimmlippen.

Bei einer Kehlkopfspiegelung sieht man an der Stelle, wo die Schleimhaut auf die Stimmlippen trifft, zwei weiße Streifen.

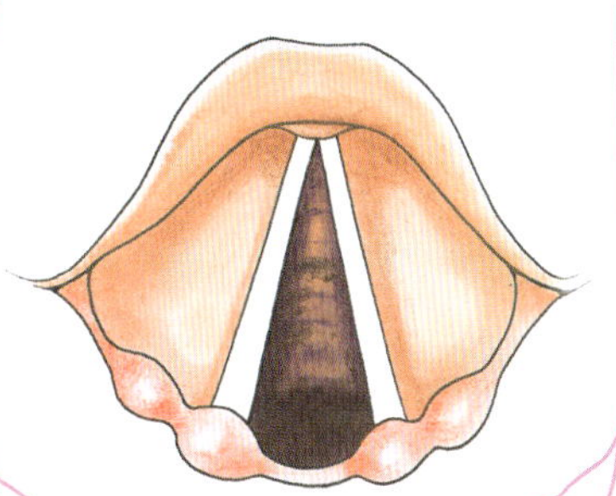

Die Stimmlippen können schmal oder breit sein

Meistens sind die Stimmlippen beim Einsatz der „Kopfstimme" (oberes Register, siehe S. 152) schmal und bei der „Bruststimme" (tiefes Register, siehe S. 153) breit.

Beim Belting allerdings, einer Stimmtechnik mit viel Krafteinsatz sowohl in der Tiefe als auch in der Höhe, trifft diese Regel nicht immer zu.

Zyklisches Öffnen und Schließen der Stimmlippen (Myoelastische Theorie)

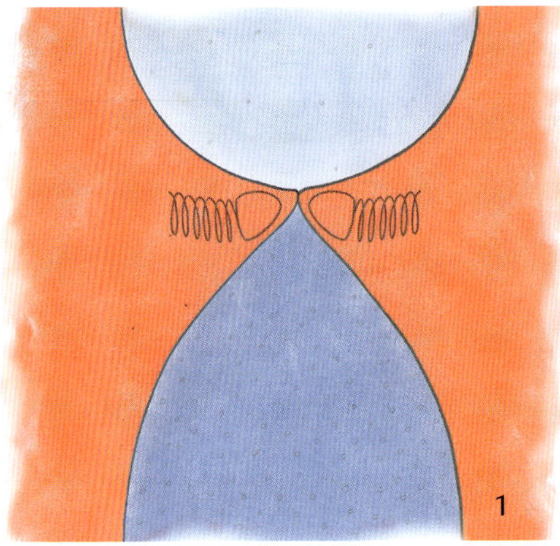

Glottis geschlossen ...

Der subglottische Druck (Druck unterhalb der Glottis, siehe S. 171) verstärkt sich bis er ausreicht, um die Stimmlippen zu öffnen.

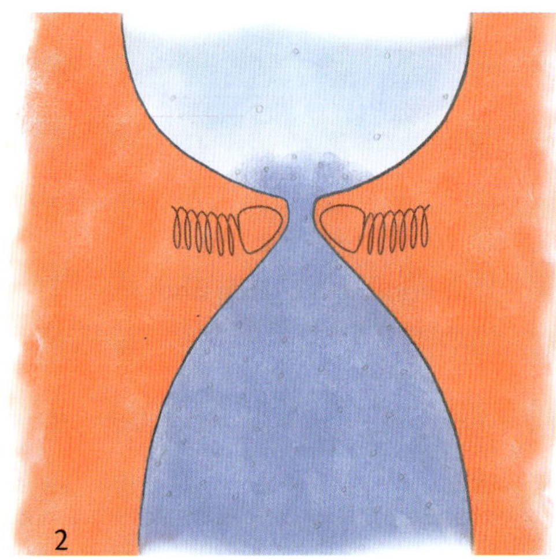

Die Stimmlippen öffnen sich durch den subglottischen Druck.

Die Aufgabe der Stimmlippen bei der Stimmproduktion

Die Tonhöhe

Die Tonhöhe wird durch die Geschwindigkeit des Zyklus bestimmt, mit der sich die Stimmbänder öffnen und schließen: Je schneller sie schwingen, desto höher ist der Klang und umgekehrt.

Je gedehnter die Stimmbänder, desto höher die erzeugten Töne

Wenn die Stimmbänder gedehnt sind, vibrieren sie schneller, da sie versuchen, in ihre ursprüngliche Form zurückzukehren. Deshalb ist der Ton höher.

Die Stimmintensität

Die Intensität des erzeugten Tones hängt von zwei Faktoren ab: vom subglottischen Druck und von der Aktivität des *Musculus vocalis*.

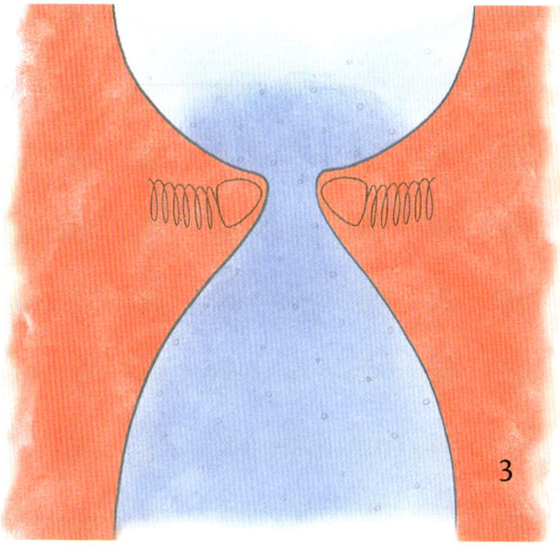

Glottis geöffnet ...

Ein Teil der Luft unter der Glottis strömt von unterhalb durch die Stimmlippen hindurch.

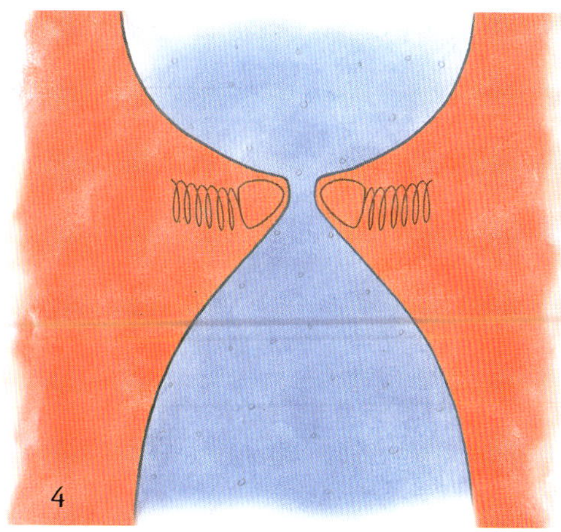

Während die Luft nach und nach hinausströmt, sinkt der subglottische Druck. Die Stimmlippen kommen dadurch wieder zusammen, bis die Glottis geschlossen ist, und der Kreislauf beginnt von vorn.

Vorsicht

Dieses Modell der myoelastischen Theorie erklärt nicht die Erzeugung von luftigen Klängen oder hohen aber leisen Klängen. Um diese erklären zu können, brauchen wir die myoelastische aerodynamische Theorie (siehe S. 166–167).
Wichtig: Die hier beschriebenen Mechanismen laufen sehr schnell ab (z. B. 440 Zyklen pro Sekunde bei einem a1 mit 440 Hz).

Die Gelenke

Die Kehlkopfknorpel sind durch vier Gelenke untereinander beweglich

Die beiden Ring-Schildknorpel-Gelenke (*Articulatio cricothyroidea*, jeweils ein Gelenk rechts und links)

Sie bestehen aus ...

... einer Gelenkfläche an der untersten Spitze der kleinen Hörner des Schildknorpels (siehe S. 140) und

... einer Gelenkfläche an der Seite des Ringknorpels (siehe S. 136).

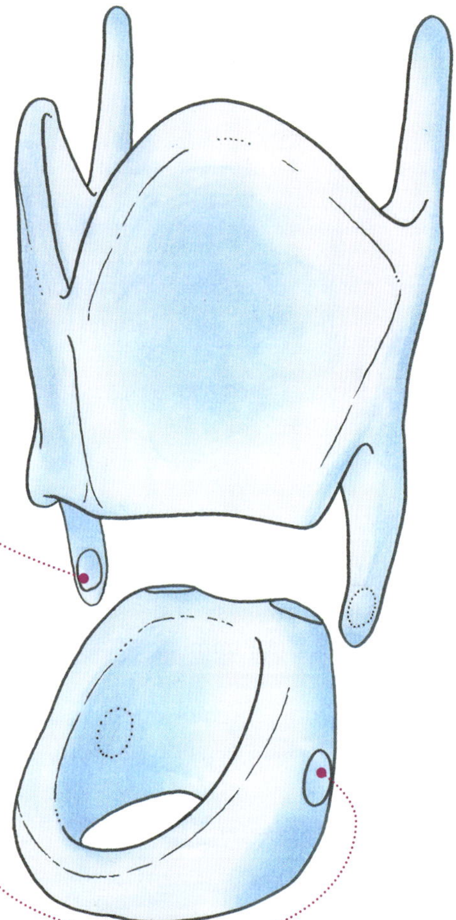

In diesen beiden Zeichnungen ist der Kehlkopf von vorne rechts zu sehen.

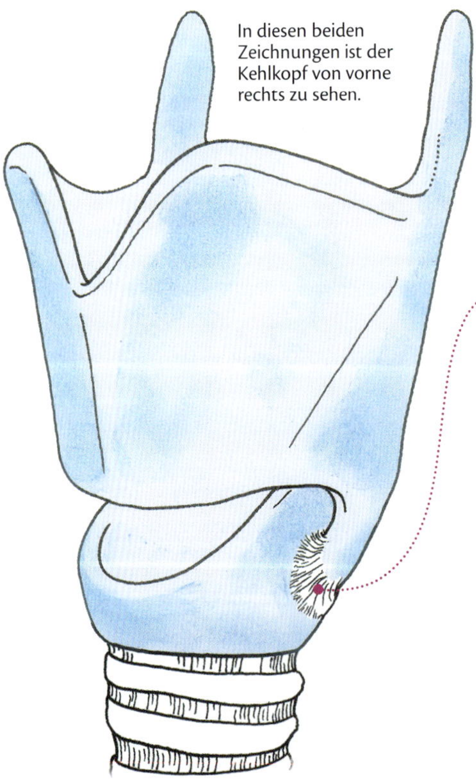

Eine Hülle aus Bindegewebe (Gelenkkapsel) hält diese Oberflächen zusammen und ermöglicht gleichzeitig kleine Bewegungen. Sie wird durch zwei Bänder verstärkt, ein vorderes und ein hinteres (nicht dargestellt). Diese Gelenke ermöglichen die Kippfunktion zwischen dem Schildknorpel und dem Ringknorpel „Schaukel". Diese **CT-Funktion** spannt die Stimmlippen, wodurch höhere Töne erzeugt werden können (siehe S. 152).

Die beiden Ring-Stellknorpel-Gelenke (*Articulatio cricoaritaenoidea*, jeweils ein Gelenk rechts und links)

Beide bestehen jeweils aus ...

... einer Gelenkfläche auf der Unterseite der Stellknorpel (siehe S. 138) und

... einer Gelenkfläche auf der Oberfläche des Ringknorpels (siehe S. 136).

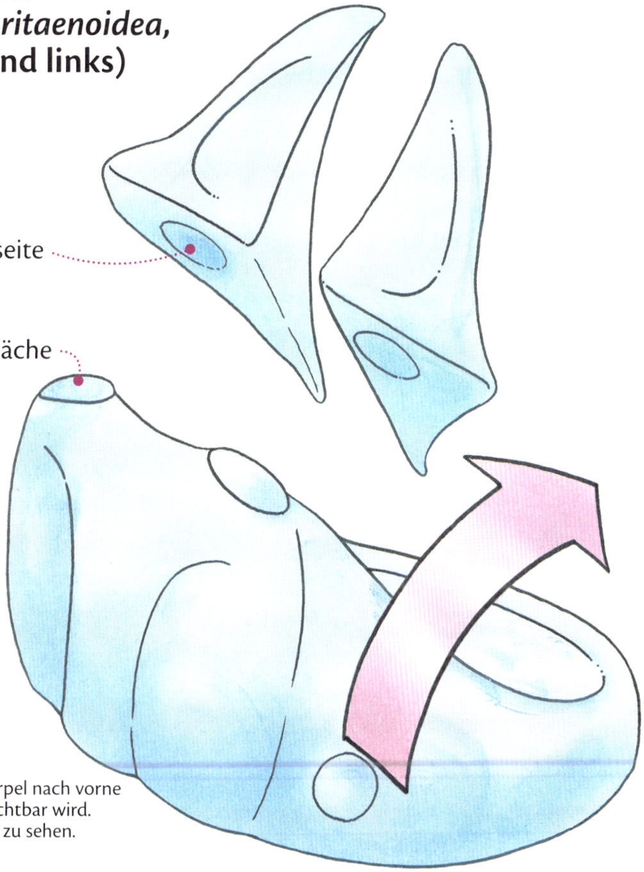

Auch hier hält eine Gelenkkapsel die Oberflächen zusammen und ermöglicht gleichzeitig kleine Bewegungen der Stellknorpel.

In der Abbildung sind die Stellknorpel nach vorne gekippt, damit die Gelenkfläche sichtbar wird. Der Kehlkopf ist von hinten rechts zu sehen.

Um diese Gelenke drehen sich die Stellknorpel auf dem Ringknorpel. Die verschiedenen Positionen sind auf S. 154 dargestellt.

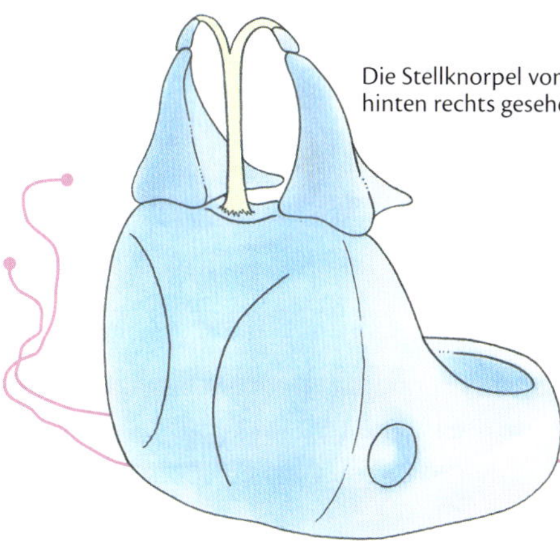

Die Stellknorpel von hinten rechts gesehen.

Ligamentum jugale

Ein Y-förmiges Band verbindet die Spitzen der Stellknorpel sowie die beiden Hörnchenknorpel miteinander. Durch dieses Band werden die Spitzen der Stellknorpel stabilisiert.

Bewegungsmöglichkeiten der Kehlkopfknorpel

Der Kehlkopf ist der Eingang zur Luftröhre.
Weil seine einzelnen Teile untereinander beweglich sind, können gleichzeitig drei verschiedene Aspekte verändert werden:

- die Position der Stimmlippen,
- die Dehnung der Stimmlippen,
- die Form der Kehlkopfzwischenräume.

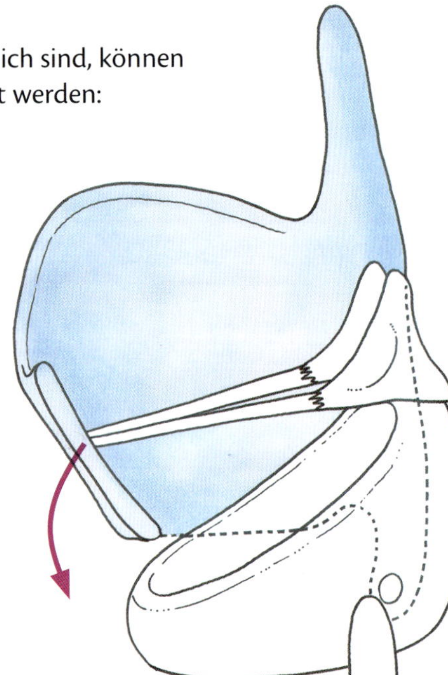

Der Schildknorpel kippt auf dem Ringknorpel nach vorne unten

Anstatt horizontal zu bleiben, bewegt sich der Schildknorpel schräg, wobei sein vorderer Teil tiefer zum Liegen kommt als der hintere. Dies kann durch verschiedene Faktoren verursacht werden, insbesondere durch die Wirkung des CT (*Musculus cricothyroideus* siehe S. 160). Diese Bewegung bringt die vorderen Teile dieser beiden großen Kehlkopfknorpel näher zusammen.

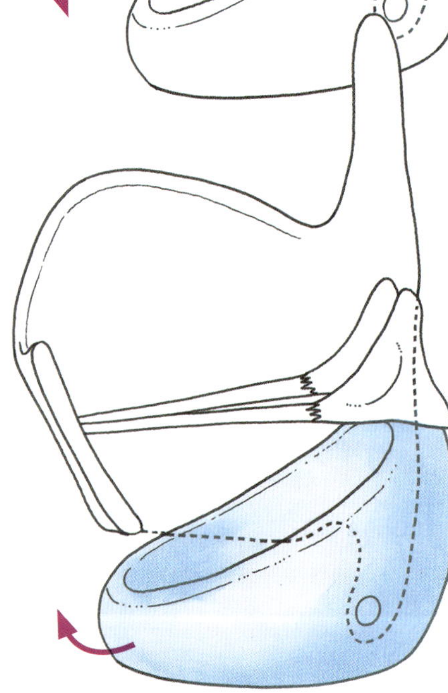

Der Ringknorpel kippt unter dem Schildknorpel nach vorne oben

Anstatt horizontal zu bleiben, bewegt er sich schräg, wobei der vordere Teil des Ringknorpels etwas höher zum Liegen kommt als der hintere Teil. Diese Bewegung dient ebenso dazu, die vorderen Teile dieser beiden großen Kehlkopfknorpel näher zusammenzubringen.

Die Auswirkungen auf die Stimmlippen sind in beiden Fällen gleich.
Sie werden gedehnt, also unter Spannung gesetzt, wodurch ihre schwingende Masse und damit auch die sich annähernden Ränder dünner werden.
Dies kommt bei der Stimmproduktion in höheren Lagen zum Einsatz, bei den sogenannten „leichten" Tönen, auch „Kopfstimme" genannt.

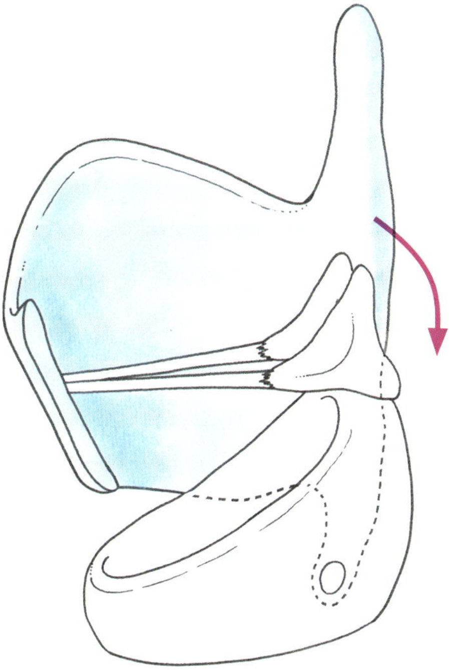

Der Schildknorpel kippt auf dem Ringknorpel nach unten hinten

Auf der vorigen Seite wurde beschrieben, wie sich die Knorpel schräg bewegen. Hier bleibt der Ringknorpel vertikal, der vordere Teil des Schildknorpels bewegt sich in Relation zum hinteren Teil nach oben. Dadurch kommen die hinteren Teile der beiden großen Kehlkopfknorpel näher zueinander.

Der Ringknorpel kippt unter dem Schildknorpel nach vorne unten

Anstatt horizontal zu bleiben, bewegt sich der Ringknorpel schräg, wobei der vordere Teil tiefer zum Liegen kommt als der hintere. Diese Bewegung dient auch dazu, die hinteren Teile dieser beiden großen Kehlkopfknorpel näher zusammenzubringen.

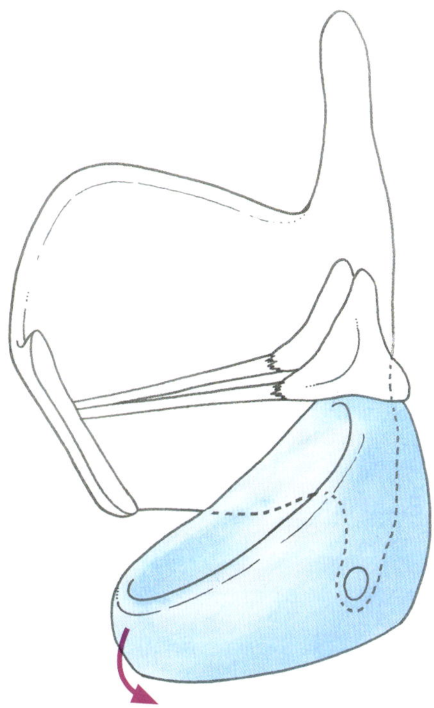

Die Auswirkungen auf die Stimmlippen sind in beiden Fällen auf dieser Seite gleich: Sie stehen nicht mehr unter Spannung, wodurch ihre schwingende Masse tendenziell dicker wird und auch die aufeinandertreffenden Ränder dicker und runder werden. Dies kommt bei der Stimmproduktion in tieferen Lagen zum Einsatz, bei sogenannten „schweren" Tönen, auch „Bruststimme" genannt.

Die Bewegungen der Stellknorpel (*Cartilago arytaenoidea*)

Die Stellknorpel können sich voneinander weg und aufeinander zu bewegen (Bild 1 der oberen Reihe). Eine Bewegung aufeinander zu wird Adduktion genannt. Diese Adduktion findet allerdings nicht immer symmetrisch statt.
Die hinteren Teile beider Stimmlippen können sich ebenfalls aufeinander zu bewegen, das bezeichnet man als „Adduktion der Stimmlippen". Bei dieser Bewegung können die Stimmlippen mehr oder weniger gespannt sein. Das hängt jeweils von der Intensität der Kontraktion der Muskulatur zwischen den Stellknorpeln (*Muscules interarytaenoidea*) ab, die diese Bewegung ausführen (siehe S. 158). Umgekehrt können sich die beiden Knorpel etwas voneinander entfernen (Bild 2, obere Reihe). Bei dieser Bewegung entfernen sich auch die hinteren Teile der Stimmlippen voneinander.

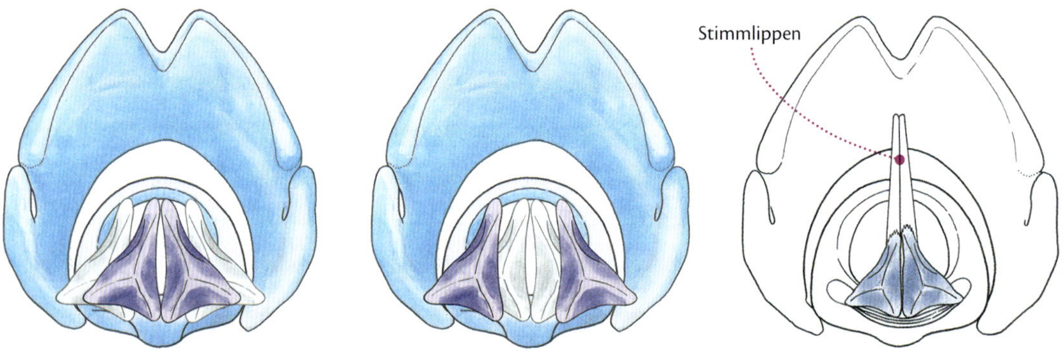

1 2

Die Stellknorpel können sich um sich selbst drehen. Diese Bewegung findet um eine Längsachse herum statt. Der *Processus vocalis* (siehe S. 139) kann nach innen gedreht werden. Durch diese Bewegung nähern sich die mittleren Teile der Stimmlippen einander an (Bild 1 unten). Der *Processus vocalis* kann auch nach außen gedreht werden (Bild 2 unten), wodurch sich die hinteren Teile der Stimmlippen voneinander entfernen.

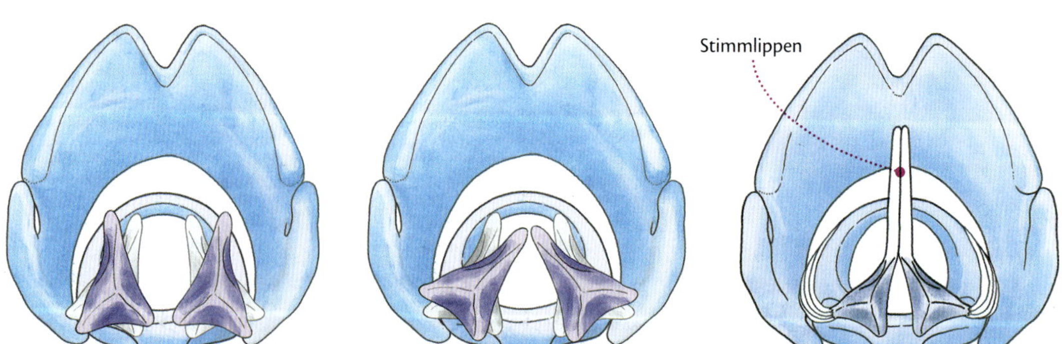

1 2

Die innere Kehlkopfmuskulatur

Die Kehlkopfknorpel werden durch verschiedene Kräfte bewegt. Meistens geschieht dies durch Muskelkontraktion. Es gibt zwei Arten von Muskeln, die den Kehlkopf bewegen:

- Einige Muskeln liegen zwischen den Knorpeln und setzen ausschließlich am Kehlkopf selbst an. Diese Muskeln bewegen nur die Kehlkopfknorpel. Sie werden als **innere Kehlkopfmuskeln** bezeichnet und sind sehr klein.
- Einige Muskeln verbinden die Kehlkopfknorpel mit benachbarten Strukturen (wie Schädelbasis, Unterkiefer, Brustbein, Schlüsselbein und Schulterblatt), welche oberhalb oder unterhalb des Kehlkopfes liegen. Von diesen Knochen aus bewegen die Muskeln die Kehlkopfknorpel und wirken damit auf die Strukturen des Kehlkopfes ein.
  Sie werden als **äußere Kehlkopfmuskeln** bezeichnet und sind länger als die inneren Kehlkopfmuskeln.

Alle Muskeln befinden sich symmetrisch auf der rechten und linken Seite. Auf den folgenden Seiten sind meistens beide Seiten, also beide Muskeln als Muskelpaar dargestellt.

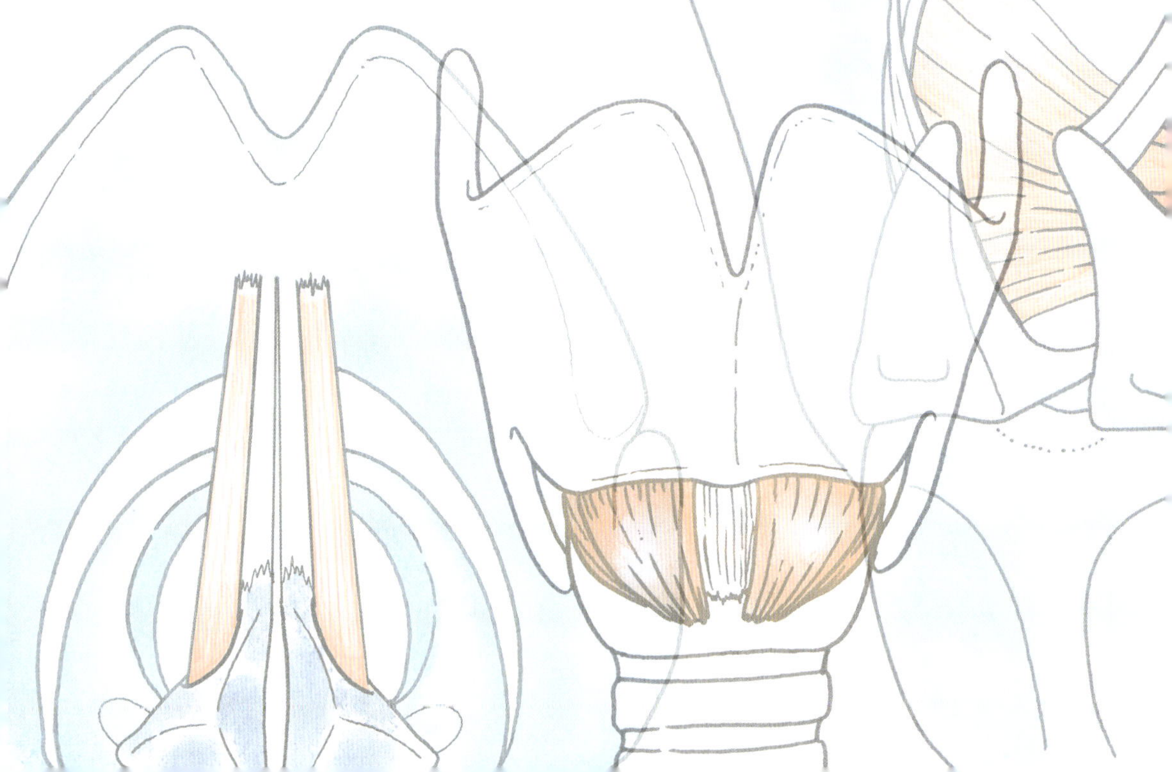

Der Muskel, der die Glottis öffnen kann: „Posticus“ (*Musculus cricoarytaenoideus posterior*)

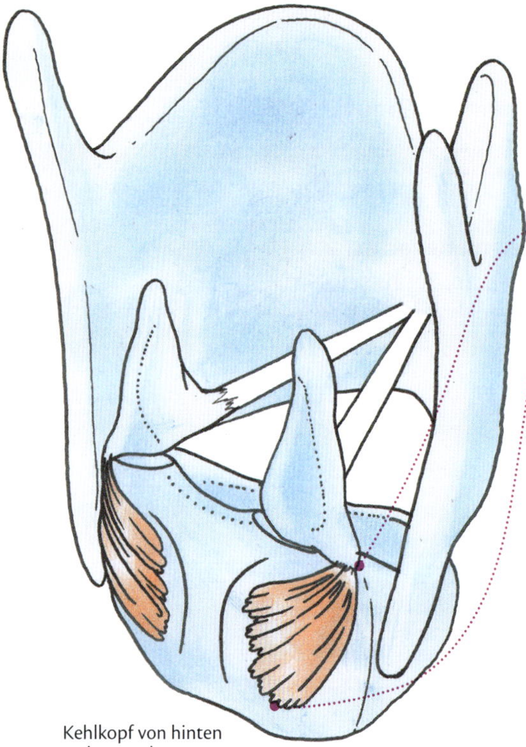

Kehlkopf von hinten rechts gesehen.

Dieser kleine Muskel setzt folgendermaßen an:

Oben setzt er auf der Rückseite des Stellknorpels am *Processus muscularis* an.

Unten setzt er an der Rückseite der Verdickung des Ringknorpels an. Er berührt nicht den Grat in der Mitte.

Er ist geformt wie ein kleiner Fächer, der sich nach unten zur Mitte hin öffnet.

Kehlkopf von oben gesehen.

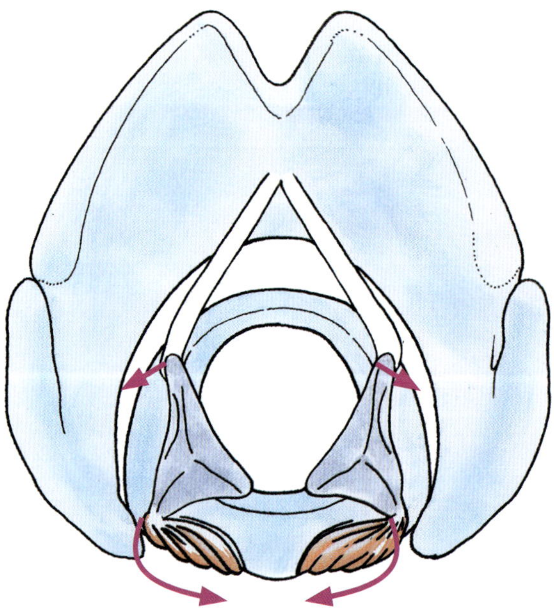

Seine Aufgabe

Der Posticus zieht den *Processus muscularis* des Stellknorpels zur Mitte. Dadurch wird dieser so gedreht, dass sich die *Processi vocali* voneinander entfernen. Dies öffnet die Stimmlippen im hinteren Teil. Dadurch bewirkt er also eine Öffnung der Glottis (gelegentlich auch „forcierte Öffnung“ genannt).

Die Wirkung dieses Muskels ist während des Ein- und Ausatmens am deutlichsten zu spüren.

In der Ruheposition ist die Glottis nicht geschlossen, sondern leicht geöffnet. Durch die Reibung zwischen Atemluft und den Wänden entsteht ein leichtes Reibegeräusch.

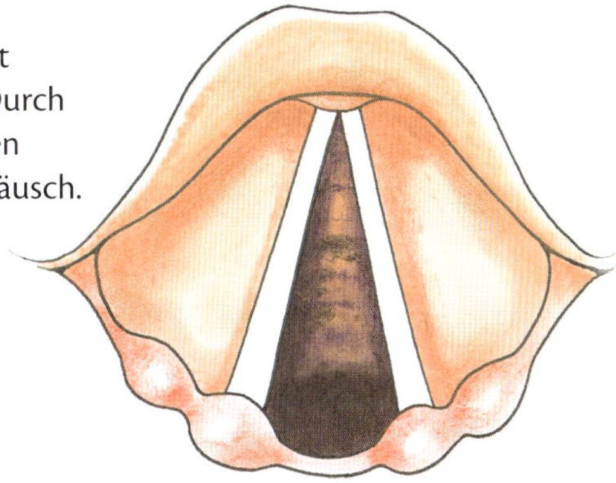

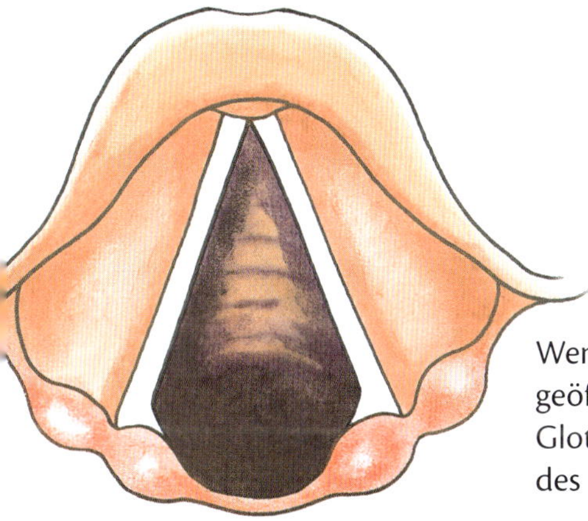

Wenn der *Posticus* kontrahiert, ist die Glottis weit geöffnet. Die Luft kann dann ohne Reibung durch die Glottis fließen und man hört kein Geräusch während des Atemflusses.

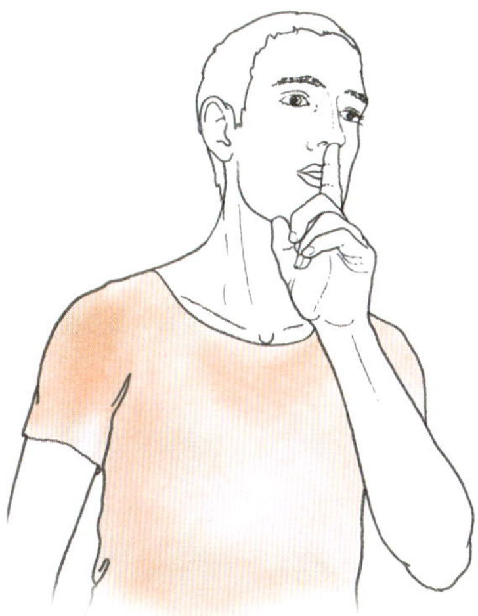

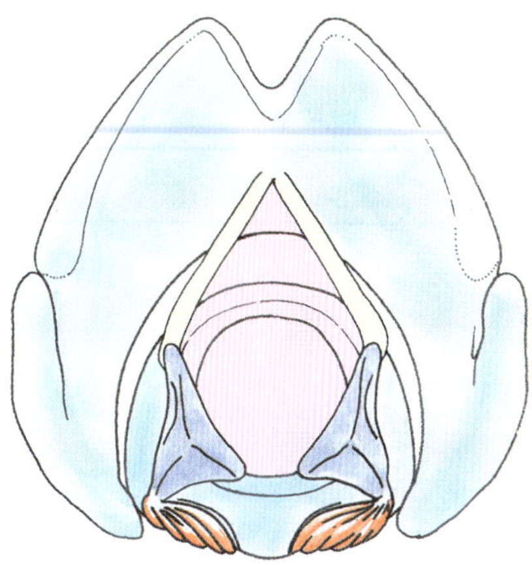

Die Glottis ist dann etwa fünfeckig geformt.

Die Stille hören

Wenn wir über einen längeren Zeitraum unsere Stimme nutzen, kann es hilfreich sein, das Einatmen zwischen den Momenten des stimmhaften Ausatmens so stimm- und geräuschlos wie möglich zu gestalten. Dies erzeugt nicht nur einen besseren Klang, sondern ist auch gesünder für die Stimmlippen und die Schleimhäute, die so besser befeuchtet bleiben. Man kann sich darin üben, anderen beim Sprechen oder Singen zuzuhören und dabei versuchen zu erkennen, ob das Einatmen geräuschlos stattfindet oder nicht.

Die Muskeln zwischen den Stellknorpeln, welche die Stimmlippen schließen: *Transversus* und *Obliquus* (*Musculus interarytaenoideus transversus* und *obliquus*)

Dieser winzige Muskel besteht aus drei Fasersträngen, die einer auf dem anderen an der Rückseite der Stellknorpel liegen.

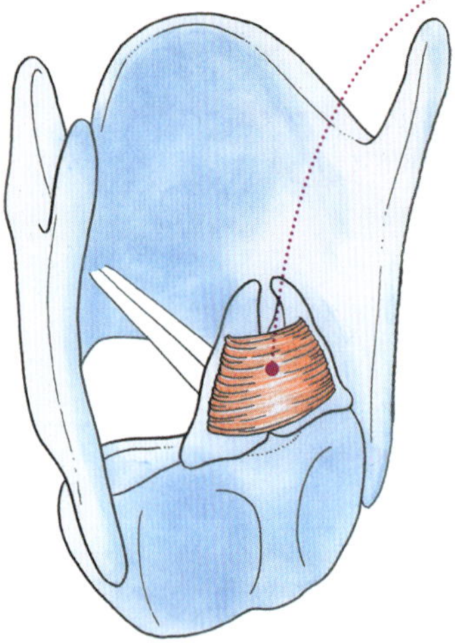

Kehlkopf von hinten rechts gesehen.

Ein Faserstrang verläuft quer und ist wie eine viereckige Lamelle geformt, die zwischen den Rückseiten der beiden Stellknorpel gespannt ist (*Musculus interarytaenoideus transversus*).

Noch weiter an der Rückseite kreuzen sich die beiden schrägen Faserstränge (*Musculus interarytaenoideus obliquus*). Sie verlaufen vom *Processus muscularis* eines der Stellknorpel bis zur Spitze des gegenüberliegenden Stellknorpels.

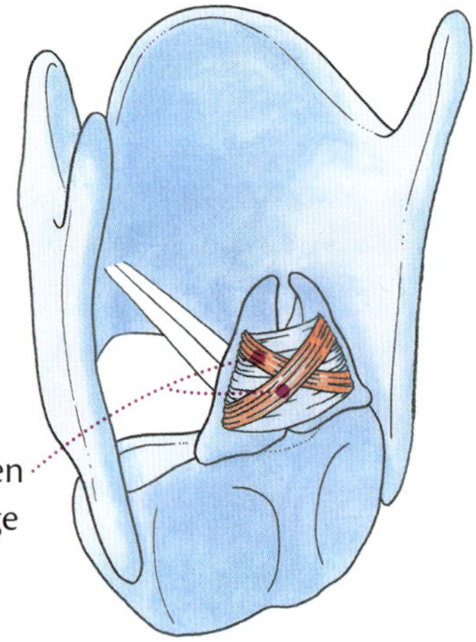

Seine Aufgabe

Der *Transversus* und der *Obliquus* bringen die Stellknorpel näher zusammen und damit auch die Stimmlippen. Sie schließen die Glottis.

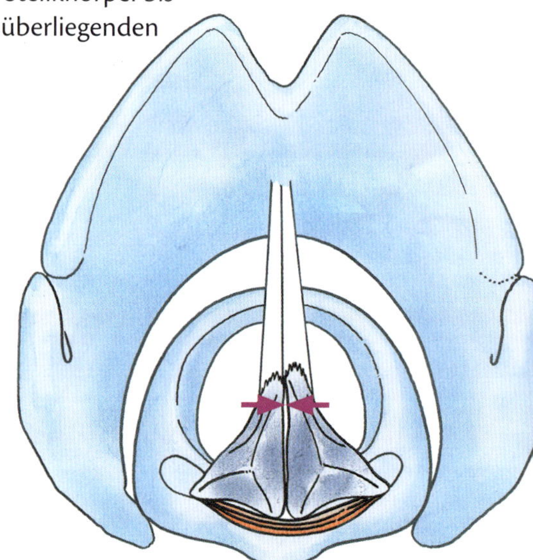

Kehlkopf von oben gesehen.

Geräuschvolles Einatmen

Bei einem gewohnheitsmäßig hohen Tonus dieser Muskeln ist die Glottis in einer leicht geschlossenen Position. Manche Menschen behalten diese Muskelkontraktion beim Singen oder Sprechen bei, was man gut hören kann („geräuschvolles Einatmen“). Dieses Geräusch entsteht dadurch, dass die Luft, die beim Einatmen durch die Glottis fließt, eine Reibung erzeugt. Dieses Einatmen ist lauter als wenn sich die Glottis in der Ruheposition befindet, wie auf S. 174 beschrieben. Dies kann zum Austrocknen der Stimmlippen führen, insbesondere wenn man durch den Mund atmet (im Gegensatz zur Nasenatmung, welche die Luft anfeuchtet), und wenn die Umgebungsluft trocken ist.

Adduktion der Stimmlippen und Phonation

Der *Musculus interarytaenoideus*, der die Stellknorpel miteinander verbindet, bewegt die Stimmlippen aufeinander zu und ermöglicht so die Phonation. Dieses Phänomen nennt man **Adduktion der Stimmlippen**.

Wenn die Stimmlippen in dieser Stellung in Schwingung versetzt werden, entsteht ein stimmhafter Klang. Ein Klang gilt dann als stimmhaft, wenn er mit einer Vibration im Kehlkopf einhergeht.

Die Wirkung dieses Muskels ist also für die Entstehung von Vokalen erforderlich. Es ist allerdings auch möglich, Vokale ohne vollständigen Stimmlippenschluss zu flüstern.

Dieser Muskel ist ebenso bei der Entstehung von stimmhaften Konsonanten beteiligt.

Wir können die Adduktion der Stimmlippen und die Vibration des Kehlkopfes spüren, wenn wir erst einen stimmlosen Konsonanten aussprechen, der dann in einen stimmhaften Konsonanten übergeht. Beispielsweise:

von [f] zu [v],

von [s] zu [z]

oder von [ç] zu [j].

Der Ujjayi-Atem

Auch im Yoga kommt dieser Muskel zum Einsatz. Bei der Ujjayi-Atemtechnik entsteht während der Atmung ein Reibegeräusch in der Glottis.

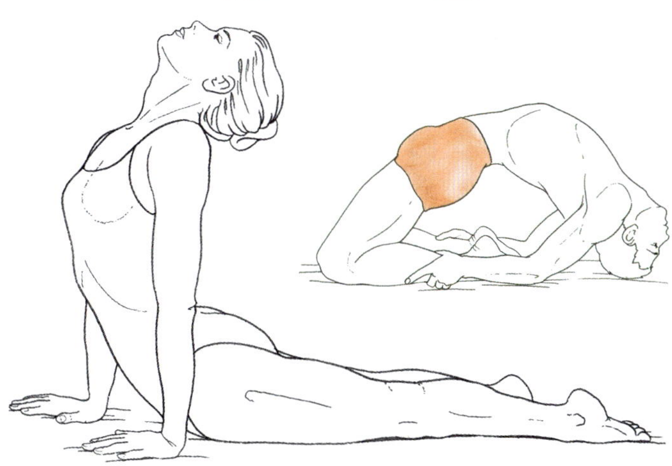

Der Ring-Schildknorpel-Muskel: *musculus cricothyroideus*

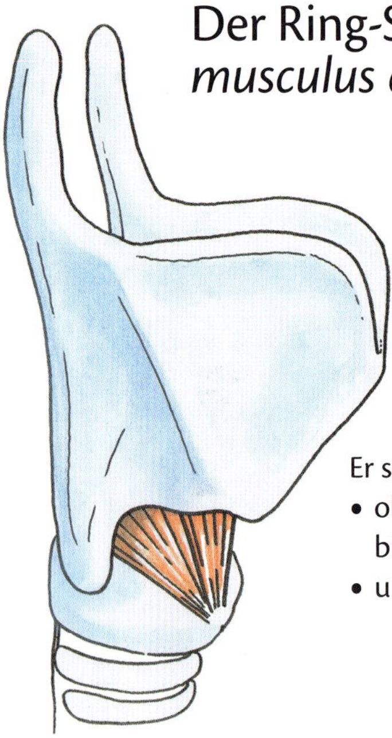

Der CT ist geformt wie ein nach oben geöffneter Fächer.

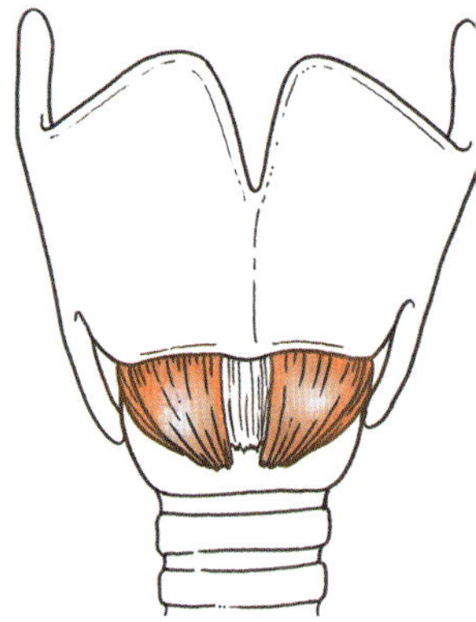

Er setzt folgendermaßen an:

- oben an der inneren Unterseite des Schildknorpels bis zu dem kleinen Horn,
- unten an der Vorderseite des Ringknorpels.

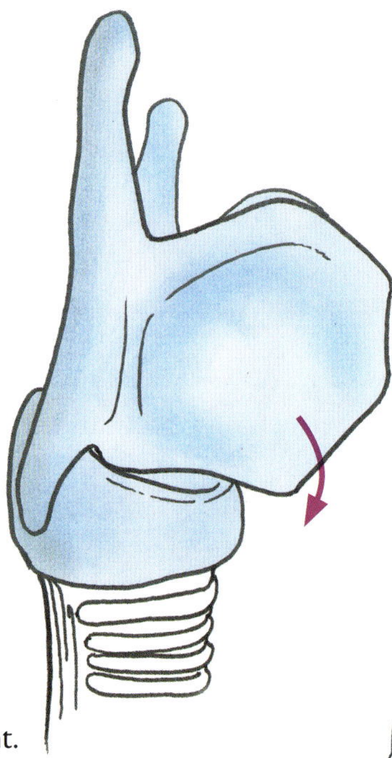

Seine Aufgaben bei der Stimmgebung

Der CT kann diese beiden Aufgaben (s. rechts) gleichzeitig ausführen. Beide haben dieselben Auswirkungen auf die Stimmlippen. Diese werden unter Spannung gesetzt: dadurch werden sie gedehnt. Ihre schwingende Masse und damit auch die freien Ränder werden dünner. Dies ermöglicht die Produktion von hohen Tönen, bei den sogenannten „leichten" Tönen, auch „Kopfstimme" genannt.

Der CT (auch *Anticus* genannt) kippt den Schildknorpel nach vorne unten. Er bewegt zudem den vorderen Teil des Ringknorpels nach hinten oben.

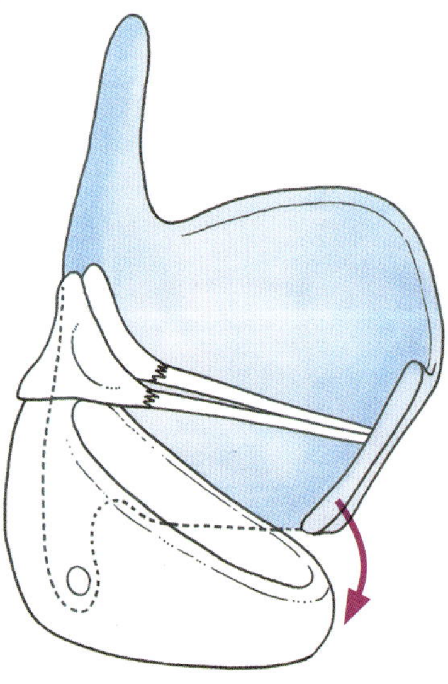

Weitere Informationen

Diese Bewegung wird von einer kleinen Translation begleitet:

- entweder bewegt sich der Schildknorpel auf dem Ringknorpel nach hinten,
- oder der Ringknorpel bewegt sich unter dem Schildknorpel nach vorne.

Der Muskel, der die Glottis schließt: Der *Lateralis* (Ring-Stellknorpel-Muskel, *Musculus cricoarytaenoideus lateralis*)

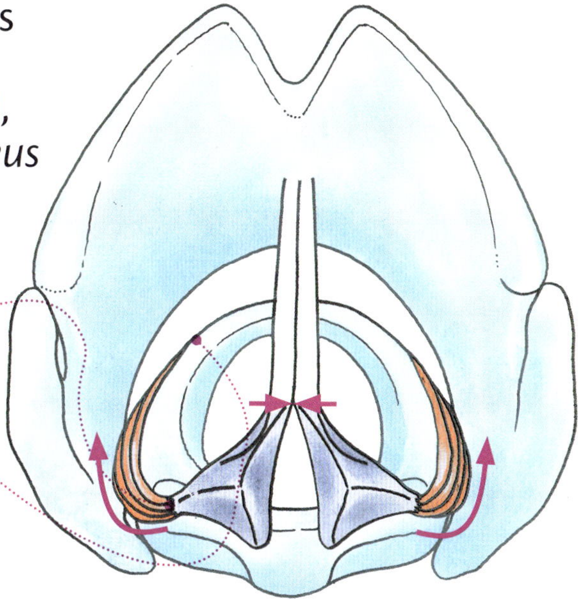

Dieser Muskel entspringt am *Processus muscularis* des Stellknorpels. Er sinkt dann außen und vorne unten ab und endet seitlich am Ringknorpel.

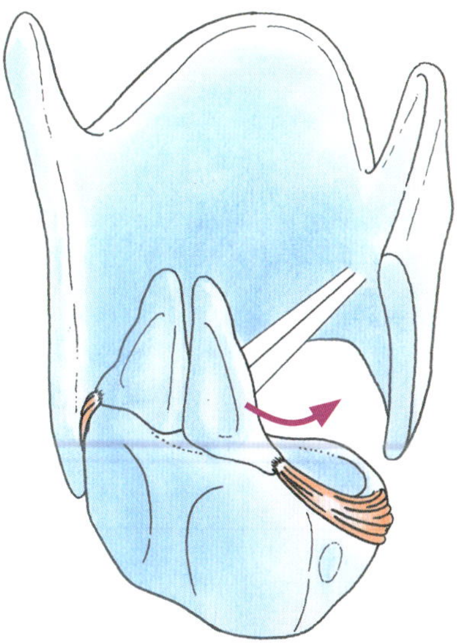

Seine Aufgabe
Der Lateralis bewegt die *Processus musculares* der Stellknorpel nach vorne außen. Dadurch drehen sich die Stellknorpel so, dass die *Processi vocalis* zur Mitte gezogen werden und sich so einander annähern.
Er schließt die Glottis.*

Wenn der *Lateralis* gleichzeitig mit den *Musculi interarytaenoidei* (*Transversus* und *Obliquus*, siehe S. 158) kontrahiert, ist die Glottis fest verschlossen. In dieser Position wird der sogenannte Glottisschlag („coup de glotte") produziert. Diese Position nehmen unsere Kehlkopfmuskeln auch bei starker körperlicher Anstrengung ein, zum Beispiel, wenn wir bei anstrengenden Liegestützen die Luft anhalten.

Dieser Muskel verkürzt den schwingenden Teil der Stimmlippen und hebt somit die Tonhöhe. Dieses Phänomen wird „damping" genannt.

* im Zusammenspiel von *Transversus* und *Obliquus*

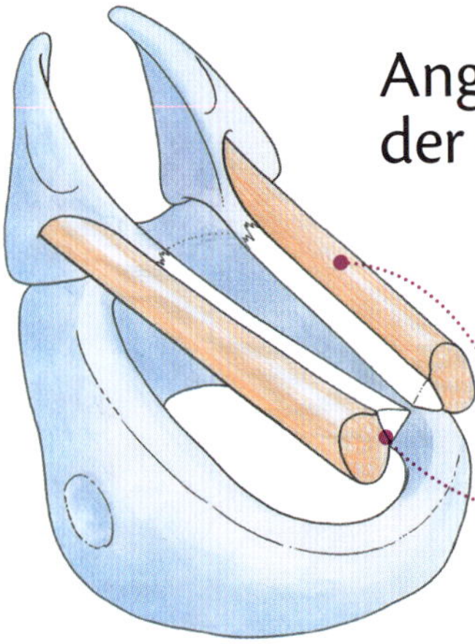

Angelehnt an das *Ligamentum vocale*: der *Musculus vocalis*

Jedes Stimmband (*Ligamentum vocale*) wird entlang seines gesamten äußeren Randes durch einen parallel verlaufenden Muskel verdoppelt: den *Musculus thyroarytaenoideus internus*. Er wird auch als Stimmlippenmuskel, *Internus*, *TA internus* oder einfach als *Vocalis* bezeichnet. Er setzt an der Außenseite der Stimmbänder an und bildet mit ihnen einen Teil der Stimmlippen.

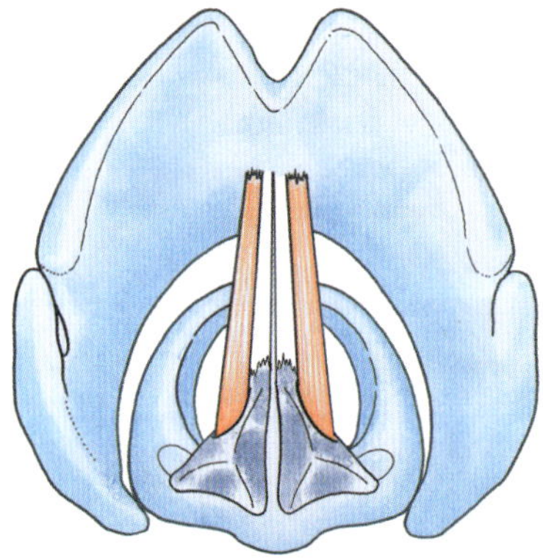

Seine Aufgabe

Der *Vocalis* bewegt die Knorpel, an denen er befestigt ist, nur geringfügig (diese sind oft auch von anderen kleinen Muskeln fixiert). Er kontrahiert daher meistens statisch oder isometrisch, das heißt ohne seine Länge zu ändern. Diese Bewegung dient vor allem dazu, den Muskel in sich selbst zu straffen.

Die Aufgabe des *Vocalis* bei der Stimmproduktion

Wenn der *Vocalis* kontrahiert, macht er damit die Stimmlippen steifer und dicker, was für mehr Muskelmasse und damit für mehr Klang sorgt. Er ist der Gegenspieler zum CT, der die Stimmlippen dehnt. Der *Vocalis* verändert die Länge der Stimmbänder nicht und ermöglicht es der Schleimhaut daher, entspannt zu bleiben und sich im Luftdruck wellenförmig zu bewegen (Bernoulli-Effekt, siehe S. 166). Aus diesen Gründen ist er primär ein Muskel für die sogenannte „Bruststimme". Außerdem kann er die Tonhöhe, besonders im Bruststimmenbereich, verändern.

Die Stimmlippen passen sich dem Luftdruck an

An dieser Stelle des Kehlkopfes haben wir eine sogenannte „zusammengesetzte Struktur", bei der zwei Materialien mit unterschiedlichen Eigenschaften in einer gemeinsamen anatomischen Struktur kombiniert werden. Der Widerstand des Stimmbandes unter Spannung (passiver Widerstand) ist kombiniert mit der Kontraktionsfähigkeit des Muskels, der durch seine Straffung einen aktiven Widerstand bildet. Die Kombination dieser beiden Eigenschaften ermöglicht eine vielseitige Anpassung der Stimmlippen an den subglottischen Luftdruck.

Die Muskulatur der Taschenfalten

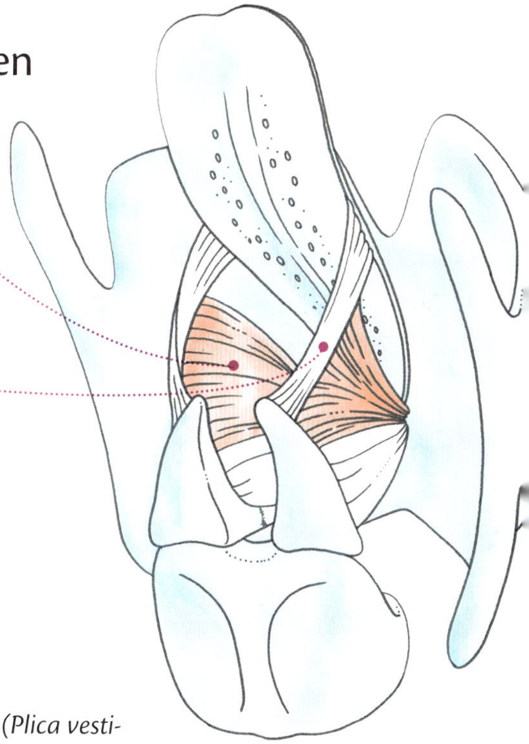

Seitlich grenzt der *Vocalis (TA internus)* an den *TA externus (Musculus thyroarytaenoideus externus)*. Dieser zieht den *Vocalis* etwas zur Seite. Er bildet eine vertikale fächerförmige Decke, welche sich bis zur Seitenkante des Kehldeckels erhebt. An der Rückseite wird diese fächerförmige Struktur durch den schmalen *Musculus aryepiglotticus* begrenzt (siehe auch S. 178). Alle diese Muskeln begrenzen seitlich den Bereich zwischen Stimmlippen und Kehldeckel. Sie geben diesem Teil des Kehlkopfes die Form eines Mundstücks. Ein Abschnitt dieses Muskels bildet einen Teil der Taschenfalten.

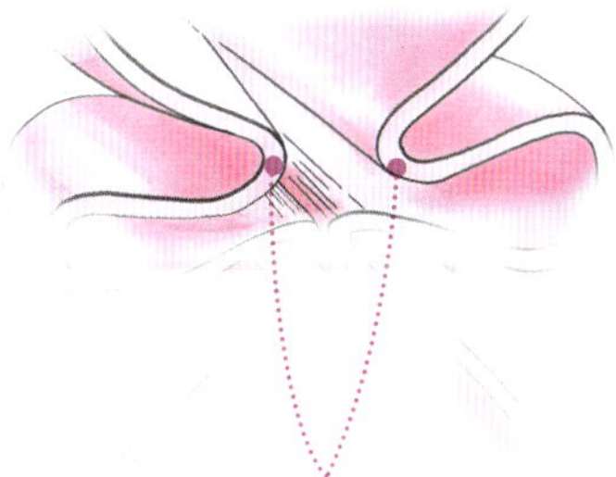

„falsche Stimmbänder"

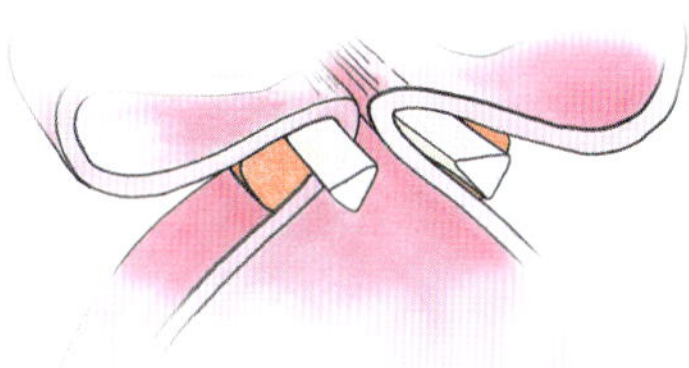

Stimmlippen und *Vocalis*

Die Taschenfalten *(Plica vestibularis)* sind Schleimhautfalten, die oberhalb der Stimmlippen (siehe S. 146) auf der supraglottischen Ebene (oberhalb der Glottis, siehe S. 176) liegen.

Sie werden auch „falsche Stimmbänder" oder „vestibuläre Bänder" genannt. Auf beiden Seiten (rechts und links) liegt je eine Taschenfalte. Diese sind nicht nur reine Schleimhautfalten, sondern enthalten auch verdickte Fasermembranstränge (siehe S. 145) und werden zudem durch eine Verdickung der TA *externus* unterstützt. Die Taschenfalten können deshalb durch die Kontraktion des *TA externus* aktiv ihre Form verändern, sie können unterschiedlich weit zusammenrücken, oder auch dicker oder dünner werden. Sie tragen auf diese Weise zu der „Schließmuskelfunktion" des Kehlkopfes bei (siehe nächste Seite).

Weitere Informationen zu den Taschenfalten finden sich auf S. 176.

Durch die Aktion dieses Muskels können die Taschenfalten ihre Form verändern: sie können breiter oder im Gegenteil flacher werden. Die Taschenfalten sind der erste „Resonanzraum" oberhalb der Stimmlippen, und Veränderungen an dieser Stelle können bereits Einfluss auf das Timbre der Stimme haben.

Die „Schließmuskelfunktion“ des Kehlkopfes

Der Kehlkopf dient nicht in erster Linie der Stimmproduktion: seine lebenswichtige, viel ursprünglichere Hauptaufgabe ist, die Luft bei der Atmung vorbeiströmen zu lassen. Für diese Funktion besitzt er ein Knorpelgerüst. Dieses stellt sicher, dass der Schlauch des Kehlkopfes auch im Ruhezustand seine Öffnung beibehält, die für die Atmung unbedingt notwendig ist.
Seine zweite, ebenso wichtige Rolle besteht darin, den Eingang zu den Atemwegen zeitweilig zu schließen, sodass keine Nahrung hindurchdringen kann. Dies ist die „Schließmuskelfunktion“ des Kehlkopfes,* die durch drei aufeinanderfolgende Verschlussstellen hergestellt wird.
Diese können zwar isoliert funktionieren, schließen sich aber oft synchron.

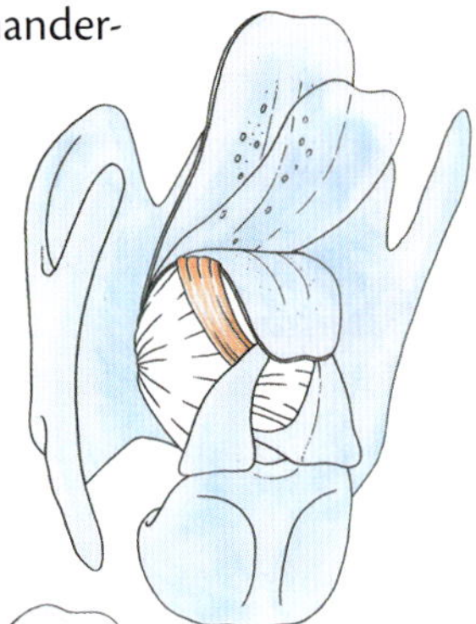

Der **Kehldeckel** bedeckt die Glottis wie ein Klappdeckel.
Beim Schlucken wird diese Bewegung durch das Zurückziehen der Zungenbasis eingeleitet. Sie kann aber auch durch den *Musculus aryepiglotticus* ausgelöst werden.

Schlucken bei rausgestreckter Zunge

Wenn man das Zurückziehen der Zunge verhindert, indem man sie zum Beispiel nach vorne hinausstreckt, aber gleichzeitig versucht zu schlucken, so spürt man, wie viel schwerer es ist, den Kehldeckel zu senken. Der *Musculus aryepiglotticus*, der den Kehldeckel schließt, muss so viel mehr arbeiten. Diese Bewegung kann ein durchaus sinnvolles Muskeltraining sein, um den Muskeltonus in diesem Bereich zu trainieren.

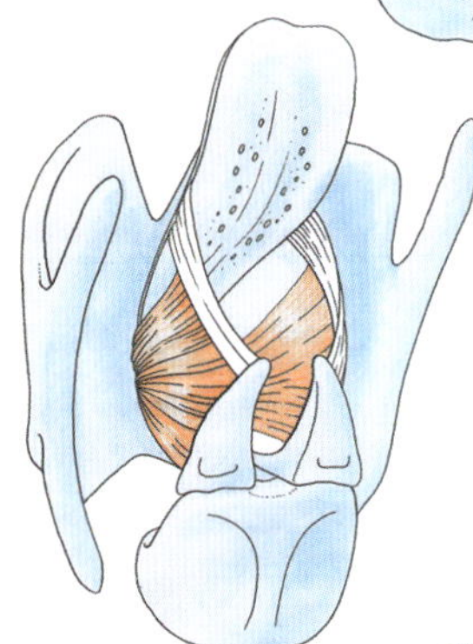

Die **Taschenfalten** nähern sich einander und werden gleichzeitig dicker. Diese Bewegung erfolgt oft stark asymmetrisch.

Die **Stimmlippen** rücken näher zusammen und berühren sich. Von den drei Verschlussebenen des Kehlkopfes ist diese Ebene oft nicht die stärkste.

Der Verschluss des Kehlkopfes erfolgt immer beim Schlucken, wenn der Nahrungsbrei aus dem hinteren Mundraum in den *Hypopharynx* (unterer Teil des Rachens, von der Höhe des Kehldeckels bis hinab zum Ringknorpel) übergeht.

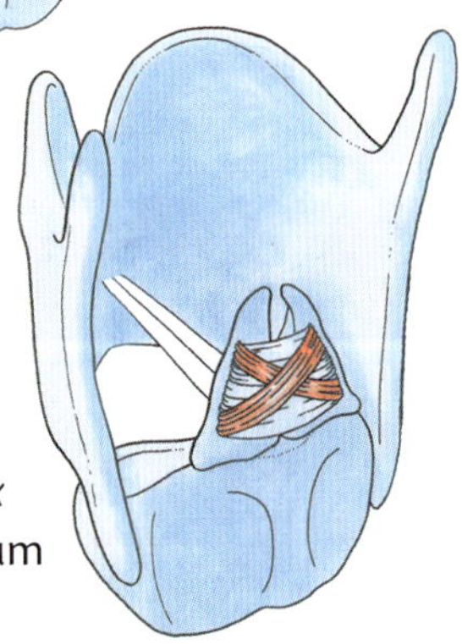

* Das Wort „Schließmuskel“ wird hier nur als Analogie verwendet. Ein Schließmuskel ist ein kreisförmiger Muskel, der sich zusammenziehen kann, um eine Öffnung oder deren umgebende Zuleitungen zu verschließen und somit einen Durchgang zu verhindern. Der Kehlkopf ist also kein Schließmuskel im engeren Sinne des Wortes, aber funktioniert durch die drei auf dieser Seite beschriebenen Mechanismen wie ein Schließmuskel.

Die Kehlkopfschleimhaut (*Mucosa*)

Der Ringknorpel und der darüber liegende Schildknorpel formen zusammen mit den dazugehörigen Bändern und Muskeln einen Zylinder. Die Innenfläche dieses Zylinders ist von einer Schleimhaut ausgekleidet, die alle Knorpel bedeckt. Freier Raum zwischen den Knorpeln wäre also nicht erkennbar, weil die Schleimhaut die gesamte Skelettstruktur bedeckt, die dadurch nur teilweise zu erkennen ist.
Wie auf S. 163 zu sehen war, passt sich die Schleimhaut also den Konturen der Knorpel an und verwandelt das Innere des Kehlkopfes in eine Landschaft aus Falten und Tälern.

Die *Ligamenta vestibularis* sind von Schleimhaut bedeckt. Diese gesamte Struktur bezeichnen wir dann als **Taschenfalten** (*Plica vestibularis*).

Die *Ligamenta vocalia* sind ebenfalls von dieser Schleimhaut bedeckt. Zusammen mit den anderen Strukturen sind sie Teil der Stimmlippen*, in denen das eigentliche Stimm**band** nicht mehr sichtbar ist.

Dort, wo die Schleimhaut auf das *Ligamentum vocale* trifft, hat sie die Form von dünnen, perlweißen Streifen. Diesen Bereich bezeichnet man manchmal auch als „Stimmbänder", insbesondere wenn er bei einer Laryngoskopie betrachtet wird.

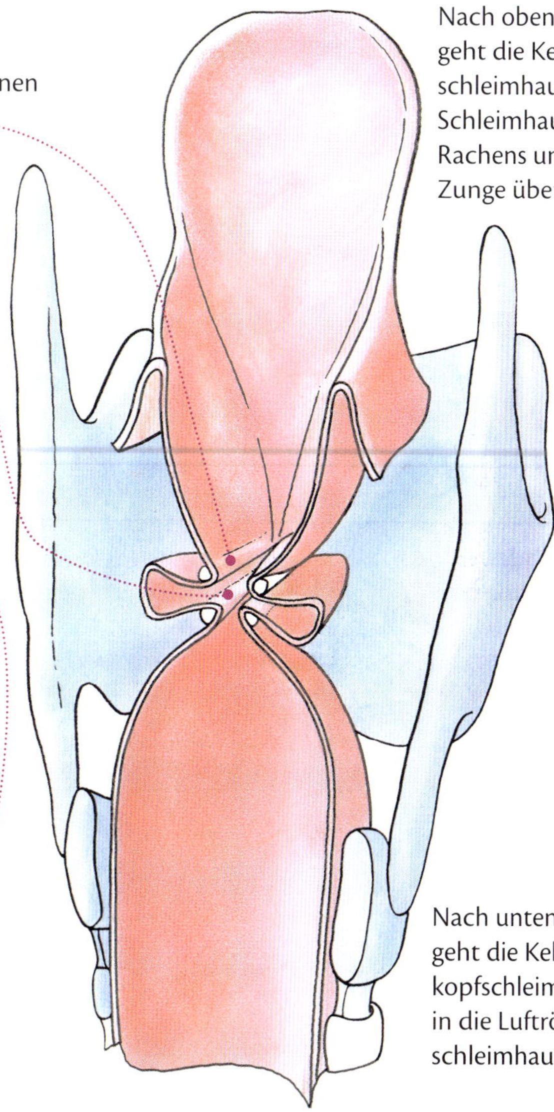

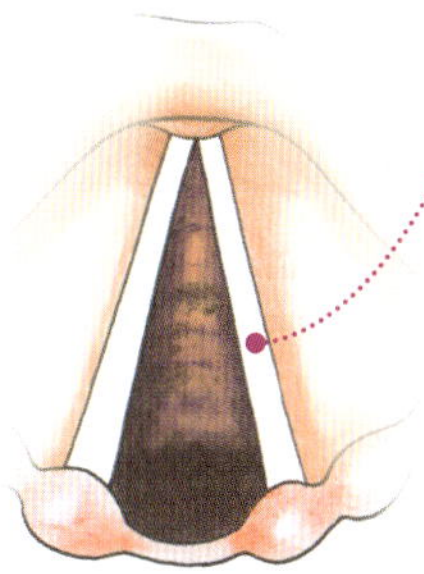

Nach oben hin geht die Kehlkopfschleimhaut in die Schleimhaut des Rachens und der Zunge über.

Nach unten hin geht die Kehlkopfschleimhaut in die Luftröhrenschleimhaut über.

* Umgangssprachlich spricht man immer noch von „Stimmbändern" anstelle von Stimmlippen. Dieses Buch verwendet durchgängig die Bezeichnung „Stimm**lippen**", es sei denn, die tatsächlichen Stimm**bänder** (*Ligamenta vocalia*) sind gemeint.

Die Aufgabe der Schleimhaut bei der Stimmproduktion

Der Bernoulli-Effekt

Dieses Phänomen entsteht, wenn ein Fluid durch ein Rohr mit variabler Breite fließt. Der Bernoulli-Effekt funktioniert folgendermaßen:

Je kleiner der Durchmesser desto höher die Geschwindigkeit ...
Man geht davon aus, dass die Durchflussrate des Fluids im Verlauf der Strömung nicht variiert (Prinzip der Erhaltung). Also ist die Durchflussmenge das Produkt aus seinem Durchmesser (D) und seiner Geschwindigkeit (V) : D × V.
Wenn der Durchmesser kleiner wird, steigt also die Geschwindigkeit und umgekehrt.

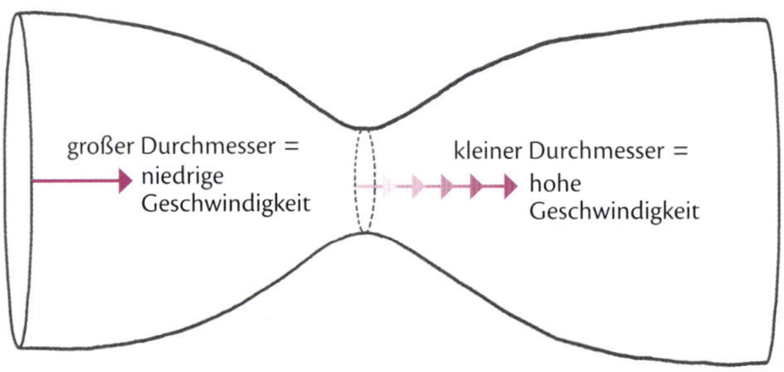

Je höher die Geschwindigkeit desto geringer der Druck ...
Die Energie im Fluid ist an jeder Stelle der Strömung gleich (Energieerhaltungssatz). Sie setzt sich aus zwei Faktoren zusammen: dem Druck und der Strömungsgeschwindigkeit. Davon lässt sich ableiten, dass mit zunehmender Geschwindigkeit der Druck der Strömung abnimmt und umgekehrt.

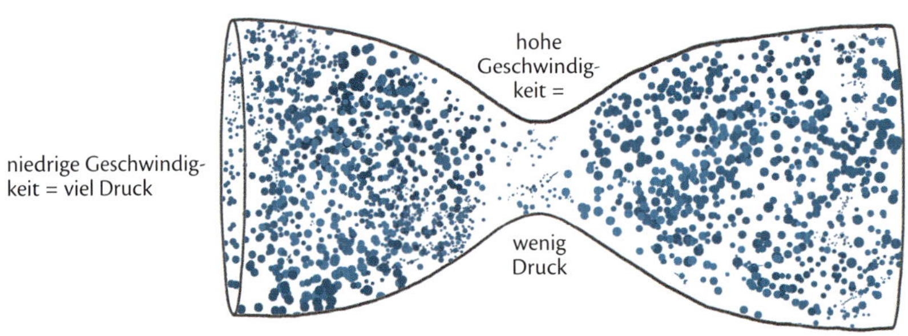

Daraus folgt: je enger, desto schneller und desto weniger Druck
Wenn ein Gas oder eine Flüssigkeit durch ein Rohr fließen, das immer enger wird, so steigt die Fließgeschwindigkeit in dem Maße an, in dem der Druck sinkt. Dieses Phänomen wird als Bernoulli-Effekt bezeichnet.

Die Aufgabe der Schleimhaut bei der Phonation (Myoelastisch-aerodynamische Theorie)

1. Die Stimmbänder liegen eng beieinander, berühren sich aber nicht. Der subglottische Druck steigt, sodass ein dünner Luftstrom zwischen den Stimmbändern hindurchströmt.

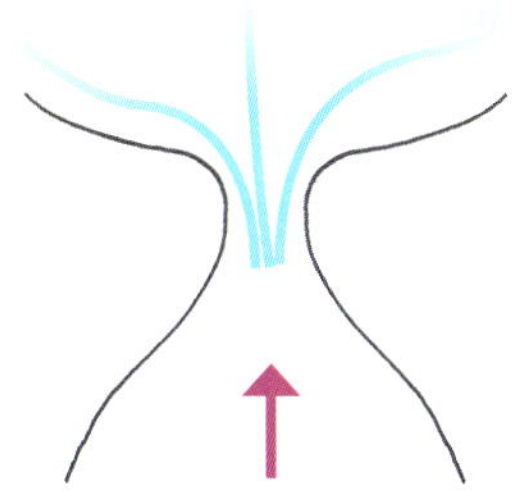

2. Die Verengung zwischen den Stimmlippen erzeugt an dieser Stelle eine Beschleunigung des Luftstroms und damit einen Unterdruck (Bernoulli-Effekt). Dieser Unterdruck verursacht einen Sog-Effekt nur auf die Schleimhaut, dann auf die Stimmlippen als Ganzes, welche dann schließen.

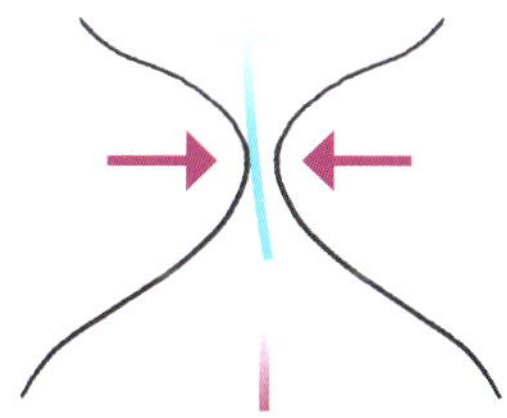

3. Durch den vollständigen Verschluss der Stimmlippen wird der Luftstrom gestoppt. Die mit dem Bernoulli-Effekt verbundenen Sogkräfte fallen in dem Maße weg, in dem der subglottische Druck steigt.

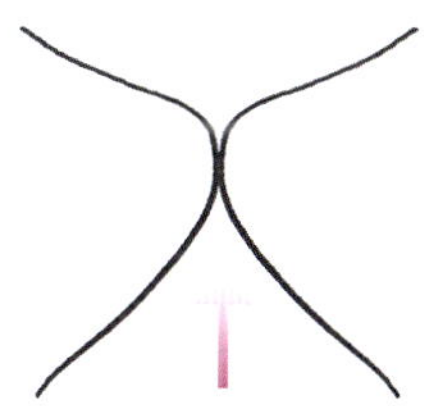

4. Durch den subglottischen Druck öffnen sich die Stimmlippen allmählich wieder. Damit kehren sie zu Position 1 zurück.

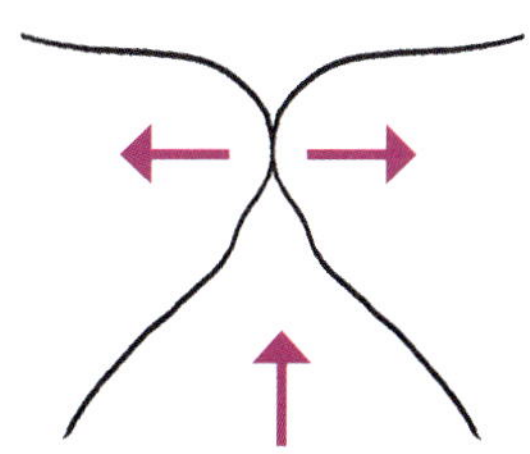

Dieses Phänomen der Wellenbewegung der Schleimhaut erklärt, warum die menschliche Stimme in der Lage ist, leise hohe Töne zu erzeugen. Tatsächlich ist es möglich, Klänge mit gedehnten Stimmlippen (hohe Töne) und geringem Druck (leise Töne) zu erzeugen, bei denen die Stimmbänder sich fast nicht berühren.

Die drei Ebenen des Kehlkopfes

Im Frontalschnitt kann man drei Ebenen des Kehlkopfes sehen, die vertikal übereinander liegen. Jeder dieser Bereiche weist spezifische Merkmale auf, die für die Stimmerzeugung wichtig sind. Im Folgenden betrachten wir diese drei Ebenen in der Reihenfolge, in der die Atemluft beim Ausatmen hindurchströmt – das heißt, wir werden erst die subglottische, dann die glottische und schließlich die supraglottische Ebene beschreiben.

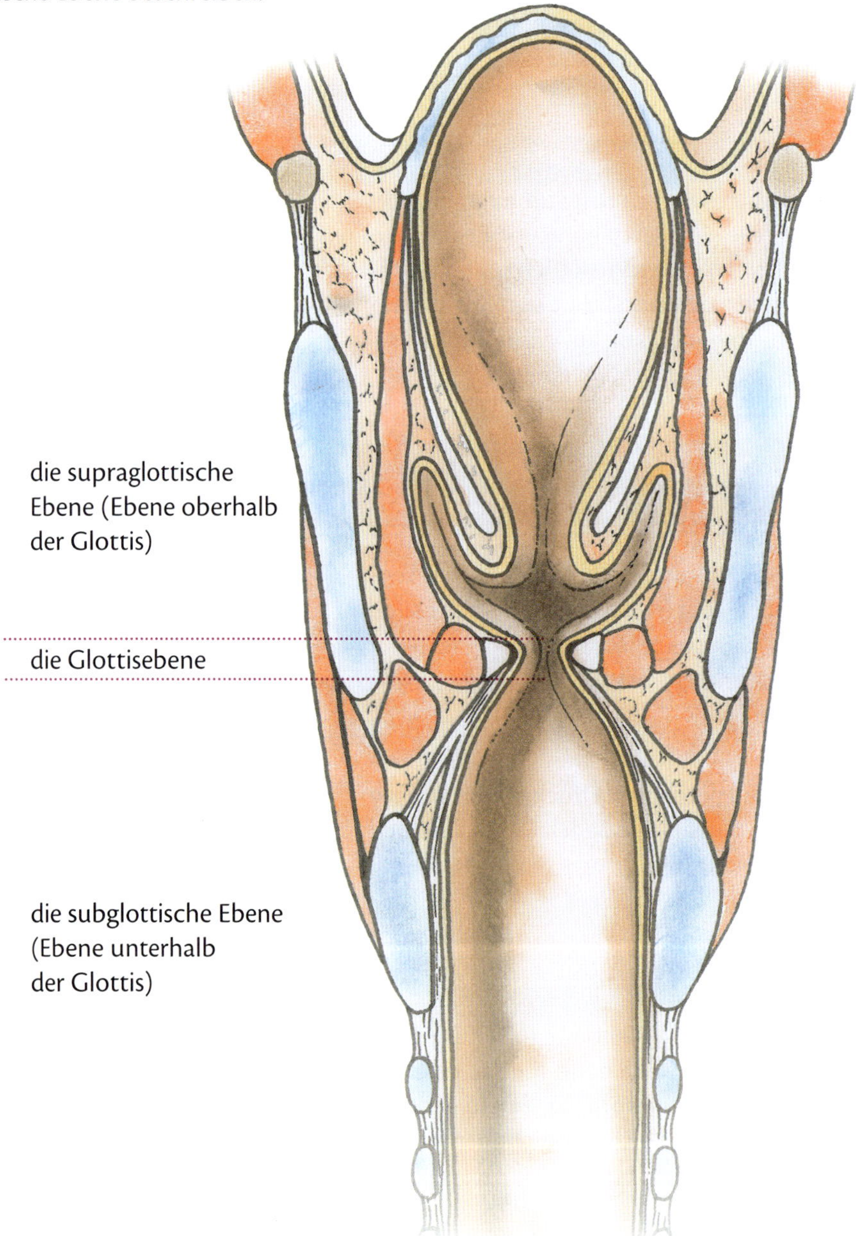

Die subglottische Ebene (unterhalb der Glottis)

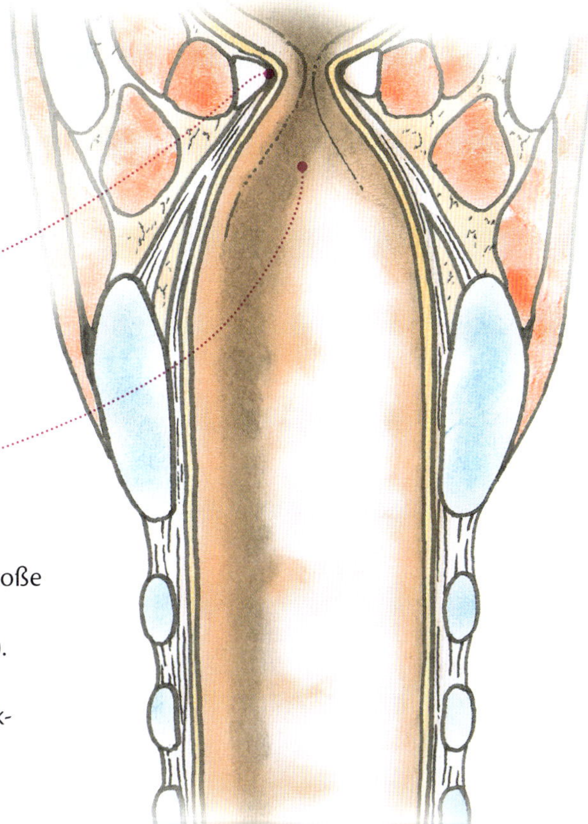

Dies ist der Bereich am oberen Ende der Luftröhre, direkt unter den Stimmlippen. Die Schleimhaut verläuft hier von der Innenwand der Luftröhre aus zur Innenseite der Stimmlippen. Dadurch ist diese Ebene, von innen betrachtet, so geformt, dass sie nach oben hin schmaler wird. Deshalb bezeichnet man die subglottische Ebene auch als *Conus elasticus* („elastischer Kegel").

Hier, tief in der Schleimhaut, gibt es eine große Anzahl von druckempfindlichen Nervenrezeptoren (auch Barorezeptoren genannt). Diese Rezeptoren werden bei jeder Druckveränderung stimuliert. So wird jede Druckveränderung durch ausgeatmete Luft vom sensorischen Nervensystem „erkannt".

Dieses Erkennen ermöglicht eine Anpassung der Stimmlippen an die geänderten Druckverhältnisse. Dadurch kann, durch genügend Übung, kontrolliert werden, ob der Druck unter den Stimmlippen für den Klang, der erzeugt werden soll, zu stark oder zu schwach ist. Sie können dann die Position der Stimmlippen in Bezug auf den Druck anpassen – oder auch den subglottischen Druck in Bezug zum gewünschten Klang anpassen. Der subglottische Raum ist daher für die Regulierung von Druck und Kehlkopf von großer Bedeutung.

Die Glottisebene (auf der Höhe der Glottis)

Auf dieser Ebene liegen die Stimmbänder (siehe S. 146) und der Schleimhautbereich, der die Stimmlippen formt.
Er hat zwei charakteristische Eigenschaften:

- Die Schleimhautstruktur hier unterscheidet sich von derjenigen der subglottischen Schleimhaut. Die subglottische Schleimhaut besteht aus **respiratorischem Flimmerepithel**, wie es auch in den Bronchien vorkommt.
  Die Schleimhaut der Stimmlippen hingegen besteht aus demselben Material wie die Mundes: aus mehrschichtigem Plattenepithel.

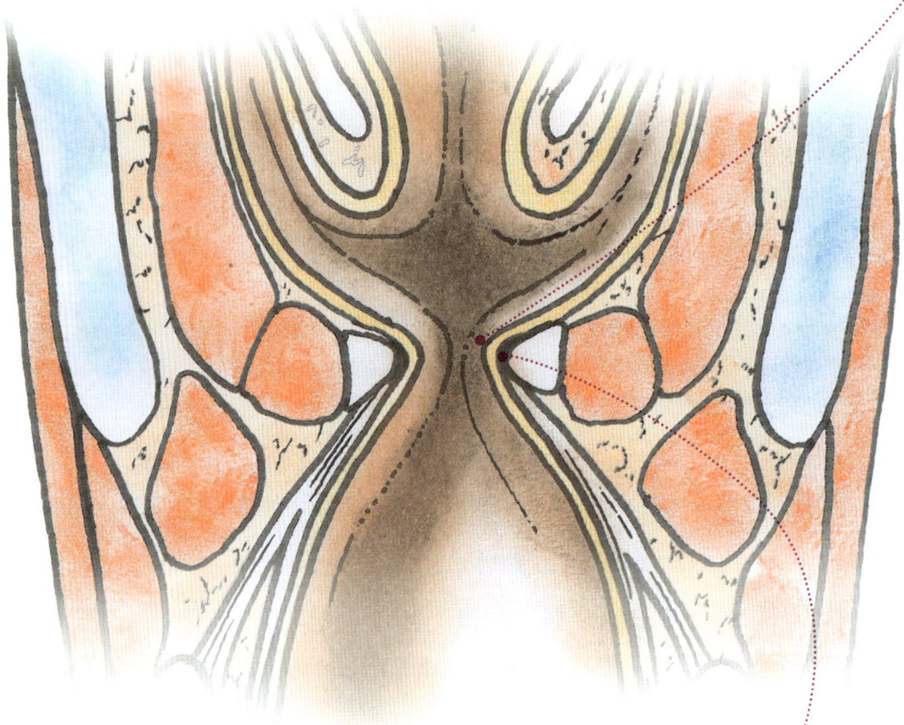

- Im Bereich der Stimmlippen haftet die Schleimhaut nicht am darunterliegenden Gewebe. Der schmale Gewebezwischenraum zwischen dem Stimmband und der Schleimhaut wird als „Reinke-Raum" bezeichnet. Hier liegt die Schleimhaut locker auf dem *Ligamentum vocale*, sie kann sich etwas vom Stimmband lösen und auf ihm hin und her gleiten. Dadurch wird die Wellenbewegung der Schleimhaut beim Singen möglich (siehe S. 167). Der Reinke-Raum hat nur eine geringe oder gar keine Gefäßversorgung. Hier ereignen sich oft Erkrankungen, insbesondere Ödeme (Schwellungen), welche die Wellenbewegung schwierig machen und dadurch die Vibration im Kehlkopf gefährden.

Die Glottis ist ein Raum (Stimmritze)

Häufig wird angenommen, dass die Glottis ein Organ ist. In Wirklichkeit bezeichnet dieser Begriff nur den Zwischenraum, der seitlich von den Stimmlippen begrenzt wird. Die Form der Glottis kann sich verändern, auch unabhängig von der Stimmproduktion. Aber die Form der Glottis hat einen direkten Einfluss auf die Stimmproduktion.

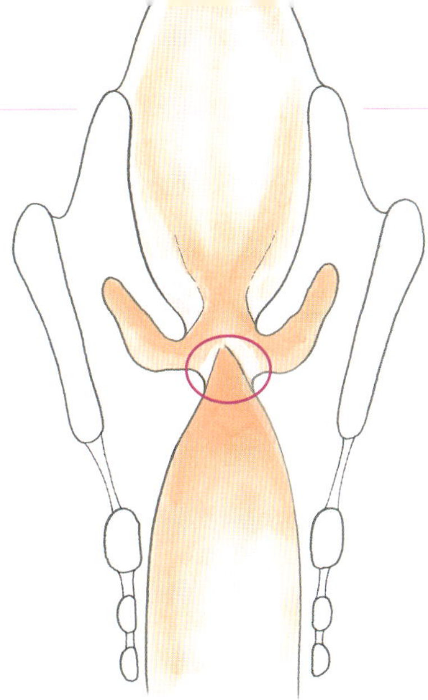

Die Glottis kann geschlossen werden

Wenn die Glottis „geschlossen" ist, sind die Stimmlippen so nah beieinander, dass sie sich berühren. Das nennt man „Adduktion der Stimmlippen" oder „Adduktion der Glottis".* Wenn die Glottis geschlossen ist, können Luft, Flüssigkeit und Feststoffe nicht passieren. Der Verschluss der Glottis ist keine Ruheposition, sondern das Ergebnis einer Muskelanspannung, die mehr oder weniger stark sein kann (siehe nächste Seite).

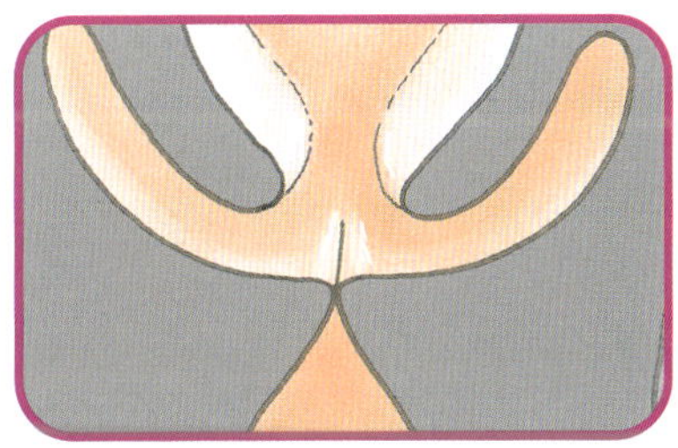

„Der Kloß im Hals"

Manchmal schließt sich die Stimmritze, obwohl dies nicht gewünscht ist, sogar unbewusst oder unfreiwillig. Man sagt dazu: „einen Kloß im Hals haben".

Glottis und Phonation

Das Zusammentreffen der Stimmlippen ist eine Voraussetzung für die Phonation. Allerdings muss die Glottis nicht notwendigerweise vollkommen geschlossen sein. In einem frontalen Schnitt sieht man, dass die Stimmlippen sogar etwas konkav zur Glottis hin gewölbt sind. Es ist dann der Bernoulli-Effekt (siehe S. 166), der die Stimmlippen zum Zeitpunkt des Luftdurchflusses aneinander saugt.

* Der Begriff Adduktion bezieht sich auf eine Bewegung in der Frontalebene (siehe S. 10), bei der sich eine Struktur zur Körpermitte hin bewegt. Hier bezieht sich der Begriff auf die Bewegung, bei der sich der hintere Teil der Stimmlippen zur Mitte der Glottis hin bewegt.

Es gibt verschiedene Möglichkeiten, die Glottis zu schließen. Dies hat direkten Einfluss auf die Entstehung von unterschiedlichen Vokalen.

Weicher Stimmeinsatz

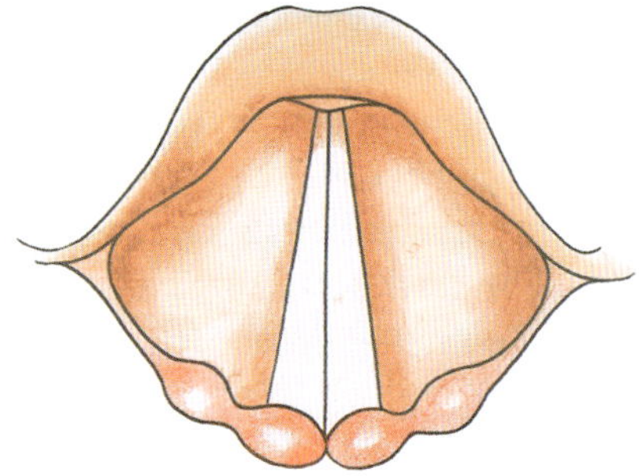

Die *Musculi interarytaenoidei* (*Transversus* und *Obliquus*, siehe S. 158) sind so kontrahiert, dass die Stimmlippen einander angenähert sind und deren Randkanten sich minimal berühren. Die Luft fließt nicht hindurch, bzw. kann nicht hindurch fließen, es sei denn, dass sich unter den Stimmlippen ein Luftdruck aufbaut, durch den eine Klangwelle entsteht (siehe S. 88, 148 und 284).

Stimmeinsatz

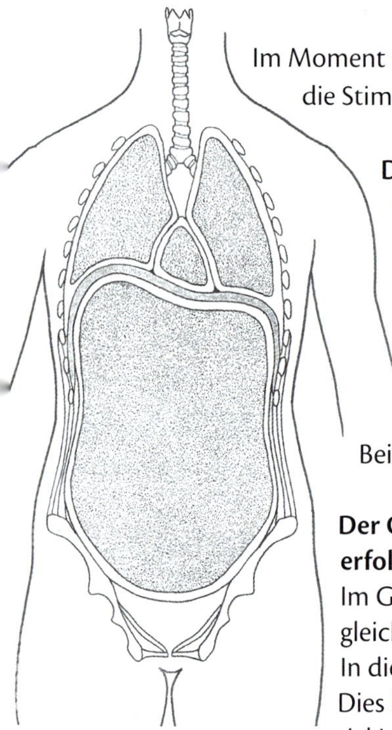

Im Moment der Klangentstehung (auch „Stimmeinsatz" genannt) können die Stimmlippen drei verschiedene Verschlusspositionen einnehmen:

Der Glottisschluss geht der Schwingung der Stimmlippen voraus.
In diesem Fall verhält sich die Glottis zunächst wie ein „Schließmuskel", der den Luftstrom unterbricht und so vor der Vibration einen subglottischen Luftdruck erzeugt. Wenn in diesem Fall die Stimmlippen zu schwingen beginnen, hört man einen kleinen Schlag, eine kleine Anfangsexplosion des Klanges. Dies bezeichnet man als *harten* oder *festen* Stimmeinsatz*. Ein extremes Beispiel dafür ist das, was passiert, wenn wir husten.

Der Glottisschluss kann während des Ausatmens schrittweise erfolgen.
Im Gegensatz zum ersten Beispiel unterbricht dieses Schließen gleichzeitig den Atemfluss und verwandelt ihn in Schallwellen. In diesem Fall hören wir den Atem beim Stimmeinsatz noch. Dies bezeichnet man als *hauchigen* Stimmeinsatz. Hierbei geht viel Luft verloren.

Der Glottisschluss kann auch im selben Moment passieren, in dem die Stimmlippen zu schwingen beginnen. In diesem Fall wird der Luftstrom sofort in eine Schallwelle umgewandelt. Man nennt diese Phonationsart den *weichen* Stimmeinsatz.

In keiner dieser Positionen müssen die Stimmlippen und/oder die Taschenfalten symmetrisch schließen, und folgerichtig schließt auch die Glottis nicht notwendigerweise symmetrisch.

* Anmerkung: Der feste Stimmeinsatz („Knacklaut") ist ein Charakter gebender Bestandteil der deutschen Sprache beim Vokal im Anlaut eines Wortes oder einer Silbe. Er ist nicht stimmgefährdend und nicht zu verwechseln mit den Glottisschlag oder „harten" Einsatz. Siehe Seidner, ABC des Singens, S. 106.

Glottisschluss mit medialer Kompression

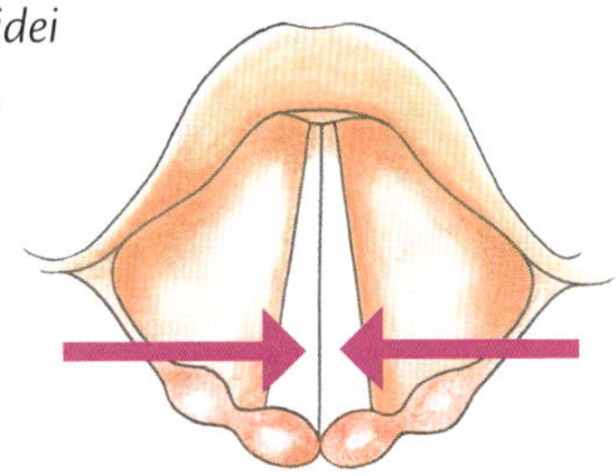

Wenn die Glottis geschlossen ist, sind die *Musculi interarytaenoidei* kontrahiert, wie bei den vorher beschriebenen Vorgängen auch. Nun kommt die Kontraktion des linken und rechten *Lateralis* (siehe S. 161) hinzu. Diese Muskeln drehen die Stellknorpel so, dass die *Processi vocali*, also die Fortsätze, wo die *Ligamenta vocalia* ansetzen, sehr eng aufeinander treffen. Dieser Effekt wird als *mediale Kompression* bezeichnet. Dadurch liegen die Stellknorpel auf ihrer gesamten Länge eng nebeneinander. Der schwingende Teil der Stimmlippen ist verkürzt, was die Produktion sehr hoher Töne ermöglicht.

Stark geschlossene Glottis

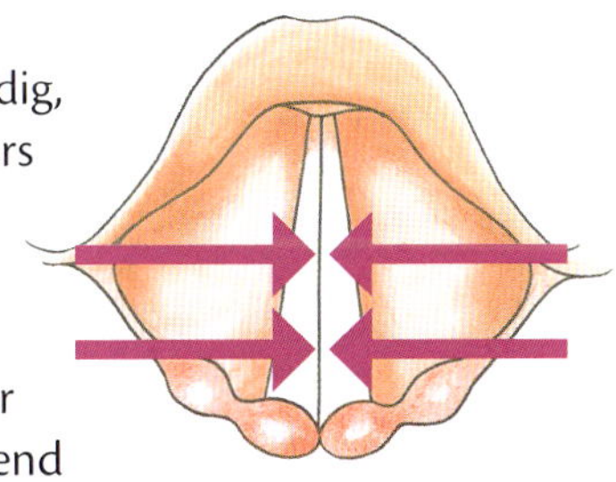

Die *Musculi interarytaenoidei* sowie der *Lateralis* kontrahieren mit großer Intensität. Diese Art des Glottisschlusses ist notwendig, wenn der subglottische Druck aus folgenden Gründen besonders hoch ist:

- wenn wir einen kraftvollen Klang erzeugen,
- wenn wir sehr hohe Töne produzieren. Die Stimmbänder sind dann sehr lang und dünn und schließen dadurch weniger leicht. Es kann dann passieren, dass die Glottis nicht ausreichend geschlossen ist und dadurch bei der Stimmerzeugung etwas Luft verloren geht,
- wenn wir husten.

Stark geschlossene Glottis mit geschlossenen Taschenfalten

Die *Musculi interarytaenoidei* sowie der *Lateralis* sind, wie oben beschrieben, stark kontrahiert. Die Glottis ist fest verschlossen, weil die Stimmlippen sehr eng aneinander liegen. Es kann keine Luft entweichen. Auch wenn gleichzeitig ein hoher subglottischer Druck besteht, entweicht so meistens keine Luft, weder durch die vorderen zwei Drittel der Glottis, noch durch das hintere Drittel. Wenn man in dieser Position den Kehlkopf von oben betrachtet, kann man die Stimmlippen nicht sehen. Sie sind von den Taschenfalten verdeckt, die sich berühren.

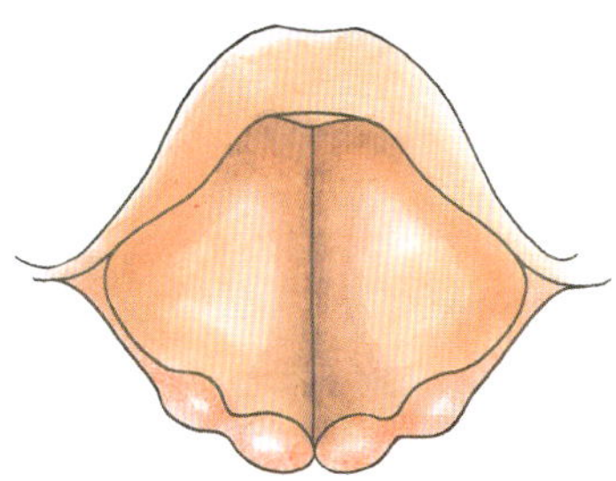

Position bei Anstrengung

Wenn wir stark husten müssen, laut brüllen oder Schluckauf haben, nehmen wir diese Position der Glottis ein, ebenso bei starker körperlicher Belastung, wenn wir das Ausatmen unterdrücken wollen.

Die geöffnete Glottis

Man kann hier zwei Schlüsselpositionen beobachten und dazwischen vielfältige Abstufungen.

Leicht geöffnete Glottis

Die innere Kehlkopfmuskulatur ist entspannt. Die Stimmlippen berühren sich nicht, sondern liegen etwas auseinander. Die Atemluft fließt mit einem leisen Reibe-Geräusch hindurch.

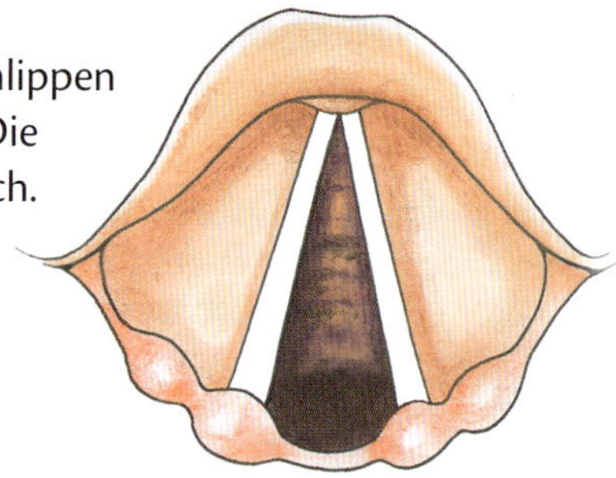

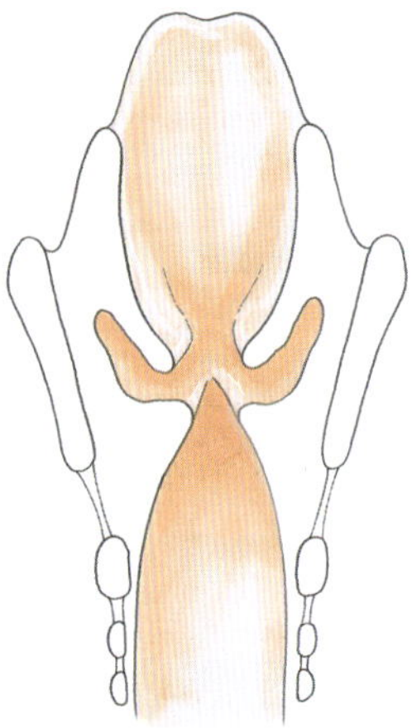

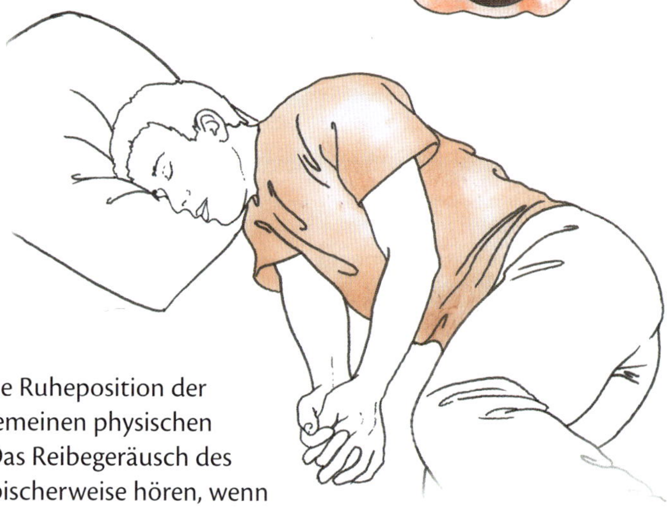

Es handelt sich hierbei um eine Ruheposition der Glottis, die oft mit einem allgemeinen physischen Ruhezustand verbunden ist. Das Reibegeräusch des Luftstroms ist das, was wir typischerweise hören, wenn wir auf die Atmung einer schlafenden Person hören.

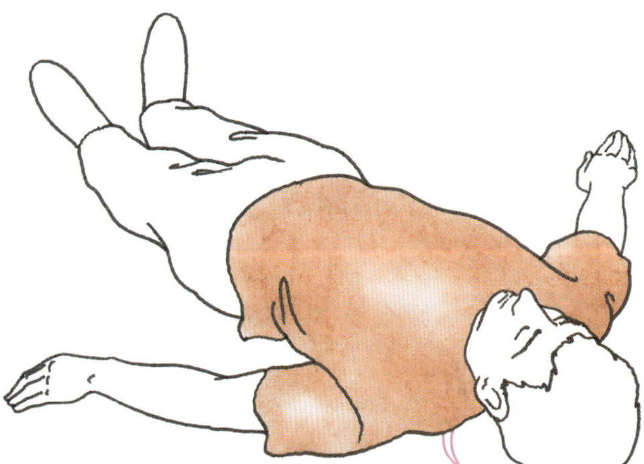

Ein Zeichen für körperliche Entspannung

Dieses leichte Reibegeräusch kann bei Entspannungsübungen als Anzeichen für das Maß körperlicher Entspannung gelten (meistens in liegender oder anderer körperlich entspannter Position). So auch in jeder beliebigen Position, um bei der Stimmarbeit zu überprüfen, ob die Glottis entspannt ist.

Weit geöffnete Glottis (die „forcierte Öffnung")

Die *Musculi interarytaenoidei* (*Transversus* und *Obliquus*, siehe S. 158) sind entspannt. Es findet keine Adduktion, das heißt keine Annäherung der Stimmlippen statt. Der *Posticus* (*Musculus cricoarytaenoideus posterior*, siehe S. 156) ist kontrahiert und dreht die Stellknorpel nach außen. Die Stimmlippen sind geöffnet. Die Öffnung der Glottis hat die Form eines Fünfecks. Die Atemluft fließt geräuschlos hindurch.* Es ist kein Atemgeräusch zu hören, weder beim Ein- noch beim Ausatmen, auch dann nicht, wenn man es mithilfe eines Mikrofons kontrolliert.

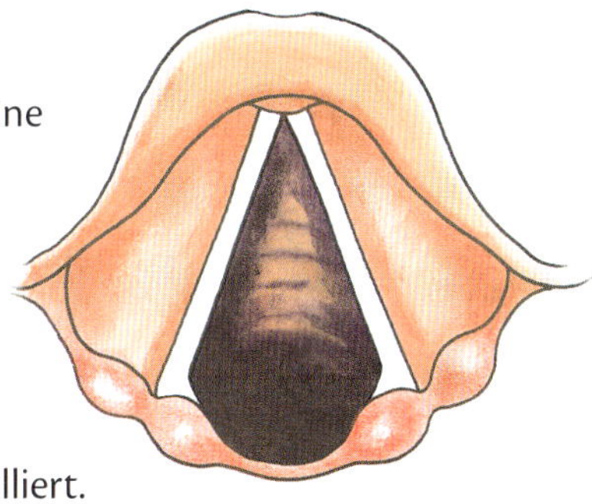

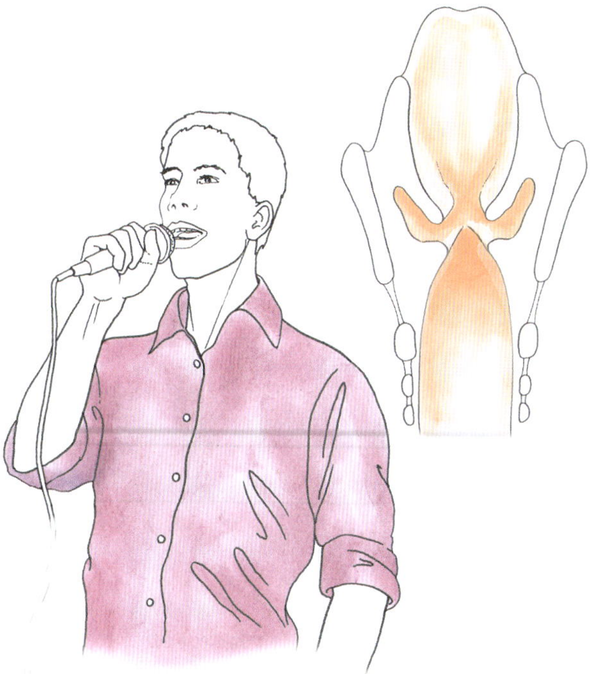

Details

Sie können üben, den Unterschied zwischen diesen beiden offenen Positionen besonders mithilfe eines Mikrofons zu erkennen. Beginnen Sie in einer entspannten Position, mit nur leichten Reibegeräuschen. Versuchen Sie dann einmal überhaupt keine Geräusche zu erzeugen und beobachten Sie, was passiert, wenn Sie vollkommen lautlos atmen. Dabei werden Sie sich höchstwahrscheinlich ein wenig anstrengen müssen, insbesondere in demjenigen Bereich des Kehlkopfes, welchen Sie auf Seite 141 ertastet haben.

Geöffnete Glottis und Phonation

Die offene Glottis schafft die Voraussetzung für geflüsterte Vokale.
Sie ermöglicht zudem die Produktion von stimmlosen Konsonanten.
Man kann das Öffnen der Glottis spüren, wenn man von einem stimmhaften in einen stimmlosen Konsonanten übergeht, wie beispielsweise:

von [v] nach [f]

von [z] nach [s]

von [j] nach [ç].

* Vorsicht: Hier können dennoch Reibegeräusche zu hören sein, die aber an einer anderen Stelle des Vokaltraktes entstanden sind (siehe Kapitel 6).

Die supraglottische Ebene (oberhalb der Glottis)

Hier befinden sich die **Taschenfalten**. Diese Schleimhautfalten liegen oberhalb der Stimmlippen auf der supraglottischen Ebene. Sie werden auch als „falsche Stimmbänder" bezeichnet. Es gibt eine auf der rechten und eine auf der linken Seite.

Zwischen der Taschenfalte und der Stimmlippe gibt es auf beiden Seiten einen Hohlraum in der Tiefe der Schleimhaut, der durch eine Ausstülpung entsteht. Dieser Hohlraum wird *Ventriculus laryngis* oder **Morgagnischer Ventrikel** genannt.

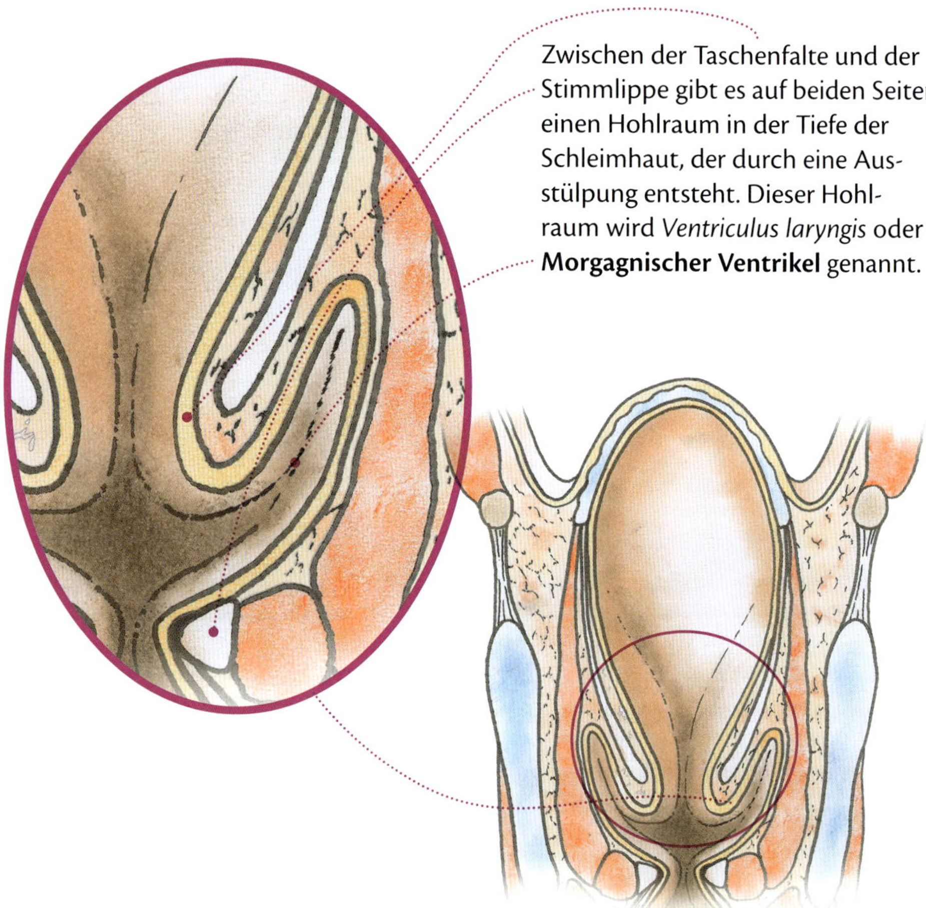

Die Taschenfalten sind nicht nur Schleimhautfalten (als welche sie oft beschrieben werden), sondern sie werden in ihrer Tiefe durch eine Verdickung des *Musculus thyroarytaenoideus externus (TA externus)* verstärkt. Die Taschenfalten können daher durch die Kontraktion dieses Muskels aktiv ihre Form verändern. Sie sind also nicht passiv, sondern können von selbst dicker oder dünner werden und mehr oder weniger geschlossen sein. Zudem tragen sie zur „Schließmuskelfunktion" des Kehlkopfes bei (siehe S. 164). Durch den *TA externus* kann also die Form der Taschenfalten je nach Bedarf verändert werden, sie können sich weiter vertiefen oder im Gegenteil abflachen. Sie sind die ersten Resonanzräume über den Stimmlippen. Wenn sie sich verändern, so verändert sich auch der Klang der Stimme.

Die Taschenfalten und die Stimmfarbe in den oberen Registern

Es gibt eine „Verwandtschaft" zwischen den inneren und äußeren *Musculi thyroarytaenoidei (TA internus* und *externus).* Wenn sich die Glottis fest schließt, kontrahiert der innere TA stark. Der äußere TA neigt dann durch seine Nähe zum inneren TA ebenfalls dazu, zu kontrahieren. Das geschieht spontan, wenn die Stimme höher wird: Der subglottische Druck steigt, die Stimmlippen werden immer mehr gedehnt, die *Musculi TA interni* ziehen sich zusammen, um den Stimmlippen zu helfen, Widerstand gegen den subglottischen Druck zu leisten. Die *Musculi TA externi* kontrahieren ebenfalls, um die *interni* zu unterstützen. Das Ergebnis ist, dass sich die Taschenfalten einander annähern, wenn die Töne steigen. Dadurch wird der Durchmesser des ersten supraglottischen Raumes reduziert, was die Klangfarbe verändert. Beim klassischen Gesang gibt es das Klangideal, dass das Timbre gleichmäßig sein soll und die Unterschiede ausgeglichen werden sollen.
In den höheren Lagen versucht man daher, die Muskulatur der Taschenfalten entspannt zu halten, während die Muskulatur der Stimmbänder kontrahiert.

Gewohnheitsmäßiges Schließen

Es ist wichtig zu wissen, dass das Schließen der Taschenfalten nicht schädlich für den Kehlkopf ist, unabhängig von Gesangsstilen, die Veränderungen der Klangfarbe vermeiden oder fordern. Wir führen diese Bewegung ohne Probleme automatisch jeden Tag aus.

Die Schwingungen der Taschenfalten

Die Taschenfalten können schwingen, aber viel langsamer als die echten Stimmlippen: deshalb ist der dabei entstehende Klang viel tiefer.
Bei den Taschenfalten schwingt die Schleimhaut, und zwar auf eine ähnliche Art wie die des Gaumensegels. Manchmal schwingen Taschenfalten und Stimmlippen auch gleichzeitig.
Es stimmt also nicht, dass die Schwingungen der Taschenfalten ein Falsett (Kopfstimme bei einem Mann) erzeugen, wie manchmal gesagt wird. Das Schwingen der Taschenfalten erzeugt keinen hohen, sondern im Gegenteil einen tiefen Klang.

Der aryepiglottische Raum, Bereich des Twang

Über den Taschenfalten gibt es noch einen weiteren Raum, der noch unterhalb des Kehldeckels liegt und damit noch nicht ganz zum Rachenraum zählt.
Er wird begrenzt durch

- den Kehldeckel oben,
- die Taschenfalten unten,
- die beiden *Musculi aryepiglottica* an den Seiten und oben,
- die beiden *Musculi TA externes* (siehe S. 163) an den Seiten und unten.

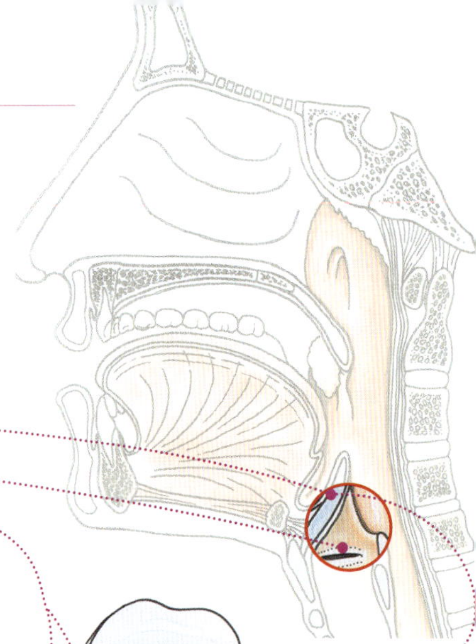

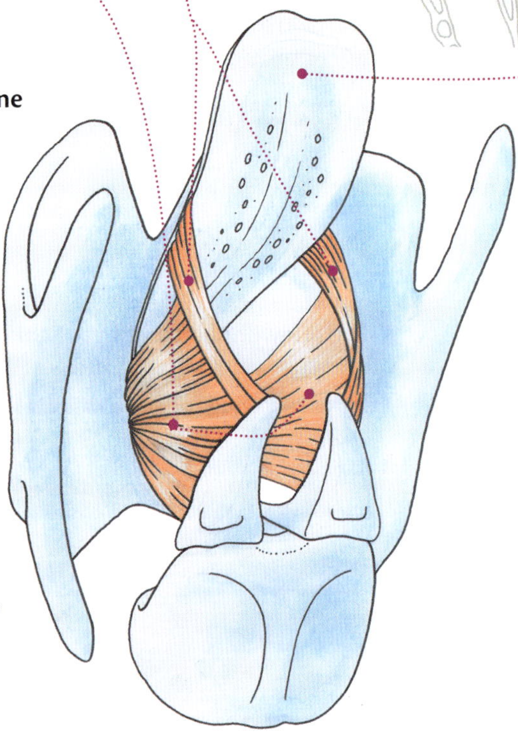

Dieser Raum kann auf zwei verschiedene Arten seine Form verändern
Werden die seitlichen Muskeln kontrahiert, so wird der Raum schmaler. Die Kontraktion der *Musculi aryepiglottica* verursacht gleichzeitig ein Absenken des Kehldeckels. Dieses Absenken des Kehldeckels hat aber nichts mit dem Zurückziehen der Zunge zu tun, wie das beim Schlucken der Fall ist.

Die Verengung des *aryepiglottischen* Raumes begünstigt spezielle hohe Obertöne. Die Stimmfarbe mit diesen speziellen Obertönen wird als „Twang" bezeichnet.

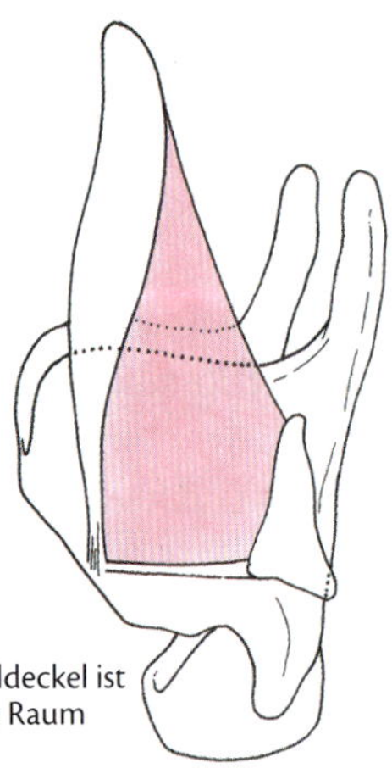

Bei geöffnetem Kehldeckel ist der aryepiglottische Raum weit.

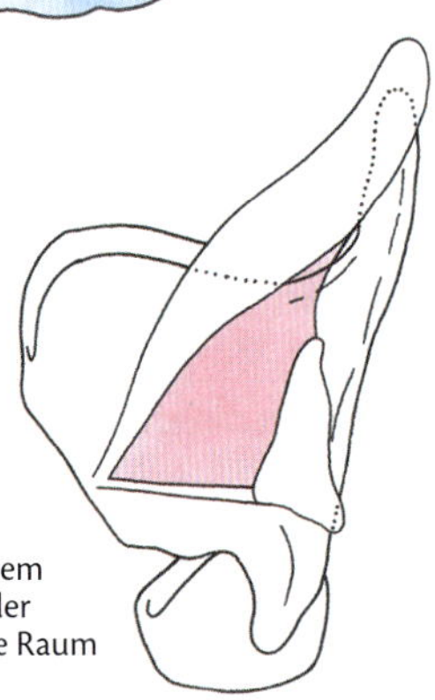

Bei geschlossenem Kehldeckel ist der aryepiglottische Raum verengt.

Ansicht des Kehlkopfes durch Laryngoskopie und Nasofibroskopie

Einige Untersuchungsformen ermöglichen es, den Kehlkopf von oben zu betrachten. Sie werden hier vorgestellt, um die Ausrichtung der Bilder je nach Untersuchungsmethode verständlich zu machen und um eine Orientierung an die Hand zu geben (Bilder solcher Untersuchungen sind leicht im Internet zu finden).

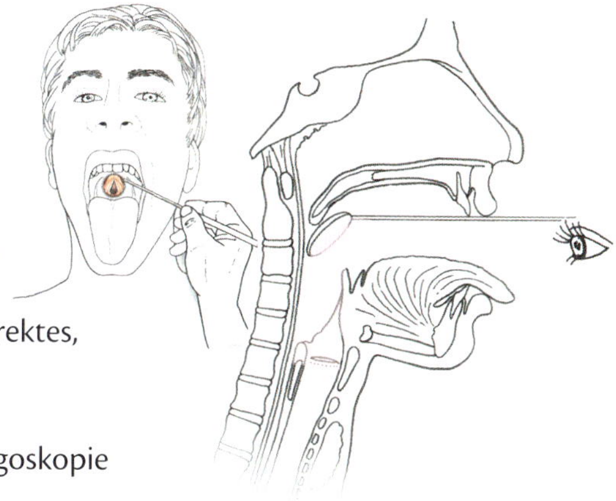

Eine **indirekte Laryngoskopie** ist die älteste Methode, sie wird aber immer noch manchmal verwendet. Hier wird ein Spiegel am Ende eines Stabes nach hinten in den Rachen gehalten.
Der Betrachter sieht im Spiegel dann ein indirektes, weil gespiegeltes Bild.

Der Kehldeckel liegt bei der indirekten Laryngoskopie oben.
Die Stimmlippen sehen aus wie zwei weiße Linien, die ein kleines Dach bilden, wenn die Glottis geöffnet ist. Neben den Stimmlippen sehen wir die Taschenfalten. Wir können sogar erahnen, wo die Luftröhre mit ihren Knorpelringen ist.
Man kann den Zwischenraum zwischen den Stimmlippen sehen, wenn die Glottis geöffnet ist. Die Stellknorpel (siehe S. 138) befinden sich am unteren Bildrand und bilden zwei runde Wölbungen. Zwei weitere etwas mittigere Wölbungen sind die Hörnchenknorpel (siehe S. 139).

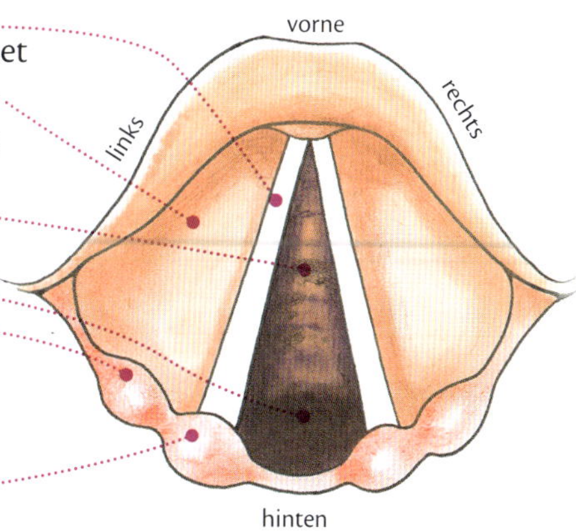

Bei einer **Laryngoskopie** wird ein starres Endoskop in den Mund eingeführt. Wir sehen die gleiche Ansicht wie bei der indirekten Laryngoskopie, aber anders herum. Die Stellknorpel befinden sich oben im Bild, der Kehldeckel unten.

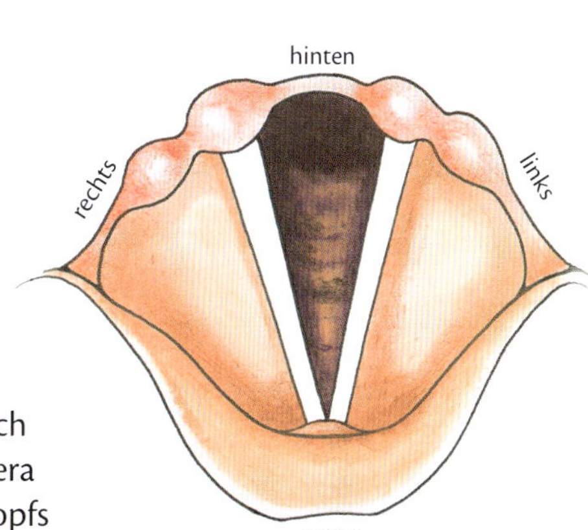

Bei der **Nasofibroskopie** wird ein flexibler Schlauch mit einer optischen Komponente und einer Kamera durch ein Nasenloch bis kurz oberhalb des Kehlkopfs eingeführt. Das Bild ist nicht spiegelverkehrt, die Stellknorpel befinden sich oben im Bild, der Kehldeckel unten.

Die äußere Kehlkopfmuskulatur

Auf den vorangegangenen Seiten haben wir die Muskeln betrachtet, die sich zwischen den Knorpeln des Kehlkopfes befinden. Man bezeichnet diese Muskeln als innere (intrinsische) Muskulatur des Kehlkopfes.

Es gibt noch andere Muskeln, die den Kehlkopf ebenfalls bewegen oder stabilisieren und die ihn mit benachbarten Strukturen verbinden:

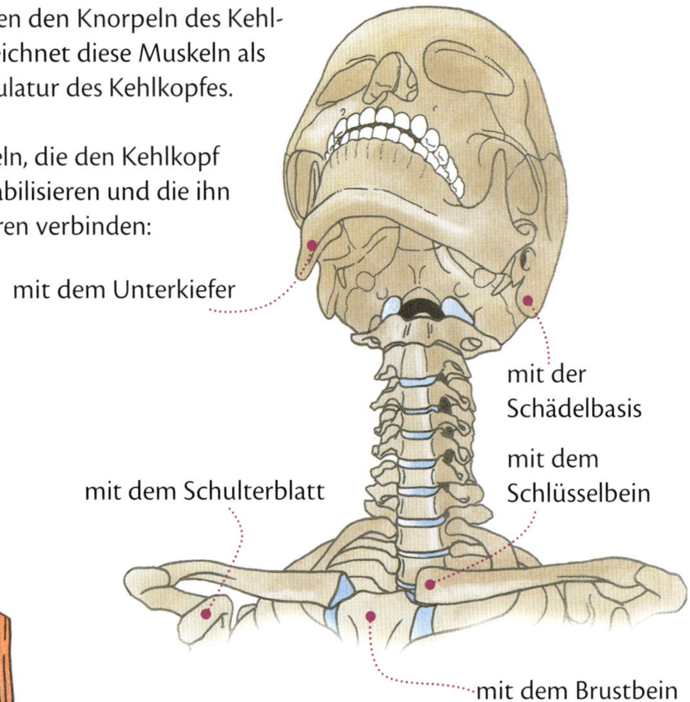

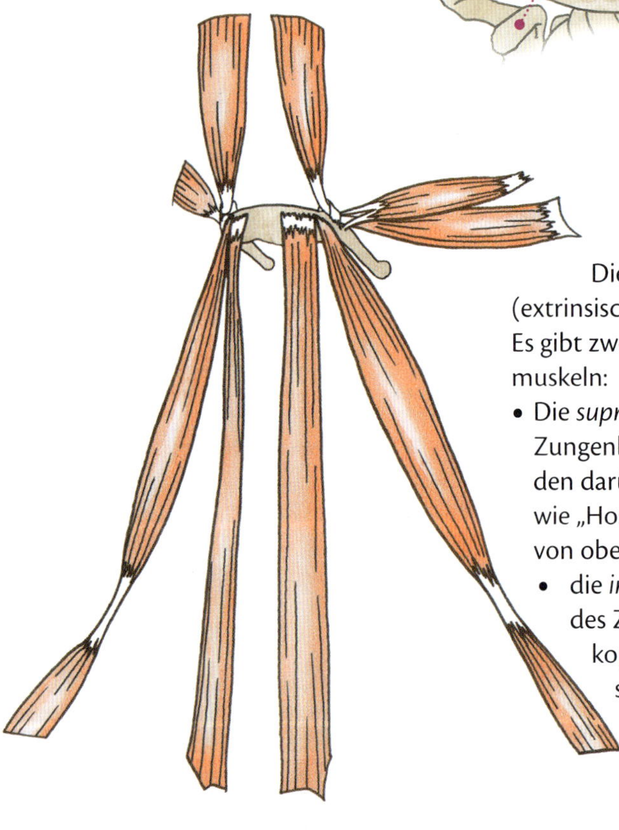

Diese Muskeln werden als äußere (extrinsische) Kehlkopfmuskeln bezeichnet. Es gibt zwei Gruppen der äußeren Kehlkopfmuskeln:

- Die *suprahyoidalen* Muskeln oberhalb des Zungenbeins verbinden den Kehlkopf mit den darüber liegenden Regionen. Sie sind wie „Hosenträger“, an denen der Kehlkopf von oben aufgehängt ist.
- die *infrahyoidalen* Muskeln unterhalb des Zungenbeins verbinden den Kehlkopf mit den unteren Bereichen. Sie sind wie „Gurte“, die den Kehlkopf nach unten hin verankern.

Die Muskulatur oberhalb des Zungenbeins

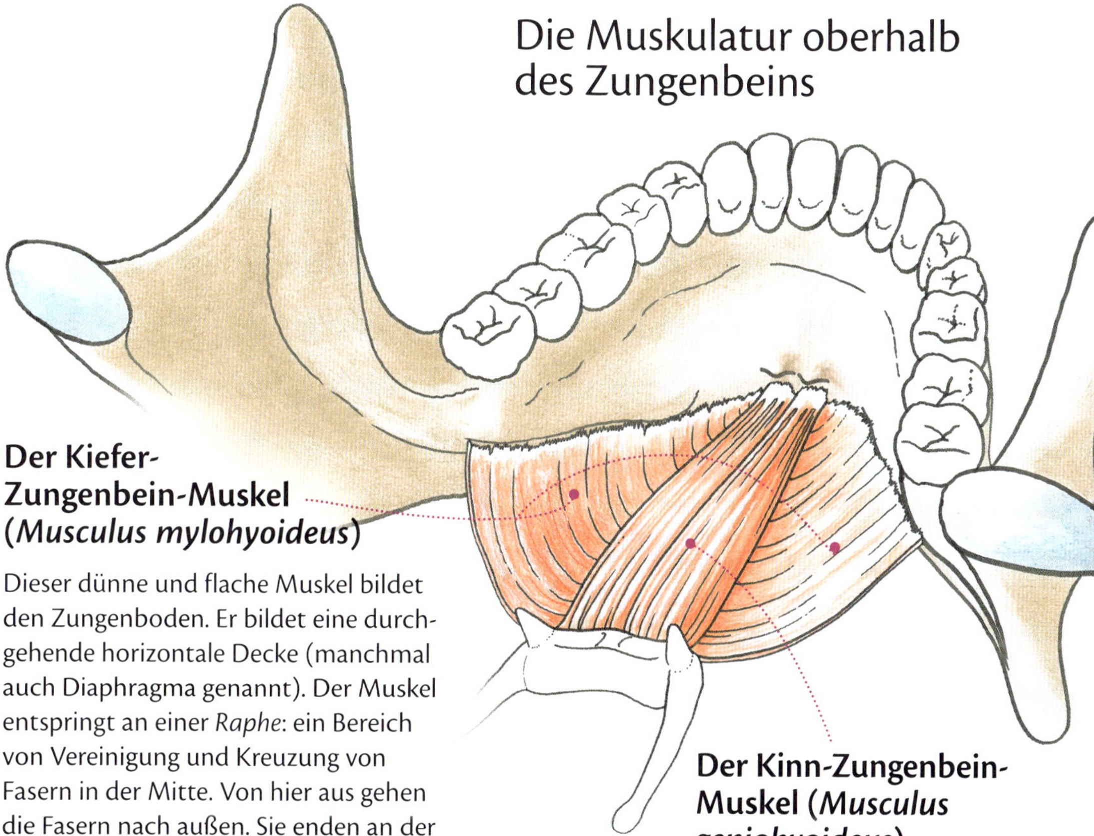

Der Kiefer-Zungenbein-Muskel (*Musculus mylohyoideus*)

Dieser dünne und flache Muskel bildet den Zungenboden. Er bildet eine durchgehende horizontale Decke (manchmal auch Diaphragma genannt). Der Muskel entspringt an einer *Raphe*: ein Bereich von Vereinigung und Kreuzung von Fasern in der Mitte. Von hier aus gehen die Fasern nach außen. Sie enden an der *Linea mylohyoidea*, einer zarten Knochenleiste an der Innenseite des Unterkiefers (siehe S. 74) und am vorderen Teil des Zungenbeins.

Der Kinn-Zungenbein-Muskel (*Musculus geniohyoideus*)

Dieser kleine Muskel verläuft von seinem Ansatz an der Symphyse des Unterkiefers (siehe S. 74) bis zum Zungenbein. Er liegt direkt über dem links beschriebenen *Musculus mylohyoideus.*

Die Aufgabe dieser Muskeln

Wenn sie kontrahieren, werden sie flacher. Sie unterstützen das Gewicht der Zunge. Sie sind daran beteiligt, das Zungenbein zu heben und es nach vorne zu ziehen. Außerdem helfen sie, den Unterkiefer zu senken.

Übung

Wir können diese Muskeln trainieren, indem wir die Zunge an den harten Gaumen heben, zum Beispiel, kurz bevor wir mit der Zunge schnalzen.

Der zweibäuchige Muskel (*Musculus digastricus*)

Dieser Muskel heißt so, weil er aus zwei Muskelsträngen oder -„bäuchen" besteht.

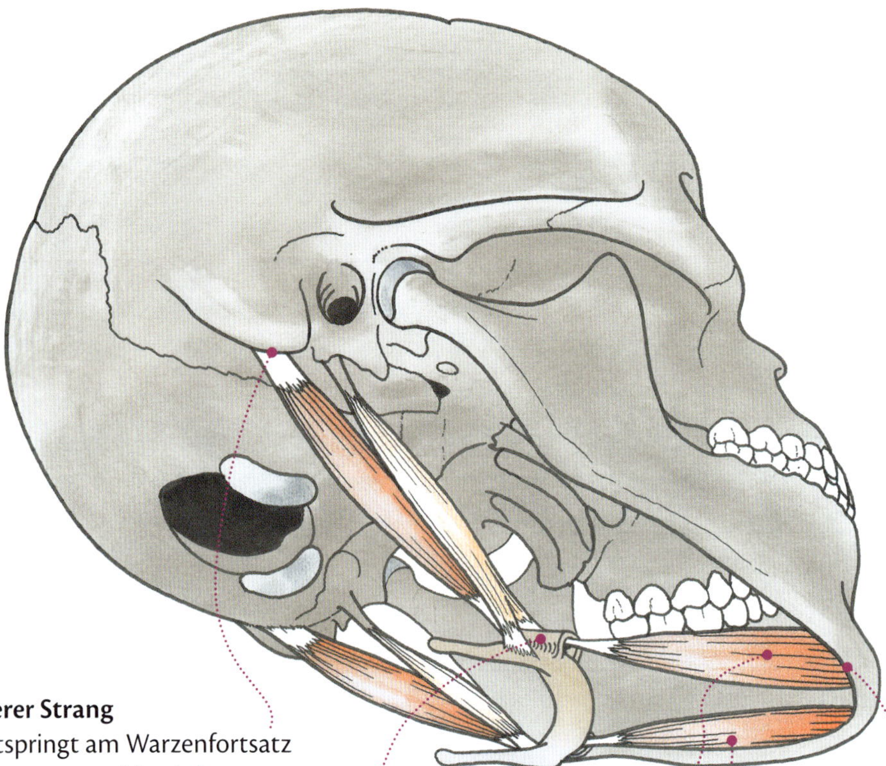

Hinterer Strang
Er entspringt am Warzenfortsatz (*Processus mastoideus*) des Schläfenbeins (*Os temporale*), verläuft nach vorne innen und dann unter einem faserigen Bündel hindurch, das am Zungenbein befestigt ist.
An dieser Stelle ist der Digastricus weniger ein fleischiger Muskelstrang als vielmehr eine Sehne ...

Vorderer Strang
... im weiteren Verlauf wird er wieder fleischiger und bildet einen zweiten Muskelstrang („Bauch"). Dieser verläuft nach vorne oben und endet auf der Rückseite des Unterkiefers in der *Fossa digastrica* (eine kleine Vertiefung des Unterkiefers), die unter den *Spinae mentales* (kleine Knochenvorsprünge, siehe S. 74) liegt.

Der Griffel-Zungenbein-Muskel (*Musculus stylohyoideus*)

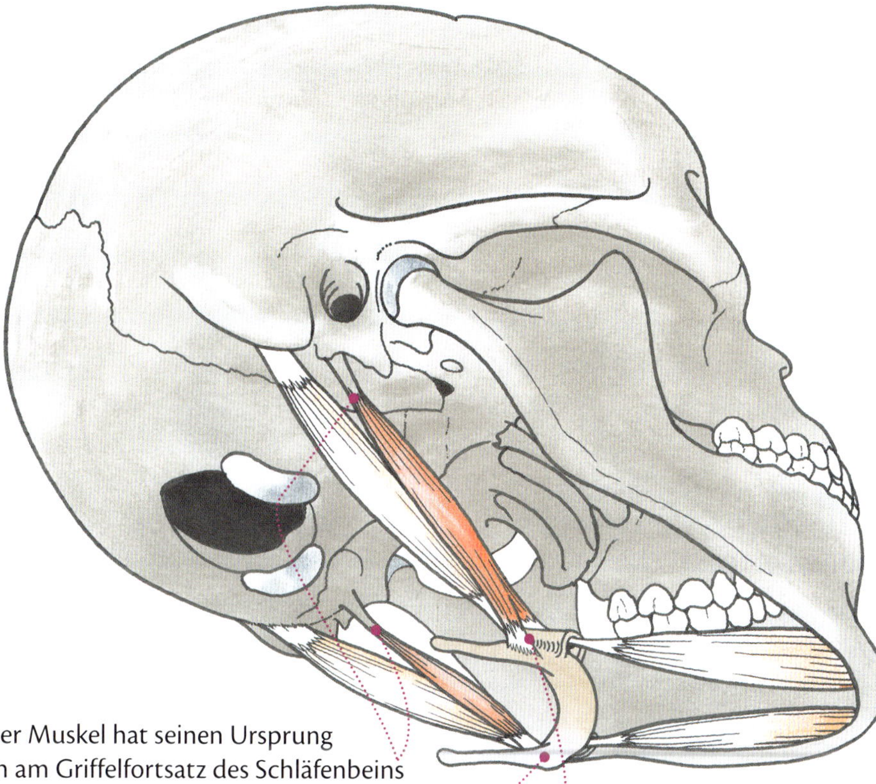

Dieser Muskel hat seinen Ursprung oben am Griffelfortsatz des Schläfenbeins (*Processus stylohyoideus* des *Os temporale*) (siehe S. 67). Er verläuft nach vorne innen und hat seinen Ansatz am seitlichen Körper des Zungenbeins (*Os hyoideum*) in der Nähe der kleinen Zungenbeinhörner.

Die Aufgaben des *Musculus stylohyoideus* und des *Digastricus*
Diese beiden Muskeln heben das Zungenbein an. Sie heben auch die Zungenwurzel an, was beim Schlucken wichtig ist. Wenn sie auf der einen Seite stärker arbeiten als auf der anderen, ziehen sie das Zungenbein auf diese Seite. Der horizontale Teil des *Digastricus* bildet den muskulären Zungenboden, zusammen mit dem *Mylohyoideus* und dem *Geniohyoideus*, die auf den vorherigen Seiten besprochen wurden.

Kopf, Hals, Kehlkopf

Wenn der Kopf nach hinten oder zur Seite bewegt wird, setzt diese Bewegung den einen oder anderen Faserstrang des *Digastricus* oder des *Stylohyoideus* unter Spannung. Diese ziehen gleichzeitig das Zungenbein nach oben oder zur Seite.

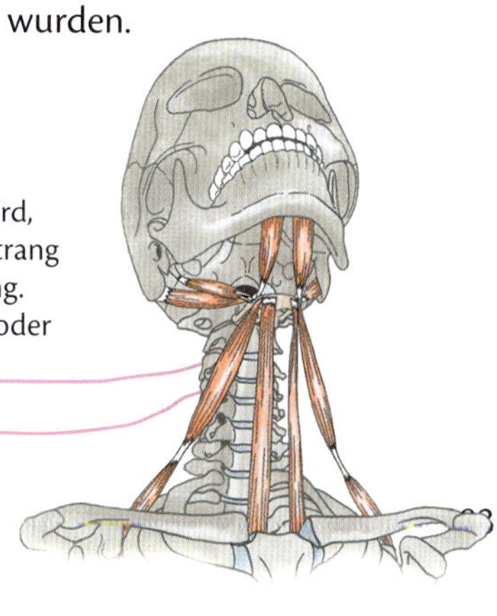

Die Muskulatur unterhalb des Zungenbeins

Zwei der unteren Zungenbeinmuskeln liegen besonders tief und bilden eine Abfolge:

- der Brustbein-Schildknorpel-Muskel (*Musculus sternothyroideus*),
- der Schildknorpel-Zungenbein-Muskel (*Musculus thyrohyoideus*).

Der *Musculus sternothyroideus*

Dieser Muskel hat seinen Ansatz auf der Vorderseite des Schildknorpels (*Cartilago thyroidea*) im oberen Bereich und verläuft von dort nach unten. Er hat seinen Ursprung an dem sogenannten „Handgriff" (*Manubrium sterni*) an der Vorderseite des Brustbeins (siehe S. 51).

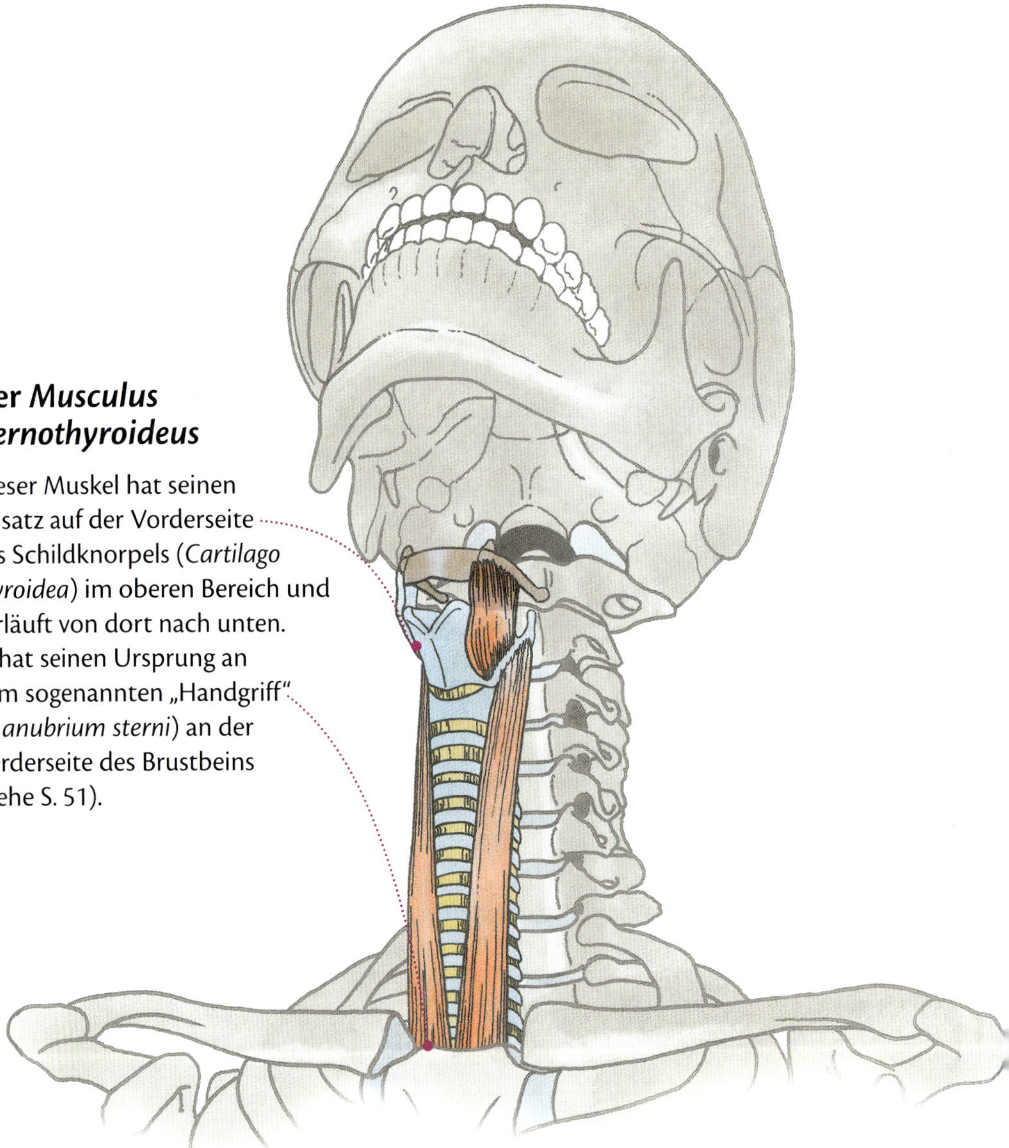

Seine Aufgabe
Dieser Muskel senkt den Schildknorpel.
Wenn er auf einer Seite stärker arbeitet als auf der anderen, so senkt er den Schildknorpel zu dieser Seite.

Auswirkung auf die Stimme

Der *Musculus sternohyoideus* ist einer der Muskeln, die den Kehlkopf senken.

Der Schildknorpel-Zungenbein-Muskel (*Musculus thyrohyoideus*)

Der *Musculus thyrohyoideus* setzt am unteren Rand der Basis des großen Zungenbeinhorns an und verläuft von dort abwärts. Er entspringt an der schrägen Linie (*Linea obliqua*) des Schildknorpels (am oberen Ende).

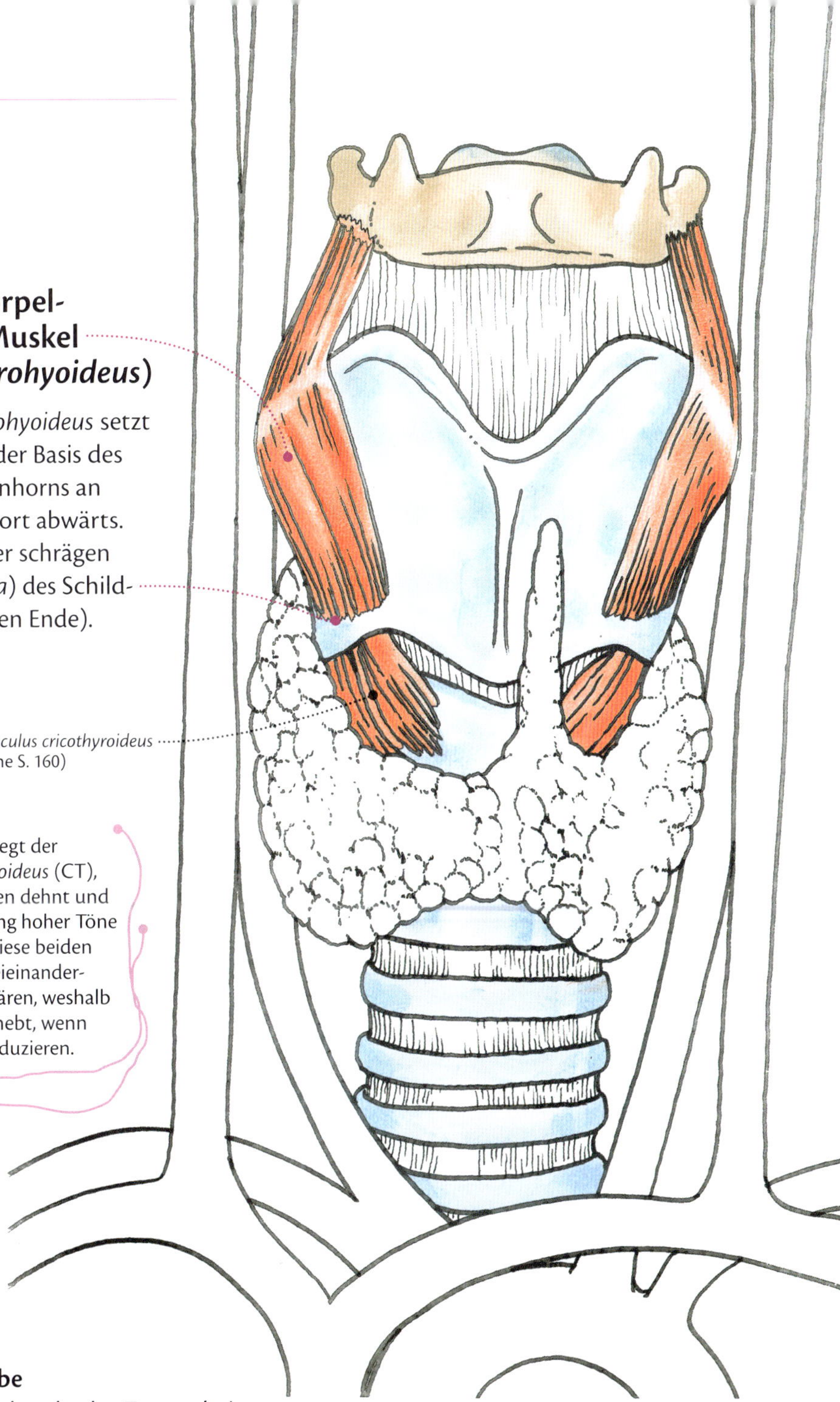

Details

Direkt unter ihm liegt der *Musculus cricothyroideus* (CT), der die Stimmlippen dehnt und damit die Erzeugung hoher Töne ermöglicht. Dass diese beiden Muskeln so nah beieinanderliegen, könnte erklären, weshalb der Kehlkopf sich hebt, wenn wir hohe Töne produzieren.

Seine Aufgabe

Dieser Muskel senkt das Zungenbein.
Wenn das Zungenbein allerdings fixiert ist, kann er den Schildknorpel heben.
Er trägt aktiv zur Aufhängung des Kehlkopfes am Zungenbein bei.

Zwei der unteren Zungenbeinmuskeln liegen näher an der Oberfläche:

- der Brustbein-Zungenbein-Muskel (*Musculus sternohyoideus*),
- der Schulter-Zungenbein-Muskel (*Musculus omohyoideus*).

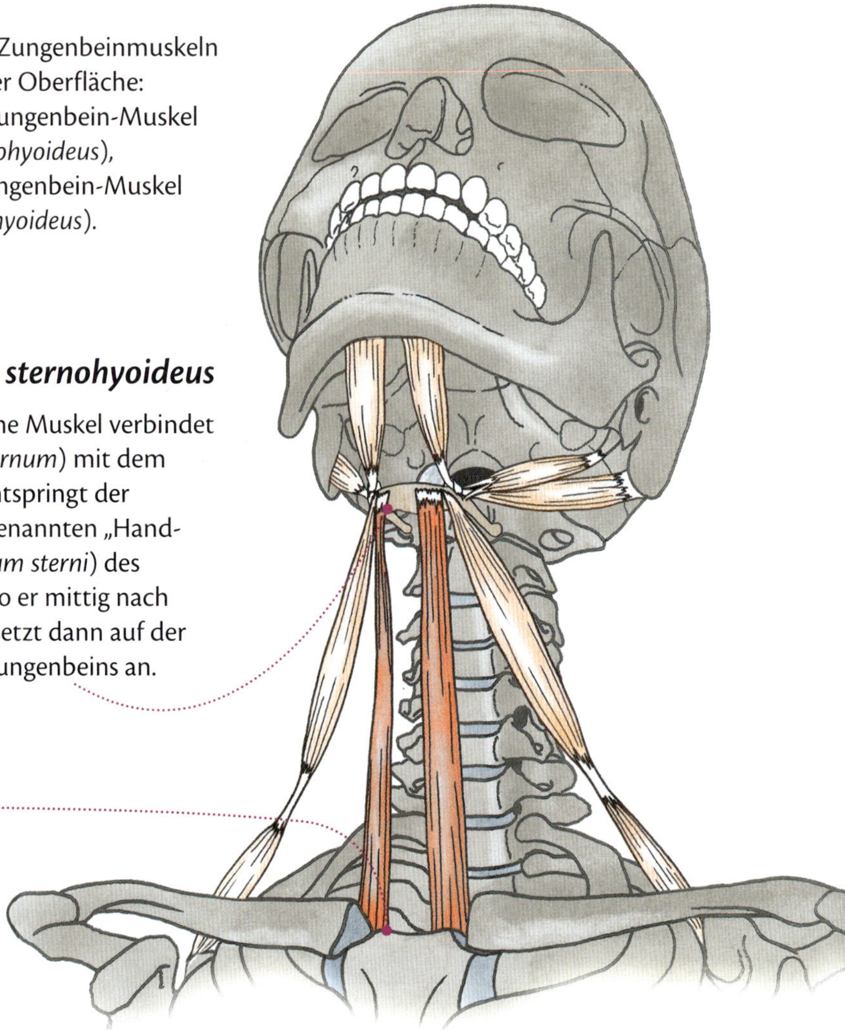

Der *Musculus sternohyoideus*

Dieser lange, dünne Muskel verbindet das Brustbein (*Sternum*) mit dem Zungenbein. Er entspringt der Rückseite des sogenannten „Handgriffes“ (*Manubrium sterni*) des Brustbeins, von wo er mittig nach oben verläuft. Er setzt dann auf der Vorderseite des Zungenbeins an.

Seine Aufgabe

Dieser Muskel senkt das Zungenbein.
Wenn er auf einer Seite stärker arbeitet als auf der anderen, so senkt er das Zungenbein zu dieser Seite.

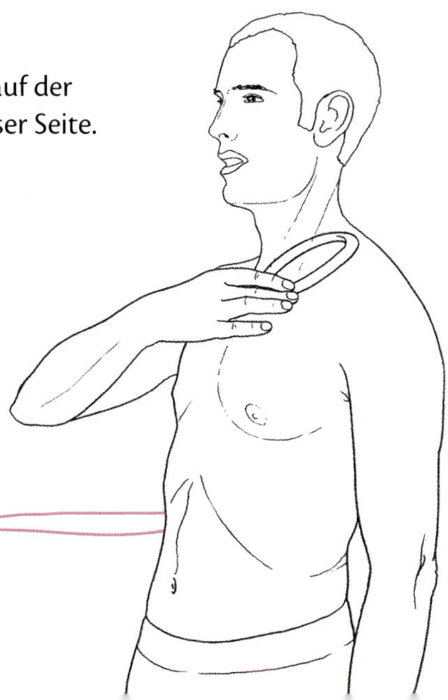

Brustkorb, Brustbein und Zungenbein

Bewegungen, welche Brustbein und Brustkorb absenken, setzen diesen Muskel unter Spannung und ziehen dadurch passiv das Zungenbein nach unten.

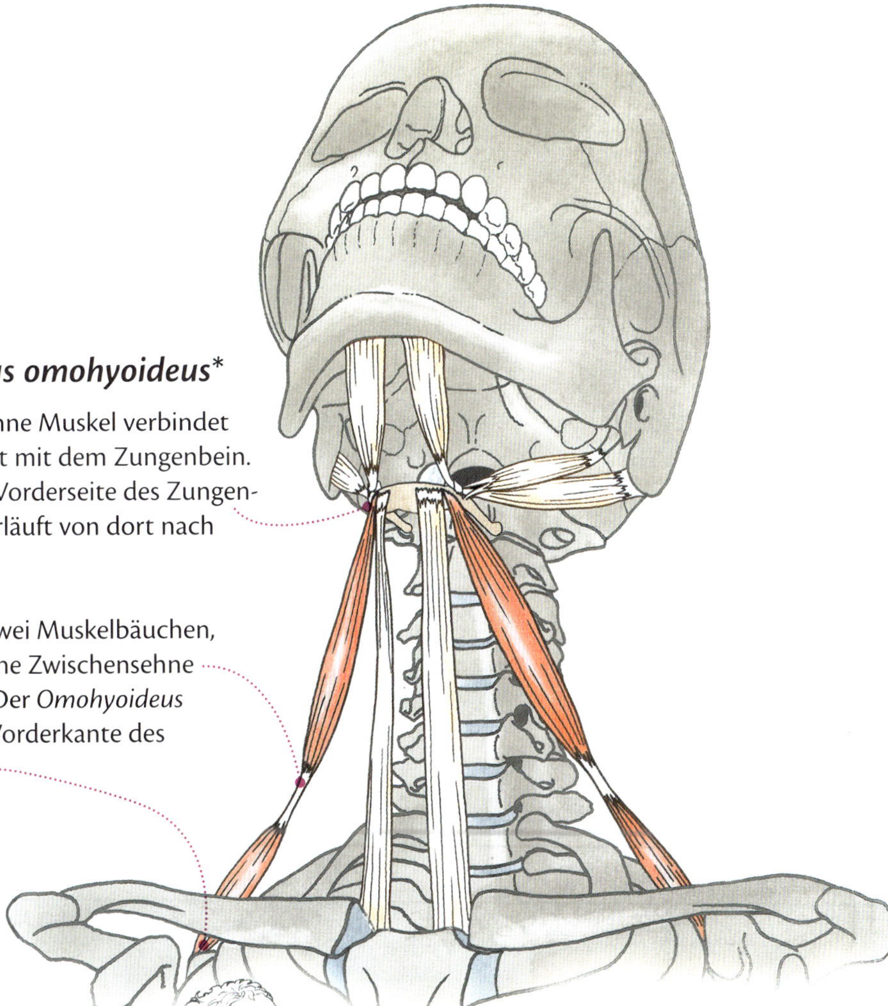

Der *Musculus omohyoideus**

Dieser lange dünne Muskel verbindet das Schulterblatt mit dem Zungenbein. Er setzt auf der Vorderseite des Zungenbeins an und verläuft von dort nach unten außen.

Er besteht aus zwei Muskelbäuchen, welche durch eine Zwischensehne geteilt werden. Der *Omohyoideus* entspringt der Vorderkante des Schulterblattes.

Seine Aufgabe
Dieser Muskel senkt das Zungenbein. Wenn er auf einer Seite stärker arbeitet als auf der anderen, so senkt er das Zungenbein zu dieser Seite.

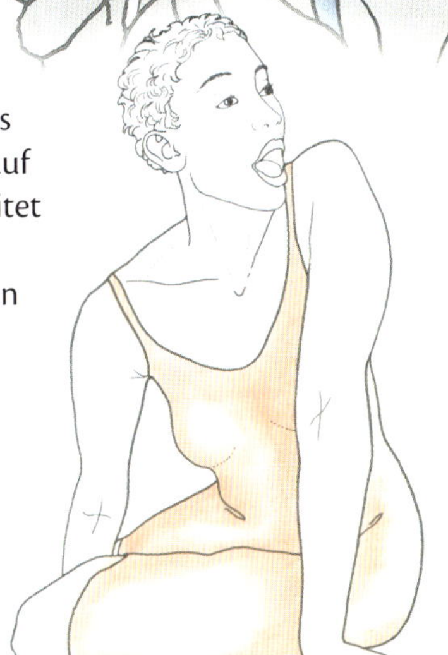

Schulterblatt und Zungenbein

Bewegungen, welche das Schulterblatt absenken und nach hinten ziehen (hier auf der rechten Seite), setzen den *Musculus omohyoideus* unter Spannung und ziehen dadurch passiv das Zungenbein nach unten.

* griechisch: *omos* = Schulter

Zug auf den Kehlkopf NACH OBEN

Der Kehlkopf kann von folgenden Muskeln nach oben gezogen werden:

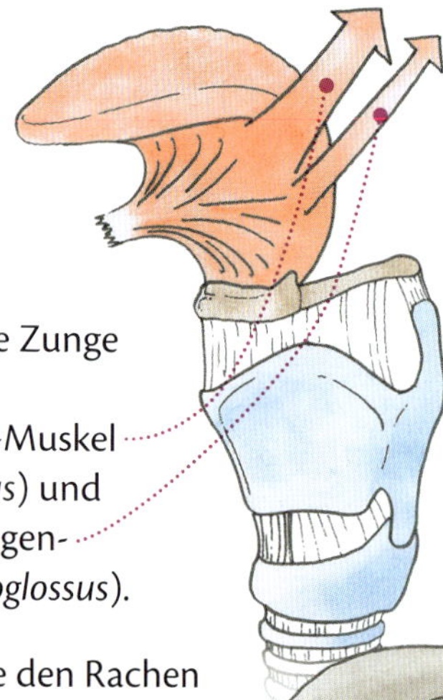

- Von den Muskeln, die die Zunge heben:
  - vom Gaumen-Zungen-Muskel (*Musculus palatoglossus*) und
  - dem Schläfenbein-Zungen-Muskel (*Musculus styloglossus*).
- Von den Muskeln, die den Rachen heben: dem oberen und mittleren Schlundschnürer (*Musculus constrictor pharyngis superior* und *medius*).
- Von den Muskeln oberhalb des Zungenbeins.

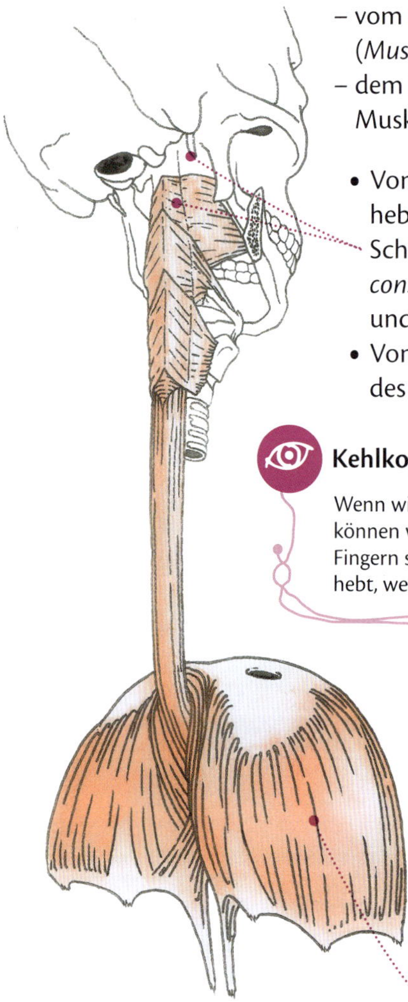

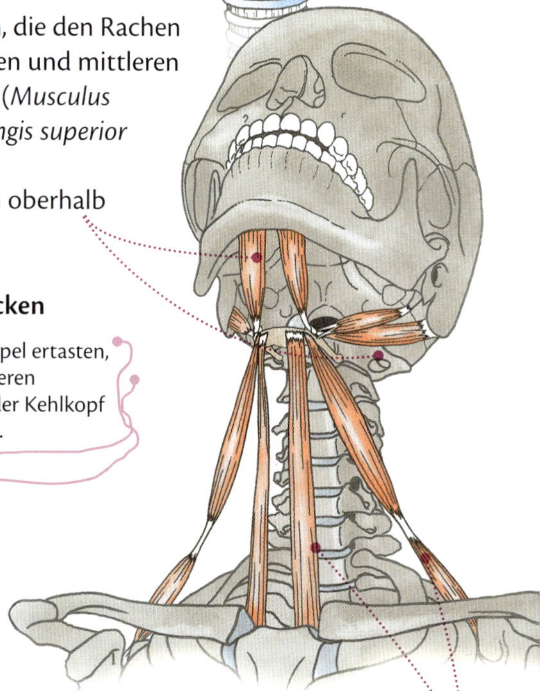

Kehlkopf und Schlucken

Wenn wir den Schildknorpel ertasten, können wir zwischen unseren Fingern spüren, wie sich der Kehlkopf hebt, wenn wir schlucken.

Zug auf den Kehlkopf NACH UNTEN

Der Kehlkopf kann von verschiedenen Muskeln nach unten gezogen werden:

- von den Muskeln unterhalb des Zungenbeins (siehe S. 184–187),
- vom Zwerchfell (siehe S. 117).

Zunge und Kehlkopf

Wenn man einen Finger auf den hinteren Teil der Zunge legt und einatmet, kann es sein, dass man spürt, wie die Zunge sich etwas absenkt. Das liegt daran, dass sie parallel zum Kehlkopf funktioniert, welcher wiederum vom Zwerchfell etwas nach unten gezogen wird.

Den Kehlkopf stabilisieren

Hohe Töne werden auf der Ebene der Stimmlippen erzeugt: es ist die Schwingungsfrequenz, welche die Höhe des Tons bestimmt (siehe S. 287). Es besteht also keine anatomische oder mechanische Notwendigkeit, den Kehlkopf nach oben zu bewegen, wenn man einen hohen Ton produzieren möchte. Dennoch passiert genau das bei vielen spontan und stört sogar bei der Stimmproduktion. Warum geschieht das?

Es kann zu einer spontanen Synkinese* zwischen den inneren und äußeren *Musculi thyroarytenoidei* (*TA internes* und *externes*, siehe S. 177) oder zwischen dem *Musculus cricothyroideus* und dem *Musculus thyrohyoideus* (siehe S. 185) kommen.

Es gibt auch einen neuromotorischen Aspekt: Wenn wir eine hohe Note singen, denken wir bereits über die Höhe des Tones nach, indem wir uns den Ort vorstellen, an dem wir die Tonhöhe produzieren möchten. Viele Menschen tendieren dann zu einer Synkinese zwischen dem, was das Gehirn vorhat („ein hoher Ton"), und dem Hochziehen des gesamten Apparates. Diese Hebung des Kehlkopfes kann von jedem Muskel durchgeführt werden, der das Zungenbein, die Zunge, den Rachen oder das Gaumensegel hebt (die Muskeln oberhalb des Kehlkopfes). Das Anheben des Kehlkopfes kann zur Gewohnheit und durch Wiederholung zu einem neuromotorischen Automatismus werden. Es kann auch mit der Angst vor dem Singen in hohen Lagen zusammenhängen, wobei Hirnareale beteiligt sind, die das emotionale Gedächtnis der Angst steuern.

Deshalb ist es wichtig zu wissen, dass man die Stabilität des Kehlkopfes trainieren kann, damit er besonders bei hohen Tönen an seinem Platz bleibt. Hierbei muss man jedoch darauf achten, dass man nicht überkompensiert und den Kehlkopf bei hohen Tönen zu sehr absenkt, was den Rachen verlängern und die Resonanz verändern würde (es sei denn natürlich, dass man genau das möchte).

Zudem sollte man darauf achten, dass dies nicht zu einer Verspannung der äußeren Kehlkopfmuskeln führt, die wiederum eine Verspannung der inneren Kehlkopfmuskeln hervorrufen kann. Die Stabilität der Kehlkopfhöhe wird durch ein Gleichgewicht zwischen den Kehlkopfsenkern und -hebern erreicht. Dies geschieht durch ein progressives Training, das dafür sorgt, dass die Kehlkopfregion eher locker als angespannt bleibt.

Das gleiche Phänomen gibt es auch in der anderen Richtung: Es gibt die Angewohnheit, den Kehlkopf beim Singen einer tiefen Note systematisch zu senken. Auch hier ist es sinnvoll, daran zu arbeiten, eine gewisse Stabilität in der Kehle zu erhalten, indem man diesmal diejenigen Muskeln trainiert, die den Kehlkopf anheben. Auch diese Bewegung sollte ausgewogen sein, damit der Kehlkopf ohne Verkrampfung stabilisiert werden kann.

* Synkinese: eine unwillkürliche Mitbewegung von Muskeln, die nicht an der beabsichtigten Bewegung beteiligt sind.

Der Vokaltrakt allgemein S. 192
Die Knochenstruktur des Vokaltraktes S. 194
Die Rolle von Mund und Rachen für die Resonanz S. 196

Der Vokaltrakt im Hals S. 198

Der Körper in aufrechter Haltung S. 199
Der Kopf in Balance S. 200

Die wichtigsten Muskeln des Halswirbelbereichs:
Die kurzen (*suboccipitalen*) Nackenmuskeln S. 202
Die langen Nackenmuskeln S. 204
Die Splenius-Muskeln S. 206
Die prävertebrale Halsmuskulatur S. 208
Der Kopfnicker (*Musculus sternocleidomastoideus*) S. 210
Die Skalenusmuskulatur (*Musculi scaleni*) S. 211

Der Rachenraum (*Pharynx*) S. 212

Die Muskeln des Rachenraums S. 216

Der Mund S. 220

Öffnen und Schließen des Mundes:
Die Kiefermuskulatur S. 222
Unterkiefer, Artikulation, Resonanz S. 228

Das Gaumensegel (*Velum palatinum*) S. 230

Beschreibung des Gaumensegels S. 231
Die Muskeln des Gaumensegels S. 234
Das Gaumensegel und die Atmung S. 238
Gaumensegel, Artikulation, Resonanz S. 239

Die Zunge (*Lingua*) S. 242

Beschreibung der Zunge S. 243
Das Skelett der Zunge S. 244
Die Zungenmuskulatur S. 245
Die Dynamik der Zunge S. 254
Zunge, Artikulation, Resonanz S. 256

Die Lippen (*Labium*) S. 258

Beschreibung der Lippen S. 259
Die Lippenmuskulatur S. 260
Lippen, Artikulation, Resonanz S. 268

Die Nase und die Nasenhöhlen S. 270

Beschreibung des äußeren Teils der Nase (*Nasus externus*) S. 271
Die Nasenhöhlen (*Cavum nasi*) S. 272
Die Nasennebenhöhlen (*Sinus paranasales*) S. 274
Die Nasenschleimhaut S. 275

Das Ohr (*Auris*) S. 276

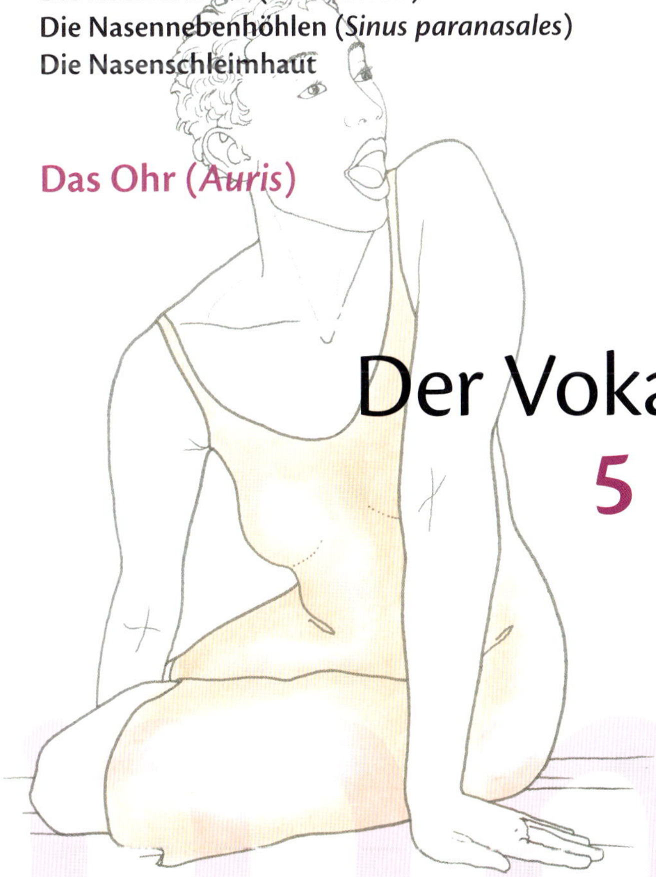

Der Vokaltrakt

5

Der Vokaltrakt allgemein

In der Anatomie bezeichnet man den Innenraum eines schlauchförmigen Hohlorgans als **Trakt**. Als **Vokaltrakt** wird die Gesamtheit aller Regionen bezeichnet, durch die unsere Ausatemluft fließt, sobald sie die Stimmlippen passiert hat. Dazu gehören die Bereiche oberhalb der Glottis bis zu den Lippen und den Nasenlöchern. Der Bereich zwischen Glottis und Nasenlöchern wird auch „Nasenrachenraum" genannt.

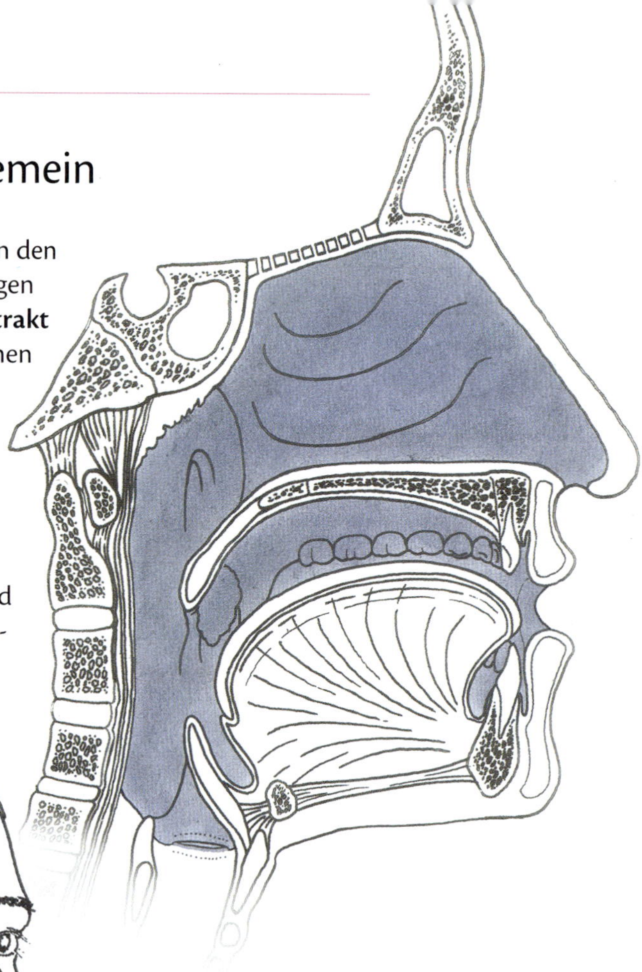

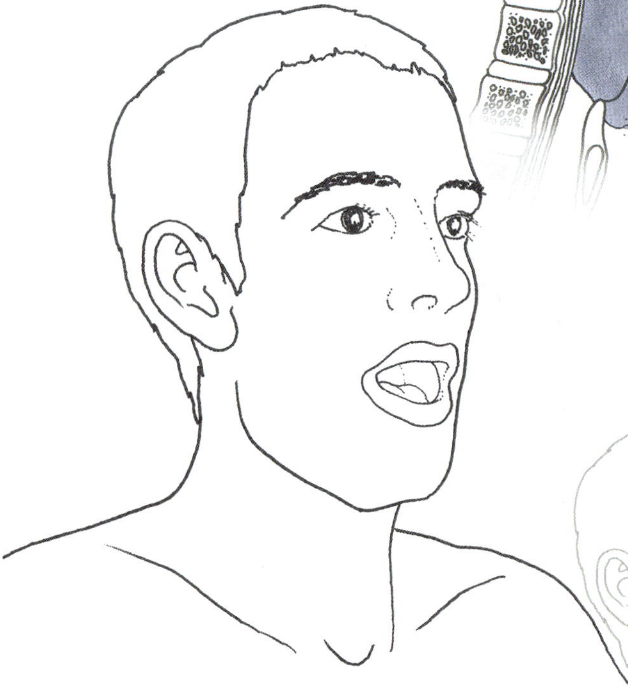

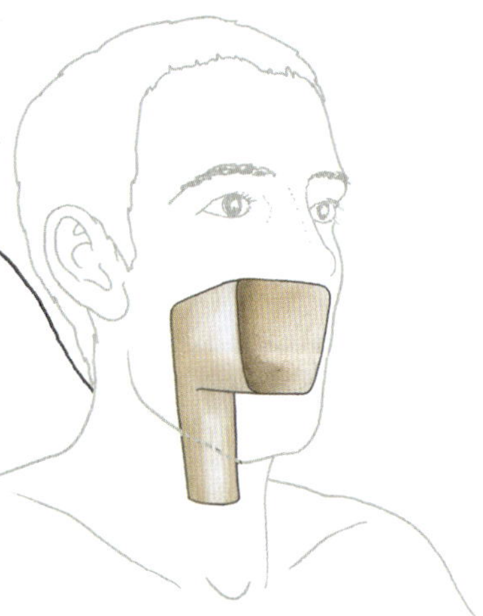

Der Vokaltrakt hat die Form eines Rohres mit unregelmäßigen Konturen. Dieses Rohr ist nach vorne gebogen,

- dabei liegt der Rachenraum vertikal,
- der Mund- und Nasenraum eher horizontal, wenn man aufrecht steht.

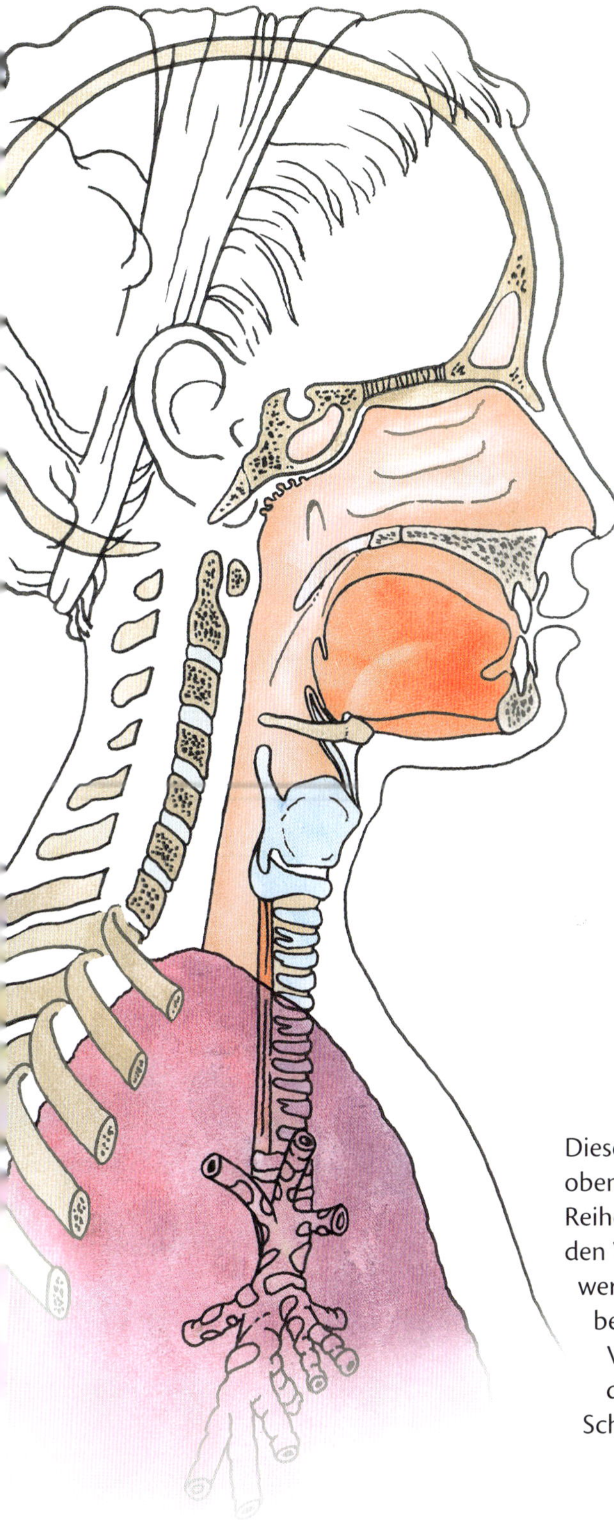

Im Vokaltrakt oberhalb der Glottis befinden sich Bereiche, deren Namen allgemein bekannt sind, nämlich:

Die **Nase** mit:
den Nasenhöhlen,
den Nasenlöchern.

Der **Mund** mit:
der Zunge,
den Zahnbögen,
den Lippen.

Das **Gaumensegel**

Der **Rachenraum**

und der ***aryepiglottische*** **Raum**
(siehe S. 178 im Kapitel zum Kehlkopf).

Dieses Kapitel beschäftigt sich mit den oben genannten Bereichen, und zwar in der Reihenfolge, in der die Ausatemluft durch den Vokaltrakt hindurchströmt. Dabei werden vor allem diejenigen Strukturen beschrieben, die zum Verständnis des Vokaltraktes notwendig sind, insbesondere die zum Vokaltrakt gehörenden Schädelknochen und ihre Muskeln.

Die Knochenstruktur des Vokaltraktes

Die einzelnen Knochen des Vokaltraktes werden an dieser Stelle nur kurz erwähnt. Genauere Beschreibungen finden sich auf den Seiten, die sich detailliert mit den einzelnen Knochen befassen.

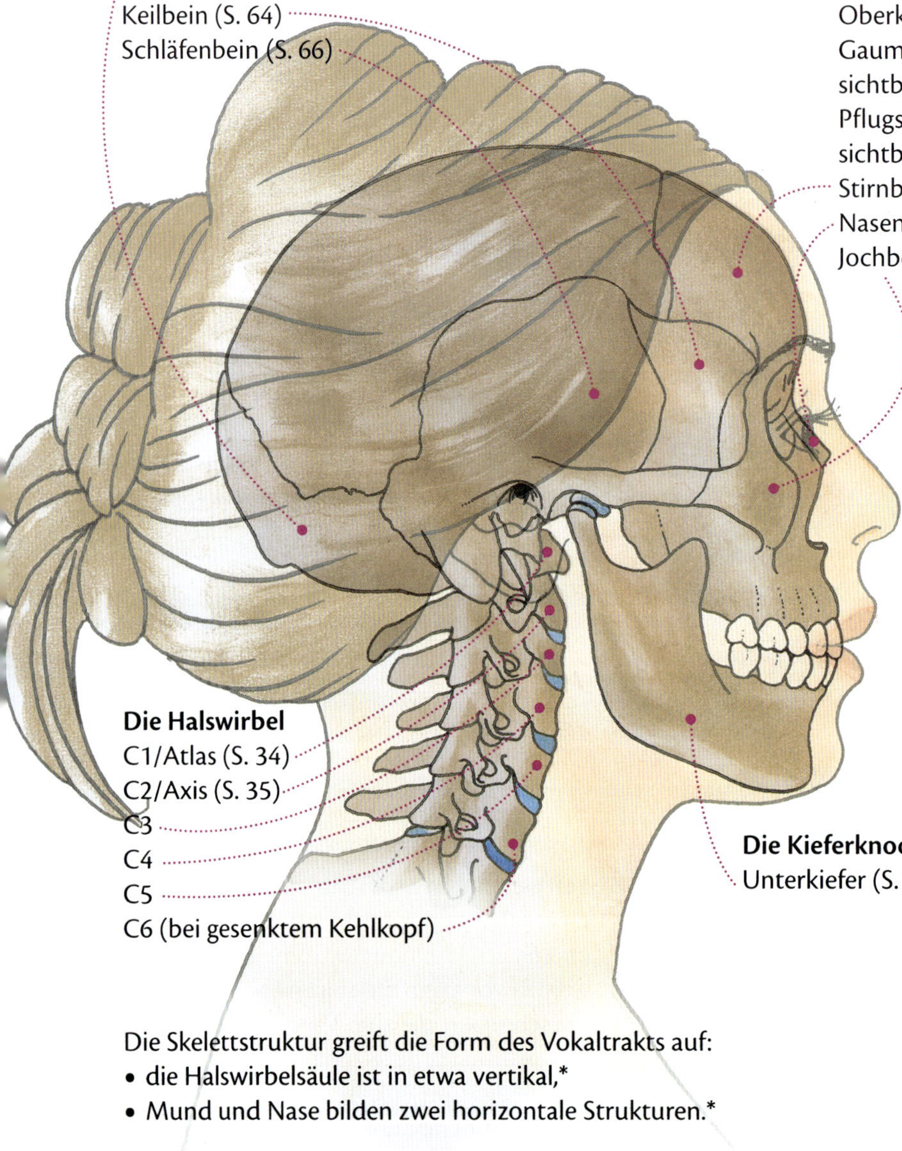

Die Skelettstruktur greift die Form des Vokaltrakts auf:

- die Halswirbelsäule ist in etwa vertikal,*
- Mund und Nase bilden zwei horizontale Strukturen.*

* bei aufrechtem Stand

Die Knochen sind durch Gelenke miteinander verbunden. Diese Beweglichkeit kann zu Veränderungen des Vokaltraktes in folgenden wichtigen Bereichen führen:

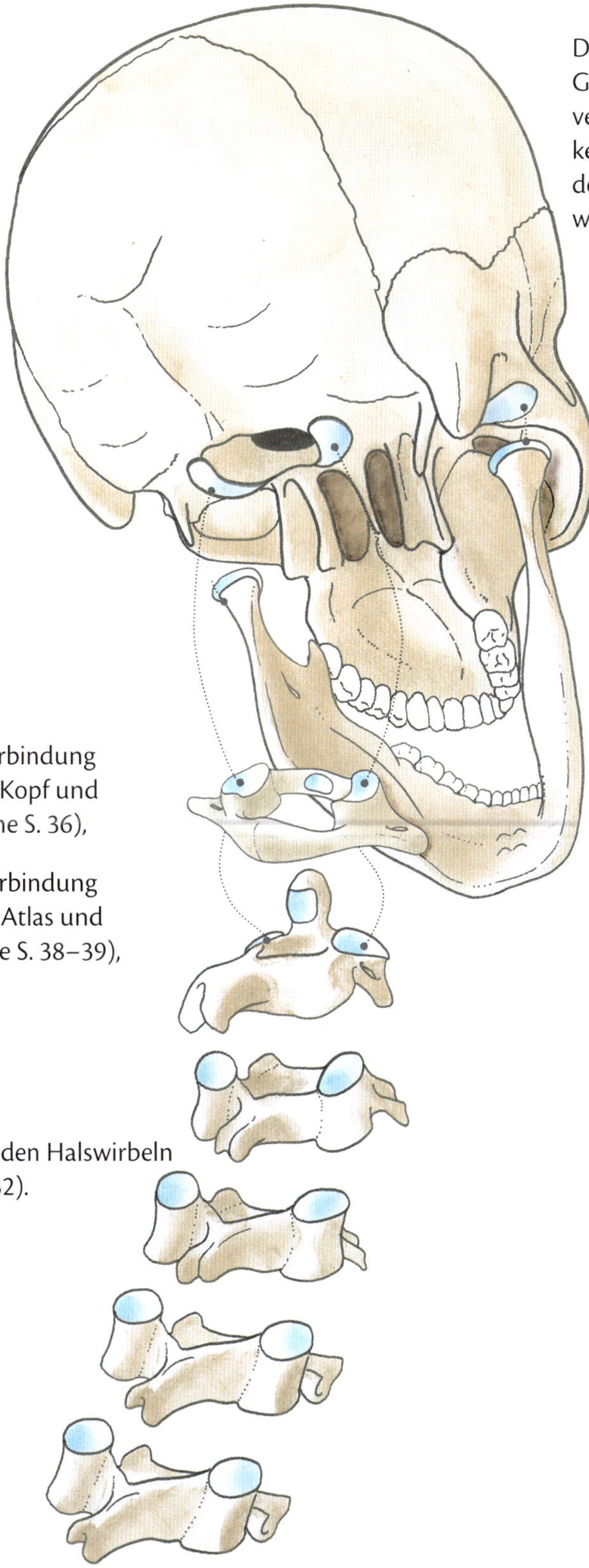

im Kiefergelenk (siehe S. 76) (*Articulatio temporomandibularis*),

an der Verbindung zwischen Kopf und Atlas (siehe S. 36),

an der Verbindung zwischen Atlas und Axis (siehe S. 38–39),

zwischen den Halswirbeln (siehe S. 32).

Die Rolle von Mund und Rachen für die Resonanz

Was ist ein Resonanzraum?

Jeder Hohlraum ist ein Resonanzraum. Alle Resonanzräume haben spezifische Anregungsfrequenzen, die sogenannten „Eigenfrequenzen". Wenn sich ein Klang mit entsprechender Frequenz in einem passenden Resonator ausbreitet, wird er durch diesen verstärkt.

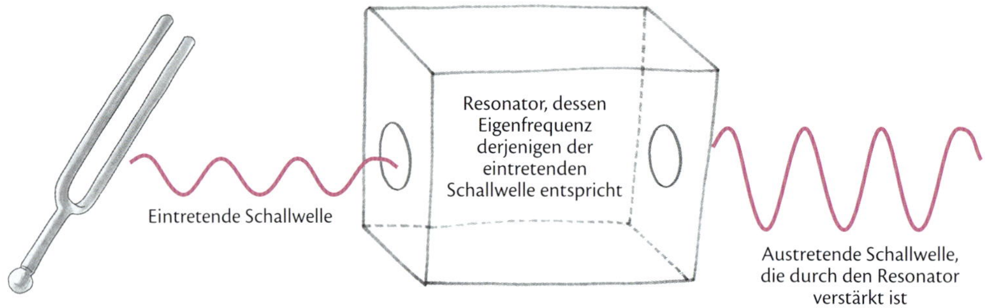

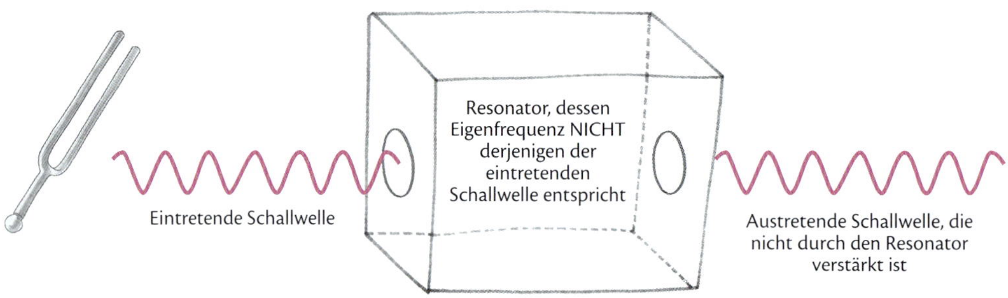

Die Eigenfrequenzen hängen von der Größe des Resonanzraumes ab (je größer der Hohlraum, desto tiefer die Eigenfrequenz – und umgekehrt).

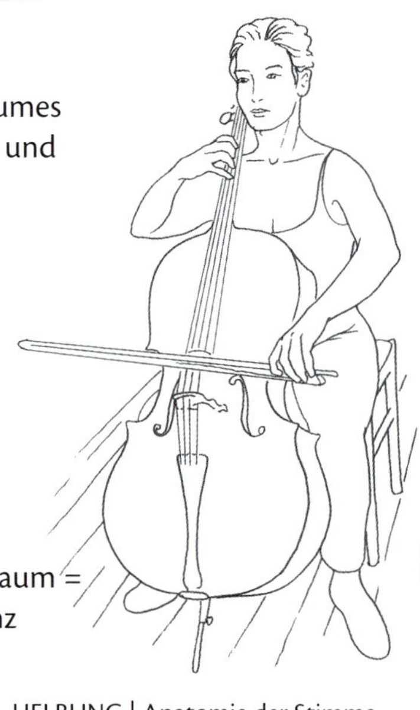

Der Rachenraum und der Mund können als Hohlräume mit flexibel beweglichen Wänden betrachtet werden. Sie haben daher eine große Bandbreite an Anregungsfrequenzen, die viele Klänge, die im Kehlkopf entstehen, verstärken können. Der Rachenraum verstärkt die tiefen Frequenzen (250–500 Hz), der Mund die hohen Frequenzen (700–2500 Hz).

Die Vokale

Jeder Vokal wird in zwei Bereichen der Frequenzverstärkung gebildet.
Diese Obertöne werden *Formanten* genannt und mit F1 und F2 abgekürzt:

F1 ist dem Rachen zugehörig,

F2 ist dem Mund zugehörig.

Die Frequenzen von F1 und F2 sind abhängig von der Größe ihrer jeweiligen Resonanzräume.

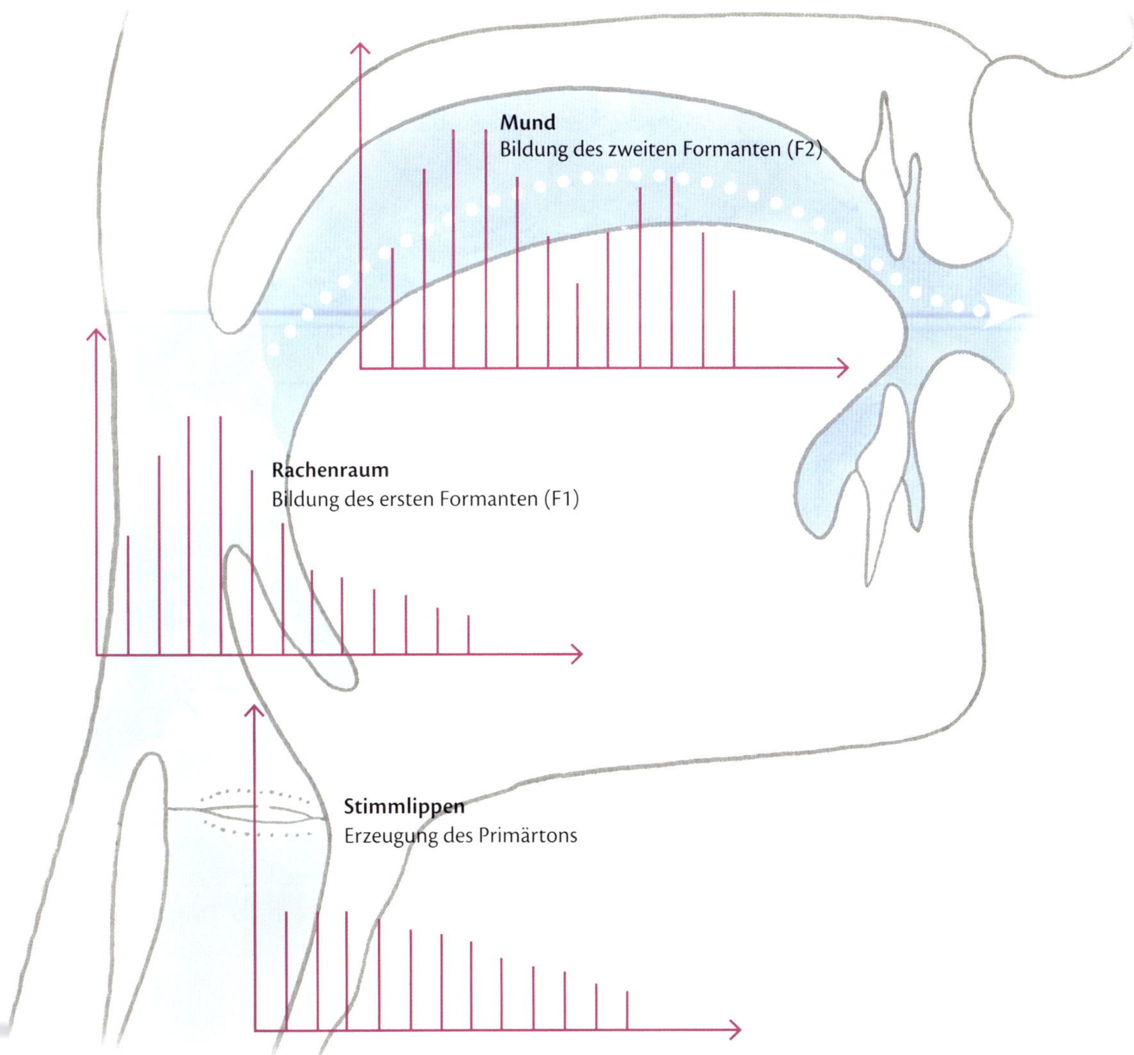

Der Vokaltrakt im Hals

Der vertikale Teil des Vokaltraktes befindet sich im Hals, genauer gesagt in den beiden oberen Dritteln des Halses.

Der obere Teil dieses Bereichs ist mit dem Kopf verbunden. Wenn man eine Person von vorne betrachtet, bedeckt die Kopfbasis diesen Teil des Halses.

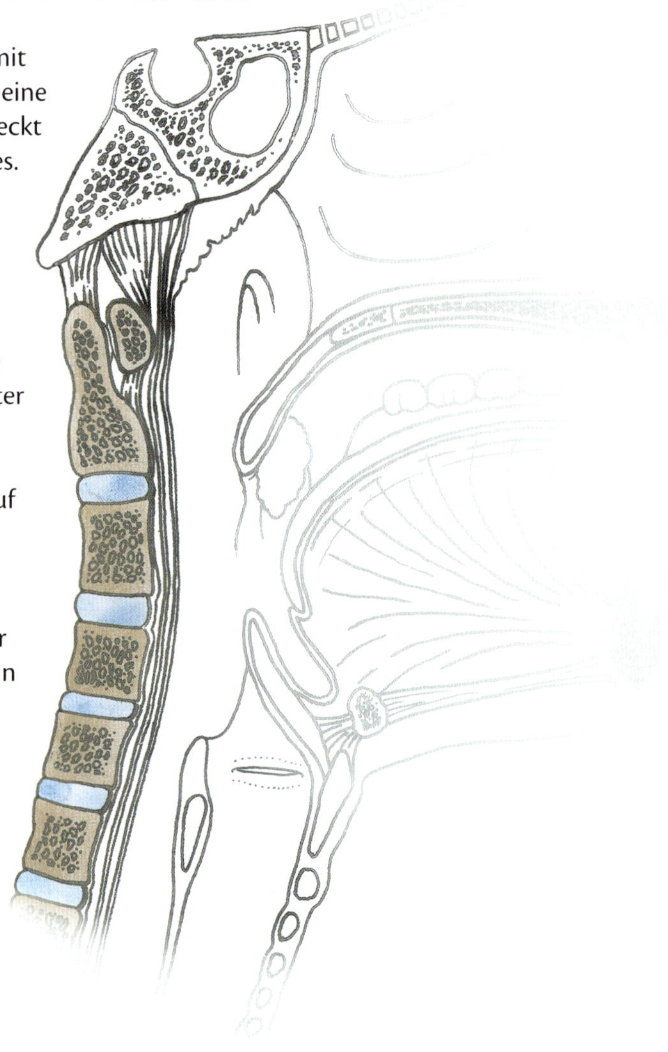

Der Atlas (der oberste Halswirbel) liegt hinter der Nase, der Axis hinter dem Mund.

Der Halswirbel C3 befindet sich auf Höhe der Zungenwurzel.

C4, C5 und manchmal C6 liegen hinter dem Kehlkopf. Weil sich der Kehlkopf auf und ab bewegen kann und damit nicht eine festgelegte Position hat, sind diese Orientierungspunkte flexibel.

Man kann die Stimme auch dann erklingen lassen, wenn der Körper in Bewegung ist, sogar dann, wenn der Hals sich bewegt. Es geht sogar in einer sehr passiven Haltung, beipielsweise im Liegen, wenn man dabei den Kopf zur Seite rollt. Aber meistens benutzen wir unsere Stimme in einer aufrechten Position. Dann ist die Halswirbelsäule als Stützgerüst für den Vokaltrakt sehr wichtig. Diese Region, von Natur aus eigentlich sehr beweglich, neigt oft aufgrund von muskulären Ungleichgewichten zu Steifheit.

Für die Stimmerzeugung ist die Beweglichkeit des Halses manchmal sehr nützlich, und in anderen Momenten ist wiederum seine Stabilität von Vorteil. Man sollte versuchen, diese beiden wichtigen Eigenschaften durch Mobilisierungsübungen der Halsgelenke einerseits und der Stärkung der Haltemuskulatur andererseits auszubalancieren.

Der Körper in aufrechter Haltung

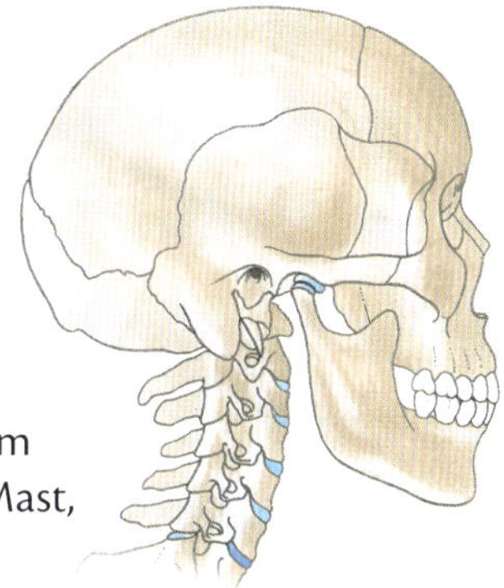

Im Moment der Stimmerzeugung ist der Hals sehr gefordert.
Er muss gleichzeitig folgende Aufgaben erledigen:

- **Der Hals trägt den Kopf** und hält ihn im Gleichgewicht auf der Halswirbelsäule. Auf den folgenden Seiten werden wir das Problem der Kopfbalance genauer besprechen.
- **Er trägt den Kehlkopf und den Rachen**, die genau wie die Zunge am Kopf aufgehängt sind. Für diese Elemente bildet der Hals eine Art Mast, der ihnen bei allen Bewegungen Stabilität und Verankerung gibt.
- **Außerdem hält er sich selber**, das heißt, er balanciert die einzelnen Wirbel übereinander aus. Das kann auch in extremen Positionen sein, z. B. wenn die Kopfbasis sehr weit vorne ist, oder im Gegenteil, wenn der Hals starr nach oben gerichtet ist.

Diese Funktionen erfordern einen flexiblen und gleichzeitig stabilen Hals, je nach der gegebenen Situation. Die aktive Mobilisierung und Stabilisierung des Halses wird durch das Zusammenspiel mehrerer Muskeln erreicht:

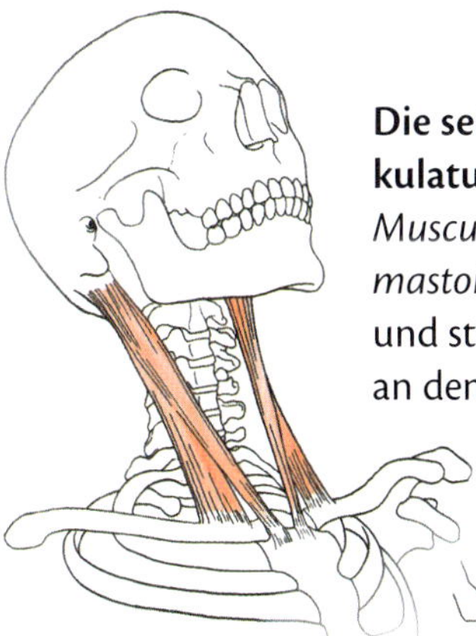

Die seitliche Halsmuskulatur (Skalenusgruppe, *Musculus Sternocleidomastoideus*) mobilisiert und stabilisiert den Hals an den Seiten.

Die hinteren Halsmuskeln sind stark und zahlreich. Sie richten sowohl den Kopf am Hals als auch den Hals am Rumpf aus.

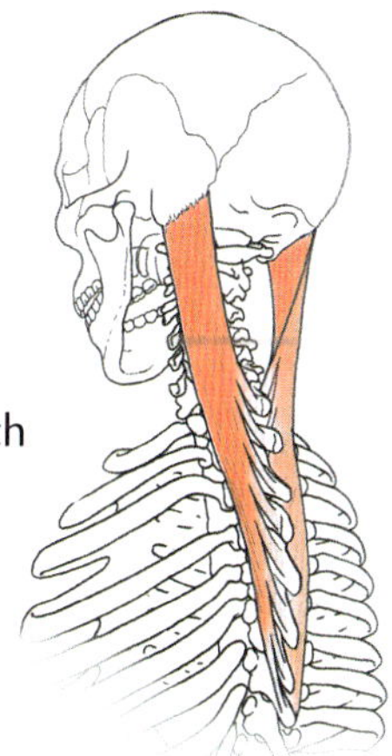

Die Muskeln direkt an der **Vorderseite der Wirbelsäule** sorgen für die gerade Ausrichtung der Halswirbel aufeinander.

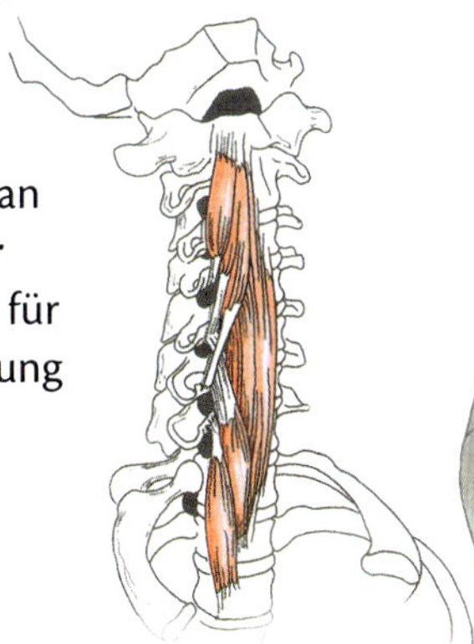

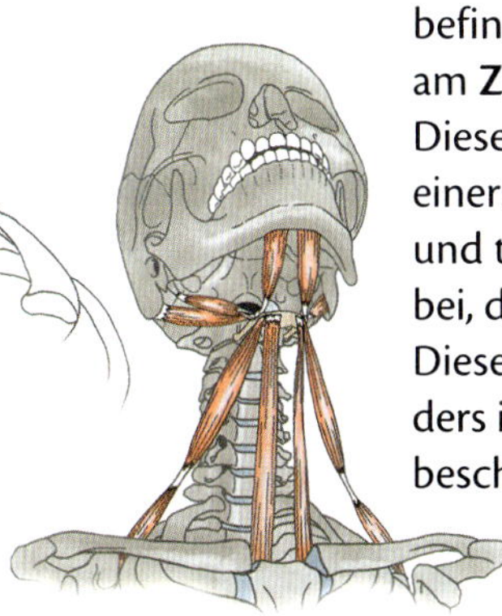

An der **Vorderseite des Halses** befinden sich die Muskeln, die am **Zungenbein** ansetzen. Diese Muskeln balancieren einerseits den Kehlkopf aus und tragen andererseits dazu bei, den Hals zu bewegen. Diese Muskeln werden besonders im Kapitel zum Kehlkopf beschrieben (siehe S. 182–187).

Der Hals beim „Belting"

Bei manchen Gesangstechniken, wie beim Belting, brauchen wir einen starken und stabilen Hals.

Der Kopf in Balance

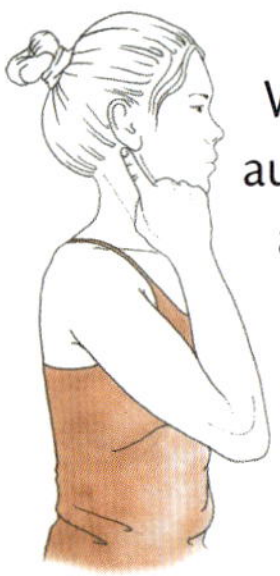

Wie auf S. 36 erklärt, trifft der Kopf bei den Gelenkaufsätzen des Hinterhauptbeines (*Condylus occipitalis*) auf den Hals. Diese Aufsätze bilden mit den seitlichen Verdickungen (*Massae lateralis*) des Atlas ein Gelenk. Dieses Gelenk liegt direkt vor dem Warzenfortsatz (*Processus mastoideus*), der hinten unter dem Ohr ertastet werden kann.

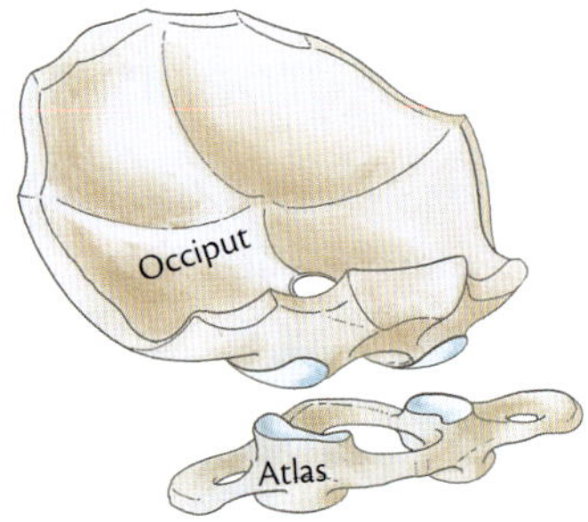

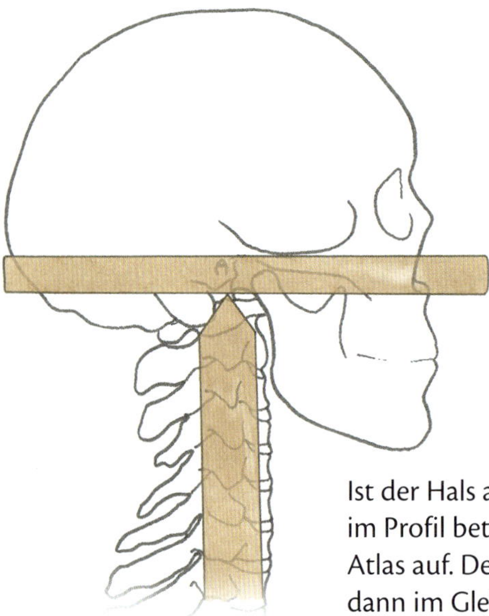

Ist der Hals aufrecht, so liegt der Schädelblock*, wenn man ihn im Profil betrachtet, wie eine ausbalancierte Wippe auf dem Atlas auf. Der vordere und der hintere Teil des Schädels sind dann im Gleichgewicht. Wenn der Kopf im Gleichgewicht ist, liegt der Oberkiefer etwa horizontal.

Ein wichtiges Detail, das oft übersehen wird: Der Schwerpunkt des „Schädelblocks" liegt nicht direkt über dem Atlasgelenk. Er befindet sich vor den Gelenkaufsätzen des Hinterhauptbeins und damit etwas vor dem Atlas.

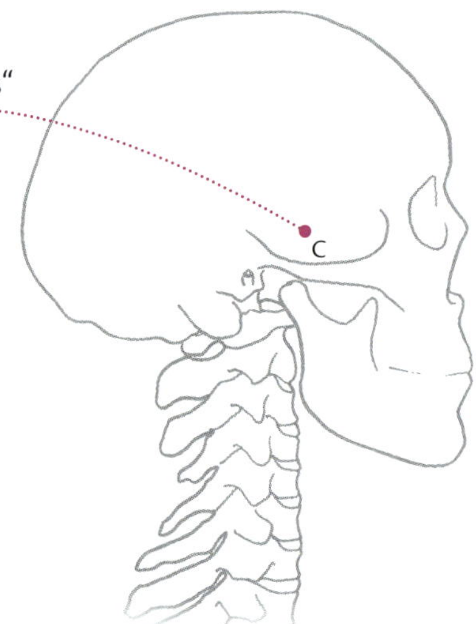

Das Zentrum der Schwerkraft

An diesem Punkt treffen alle Kräfte zusammen, die auf ein Objekt einwirken.

* Der Schädelblock besteht aus dem Schädel, dem Unterkiefer und allen Weichteilen, die sich in diesem Teil des Skeletts befinden.

Wenn der Hals aufgerichtet ist, hat der Kopf aufgrund der Position des Schwerpunktes die Tendenz, nach vorne zu fallen. (Wenn der Kopf nach vorne fällt, zieht er zunächst den oberen Teil des Halses und dann auch den unteren Teil mit in die Beugung.)

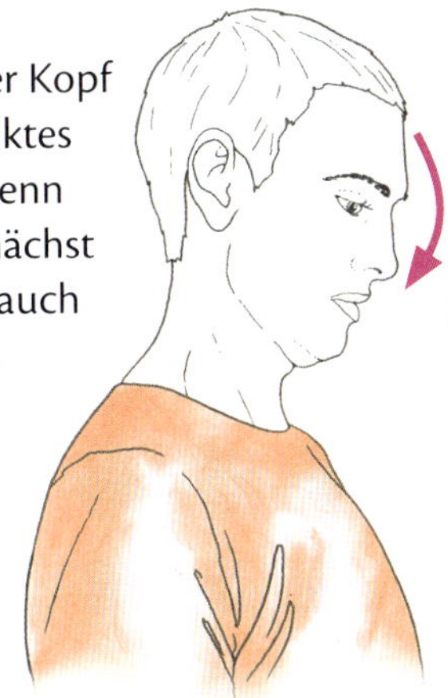

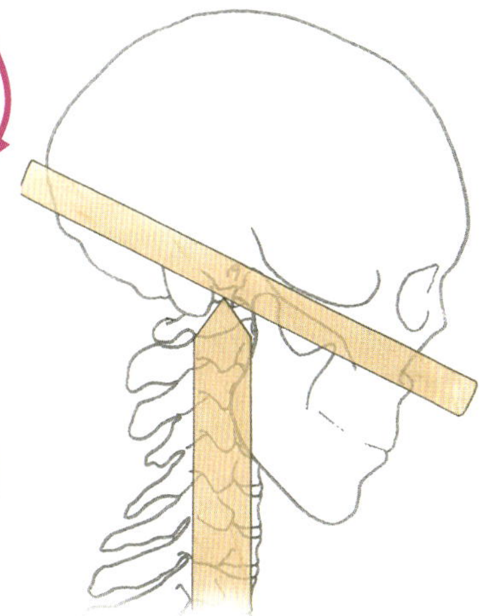

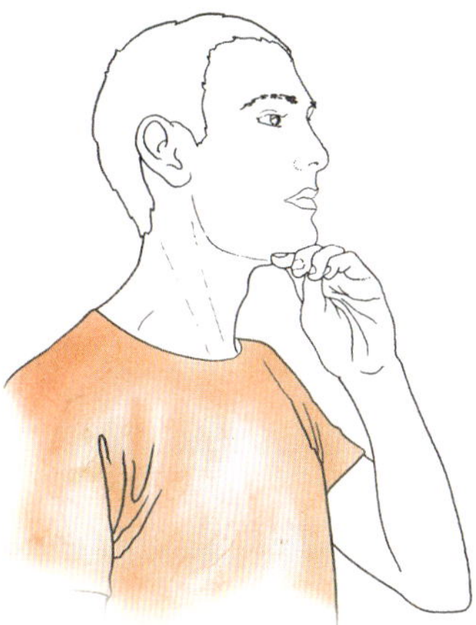

Die Tendenz des Kopfes, nach vorne zu fallen, merkt man deutlich, wenn man den Kopf unter dem Kinn abstützt: man spürt das Gewicht.

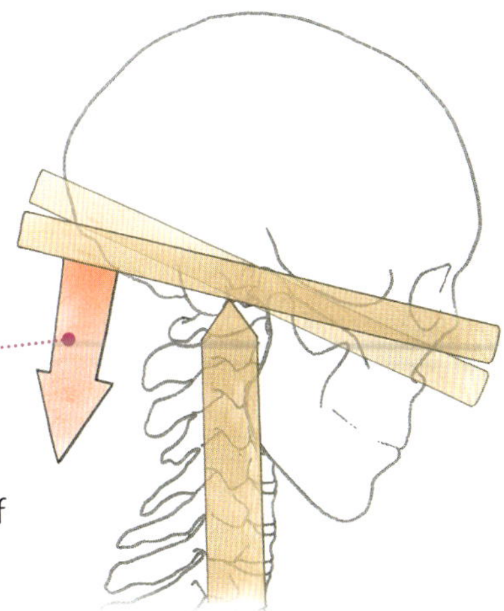

Damit der „Kopfblock" ausbalanciert bleibt, braucht man also einen Gegenzug, der den Kopf wieder nach hinten zieht. Dieser wird durch die Kontraktion der Muskeln an der Rückseite des Halses ausgeübt.

Dort gibt es verschiedene Arten von Muskeln mit unterschiedlichen Funktionen:

- die kleinen Muskeln, die das Gleichgewicht zwischen Kopf und Hals sichern,
- die längeren und stärkeren Muskeln, die sich an der Rückseite der Halswirbel bis zum Brustkorb hin erstrecken. Diese verhindern, dass der Hals dem Kopf folgt, wenn dieser nach vorne fällt.

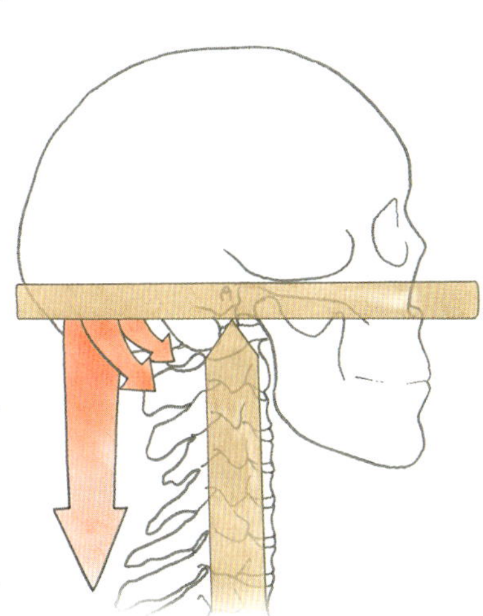

Diese Muskeln arbeiten ständig, wenn wir uns in aufrechter Position befinden. Genauer gesagt, vom Aufstehen bis zum Schlafengehen gehören diese Muskeln innerhalb des Bewegungsapparates zu der Gruppe von Muskeln, die am meisten arbeiten.
Deshalb ist es nicht verwunderlich, dass sie oft überanstrengt und nicht gut miteinander im Gleichgewicht sind. Wenn man sie kennt, hilft das oft schon zu verstehen, wo man in diesem Bereich zu viel oder zu wenig Kraft ausübt. Für den Anfang genügt es zu verstehen, dass das Gleichgewicht zwischen Kopf und Hals „von hinten" hergestellt wird.

Die wichtigsten Muskeln des Halswirbelbereiches

Die kurzen (*suboccipitalen*) Nackenmuskeln

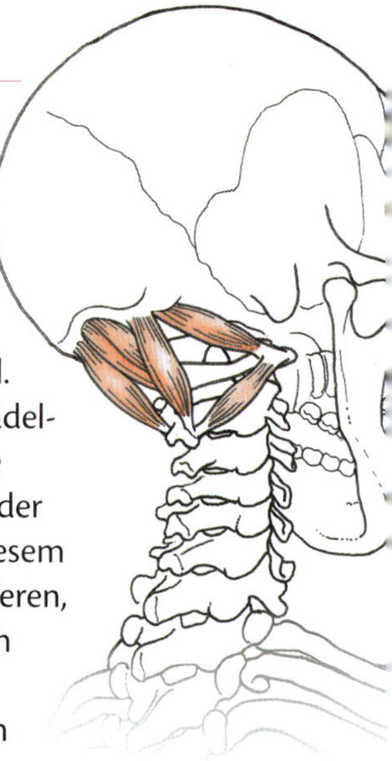

Diese kleinen Muskeln befinden sich tief im Nacken, nah am Schädel. Sie sind sehr wichtig für die Ausrichtung und Beweglichkeit der Schädelbasis, auch im Bezug auf die Stimme. Sie ermöglichen dem Kopf eine Beweglichkeit, die fast mit der von Vogelköpfen vergleichbar ist. Bei der Stimmarbeit ist es sinnvoll, immer wieder die Muskelspannung in diesem Bereich zu überprüfen. Wenn nämlich die Muskeln zu stark kontrahieren, können die oberen Bereiche von Hals und Kopf steif werden, was sich ungünstig auf die Flexibilität der Stimme auswirken kann. Wenn sie stattdessen zu wenig trainiert oder schlecht koordiniert sind, werden für den Halt des Kopfes und des Nackens die längeren, oberflächlichen und weniger präzisen Muskeln eingesetzt, die unter Umständen das Zusammenspiel der Muskeln innerhalb des Kehlkopfes behindern können. Man sollte daher wissen, wie diese Muskeln sowohl während der Stimmarbeit als auch unabhängig davon arbeiten.

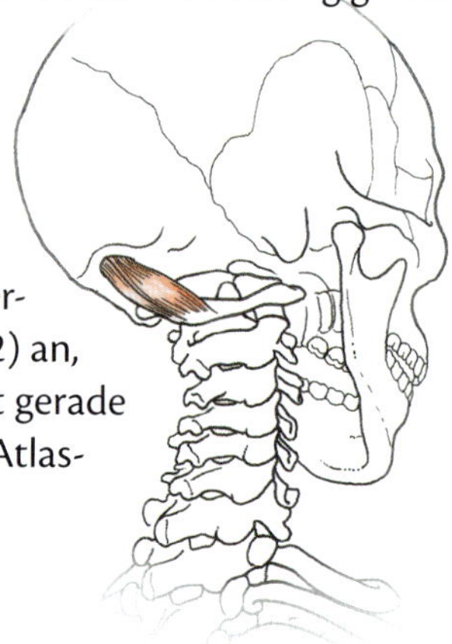

Der *Musculus rectus capitis posterior minor*

Dieser kleine Muskel setzt oben am Hinterhauptbein (untere Nackenlinie, siehe S. 62) an, ziemlich nah an der Mittellinie. Er verläuft gerade nach unten und endet auf dem hinteren Atlasbogen.

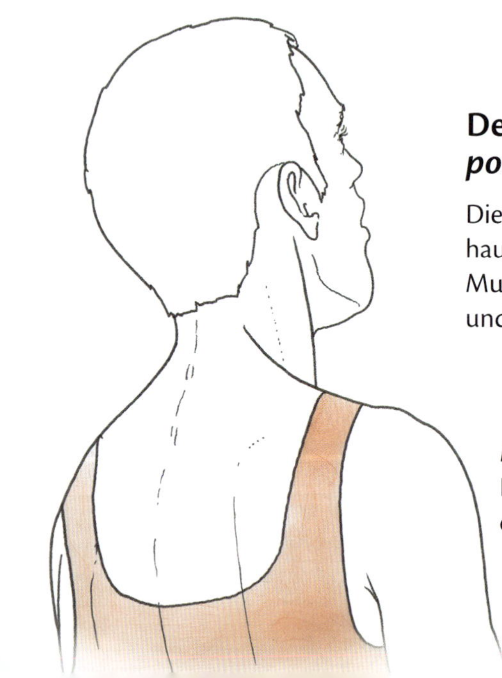

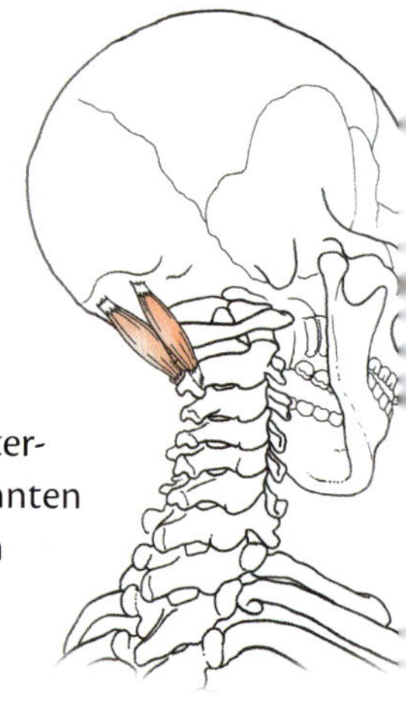

Der *Musculus rectus capitis posterior major*

Dieser kleine Muskel setzt oben am Hinterhauptbein direkt hinter dem eben genannten Muskel an. Er verläuft schräg nach unten und endet am Dornfortsatz des Axis.

Muskelfunktion
Diese Muskeln richten den Kopf in der Verlängerung des Axis aus.

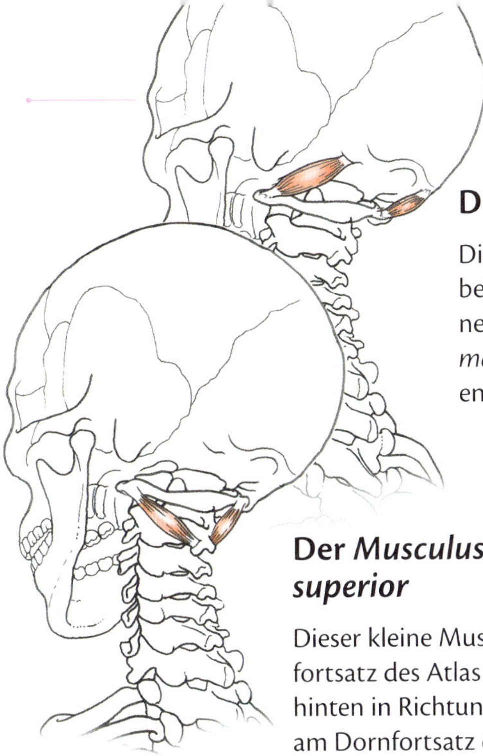

Der *Musculus obliquus capitis inferior*

Dieser kleine Muskel setzt oben am Hinterhauptbein direkt außen neben dem eben beschriebenen Muskel *Musculus rectus capitis posterior major* an. Er verläuft schräg nach unten und endet am Querfortsatz des Atlas.

Der *Musculus obliquus capitis superior*

Dieser kleine Muskel setzt oben am Querfortsatz des Atlas an. Er verläuft schräg nach hinten in Richtung Körpermitte und endet am Dornfortsatz des Axis.

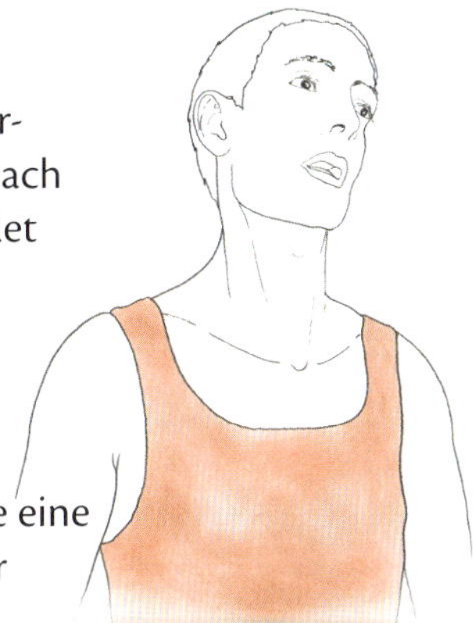

Muskelfunktion
Wenn diese Muskeln auf einer Seite kontrahieren, verursachen sie eine seitliche Neigung des Kopfes auf dem Atlas und eine Drehung zur gegenüberliegenden Seite.

Es ist wichtig zu beachten, dass diese Muskeln zwar in der Nähe der Kiefermuskulatur liegen, aber andere Funktionen haben als diese. Dennoch kann diese räumliche Nähe zu muskulären Synkinesen zwischen den beiden Regionen führen. Man kann die gleiche Beobachtung bei den suboccipitalen (unter dem Hinterhauptbein) und suprahyoidalen (über dem Zungenbein) Muskeln machen, die ebenfalls sehr nah beieinander liegen. Zum Beispiel kann es in hohen Registern passieren, dass die Muskulatur unter dem Hinterhauptbein synchron mit der über dem Zungenbein liegenden Muskulatur kontrahiert. Diese Kontraktionen sind jedoch nicht hilfreich, sondern im Gegenteil bisweilen kontraproduktiv.

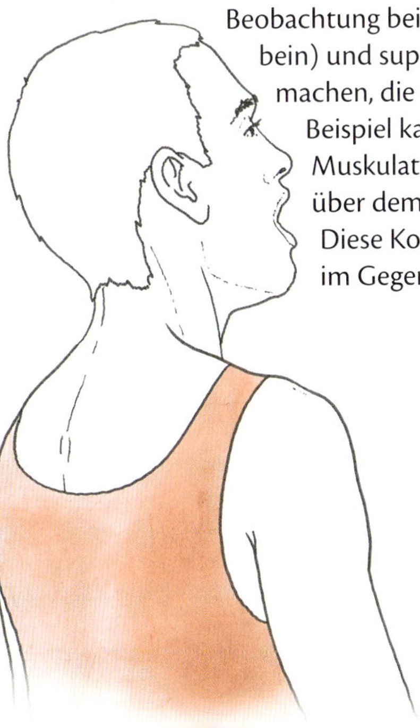

Beobachtung

Die suboccipitale Muskulatur wird stark durch die Bewegung der Augen beeinflusst (siehe S. 209).

Die wichtigsten Muskeln des Halswirbelbereiches

Die langen Nackenmuskeln

Diese Muskeln sind sehr viel größer als die suboccipitalen Muskeln. Sie sichern die Verbindung zwischen dem Kopf und den Halswirbeln.

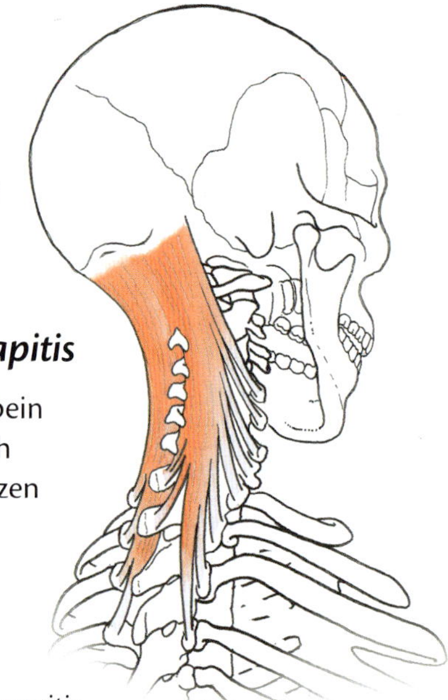

Der *Musculus semispinalis capitis*

Dieser Muskel setzt am Hinterhauptbein an. Er verläuft entlang des Halses nach unten und endet an den Querfortsätzen der Wirbel C4 bis T4.

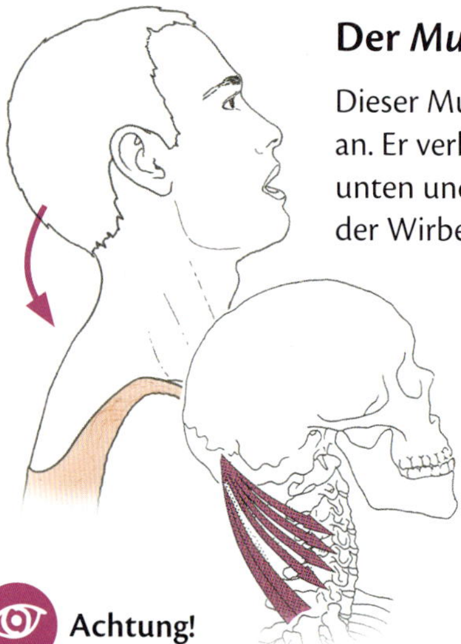

Muskelfunktion

Der *Musculus semispinalis capitis* richtet den Kopf und den Nacken selbst auf.

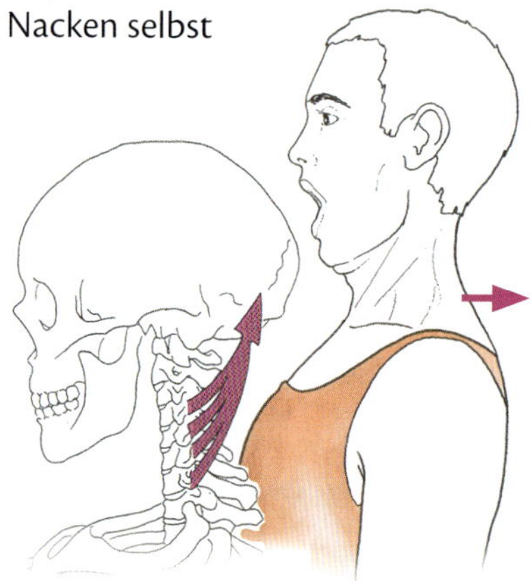

Achtung!

Wenn der Kopf aufrecht ist, hat dieser Muskel Auswirkungen auf die Halswirbel: er drückt sie nach hinten und richtet so die Halslordose* etwas auf, was bedeutet, dass der Hals gerader wird. Diese Bewegung kann sogar durch einfaches Anspannen des *Musculus semispinalis capitis* erfolgen, der dann passiv die Wirbel nach hinten zieht (das passiert z. B. wenn wir unser Kinn nach hinten unten bewegen). Diese Bewegung des Halses verkleinert allerdings den Raum über dem Zungenbein und um den Kehlkopf herum erheblich, deshalb ist sie für die stimmliche Flexibilität nicht wünschenswert. Am besten versucht man deshalb, den Hals mithilfe des *Musculus longus colli* aufzurichten (siehe S. 208).

Der *Musculus longissimus capitis*

Dieser Muskel (nicht abgebildet) setzt oben am Warzenfortsatz des Schläfenbeins (siehe S. 66) an. Er verläuft entlang des Halses nach unten und endet an den Querfortsätzen der Wirbel C3 bis C4.

Muskelfunktion

Wenn beide Seiten des *Musculus longissimus capitis* gleichzeitig kontrahieren, bewirkt dies die Aufrichtung des Kopfes auf dem Hals und die Aufrichtung der oberen Hälfte des Halses. Wenn nur eine Seite kontrahiert, neigen sich Kopf und oberer Hals zur Seite und rotieren gleichzeitig zu derselben.

* Mit „Halslordose" ist die natürlich gekrümmte Form der Halswirbelsäule gemeint.

Der Schulterblattheber (*Musculus levator scapulae*)

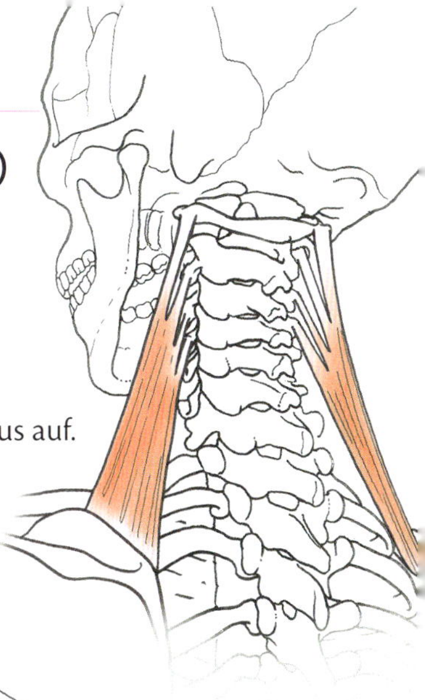

Dieser Muskel setzt an den Querfortsätzen der ersten vier Halswirbelkörper an, verläuft nach unten und endet dort am oberen und medialen Rand des Schulterblatts.

Muskelfunktion für den Hals

Der Schulterblattheber richtet den Hals von den Schulterblättern aus auf.

Beobachtung

Dieser Muskel wird überbeansprucht, wenn eine Tendenz zur Kyphose (Wirbelsäulenverkrümmung) in der Halswirbelsäule besteht und die Schädelbasis konstant zu weit vorne liegt. Die betroffenen Personen versuchen dann oft, die Halswirbel gerade übereinander auszurichten, indem sie die Schulterblätter anheben und näher zusammen bringen. Das ist zwar effektiv, um den Schwerpunkt nach hinten zu verlagern, aber nicht wirklich sinnvoll, um den Hals gerade aufzurichten.

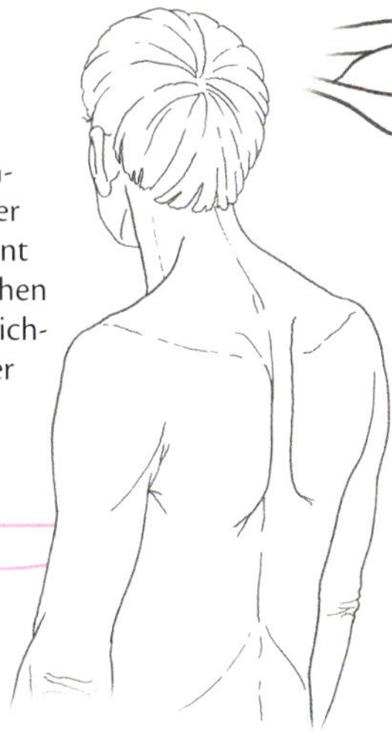

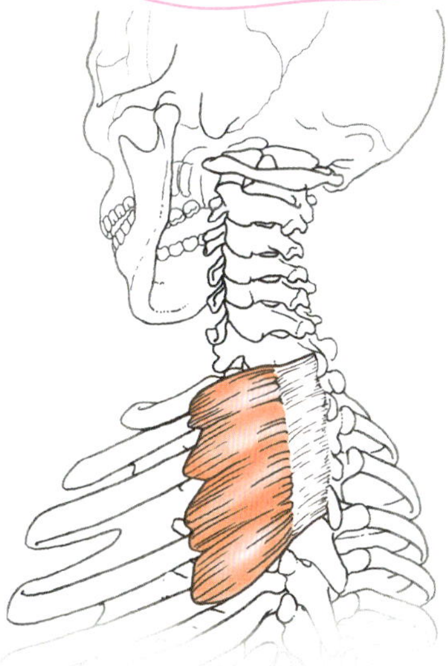

Der *Musculus serratus posterior superior*

Dieser Muskel setzt an den Wirbeln C6 (oder C7) bis T2 an und endet an den ersten vier Rippen.

Seine Wirkung auf den Nacken

Der *Musculus serratus posterior superior* richtet den unteren Nacken an den oberen Rippen aufrecht aus. Diese Funktion ist wichtig, um eine vorgestreckte Kopfhaltung zu korrigieren.

Die Wirkung des *Musculus serratus posterior superior* lässt sich in einer horizontalen Haltung der Wirbelsäule besonders gut spüren. Wenn man in dieser Haltung die Halsbasis nach unten „fallen lässt“, kann man versuchen, die Linie zwischen Rumpf und Kopf mithilfe dieses Muskels wieder in eine horizontale Ausrichtung zu bringen.

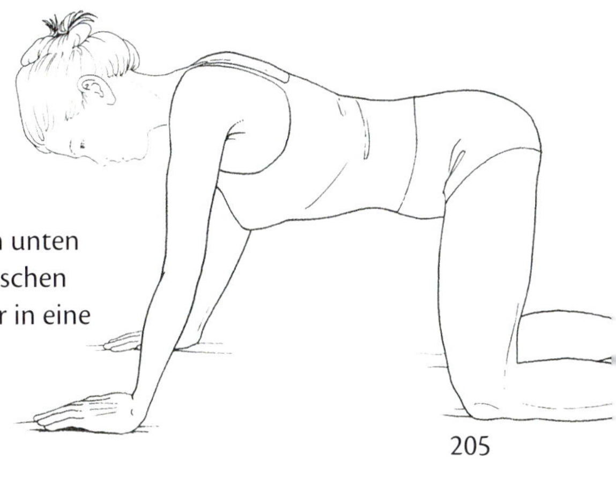

Die wichtigsten Muskeln des Halswirbelbereiches

Die Splenius-Muskeln

Wie die langen Nackenmuskeln sind auch diese Muskeln größer als die suboccipitalen Muskeln und verlaufen schräg entlang des Nackens. Sie verbinden die Mastoidregion (um den Warzenfortsatz des Schläfenbeins) mit der Hals- und Brustwirbelsäule.

Der *Musculus splenius capitis*

Dieser Muskel setzt oben am Warzenfortsatz des Schläfenbeins (*Processus mastoideus*) und den benachbarten Teilen des Hinterhauptbeines an. Er führt am Nacken entlang nach unten und endet an den Knochenansätzen der Wirbel C6 bis C7.

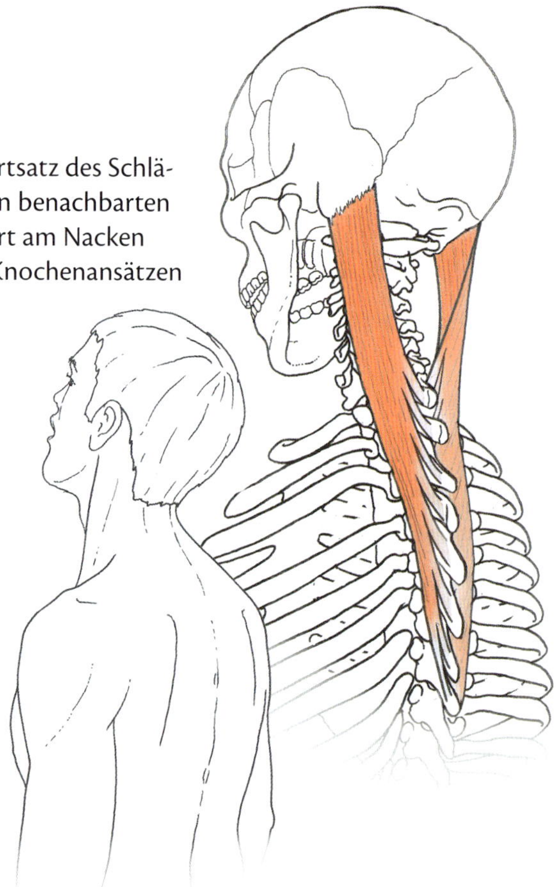

Muskelfunktion

Wenn beide Seiten des *Musculus splenius capitis* gleichzeitig kontrahieren, richten sie den Kopf auf dem Hals und die obere Hälfte des Halses auf. Wenn nur eine Seite kontrahiert, wird der Kopf gedreht und gleichzeitig zur selben Seite geneigt.

Der *Musculus splenius cervicis*

Dieser Muskel (nicht abgebildet) setzt an den Dornfortsätzen der Wirbel C1 bis C3 an, führt entlang der Halswirbelsäule nach unten und endet an den Querfortsätzen der Wirbel T1 bis T3.

Muskelfunktion

Wenn beide Seiten des *Musculus splenius cervicis* gleichzeitig kontrahieren, richten sie den Nacken und den Bereich des oberen Brustkorbes auf. Wenn nur eine Seite kontrahiert, neigt sich die untere Halswirbelsäule zu dieser Seite.

Der *Musculus trapezius* (auch: Kapuzenmuskel)

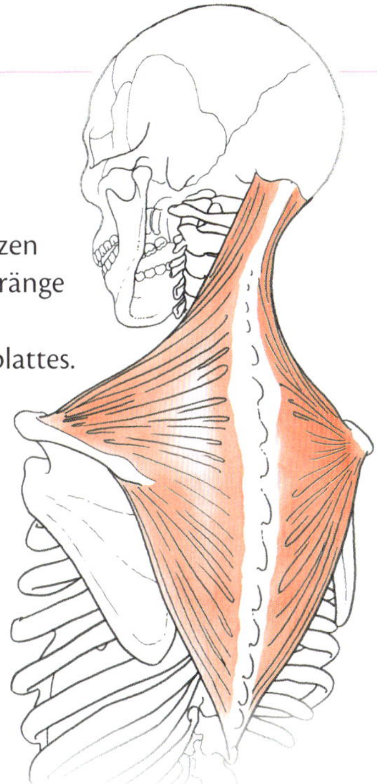

Dieser Muskel ist einer der größten Muskeln im Körper.
Er setzt am Hinterhauptbein (siehe S. 62) sowie an den Dornfortsätzen der Hals- und Brustwirbel an. Von dort vereinigen sich die Muskelstränge wie bei einem Fächer, verlaufen nach außen und enden am äußeren Drittel des Schlüsselbeins sowie an der *Spina scapulae* des Schulterblattes.

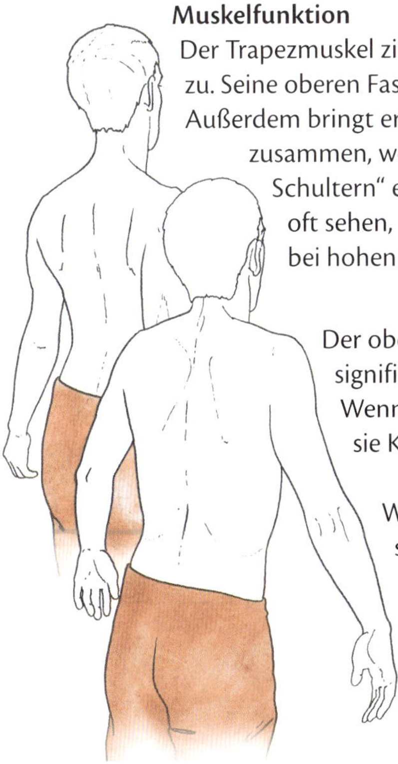

Muskelfunktion

Der Trapezmuskel zieht die Schulterblätter aufeinander zu. Seine oberen Fasern heben das Schulterblatt an. Außerdem bringt er die Schultern nach oben und zusammen, wodurch die „hochgezogenen Schultern" entstehen können. Das kann man oft sehen, wenn jemand singt, insbesondere bei hohen Tönen (siehe auch S. 189).

Der obere Teil des Trapezmuskels hat eine signifikante Wirkung auf den Nacken: Wenn beide Seiten gleichzeitig kontrahieren, strecken sie Kopf und Hals.

Wenn nur eine Seite kontrahiert, trägt sie zur seitlichen Neigung der Halswirbelsäule und zur Drehung von Hals und Kopf zur gegenüberliegenden Seite bei.

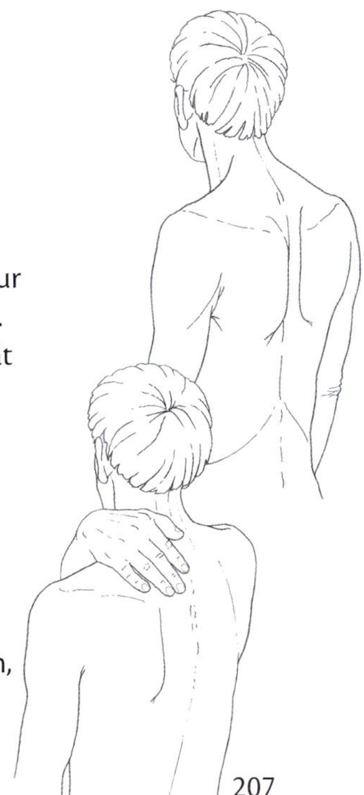

Der obere Teil des Trapezmuskels ist oft sehr angespannt

Das passiert insbesondere dann, wenn die tiefere Nackenmuskulatur nicht gut genug koordiniert ist, um den Nacken aufrecht zu halten. In diesem Fall sichert der obere Teil des Trapezmuskels die Stabilität von Kopf, Nacken und Rumpf. Da er aber nicht zwischen den einzelnen Wirbeln wirkt, richtet er den Nacken in etwa so auf, wie es der *Sternocleidomastoideus* (siehe S. 210) tut und bringt dabei manchmal die Schultern mehr zusammen als nötig.

Um den Trapezmuskel zu entspannen, kann man ihn natürlich massieren. Darüber hinaus sollten wir aber vor allem die aufrechte Haltung unseres Kopfes verbessern, indem wir die tieferen Muskeln, die für diese Aufgabe eigentlich gedacht sind, dafür einsetzen.

Die wichtigsten Muskeln des Halswirbelbereiches
Die prävertebrale Halsmuskulatur

Der Begriff *prävertebral* bedeutet „vor den Wirbeln gelegen". Die hier beschriebenen Muskeln liegen vor der Halswirbelsäule. Die Halswirbelsäule befindet sich in einer Lordose, d. h., sie beschreibt eine konvexe Kurve nach vorne und eine konkave Kurve nach hinten. Die Hauptaufgabe dieser Muskeln besteht darin, die Halswirbel übereinander aufzurichten und die Lordose durch ihre Kontraktion vor den Wirbeln abzuschwächen.

Der lange Halsmuskel (*Musculus longus colli*)

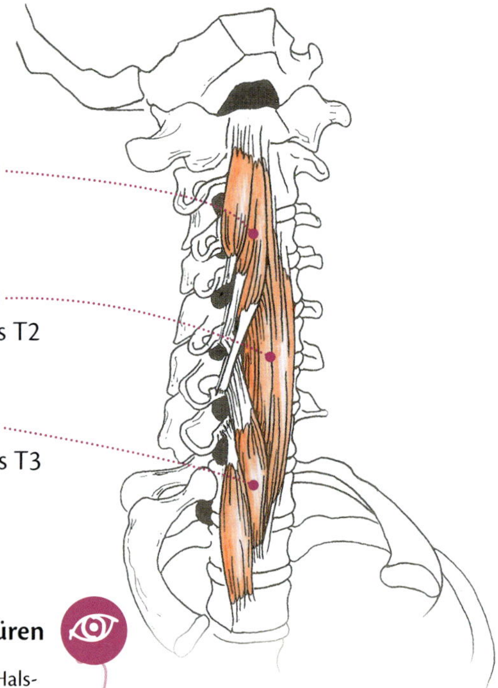

Dieser Muskel besteht aus drei Faserbündeln. Das obere schräge Bündel (*Pars obliqua superior*) verläuft vom vorderen Atlasbogen zu den Querfortsätzen der Wirbel C3 bis C6.

Etwa in der Mitte verläuft ein Bündel (*Pars recta*) vertikal von den Wirbelkörpern der Wirbel C2 bis T2 zu den Querfortsätzen der Wirbel C4 bis C7.

Das untere schräge Bündel (*Pars obliqua inferior*) verläuft von den Wirbelkörpern der Wirbel T1 bis T3 zu den Querfortsätzen der Wirbel C5 bis C7.

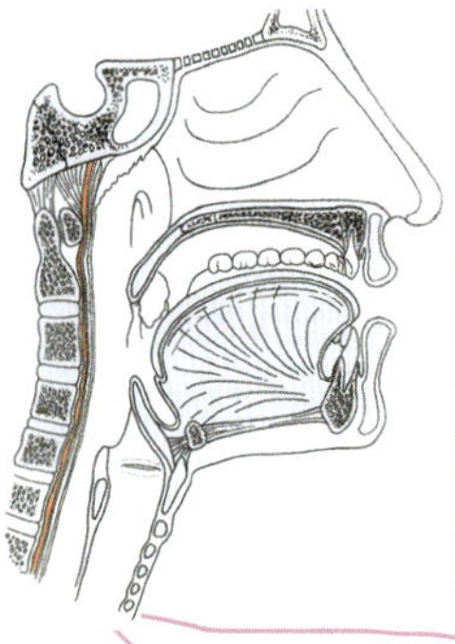

Den *Musculus longus colli* spüren

Der *Longus colli* liegt direkt vor den Halswirbelkörpern und hinter den Schlundschnürern. Man kann die Schlundschnürer spüren, wenn man Speichel schluckt. Man kann sich dann die *Musculi longi colli* direkt hinter dem Bereich vorstellen, in dem die Schluckbewegung zu spüren ist.

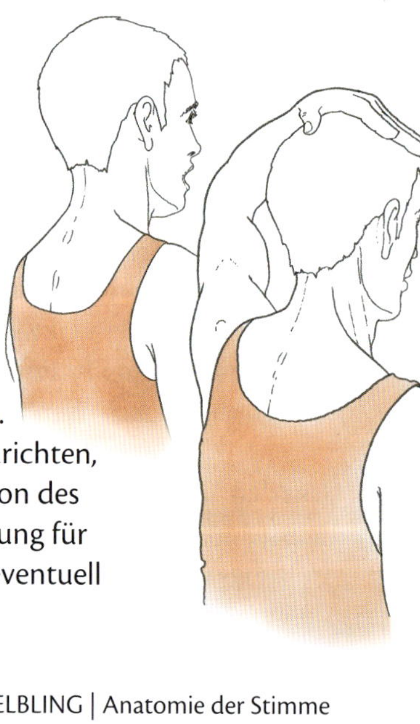

Muskelfunktion

Der *Musculus longus colli* richtet die Halswirbel übereinander aus und gleicht somit die Halslordose aus. Wichtiges Detail: er führt diese Aktion aus, ohne dabei auf den Kopf einzuwirken. Dieser Muskel ist wichtig, um die Halswirbelsäule vertikal auszurichten, ohne dass man dabei das Kinn anzieht, wie es bei der Kontraktion des *Musculus semispinalis* (siehe S. 204) der Fall ist. Die typische Übung für diesen Muskel besteht darin, den Kopf nach oben zu drücken, eventuell sogar gegen einen Widerstand wie z. B. den Druck einer Hand.

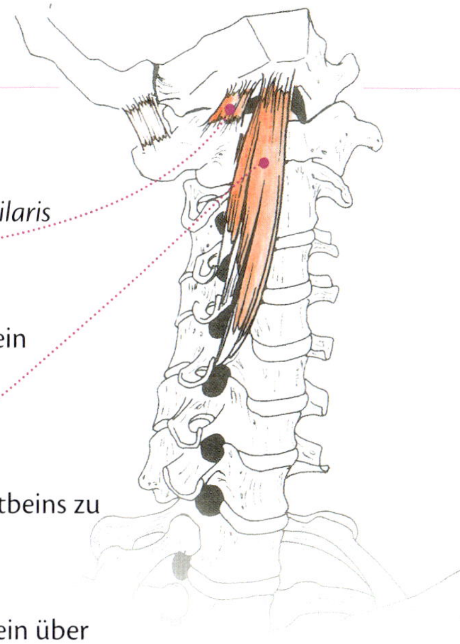

Der *Musculus rectus capitis lateralis*

Der *Musculus rectus capitis lateralis* verläuft von der *Pars basilaris* des Hinterhauptbeins zum Atlas.

Muskelfunktion
Der *Musculus rectus capitis lateralis* beugt das Hinterhauptbein über dem Atlas.

Musculus rectus capitis anterior

Dieser Muskel verläuft von der *Pars basilaris* des Hinterhauptbeins zu den Querfortsätzen der Wirbel C3 bis C6.

Muskelfunktion
Der *Musculus rectus capitis anterior* beugt das Hinterhauptbein über den Atlas und setzt diese Bewegung bis zum Wirbel C6 fort.

Diese beiden Muskeln sind die Antagonisten der suboccipitalen Muskeln (siehe S. 202–203). Das bedeutet, dass ihre Bewegungen einander gegenläufig sind und sie sich gegenseitig ausgleichen können.

Schlussfolgerung

Alle diese Muskeln, die prävertebralen und die suboccipitalen, tragen dazu bei, den Kopf genau im Gleichgewicht auf dem Hals zu halten. Sie sind deshalb wichtig für alle Stimmtechniken, bei denen wir Stabilität oder eine genaue Feinabstimmung in der gesamten Kopf-/Hals-Region benötigen. Dazu zählen die Bewegungen des Rachens, des Gaumensegels und der hinteren Zunge. Diese sehr präzise Funktionalität ist besonders im klassischen Gesang bei schnellen Passagen wichtig.

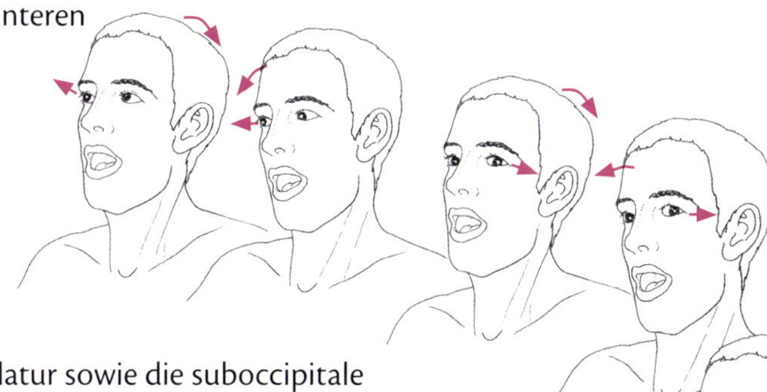

Die prävertebrale Halsmuskulatur sowie die suboccipitale Muskulatur werden stark von den Augenbewegungen beeinflusst. Es ist daher ein gutes Koordinationstrainig für diese Muskeln, wenn man die Augen in unterschiedliche Richtungen bewegt. Man sollte also darauf achten, dass beim Singen in Gruppen (z. B. in Chören oder im Gruppenunterricht) die Augen nicht ständig in dieselbe Richtung gerichtet werden. Ein starrer Blick kann die Koordination dieser Muskeln und des gesamten Vokaltraktes einschränken.

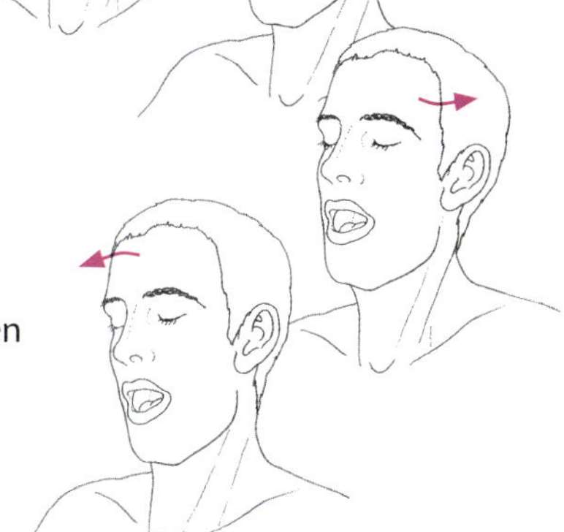

Die wichtigsten Muskeln des Halswirbelbereiches

Der Kopfnicker (*Musculus sternocleidomastoideus*)

Die Aufgabe des Kopfnickers beim Atmen wurde bereits im Kapitel zum „Atemapparat" (siehe S. 125) beschrieben. Hier soll nun seine Rolle für die aufrechte Haltung des Nackens besprochen werden.

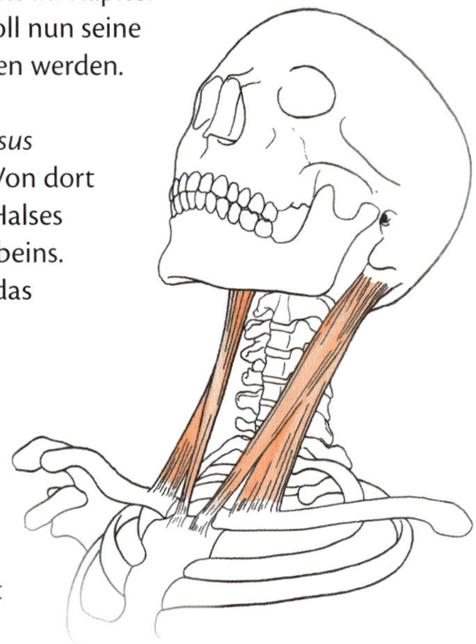

Oben setzt der Kopfnicker am Warzenfortsatz (*Processus mastoideus*, siehe S. 66) und am Hinterhauptbein an. Von dort verlaufen die Muskelfasern nach vorne zur Mitte des Halses und zum Brustbein sowie zur Innenseite des Schlüsselbeins. Außer an diesen beiden Punkten berührt der Muskel das Skelett nicht.

Muskelfunktion

Die Wirkung des Kopfnickers auf den Hals ist stark und beeinträchtigt häufig unsere Haltung, indem er die Wirbelsäule verzieht. Er zieht nämlich am Hinterhauptbein und verursacht dadurch

- eine Bewegung nach vorne: Der „Schädelblock" liegt dann nicht mehr über dem Brustkorb, sondern verlagert seinen Schwerpunkt nach vorne.
- eine Bewegung nach hinten, wodurch gleichzeitig die hinteren suboccipitalen Muskeln aktiviert werden.

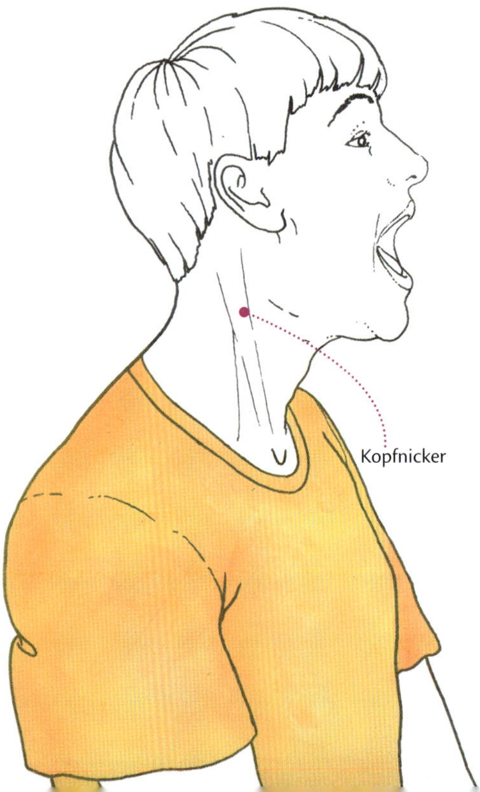

Wenn sich der Kopfnicker vertikal ausrichtet …

Häufig sieht man den Kopfnicker als vorherrschenden Muskel des Halses während des Singens. Wenn seine Aktivität nicht durch die der tiefen Halsmuskulatur ausgeglichen wird, bringt er Atlas und Kopf stark nach vorne, was eine gute Kehlkopfaufhängung verhindert (siehe S. 180). In diesem Fall verläuft der Kopfnicker im Profil vertikal und nicht schräg.

Die wichtigsten Muskeln des Halswirbelbereiches

Die Skalenusmuskulatur (*Musculi scaleni*)

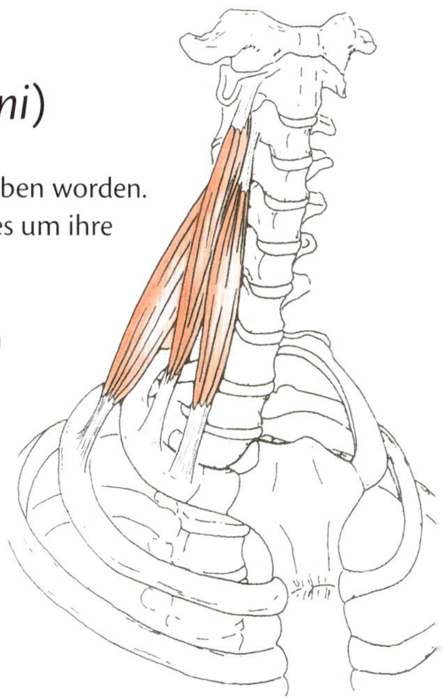

Diese drei Muskeln sind bereits im Kapitel zur Atmung beschrieben worden. Sie liegen direkt hinter dem Kopfnicker. In diesem Kapitel geht es um ihre Aufgabe, den Hals vertikal auszurichten.

Sie setzen etwas tiefer als der Kopfnicker an den Querfortsätzen der Halswirbel von Axis bis C7 an. Also haben sie keinerlei Verbindung zum Schädel. Von dort steigen diese Muskeln dann schräg nach vorne ab und setzen an der ersten und zweiten Rippe an.

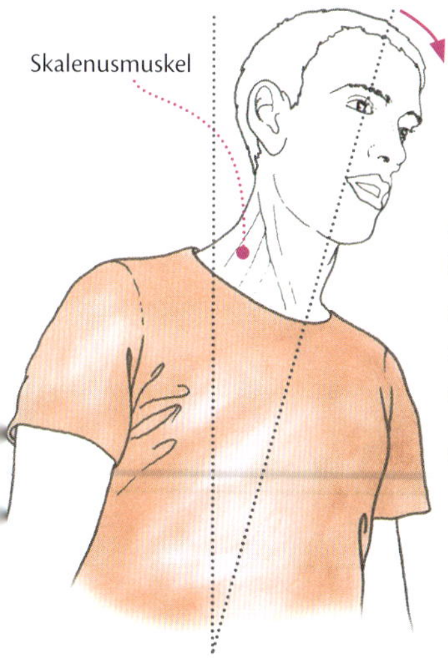

Muskelfunktion

Die Skalenusmuskeln befinden sich zu beiden Seiten des Halses und stabilisieren ihn seitlich. Man kann sie sehen und fühlen, wenn man den Kopf zur Seite neigt.
Wie auf S. 125 beschrieben, kann die Aktivität der Skalenusmuskeln die Halswirbel nach vorne verschieben.

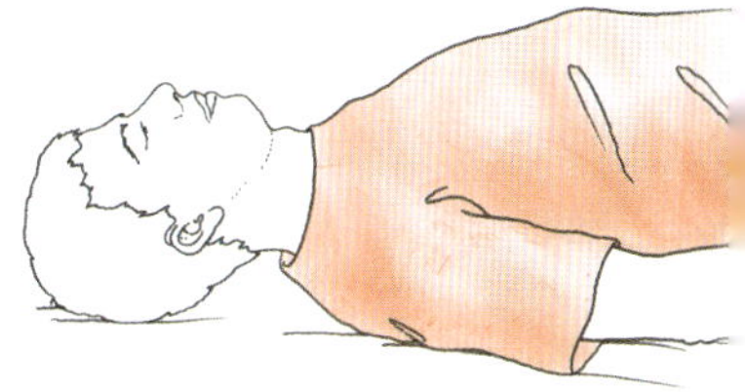

Kleiner Test zur Ausrichtung von Halswirbelsäule und Kopf

Wenn der Kopfnicker und die Skalenusmuskeln zu stark kontrahieren oder verkürzt sind, ist es schwierig, Hals und Kopf vertikal auszurichten (es ist dann unmöglich oder sehr mühsam, den Kopf an eine Kopfstütze anzulehnen, wenn man zum Beispiel auf einem Stuhl mit Kopfstütze sitzt).

Diese Ausrichtung kann man überprüfen, indem man sich auf den Rücken legt, ohne ein Kissen unter dem Kopf. Die Rippen sollten auf dem Boden aufliegen. Manchen wird es aus dieser Position heraus vielleicht schwer fallen, den Kopf auf dem Boden abzulegen. Oft ist dies dann nur möglich, wenn der obere Hals in eine starke Lordose geht, sodass der Blick quasi nach hinten oben gerichtet ist.

Ist dies der Fall, so sollte man versuchen, Hals und Kopf neu auszurichten. Das sollte allerdings nicht mit Kraft geschehen, sondern mit einer Art „passiver Aufrichtung". Hierzu legt man sich in der gleichen Position wie beim „Test" auf den Boden, nun allerdings mit einem keilförmigen Kissen unter dem Kopf. Die Dicke des Kissens kann dann nach und nach reduziert werden, wenn die Muskeln entspannen und sich die Halsausrichtung verbessert.

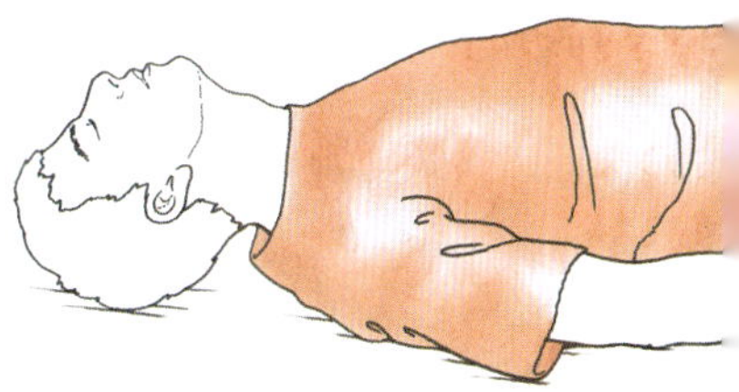

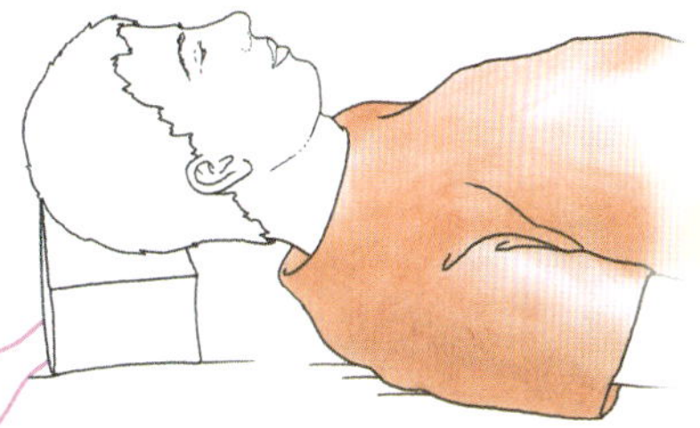

Der Rachenraum (*Pharynx*)

Der *Pharynx* ist ein flexibler, etwa zwölf Zentimeter langer, im Durchmesser ungefähr zwei Zentimeter dicker Schlauch. Er befindet sich vor der Halswirbelsäule. An seinem unteren Ende mündet er in die Speiseröhre. Am oberen Ende sind Öffnungen, durch die er, von oben nach unten betrachtet, mit folgenden Strukturen verbunden ist:
mit der Rückseite der Nasenhöhlen, dann mit der Hinterseite des Mundes, sowie mit dem oberen Teil des Kehlkopfes und der Speiseröhre.
Der Rachen stellt also die Verbindung zwischen diesen Bereichen her.

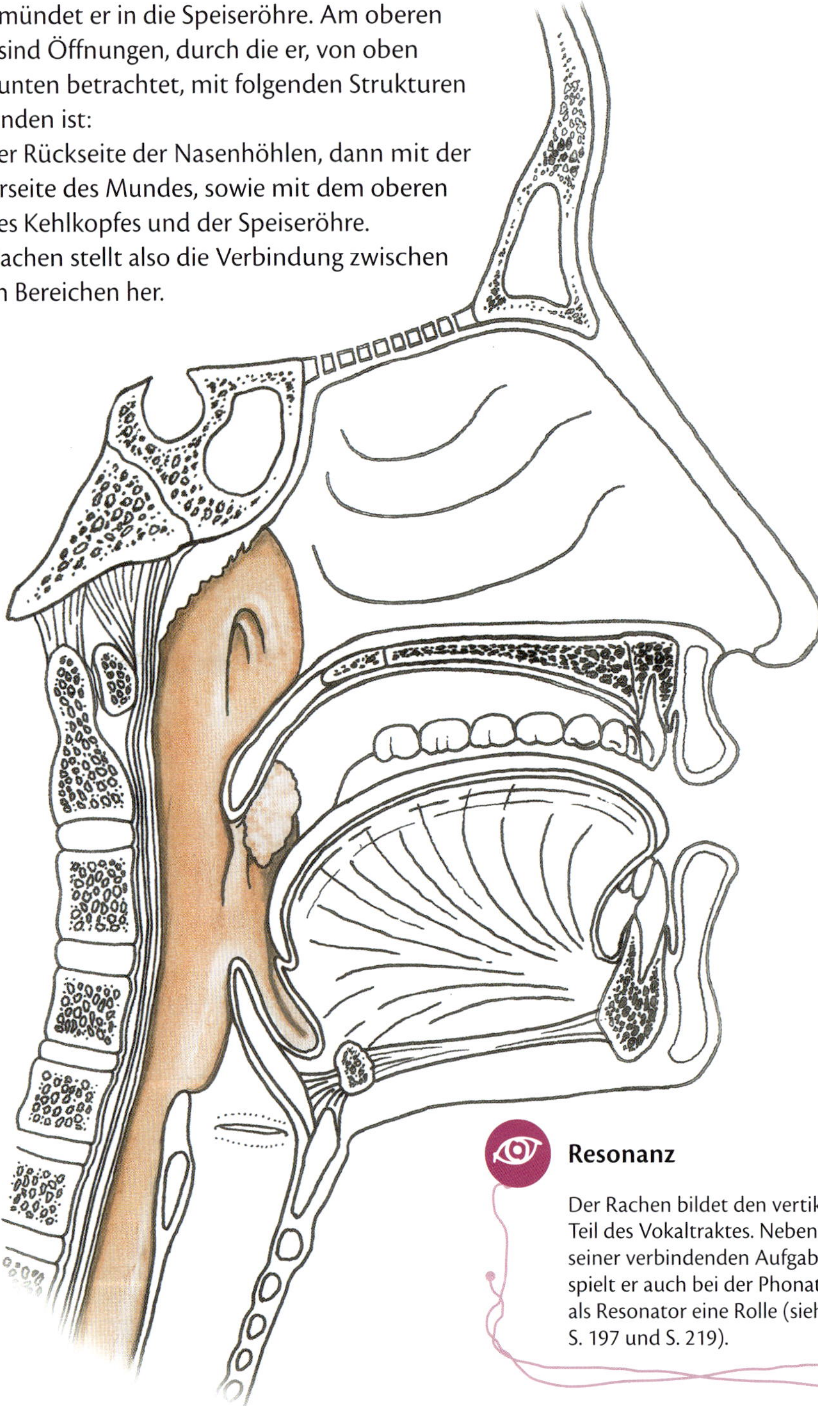

Resonanz

Der Rachen bildet den vertikalen Teil des Vokaltraktes. Neben seiner verbindenden Aufgabe spielt er auch bei der Phonation als Resonator eine Rolle (siehe S. 197 und S. 219).

Von oben nach unten, dem Vorgang des Einatmens folgend, ist der *Pharynx* folgendermaßen aufgebaut:

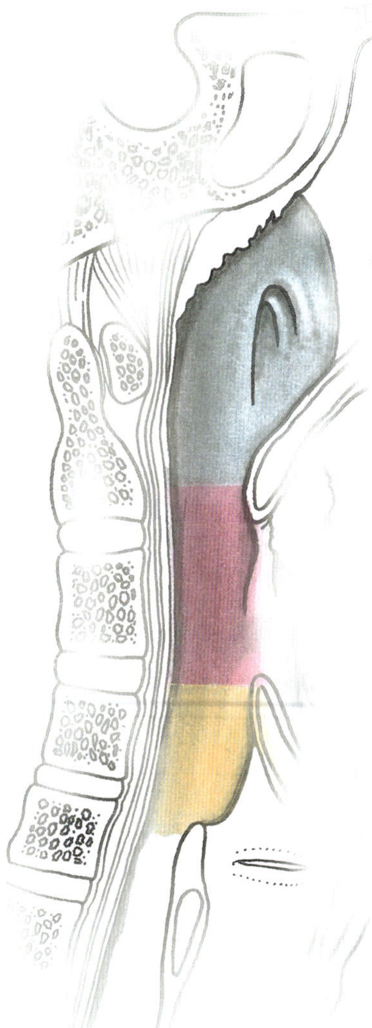

Der ***Rhinopharynx*** befindet sich auf Höhe der Nase.

Der ***Oropharynx*** liegt auf Höhe des Mundes.

Der ***Hypopharynx*** verbindet zwei Regionen: die des Kehlkopfes vorne und den Schlund oberhalb der Speiseröhre dahinter.

Die Wand des Pharynx besteht aus drei Schichten:

- Eine Schleimhaut bildet die innere Schicht. Sie ist durchgehend mit der Schleimhaut aller benachbarten Regionen verbunden, also mit der Nasen- und Mundschleimhaut sowie mit der Schleimhaut im Kehlkopf und in der Speiseröhre.
- Darüber liegt eine Muskelschicht, die ihrerseits aus drei aufeinanderfolgenden Muskeln besteht. Diese Muskeln werden als Schlundschnürer bezeichnet (siehe S. 216–217).
- Die dritte ist eine Faserschicht.

Im oberen Teil des Rachens gibt es keine Muskelschicht. Eine Faserschicht, die *Membrana pharyngobasiliaris*, bildet dort das Gerüst der Rachenwand. Durch diese Membran ist der Muskelschlauch des Rachens an der Schädelbasis, genauer gesagt am *Tuberculum pharyngeum*, einem kleinen Höcker des Hinterhauptbeins, aufgehängt.

Der Nasenrachenraum (*Rhinopharynx*)

Dieser Teil, der auch *Nasopharynx* oder *Rhinopharynx* genannt wird, ist der Teil des Rachens, der sich auf der Rückseite der Nasenhöhlen befindet. Er ist ein etwa fünf Zentimeter großer quaderförmiger Raum mit sechs Seiten, die alle mit einer Rachenschleimhaut bedeckt sind.

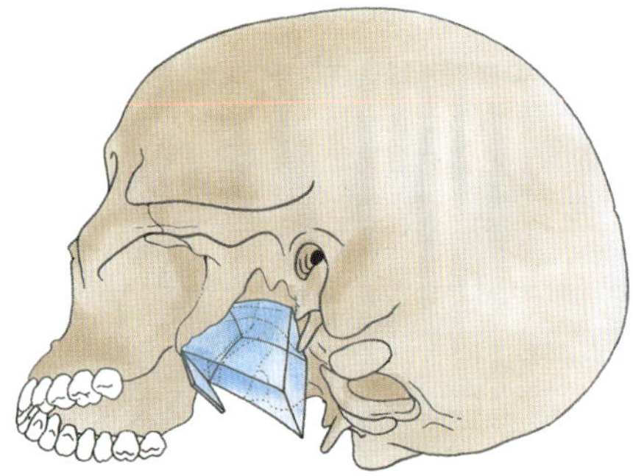

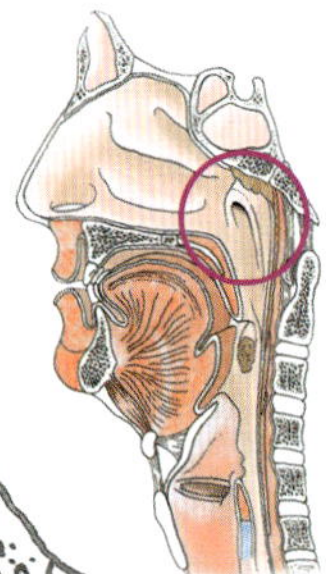

Die Oberfläche oder Decke des Nasenrachenraums wird durch die Unterseite der *Pars basilaris* des Hinterhauptbeins und der Fläche des Keilbeins gebildet.

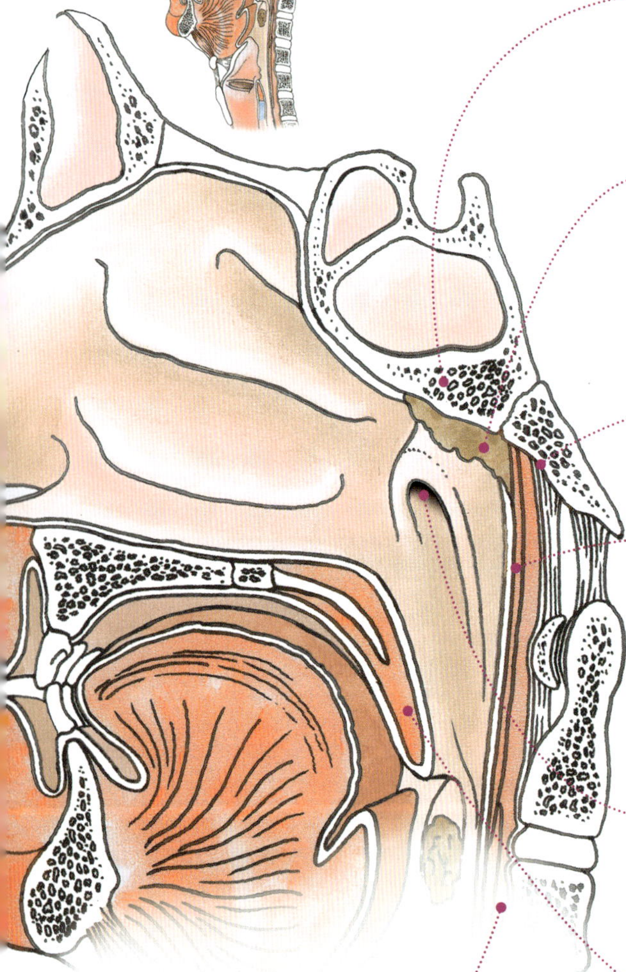

Hier befinden sich die **Gaumenmandeln (*Tonsilla palatina*)**, Organe des Lymphsystems. Diese sind bei Erwachsenen recht klein. Bei Kindern können sie manchmal wuchern und die Atmung stören (man spricht dann von adenoiden Vegetationen bzw. „Polypen").

Die Rückseite des Nasenrachenraums besteht aus der *Membrana pharyngobasilaris* und dem oberen Schlundschnürer (*Musculus constrictor phyryngis superior*), der sich auf den Seitenflächen weiter fortsetzt.

Die Seitenflächen (hier ist die rechte Seite abgebildet) liegen innerhalb der Schlundschnürer. Sie bestehen aus den Muskeln, die das Gaumensegel* heben und spannen. Zwischen ihnen führt das untere Ende der Eustachischen Röhre (siehe S. 277) hindurch.

Die untere Seite des Nasenrachenraums ist beweglich. Sie wird vom Gaumensegel (*Velum palatinum*, siehe S. 230) gebildet.

Hinter den Schlundschnürern liegt der *Longus colli* (siehe S. 208).

* Hier nicht sichtbar, da es von Schleimhaut bedeckt ist.

Der Mundrachenraum (*Oropharynx*)

Der Mundrachenraum (oder auch der sogenannte „Schlund“) ist der etwa vier Zentimeter große Teil des Rachens, der hinter der Mundhöhle liegt. Der Mundrachenraum ist von der Mundhöhle durch einen Verschluss auf der Rückseite des Mundes getrennt, nämlich von der sogenannten Rachen- oder Schlundenge. Diese wird von den Gaumenbögen (*Arcus palatopharyngeus*) des Gaumensegels (siehe S. 231) gebildet. Zwischen den Gaumenbögen liegen die Gaumenmandeln.

Dies ist der Teil des Rachens, den man bei einer anderen Person direkt sehen oder bei sich selbst mithilfe eines Spiegels betrachten kann.

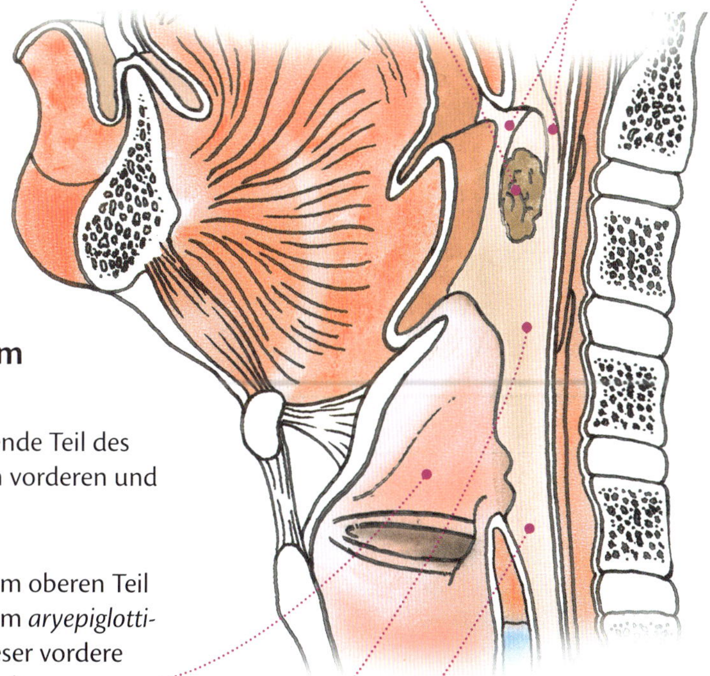

Der untere Rachenraum (*Hypopharynx*)

Dieser ist der am tiefsten liegende Teil des Rachens. Er besteht aus einem vorderen und einem hinteren Bereich.

Der vordere Bereich ist mit dem oberen Teil des Kehlkopfes verbunden, dem *aryepiglottischen* Raum (siehe S. 178). Dieser vordere Bereich wird auch als *Laryngopharynx* (Kehlkopf-Rachen) bezeichnet.

Der obere Teil des hinteren Bereiches misst etwa zwei Zentimeter und bildet die Verlängerung des Mundrachenraums nach unten.

Der untere Teil ist etwas enger und mit dem oberen Teil der Speiseröhre (*Oesophagus*) verbunden.

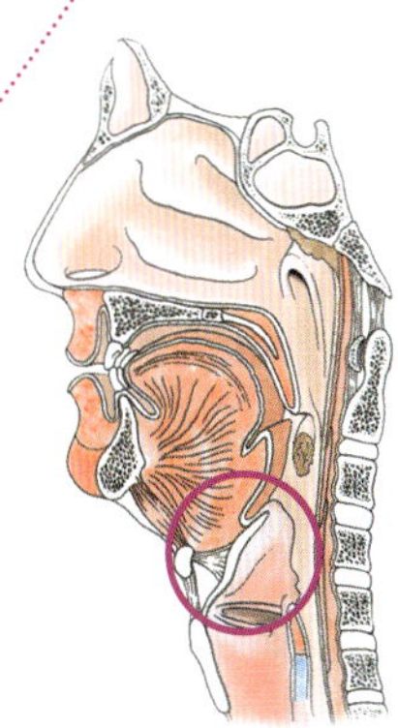

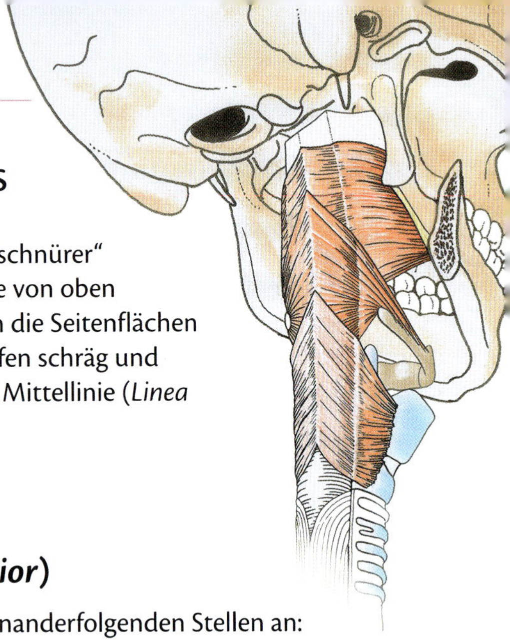

Die Muskeln des Rachenraums

Im Rachenraum liegen die sogenannten „Schlundschnürer" (*Musculus constrictor pharyngis*), drei Muskeln, die von oben nach unten aufeinander aufgebaut sind. Sie bilden die Seitenflächen und die Rückseite des Rachens. Ihre Fasern verlaufen schräg und treffen an der Rachenrückseite bei der gedachten Mittellinie (*Linea mediana*) aufeinander.

Der obere Schlundschnürer (*Musculus constrictor pharyngis superior*)

Der obere Schlundschnürer setzt an einigen aufeinanderfolgenden Stellen an:

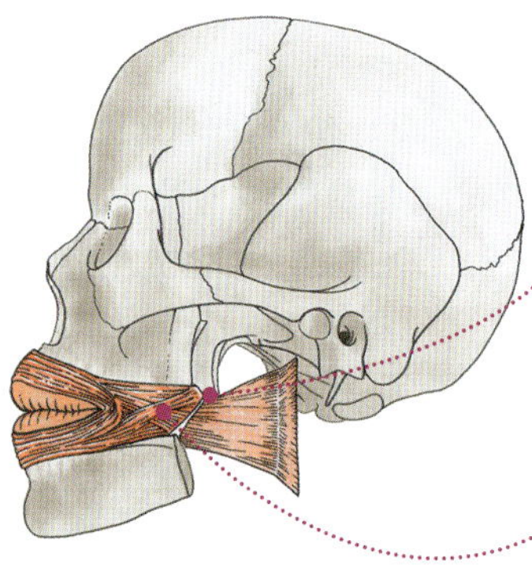

- Am äußersten Ende des Flügelfortsatzes (*Processus pteryoideus*) des Keilbeins (*Os sphenoidale*).
- Am *Ligamentum pterygomandibularis*.
  Das ist eine sehnige Verwachsungsnaht, die vom Haken des äußeren Endes des Flügelfortsatzes bis zum hinteren Ende der *Linea mylohyoidea* des Unterkiefers (siehe S. 74) verläuft.
  Auf dieser Ebene ist der obere Schlundschnürer mit dem Wangenmuskel *(Musculus buccinator)*, siehe S. 263) verbunden.
- An den seitlichen und hinteren Teilen des *Musculus genioglossus* und bildet so den *Musculus pharyngoglossus* (siehe S. 250).

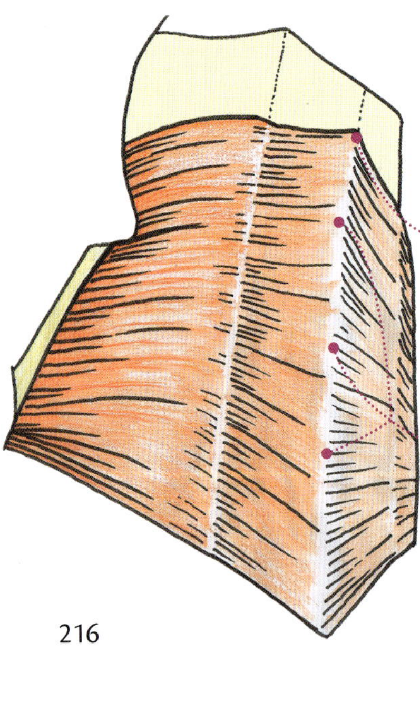

Die Fasern verlaufen nach hinten und bilden so die Seitenwand, dann zur hinteren Mittellinie und bilden dadurch auch die Rückwand des Rachens.
An dieser Stelle verlaufen:

- die oberen Muskelfasern aufwärts und enden am *Tuberculum pharyngeum* (der kleine Höcker auf der Unterseite der *Pars basilaris* des Hinterhauptbeins, siehe S. 64),
- die mittleren Fasern horizontal und abwärts.

Alle hinteren Fasern zusammen enden in Form einer *Raphe*, einer Verwachsungsnaht. Diese entsteht, wenn sich rechte und linke Muskelfasern kreuzen.

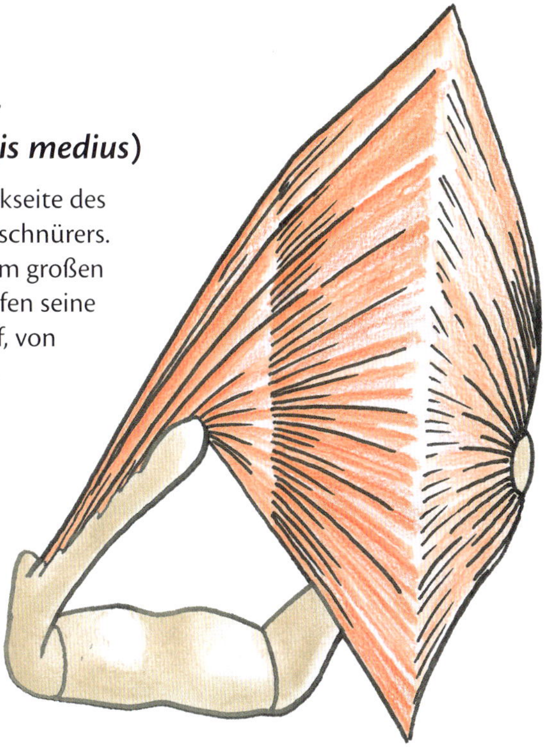

Der mittlere Schlundschnürer (*Musculus constrictor pharyngis medius*)

Dieser Muskel befindet sich auf der Rückseite des Mundes, unterhalb des oberen Schlundschnürers. Er entspringt an der Vorderseite oben am großen Horn des Zungenbeins. Von dort verlaufen seine Fasern nach hinten und fächern sich auf, von dort aus weiter zur hinteren Mittellinie. Dabei werden sie zunehmend größer.

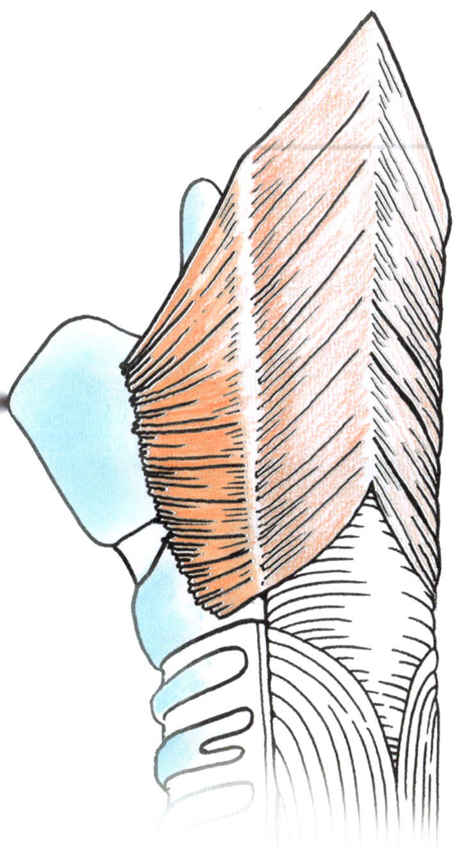

Der untere Schlundschnürer (*Musculus constrictor pharyngis inferior*)

Dieser Muskel liegt auf der Rückseite des Kehlkopfes. Er entspringt vorne

- an der Seite des Ringknorpels,
- an der hinteren Seitenfläche des Schildknorpels,
- sowie an einem Band, das beide Knorpel miteinander verbindet.

Von dort aus verlaufen die Fasern zunächst nach hinten, werden dabei fächerförmig größer und ziehen dann wieder nach oben bis zur hinteren Rachennaht, wo sie sich schneiden. Die untersten Fasern bilden dann die Grenze der Speiseröhre, mit der sie sich fortsetzen.

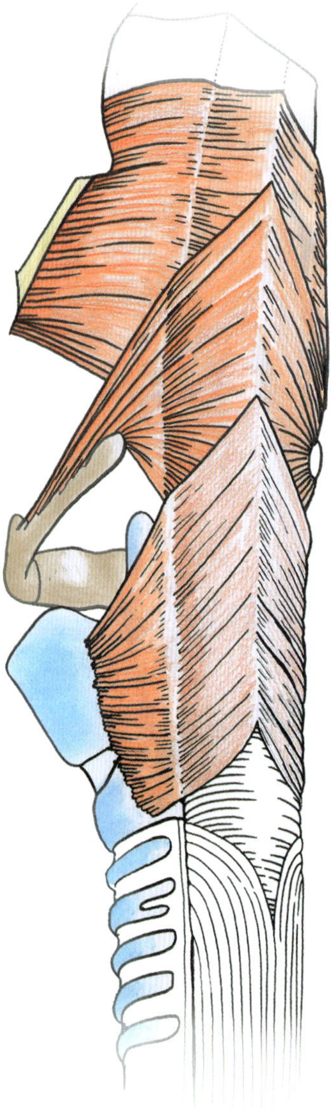

Die Schlundschnürer liegen übereinander

Der mittlere Schlundschnürer bedeckt den unteren Teil der Rückseite des oberen Schlundschnürers. Der untere Schlundschnürer bedeckt den unteren Teil des mittleren Schlundschnürers.

Die Kontraktion der Schlundschnürer führt auf der entsprechenden Ebene zu einer Straffung des Rachens.

Die oberen und mittleren Schlundschnürer ziehen den Kehlkopf noch oben. Wenn man schluckt, spürt man, wie der Kehlkopf steigt.

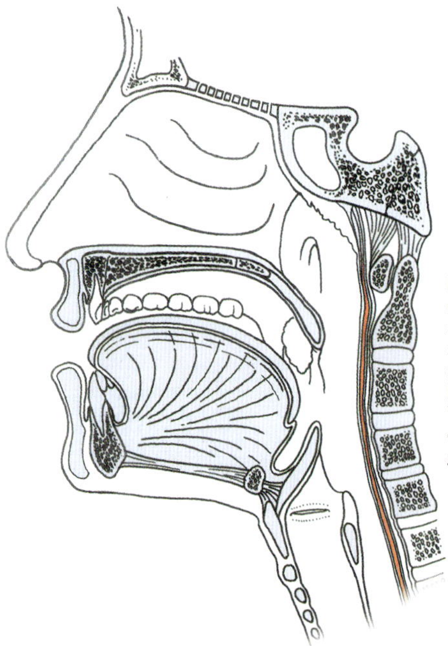

Im sagittalen Querschnitt des Vokaltraktes kann man sehen, dass die Schlundschnürer eine Verdickung an der Vorderseite der Halswirbelsäule bilden. Von dieser sind sie durch den *Musculus longus colli* getrennt.

In der pharyngealen Phase des Schluckens ziehen sich die Schlundschnürer nacheinander von oben nach unten zusammen. Dadurch werden Speisebrei oder Flüssigkeit von der Rückseite des Mundes zur Speiseröhre bewegt.

Das Schlucken ist also eine Aneinanderreihung von Kontraktionen und wird reflexmäßig (also unbewusst) ausgelöst, weshalb man auch vom „Schluckreflex" spricht. Die vorangehende Aktion im Mund hingegen („Orale Transportphase") wird von der Zunge ausgeführt und ist eine willentliche Bewegung, auf die wir allerdings meistens nicht achten. Aber wir können sie kontrollieren, wenn wir unsere Aufmerksamkeit darauf richten.

Das alles passiert beispielsweise, wenn wir essen und trinken, aber noch viel häufiger, wenn wir einfach nur Speichel schlucken (zwischen 1.500 und 2.000 Mal pro Tag).

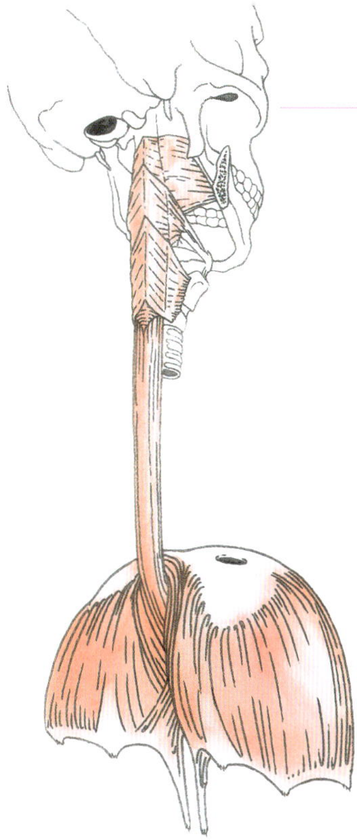

Rachenraum, Artikulation, Resonanz

Artikulation

Man kann Klänge erzeugen, indem man den Rachen und den hinteren Teil der Zunge zusammenbringt (ein uvulares „R" sehr weit hinten, also ein [ʁ]). Ebenso kann man in diesem Bereich oder zwischen dem weichen Gaumen und dem Rachen beim Schnarchen geräuschvolle Vibrationen erzeugen.

Resonanz

Das Absenken des Kehlkopfes, z. B. durch Unterstützung des Zwerchfells (siehe S. 115), verlängert den Rachenbereich des Ansatzrohres und verstärkt so die tieferen Obertöne.

Der Spannungsgrad der Rachenmuskeln verändert den Durchmesser des Rachenbereiches und damit auch die Resonanz.

Die Muskeln des Rachens und des Kehlkopfes neigen aufgrund ihrer räumlichen Nähe dazu, sich gleichzeitig zusammenzuziehen, und zwar

- bei intensiver Stimmproduktion,
- bei hohen Tönen.

Dadurch wird der Rachenbereich angespannt, was bei der Stimmproduktion nicht immer wünschenswert ist.
Es ist wichtig zu wissen, wie man die Rachenmuskulatur entspannen kann. Ebenso sollte man erkennen können, wann sie entspannt ist, um sie dann auf die gewünschte Weise zu kontrahieren.

Die Muskeln des Rachenraums entspannen

Es gibt unterschiedliche Übungen, mit denen man die Muskeln des Rachens entspannen kann:

- **Auf der Ebene des Nasenrachenraums:** einatmen, als nehme man einen Duft wahr. Dieses Einatmen ist leicht und tief zugleich, der hintere Teil der Nasennebenhöhlen ist geweitet. Man kann dann versuchen, diese Öffnung während des Ausatmens und während der Phonation beizubehalten.
- **Für den *Oropharynx*:** etwa ein Dutzend Mal kauen, dabei die Lippen in Kontakt miteinander lassen. Gleichzeitig versuchen, den hinteren Teil des Mundes so weit wie möglich zu öffnen (ohne dabei den Kau- und den Schläfenmuskel (*Musculus masseter*/ *Musculus temporalis*) zu sehr zu kontrahieren). Die räumliche Nähe zu den Schlundschnürern an der Rückseite des Rachens trägt so zu deren Entspannung bei. Dies ist eine gute Stimmvorbereitung, und zusätzlich wird hierbei Speichel produziert, der den Rachenraum befeuchtet.
- Für den gesamten Rachenraum ist Gähnen eine gute Entspannungsübung.

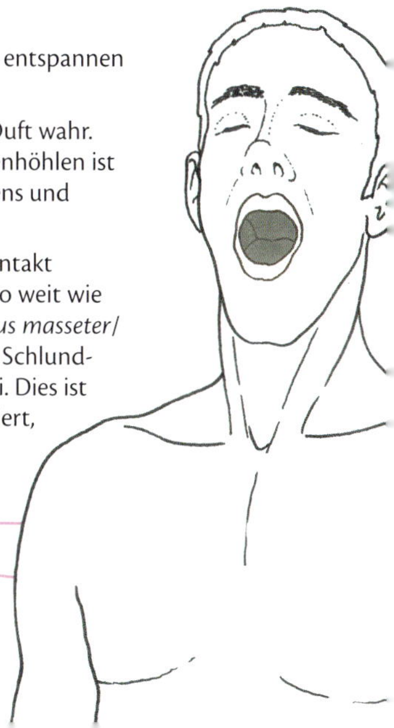

Der Mund (Os)

Der Mund ist der wichtigste Hohlraum, durch den die Atemluft bei der Stimmerzeugung strömt, nachdem sie den Rachen passiert hat. Der Mund erfüllt viele verschiedene Funktionen: Er ist Teil des Atemweges, er bildet den Eingang zum Verdauungstrakt und ist das Organ des Geschmackssinns.

In Bezug auf die Stimme ist der Mund der wichtigste Bereich für die Artikulation von Klängen und für die Resonanz.

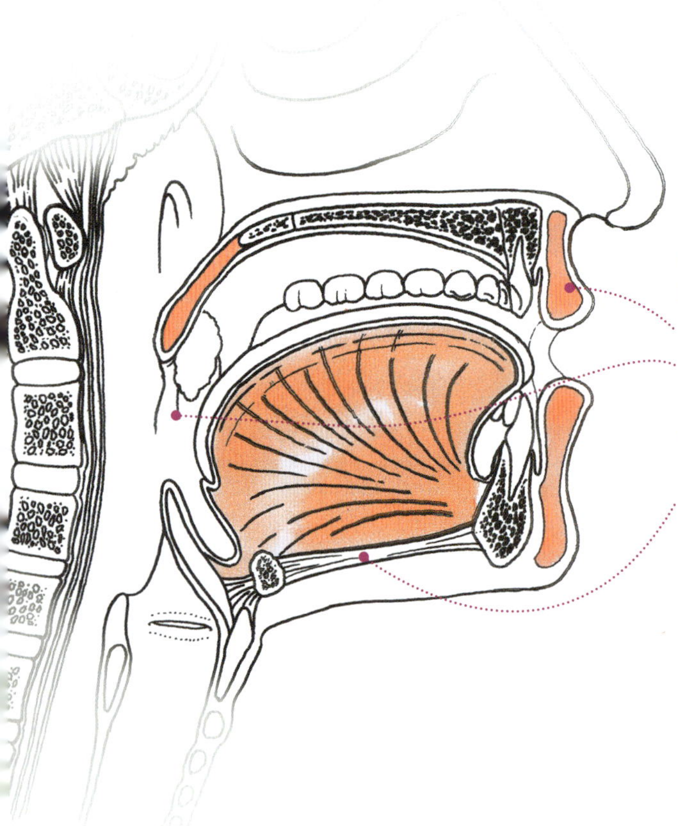

Die Strukturen, die den Mund begrenzen, sind:

- vorne die Lippen (*Labium oris*),
- hinten die Rachenenge (*Isthmus faucium*),
- an den Seiten die Wangen (nicht abgebildet),
- unten der *Musculus geniohyoideus* und der *Musculus mylohyoideus* (siehe S. 181).

In der Mundhöhle befinden sich die beiden **Zahnbögen** (*Arcus dentalis*). Diese grenzen zwei große Bereiche voneinander ab:

- vor den Gaumenbögen und hinter den Lippen liegt der **Mundvorhof** (*Vestibulum oris*),
- hinter und zwischen den Gaumenbögen liegt die **Mundhöhle** (*Cavum oris*).

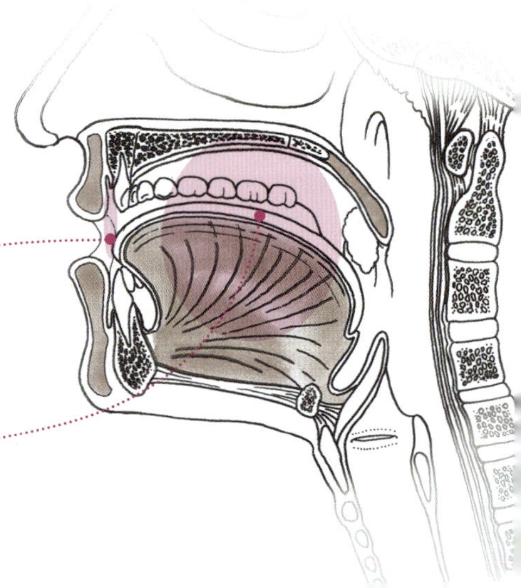

In diesem Kapitel werden einige Teile des Mundes beschrieben, deren Funktionen man einfach zuordnen kann:

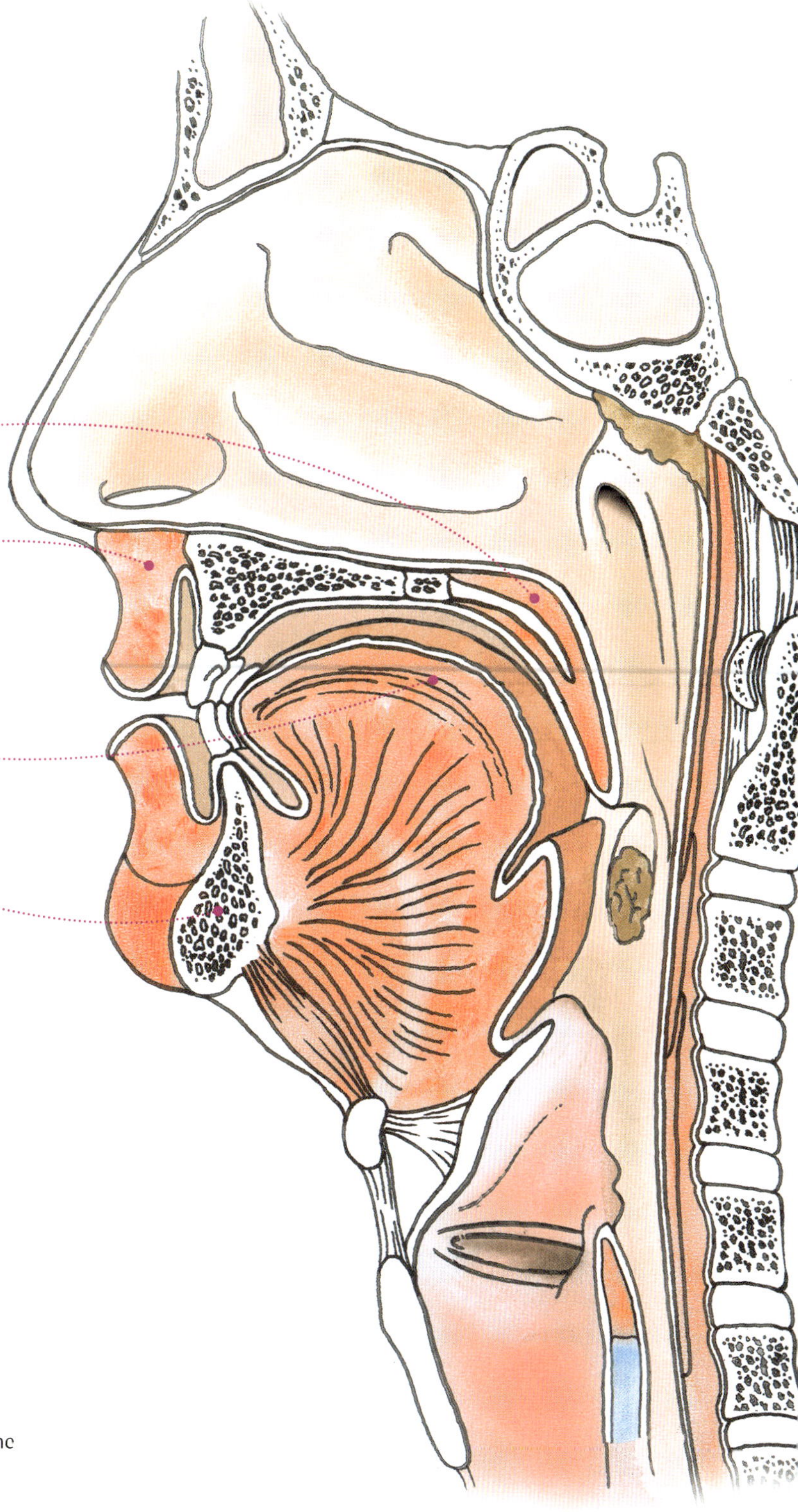

Öffnen und Schließen des Mundes: Die Kiefermuskulatur

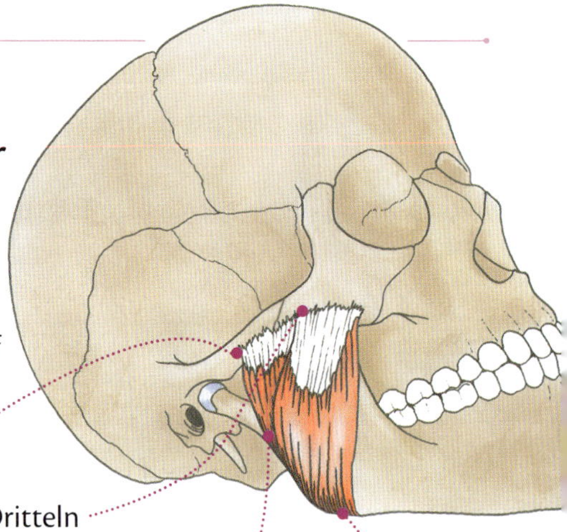

Musculus masseter

Der *Musculus masseter* ist einer der vier Kaumuskeln und befindet sich vor dem Ohr. Er ist sehr dick und besteht aus zwei Schichten, einer tief gelegenen Schicht und einer an der Oberfläche.

Oben setzt die tiefe Schicht am hinteren Drittel des Jochbogens (*Arcus zygomaticus*) an.
Die obere Schicht setzt an den beiden vorderen Dritteln des Jochbogens an.
Die Fasern verlaufen weiter nach hinten und haben ihren Ursprung im Unterkieferwinkel (*Angulus mandibulae* oder Gonion-Winkel) und auf der Außenseite des *Ramus mandibulae*, dem hinteren, schräg aufsteigenden Teil des Unterkieferknochens.

Seine Funktion

Der Kaumuskel hebt den Unterkiefer, hilft beim Schließen des Mundes und unterstützt die Vorwärtsbewegung des Kiefers.

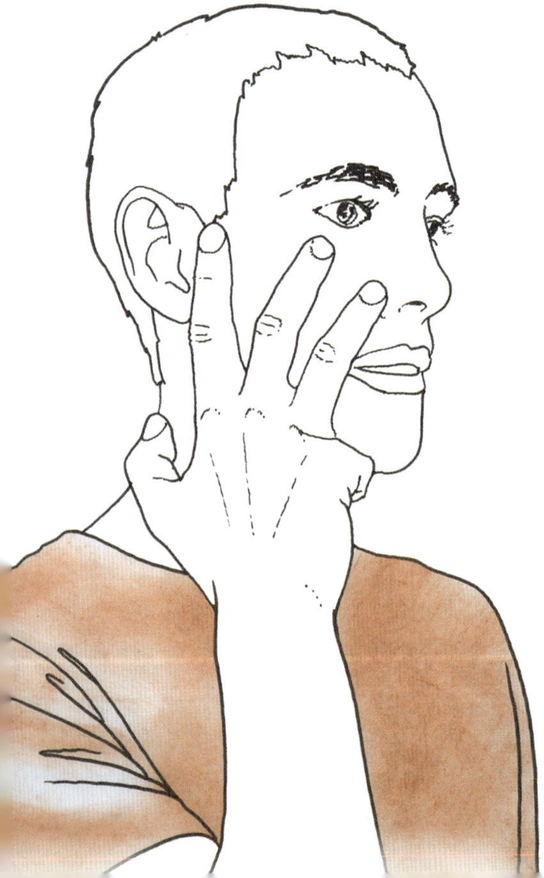

Nahaufnahme des Jochbogens

Der Jochbogen (*Arcus zygomaticus*), der vom Wangenknochen zum Gehörgang verläuft, ist gut zu spüren, wenn man drei Finger auf den oberen Teil der Wange legt. Der Jochbogen besteht aus drei Teilen, die von drei verschiedenen Knochen stammen:

- vom Oberkiefer (*Maxilla*). Dieser Knochen bildet die vordere „Wurzel" (siehe S. 72),
- vom Jochbein (*Os zygomaticum*) Dieser wird auch als „Wangenknochen" bezeichnet (siehe S. 67),
- vom Jochbeinfortsatz des Schläfenbeins (*Processus temporalis* des *Os temporale*). Dieser bildet die hintere „Wurzel" (siehe S. 67).

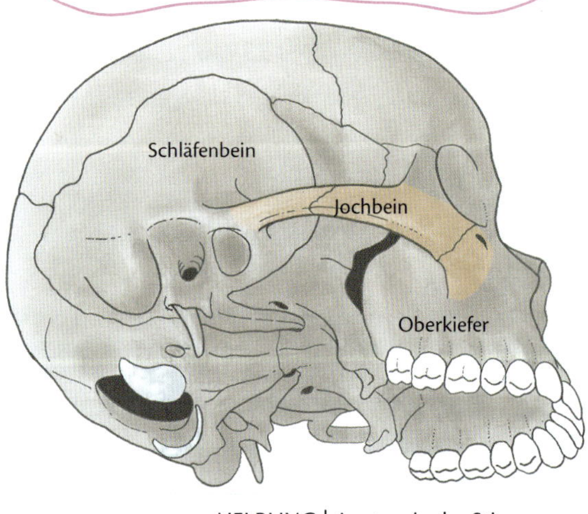

Der Schläfenmuskel (*Musculus temporalis*)

Dieser Muskel setzt im Schläfenbereich an und überspannt vier Knochen: das Scheitelbein (*Os parietale*), das Stirnbein (*Os frontale*), das Keilbein (*Os sphenoidale*) und das Schläfenbein (*Os temporale*).

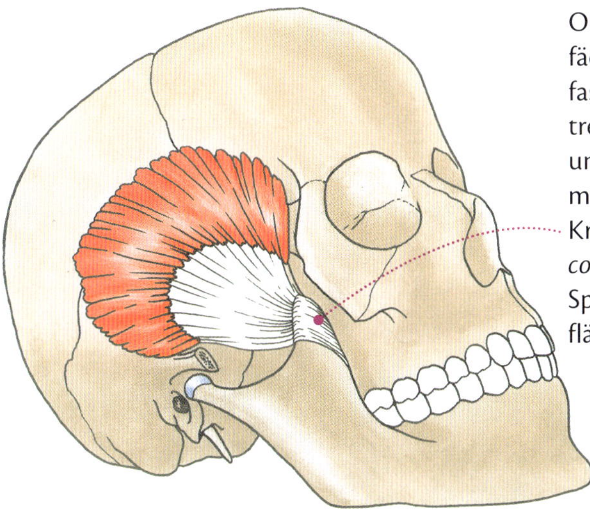

Oben an seinem Ansatz ist der Muskel fächerförmig ausgebreitet. Die Muskelfasern verlaufen dann nach unten, treffen sich und enden gemeinsam unter dem Jochbein. Sie verbinden sich mit einer starken Sehne, die auf dem Kronenfortsatz des Unterkiefers (*Processus coronoiedus mandibulae*) endet (an der Spitze, der Vorderkante und der Außenfläche).

In der Abbildung fehlt der Jochbogen, damit der Schläfenmuskel besser zu sehen ist.

Seine Aufgabe

Der Schläfenmuskel hebt den Unterkiefer und hilft so beim Schließen des Mundes. Er zieht ihn etwas nach hinten.

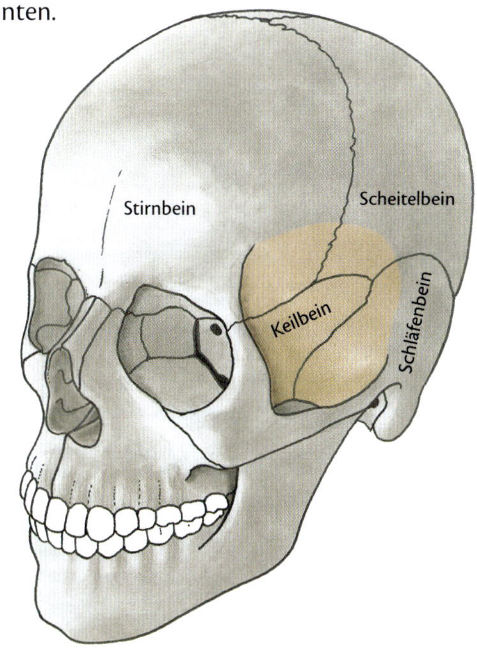

Nahaufnahme der Schläfe

Die Schläfe ist eine Aushöhlung hinter dem vorderen Grat des Stirnbeins.
Sie wird von vier Knochen gebildet:
- den großen Keilbeinflügeln,
- dem unteren seitlichen Teil des Stirnbeins,
- dem unteren seitlichen Teil des Scheitelbeins und
- dem vorderen Teil der Schläfenbeinschuppe.

Wenn der Kaumuskel kontrahiert, sehen wir anstelle einer Vertiefung eine regelrechte Wölbung.

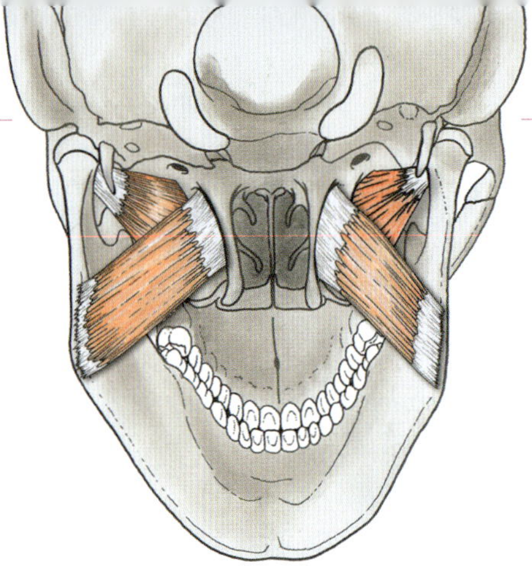

Die Flügelmuskeln (*Musculus pterygoideus lateralis*)

Diese Muskeln werden so genannt, weil sie teilweise an den Flügelfortsätzen (*Fossa pterygoidea*) des Keilbeins entspringen. Sie liegen tief hinten im Mund, auf der Innenseite des aufsteigenden Unterkieferastes, in der sogenannten Flügelgaumengrube (*Fossa pterygoidea*, siehe S. 72).

Der innere Flügelmuskel (*Musculus pterygoideus medialis*)
Dieser Muskel ist das Equivalent zum Kaumuskel (siehe S. 222) und liegt im hinteren Teil des Unterkiefers. Er entspringt in einem Winkel, welcher von den inneren und äußeren Flügeln des Flügelfortsatzes des Keilbeins (*Processus pterygoideus*) gebildet wird. Seine Fasern sinken nach hinten außen ab und setzen tief an der Innenfläche des Unterkieferwinkels (*Angulus mandibulae*, auch: Gonion-Winkel) an.

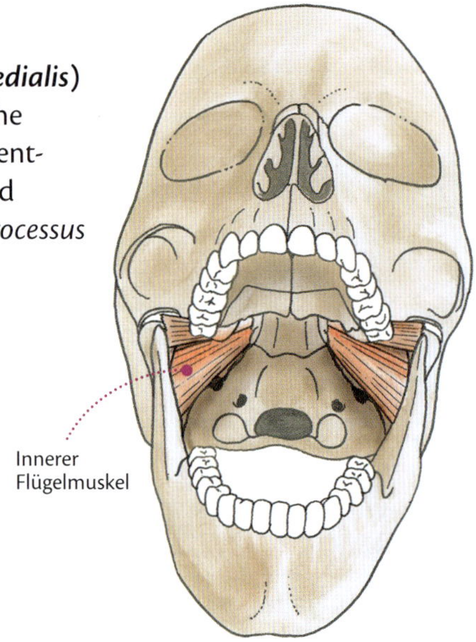

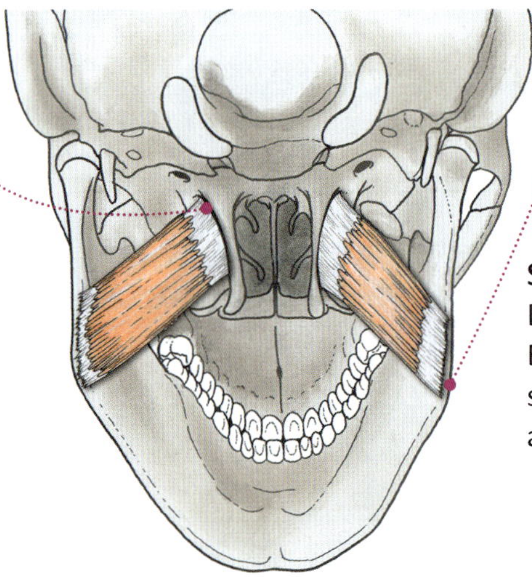

Seine Aufgabe
Dieser Muskel hebt den Unterkiefer.
Er zieht den Unterkiefer etwas nach innen sowie nach vorne (mehr zu seinen Aufgaben auf der folgenden Seite).

Ein Muskel, der oft weh tut

Der innere Flügelmuskel bildet eine vertikale Masse zwischen den hinteren Backenzähnen. Er liegt tief hinten im Mund, vor dem vorderen Gaumenbogen. Wenn man in diesem Bereich tastet, findet man oft einen verspannten und schmerzhaften Muskel vor (siehe S. 234).

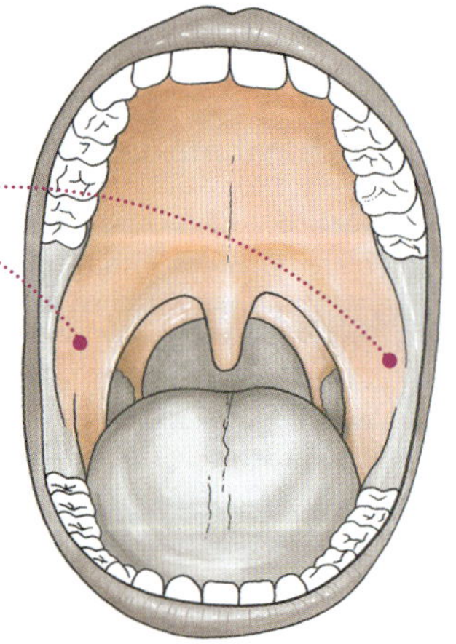

Der seitliche oder äußere Flügelmuskel (*Musculus pterygoideus lateralis*)

Dieser Muskel besteht aus zwei Faserbündeln, einem oberen und einem unteren.
Er entspringt an der Außenfläche der großen Keilbeinflügel. Das obere Faserbündel hat seinen Ursprung etwas höher als das untere und verläuft von dort horizontal nach hinten. Das untere Faserbündel verläuft dann etwas aufwärts nach hinten. Dort treffen die Fasern in einer Sehne zusammen und setzen in der sogenannten *Fovea pterygoidea* am Unterkiefer an.

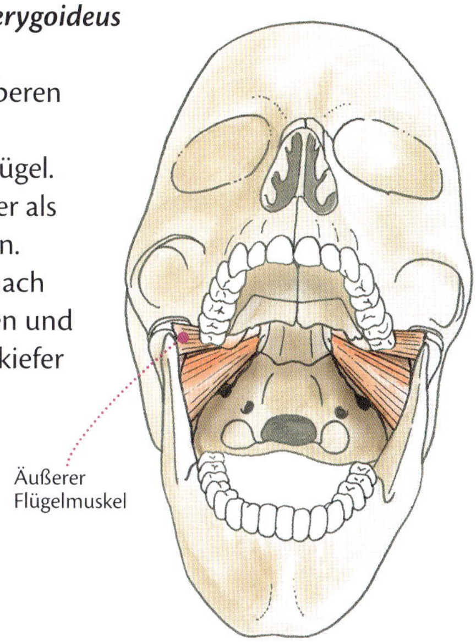

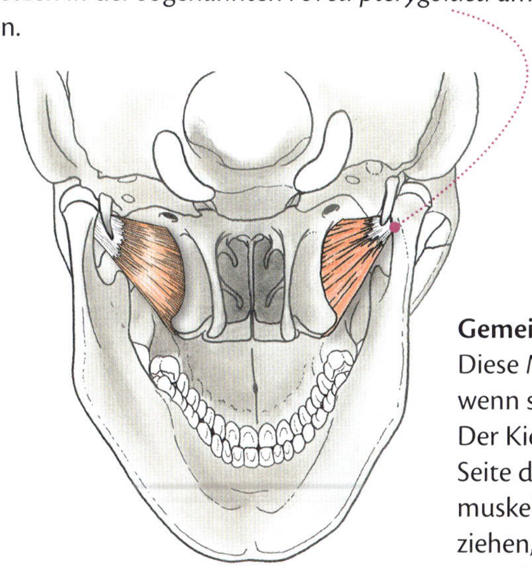

Seine Aufgabe

Dieser Muskel zieht den Unterkiefer nach vorne (Propulsion).

Gemeinsame Aufgabe der Flügelmuskeln

Diese Muskeln bewegen den Kiefer zur Seite, wenn sie auf nur einer Seite kontrahieren.
Der Kiefer bewegt sich zur gegenüberliegenden Seite der Kontraktion: Wenn sich die Flügelmuskeln auf der rechten Seite zusammenziehen, bewegt sich der Kiefer nach links und umgekehrt.
Die Flügelmuskeln sind vor allem an der Kaubewegung beteiligt, welche nicht nur eine Auf- und Abbewegung (Heben oder Senken des Unterkiefers), sondern auch eine Seitwärtsbewegung ist.

Den Unterkiefer entspannen

Bei der Arbeit an der Stimmtechnik hört man oft die Anweisung, dass man versuchen soll, die Muskeln zu entspannen, die den Unterkiefer anheben (Kaumuskel, Schläfenmuskel, Flügelmuskeln). Diese Muskeln tragen alle dazu bei, den Mund geschlossen zu halten und sind deshalb fast immer kontrahiert und schwer zu entspannen. Bei manchen Menschen sind sie sogar beim Schlafen angespannt. Ihre übermäßige Kontraktion greift oft auch auf die umliegenden Strukturen über, wie zum Beispiel auf die Muskeln des Gaumensegels, des Rachens oder der Zunge. Das behindert diese in der Leichtigkeit ihrer kleinen Bewegungen. Wenn wir allerdings im aufrechten Stand diese Muskeln völlig entspannen, so ist der Mund weit geöffnet (siehe folgende Seite). Deshalb sollte man die Anweisung, diese Muskeln zu entspannen, vielmehr als Hinweis verstehen, die Muskulatur nicht zu stark zu kontrahieren. Zudem ist es im aufrechten Stand nicht unbedingt einfach, diese Muskulatur zu entspannen. Im Liegen, vorzugsweise auf der Seite oder sogar mit einer Hand den Kiefer stützend, fällt diese wichtige Vorbereitung auf die Stimmproduktion sehr viel leichter.

Die Schwerkraft ist ein Mit-Verursacher der Mundbewegungen

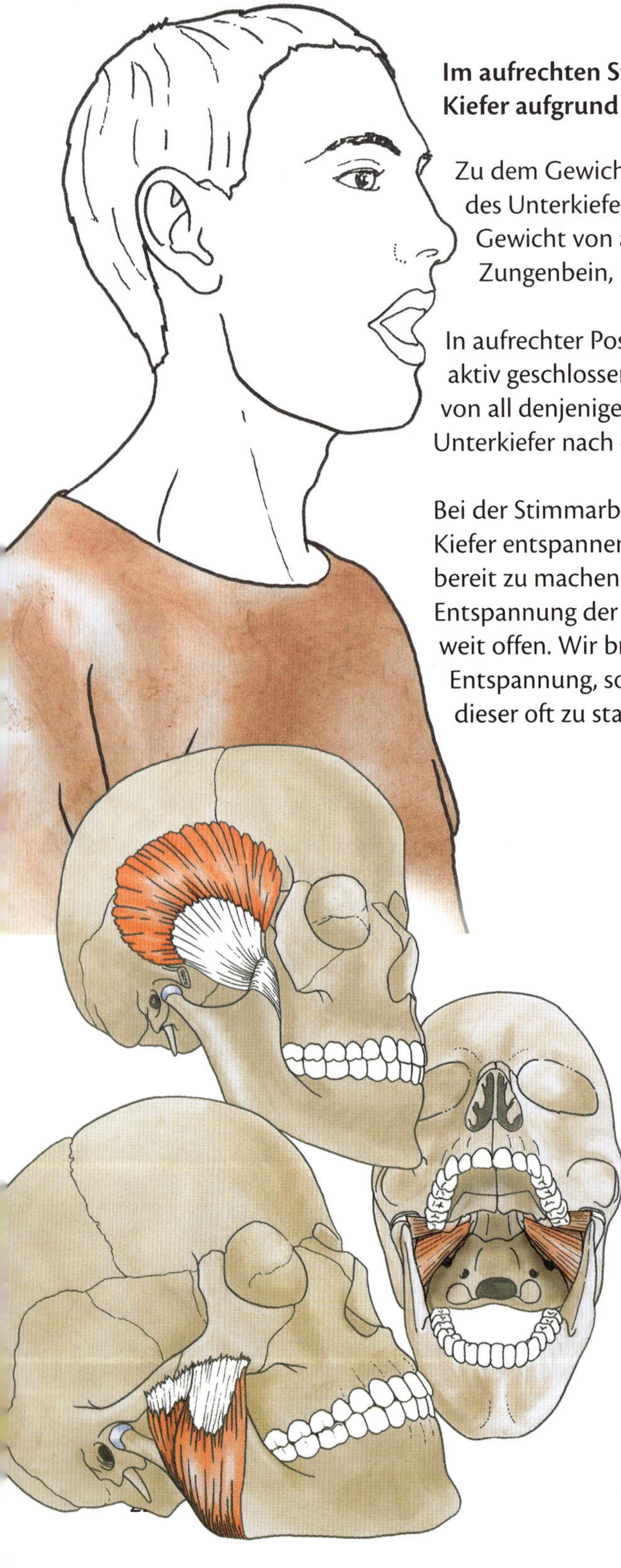

Im aufrechten Stand senkt sich der Kiefer aufgrund der Schwerkraft.

Zu dem Gewicht der Zunge kommt das Gewicht des Unterkieferknochens und zusätzlich auch das Gewicht von allem, was am Kiefer aufgehängt ist: Zungenbein, Kehlkopf und Luftröhre.

In aufrechter Position wird der Mund also immer aktiv geschlossen gehalten. Diese Aufgabe wird von all denjenigen Muskeln übernommen, die den Unterkiefer nach oben ziehen.

Bei der Stimmarbeit heißt es oft, man solle den Kiefer entspannen, um den Mund für die Artikulation bereit zu machen. Allerdings steht bei vollständiger Entspannung der Unterkiefermuskulatur der Mund weit offen. Wir brauchen also eigentlich keine völlige Entspannung, sondern eine angemessene Spannung dieser oft zu stark kontrahierten Muskeln.

Es ist sehr aufschlussreich, diese Muskeln einmal abwechselnd zu betätigen:

Wenn der Mund mithilfe der Flügelmuskeln geschlossen gehalten wird, spüren wir das innerhalb des Mundes.

Wenn der Mund mithilfe der Schläfenmuskeln geschlossen gehalten wird, spüren wir das an den Schläfen.

Wenn der Mund mithilfe des Kaumuskels geschlossen gehalten wird, spüren wir das in der Kieferregion.

Die Haltung von Kopf und Hals beeinflusst das Öffnen und Schließen des Kiefers

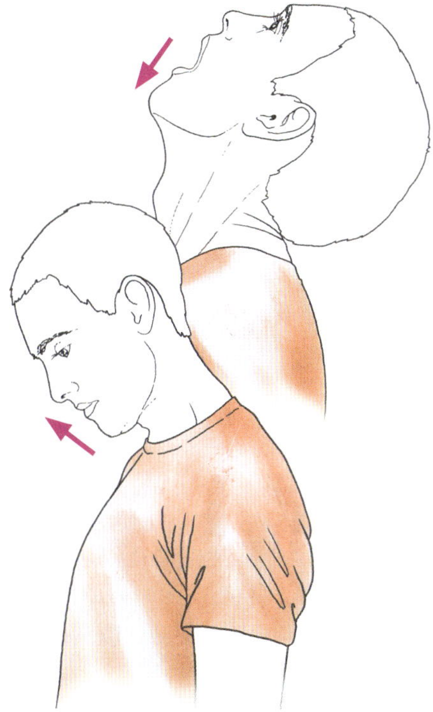

Wenn wir den Kopf nach oben strecken, oder noch deutlicher, wenn wir den Kopf in den Nacken legen, kann sich der Mund leicht öffnen.

Wenn wir den Kopf nach unten beugen, greift ab einem bestimmten Winkel die Schwerkraft und bewirkt eine Zusammenführung des Unterkiefers an den Oberkiefer.

Ob mehr oder weniger gestreckt, ob mehr oder weniger symmetrisch: die Position des Kopfes auf dem Atlas beeinflusst also die Position des Kiefers und damit auch die Stimme.

Die Position von Kopf und Hals beeinflusst die Vorwärts- und Rückwärtsbewegungen des Kiefers

Wenn man bei geschlossenem Mund die oberen und unteren Zähne etwas getrennt hält und gleichzeitig den Nacken bewegt, merkt man, wie sich der Unterkiefer wie eine Schublade unter dem Oberkiefer vor- und zurückbewegt.

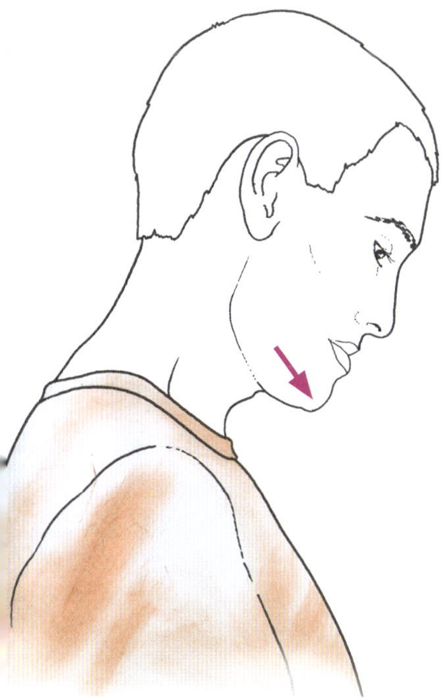

Wenn man den Nacken nach vorne beugt, bewegt sich der Kiefer nach vorne (Prognathie).

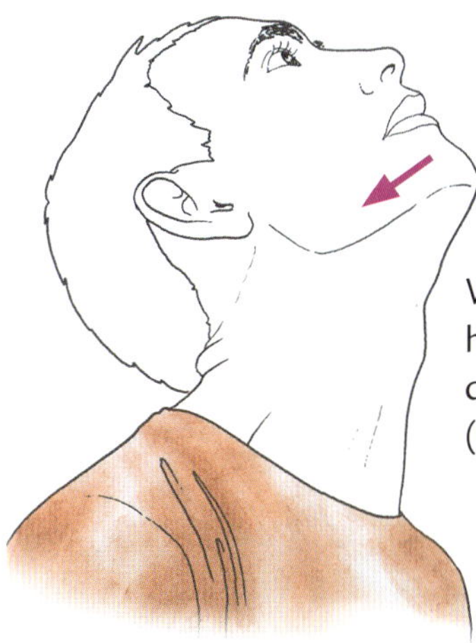

Wenn man den Kopf nach hinten beugt, bewegt sich der Kiefer nach hinten (Retrognathie).

Diese Bewegungstendenzen, die man besonders bei großen Bewegungen von Kopf und Nacken deutlich erkennen kann, sind auch bei kleineren Bewegungen vorhanden.

Unterkiefer, Artikulation, Resonanz

Der Unterkiefer und die Artikulation von Vokalen

Die Mundöffnung (Absenkung des Unterkiefers) variiert und ist abhängig von den entsprechenden Vokalen. Hier werden wir uns die Vokale [i:], [u:] und [ɑ:] ansehen.

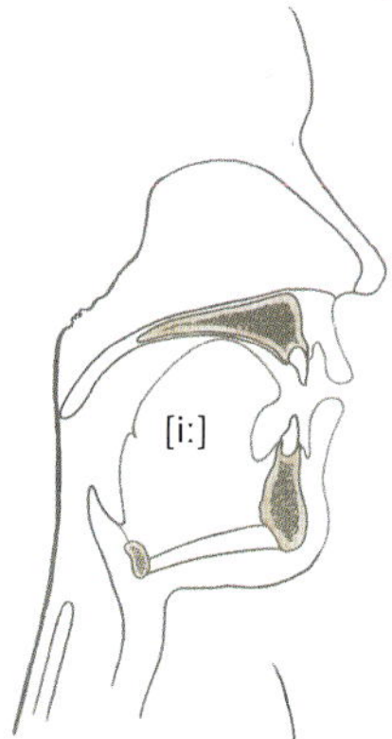

Für den Vokal [i:] ist der Mund leicht offen.
Ober- und Unterkiefer liegen nah beieinander.
Der Unterkiefer wird durch die Kau-, Schläfen- und Flügelmuskeln oben gehalten.

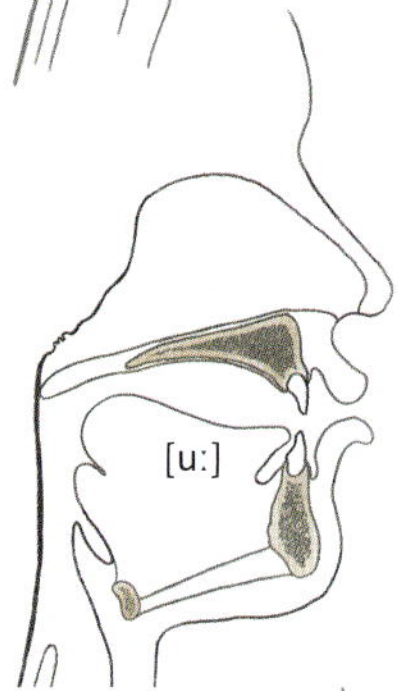

Für den Vokal [u:] ist der Mund fast vollständig geschlossen. Die Kiefer liegen sehr eng beieinander. Der Unterkiefer wird durch die Kau-, Schläfen- und Flügelmuskeln oben gehalten.

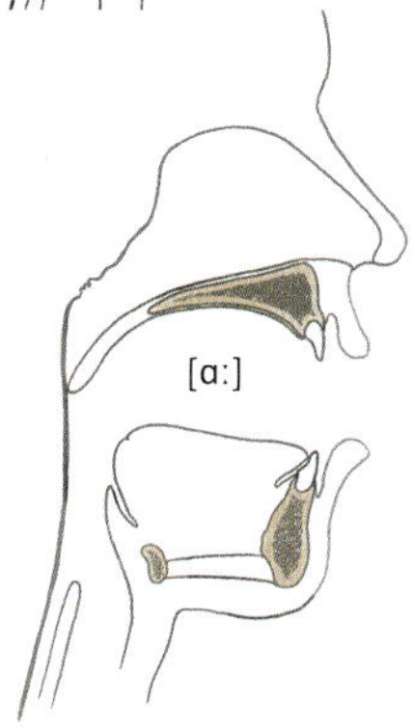

Für den Vokal [ɑ:] ist der Mund offen.
Ober- und Unterkiefer sind deutlich voneinander entfernt.
Die Unterkieferheber sind hier weniger stark kontrahiert, wodurch die Schwerkraft den Unterkiefer nach unten ziehen kann. Hinzu kommt noch die Wirkung der Zungenbeinmuskulatur, welche den Unterkiefer zusätzlich aktiv absenkt.

Um zu spüren, wie sich der Unterkiefer nach und nach senkt, kann man nacheinander folgende Vokale aussprechen: [i:], [e:], [ɛ:], [ɑ:].

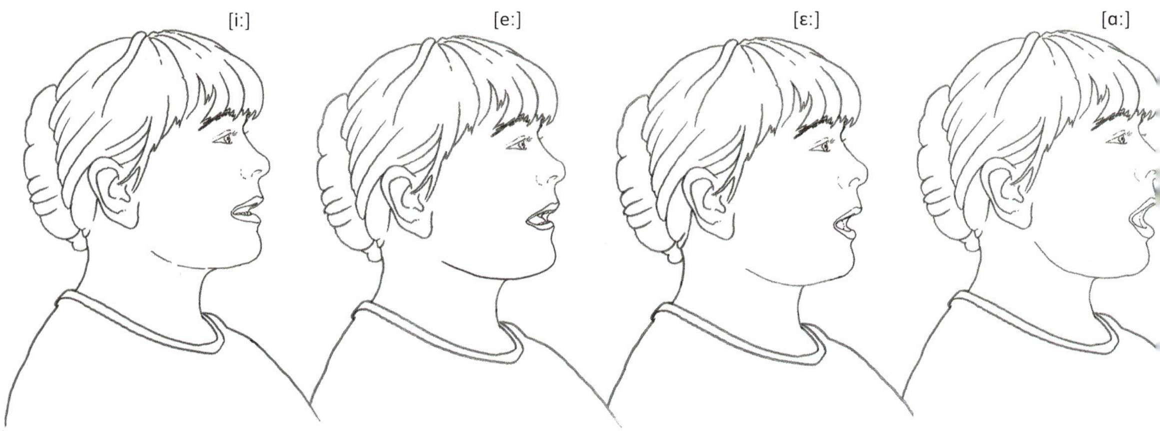

Der Unterkiefer und die Artikulation von Konsonanten

Unterkieferbewegungen sind an der Artikulation einiger Konsonanten beteiligt.

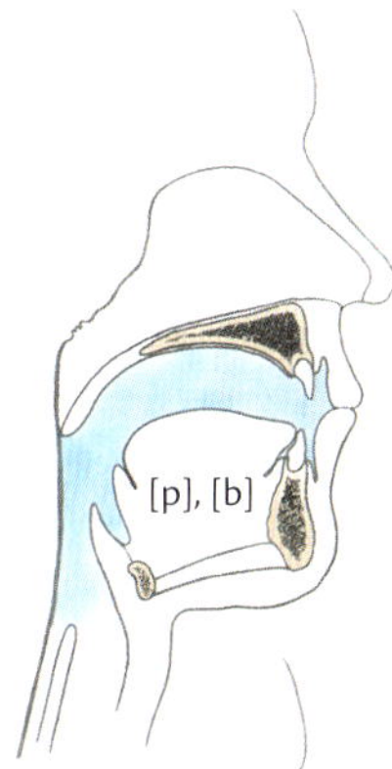

Die **plosiven Konsonanten** ([p], [b], [t], [d], [k] und [g]) werden durch zwei aufeinanderfolgende Bewegungen des Unterkiefers gebildet:

- Zunächst wird der Unterkiefer angehoben, um eine Okklusion zu erzeugen (Verschluss von: Lippen, Zunge/Zähne, Zunge/Gaumen). Diese Bewegung wird von den Unterkieferhebern (Kau-, Schläfen- und Flügelmuskeln) ausgeführt.

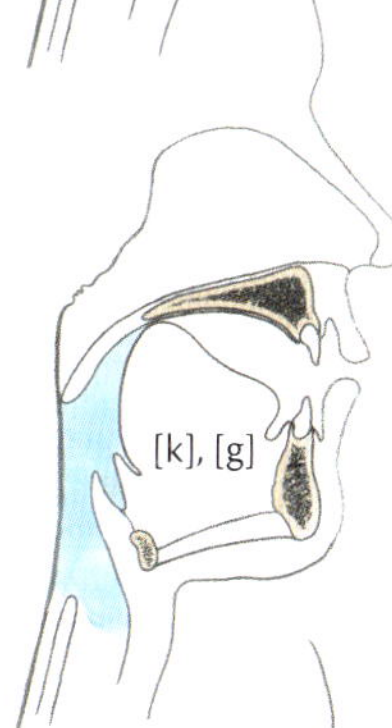

- Dann wird der Unterkiefer abrupt abgesenkt, um den Druck zu entlassen und den plosiven Klang zu erzeugen.

Die zweite Bewegung wird mithilfe der Schwerkraft und durch die Entspannung der Hebemuskeln herbeigeführt. Sie kann aber auch durch den Einsatz der Senkermuskulatur geschehen, nämlich der Muskeln des Zungenbeines.

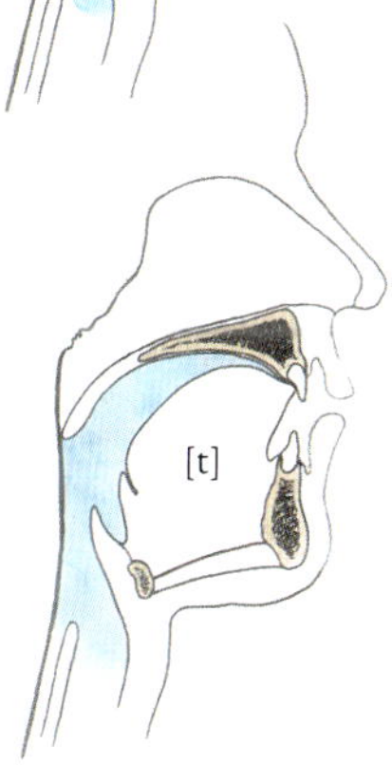

Die **frikativen Konsonanten** (z. B. [f] und [s]) werden bei dauerhaft geschlossenem Kiefer erzeugt. Diese Bewegung wird ebenfalls von den Unterkieferhebern ausgeführt (Kau-, Schläfen- und Flügelmuskeln).

Der Kiefer beeinflusst die Resonanz unserer Stimme

Man bezeichnet einen Stimmklang als „offen", wenn bei der Stimmerzeugung der Mund vorne (auf der Höhe der Lippen oder des Unterkiefers) weiter offen ist als hinten (auf der Höhe des Oropharynx). Eine sehr offene Stimmproduktion kann im Extremfall das bewirken, was wir als „weiße Stimme" (*voce bianca*) bezeichnen, also eine Stimme ohne Sonorität, d. h. ohne tiefe Resonanz.

Das Gaumensegel (*Velum palatinum*)

Man sieht es nicht, man fühlt es nicht immer, weil es sich weit hinten im Mundraum befindet, aber es ist ein Kernstück des Instrumentes Stimme. Das Gaumensegel ist die Verlängerung des harten Gaumens nach hinten. Es wird durch eine Muskelfaserstruktur an der Rückseite der Nasennebenhöhlen (oberhalb des Gaumensegels) und des Mundes (unterhalb des Gaumensegels) gebildet.

Im Alltag verhindert das Gaumensegel beim Schlucken, dass Lebensmittel, insbesondere Flüssigkeiten, von hinten in die Nase gelangen. Wenn der Muskeltonus des Gaumensegels zu schwach ist, kann es zum Schnarchen kommen. An dieser Stelle kann auch die Öffnung der Ohrtrompete beeinflusst werden, da diese den Rachen mit dem Mittelohr verbindet.

Bei der Stimmerzeugung ist das Gaumensegel notwendig für die Artikulation einiger Konsonanten und Vokale (siehe S. 239). Seine Bewegungen gehören aber auch zu den wichtigsten Möglichkeiten, das Timbre der Stimme oberhalb des Kehlkopfes zu beeinflussen, nämlich die Resonanz des Stimmklangs erheblich anzureichern.

Zum besseren Verständnis der Begriffe

Mehrere Bezeichnungen haben einen Bezug zum Gaumensegel und werden auf den folgenden Seiten verwendet:
Gaumensegel – weicher Gaumen – *Velum palatinum*

- *velum* ist die lateinische Bezeichnung für „Segel“, deshalb hat die Vorsilbe „vel-“ immer einen Bezug zum Gaumen*segel*,
- *palatinum* und die davon abgeleitete Vorsilbe *palato-* beziehen sich auf den Gaumen,
- die *Uvula* wird im Deutschen als Zäpfchen oder Gaumenzäpfchen bezeichnet. Ihr Name stammt, aufgrund ihrer Form, vom lateinischen Wort „uva“ für Traube.

Beschreibung des Gaumensegels

Das Gaumensegel ist eine nahezu viereckige, vier bis fünf Quadratzentimeter große und circa einen halben Zentimeter dicke muskelfaserige Fläche. Es verlängert den harten Gaumen nach hinten. Seine Oberseite verlängert den unteren Boden der Nasenhöhlen. Die untere Seite ist, abhängig von ihrer jeweiligen Position, mehr oder weniger nach vorne und unten ausgerichtet.

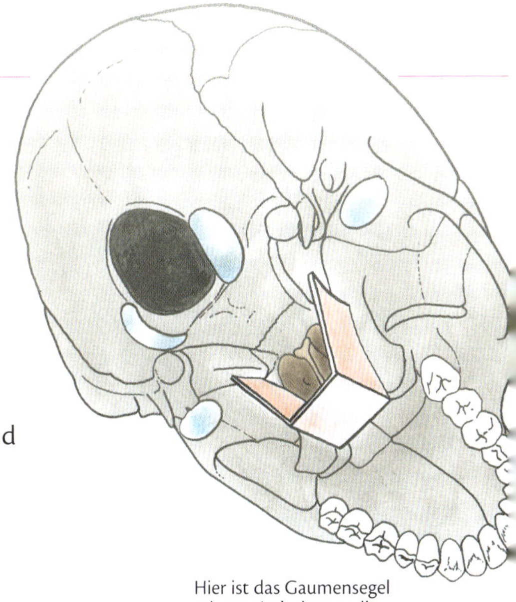

Hier ist das Gaumensegel schematisch dargestellt.

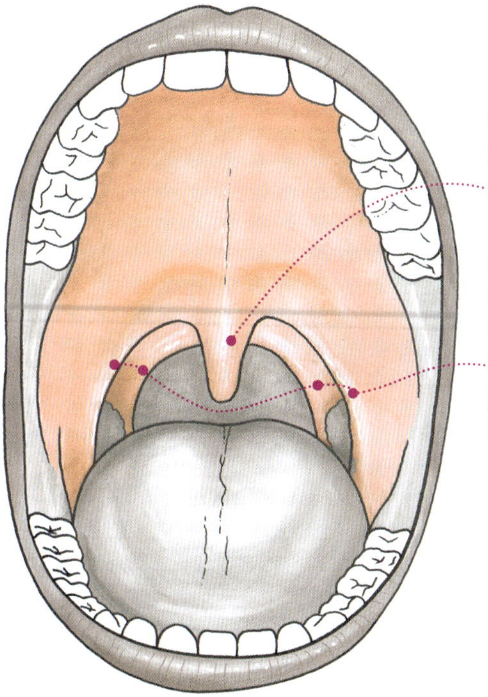

Sein hinterer Rand ist in der Mitte durch eine hängende Gewebestruktur erweitert, das Gaumenzäpfchen (*Uvula*).

Auf beiden Seiten des Zäpfchens befinden sich Bögen, die sich als zwei vertikale Einbuchtungen nach unten erstrecken: die Gaumenbögen (*Arcus palatini*). Es gibt jeweils einen vorderen und einen hinteren Bogen auf jeder Seite.

Die vorderen und hinteren Bögen bilden zusammen mit der Zungenwurzel und dem Gaumensegel eine Begrenzung, die als **Rachen- oder Schlundenge** (*Isthmus faucium*) bezeichnet wird. Die Rachenenge ist die Grenze zwischen dem Mund (vorne) und dem Rachen (hinten).

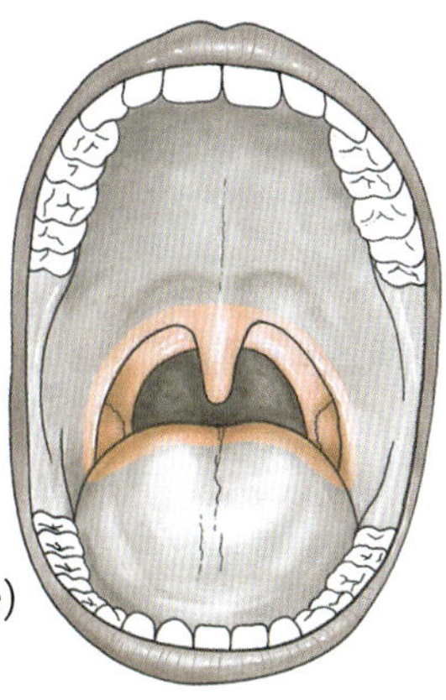

Die Sehnenplatte des Gaumensegels

Die Grundlage des Gaumensegels ist eine stark faserhaltige Bindegewebsschicht: die **Gaumenaponeurose** (*Aponeurosis palatina*).

Die Gaumenaponeurose ist hier schematisch als rechteckige Platte dargestellt.

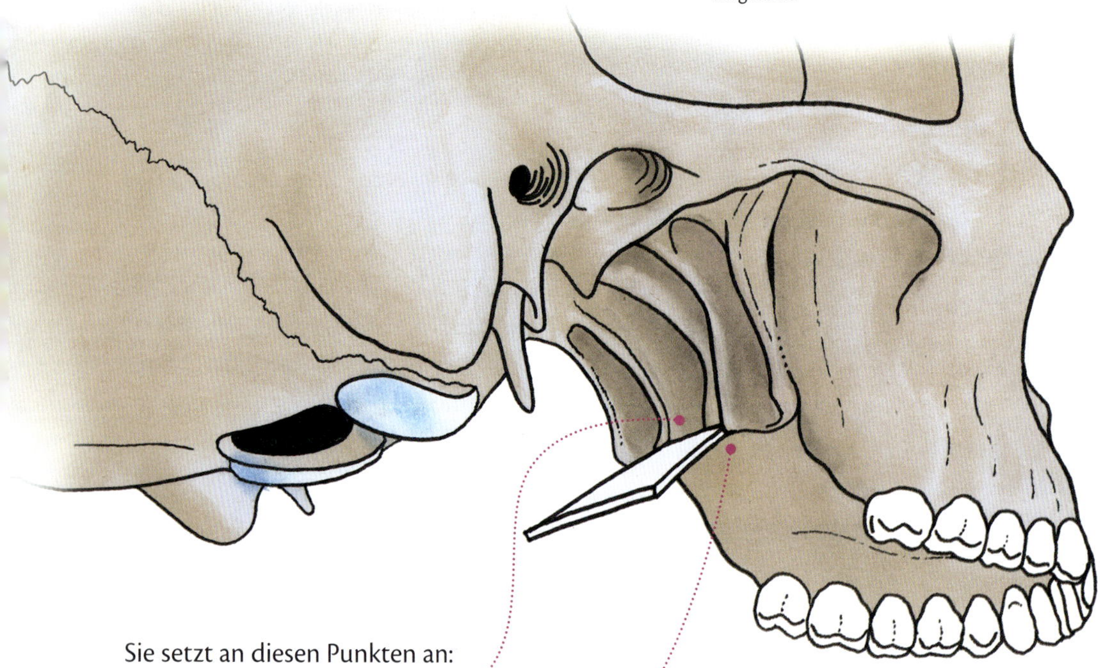

Sie setzt an diesen Punkten an:

- an der inneren Seite des Knochenfortsatzes (*Processus pterygoideus*) des Keilbeins,
- an der Rückseite des harten Gaumens, am Gaumenbein (*Os palatinum*).

An der Oberseite der Gaumenaponeurose setzen die Muskeln an, die das Gaumensegel anheben und nach oben ziehen. Ebenso ein Muskel, der es senkt: der *Musculus palatopharyngeus*. Auf der Unterseite befindet sich ein weiterer Gaumensenker: der Gaumen-Zungen-Muskel (*Musculus palatoglossus*).

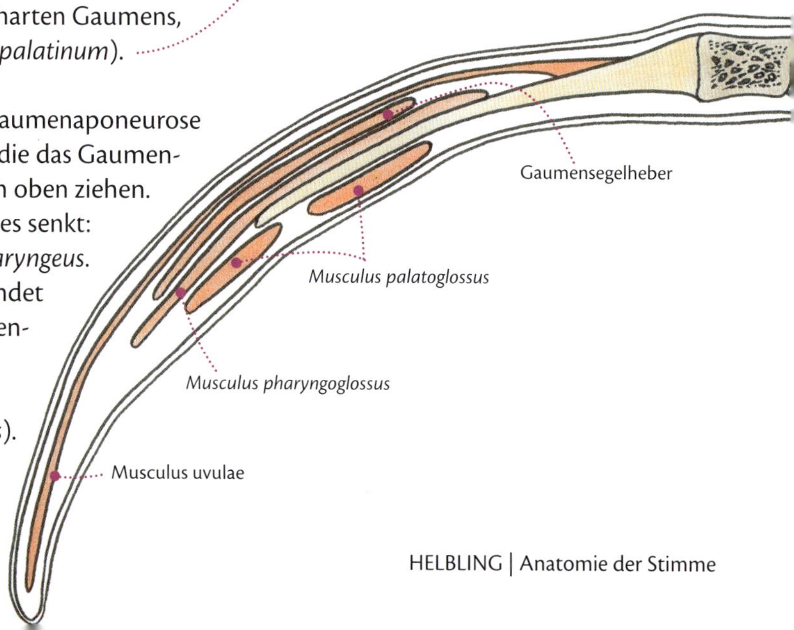

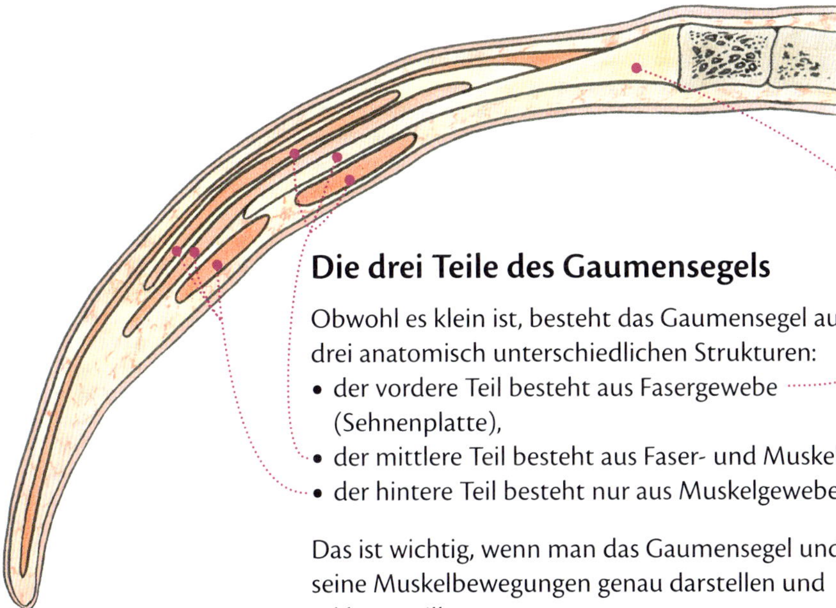

Die drei Teile des Gaumensegels

Obwohl es klein ist, besteht das Gaumensegel aus drei anatomisch unterschiedlichen Strukturen:

- der vordere Teil besteht aus Fasergewebe (Sehnenplatte),
- der mittlere Teil besteht aus Faser- und Muskelgewebe,
- der hintere Teil besteht nur aus Muskelgewebe.

Das ist wichtig, wenn man das Gaumensegel und seine Muskelbewegungen genau darstellen und erklären will.

Präzise Arbeit mit dem Gaumensegel

Bei präziser Stimmarbeit sollte zunehmend genau zwischen den drei Teilen des Gaumensegels unterschieden werden:
- sensorisch und räumlich (Wo liegen die entsprechenden Teile?),
- motorisch funktional (Was machen die jeweiligen Teile?), siehe S. 241.

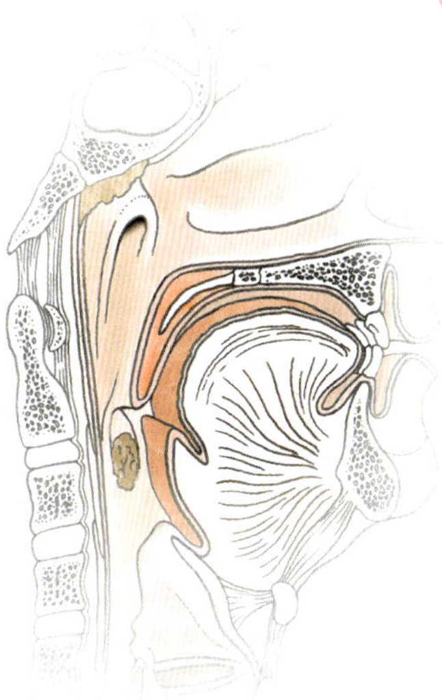

Das gesamte Gaumensegel ist von einer Schleimhaut bedeckt. Diese geht oben in die Schleimhaut der Nasenhöhlen über, vorne in die des harten Gaumens und der Zunge und nach hinten in die Rachenschleimhaut.

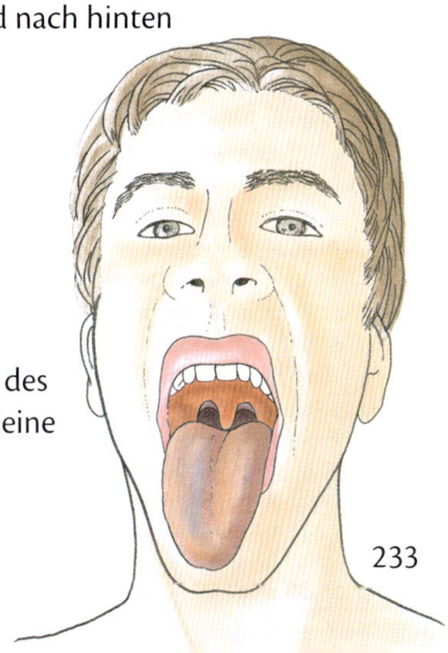

Das Zäpfchen (*Uvula*)

Dies ist der mittlere und hintere Teil des Gaumensegels. Hier liegt auch der kleine *Musculus uvulae* (s. vorherige Seite).

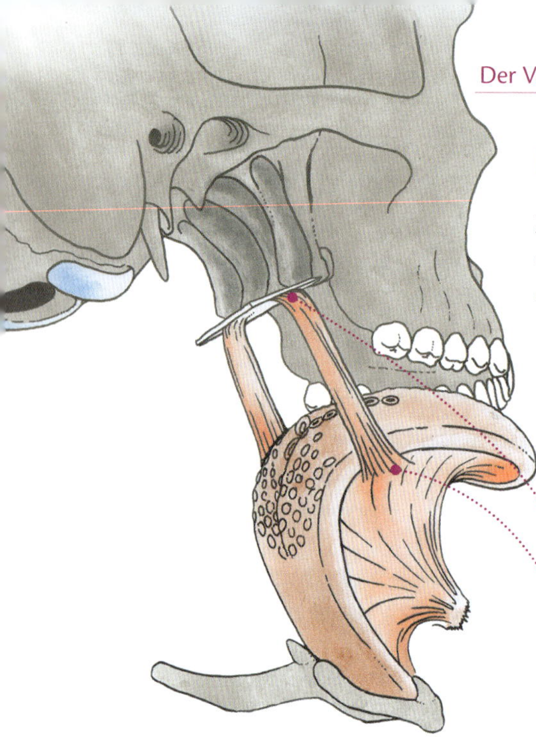

Die Muskeln des Gaumensegels

Zwei Muskeln ziehen das Gaumensegel nach unten:

- der *Musculus palatoglossus*,
- der *Musculus palatopharyngeus*.

Der *Musculus palatoglossus*

Der *Palatoglossus* hat seinen Ursprung oben an der Unterseite der Gaumenaponeurose. Von dort verlaufen die Muskelfasern abwärts und setzen seitlich der Zunge an.

Dieser Muskel bildet den vorderen Gaumenbogen, der vor der Gaumenmandel verläuft.

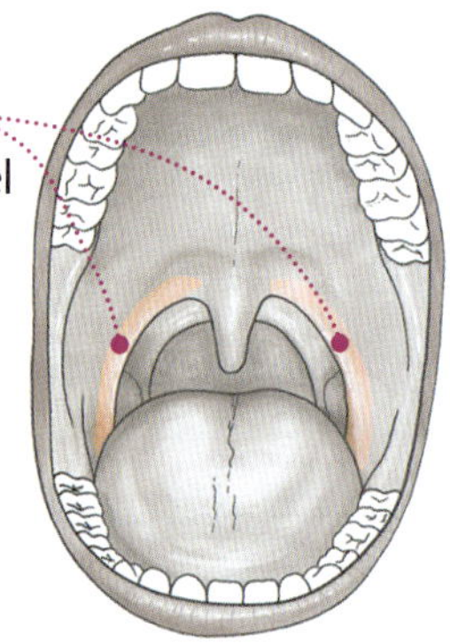

Seine Aufgabe

Der *Palatoglossus* senkt das Gaumensegel und hebt gleichzeitig den hinteren Teil der Zunge an (siehe S. 248). Er ist am Schließen der Rachenenge beteiligt. Darüber hinaus hat er eine wichtige Funktion bei der Artikulation von nasalen Vokalen und Konsonanten.

Für das Singen ist er wichtig, weil er diejenigen Muskeln im Moment ihrer Aktion dehnt, die das Gaumensegel heben. Dadurch wird diese Aktion präziser und kräftiger.
Man kann diesen Muskel gut spüren, wenn man „nasal gähnt".

Den *Palatoglossus* spüren

1. Beim Sprechen arbeiten wir mit diesem Muskel beispielsweise beim Übergang zwischen den Vokallauten [eː] und [ɛ̃ː].
2. Man kann ihn gut seitlich der Zunge spüren, wenn man ein [m] spricht, zuerst im piano und dann im *crescendo* immer lauter werdend.

Man sollte die Wirkung dieses Muskels gut kennen, aber ihn nicht dauerhaft einsetzen. Wenn er zu viel arbeitet (insbesondere bei nasalen Konsonanten), kann das zur Verengung der Rachenenge führen. Das wiederum beeinträchtigt den erwünschten „offenen Hals" bei der Stimmproduktion.

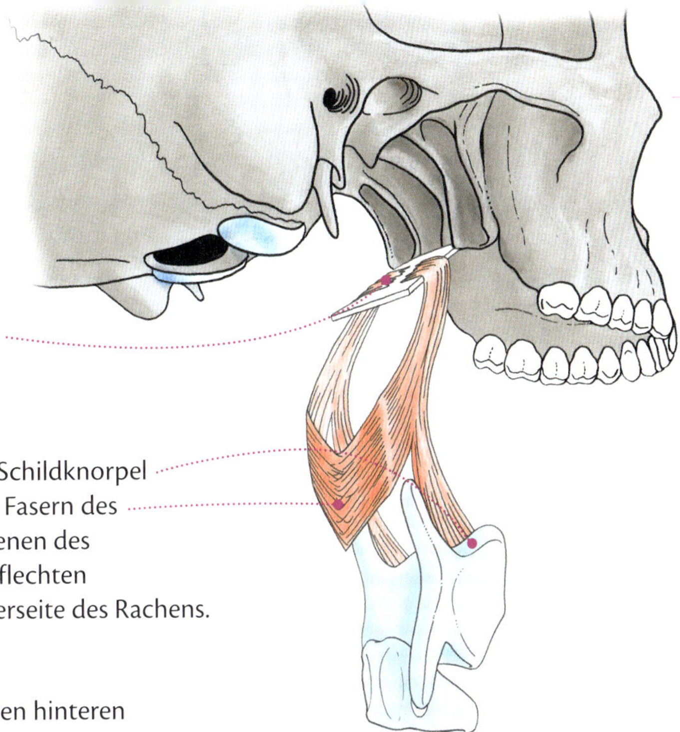

Der *Musculus palatopharyngeus*

Der *Palatopharyngeus* hat seinen Ursprung oben auf der Oberfläche der Gaumenaponeurose und sinkt von dort nach hinten ab.

Ein Teil der Muskelfasern setzt am Schildknorpel an (oberer und hinterer Rand). Die Fasern des anderen Teils verbinden sich mit denen des unteren Schlundschnürers und verflechten sich wie ein Schal entlang der Hinterseite des Rachens.

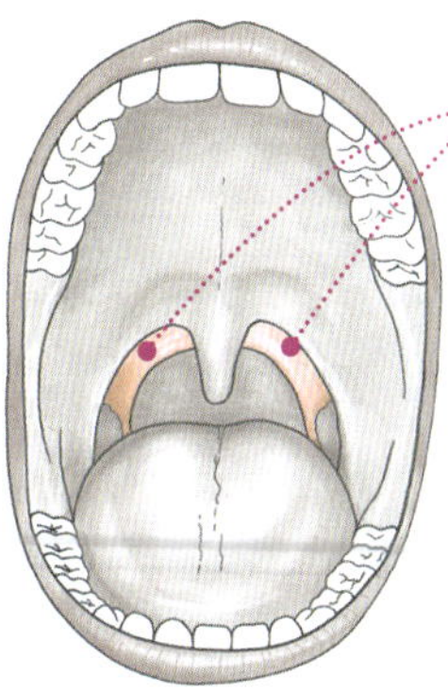

Er bildet den hinteren Gaumenbogen, der sich hinter der Gaumenmandel befindet.

Den *Palatopharyngeus* spüren

1. Wir verwenden diesen Muskel beispielsweise, wenn wir von [u:] in ein [ɔ̃:] übergehen.

2. Die Wirkung der Gaumensenker können wir deutlich spüren, wenn wir ein uvulares [ʀ] aussprechen.

Seine Aufgabe

Er senkt das Gaumensegel und trägt gleichzeitig zum Verschluss des hinteren Teils der Rachenenge bei.
Er hebt den Rachen und den Kehlkopf und hat eine wichtige Funktion bei der Artikulation von nasalen Vokalen und Konsonanten.

Die Wirkung des *Palatopharyngeus* vermischt sich leicht mit der des inneren Gaumensegelhebers (*Musculus levator veli palatini*, siehe S. 237). Wenn dies bei der Stimmerzeugung geschieht, kann es dem Klang eine gewisse pharyngale Härte verleihen.

Der *Palatopharyngeus* wird von der Eustachischen Röhre (siehe S. 277) beeinflusst, die an seinem unteren Rand ansetzt.

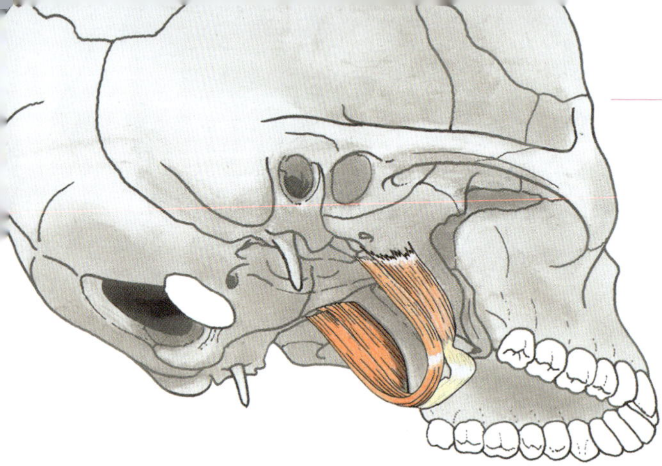

Zwei Muskeln ziehen das Gaumensegel nach oben:

- der Gaumensegelspanner,
- der Gaumensegelheber.

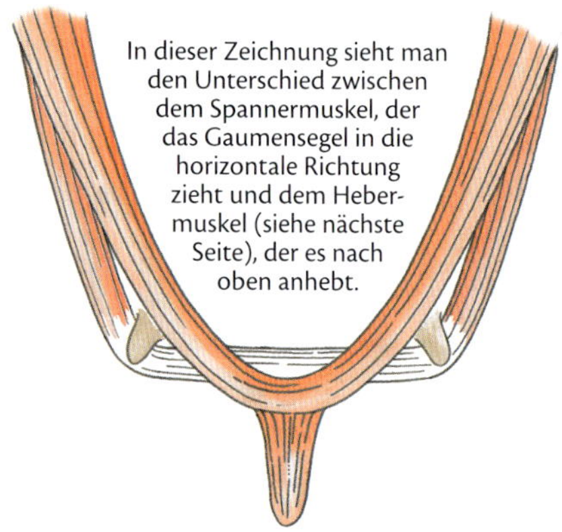

In dieser Zeichnung sieht man den Unterschied zwischen dem Spannermuskel, der das Gaumensegel in die horizontale Richtung zieht und dem Hebermuskel (siehe nächste Seite), der es nach oben anhebt.

Der Gaumensegelspanner (*Musculus tensor veli palatini*)

Dieser Muskel setzt oben am Keilbeinkörper und der Außenfläche der Eustachischen Röhre an. Er sinkt entlang der *Lamina medialis* des Keilbein-Flügelfortsatzes (siehe S. 65) ab und endet in einer Sehne, die sich um den *Hamulus pterygoideus* (hakenförmiger Ausläufer des Flügelfortsatzes des Keilbeins) (siehe S. 65) windet. Seine Fasern vereinigen sich dann mit denen des symmetrisch aufgebauten Muskels der anderen Seite.

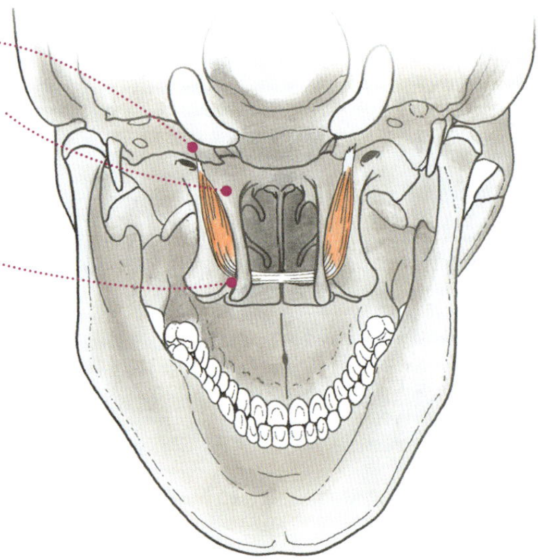

Ein reaktiver Muskel

Der Gaumensegelspanner ist sehr reich an propriozeptiven Muskelfasern. Diese reagieren auf Dehnung und können sehr schnell die Länge des Muskels anpassen.

Den Gaumensegelspanner spüren

Diesen Muskel kann man beim Übergang zwischen den Vokalen [ɛ̃:] und [e:] spüren.

Seine Aufgabe

Dieser Muskel spannt die Gaumenaponeurose, indem er seitlich an ihr zieht. Dadurch dehnt sie sich und richtet sich mehr horizontal aus. Wenn er gleichzeitig zusammen mit dem Gaumensegelheber kontrahiert, öffnet er die Eustachische Röhre (siehe S. 277).

Der Gaumensegelheber (*Musculus levator veli palatini*)

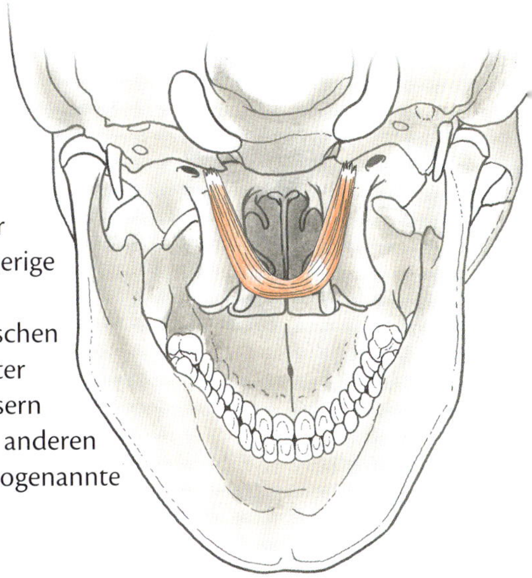

Dieser Muskel hat seinen Ursprung am Keilbeinkörper (weiter innen als der Gaumensegelspanner, siehe vorherige Seite) und der Innenfläche der Eustachischen Röhre.
Er sinkt zur Mitte hin ab, unter das Ende der Eustachischen Röhre. Unten setzt er an der Gaumenaponeurose hinter dem Gaumensegelspanner an und verbindet seine Fasern mit denen des symmetrisch aufgebauten Muskels der anderen Seite. Dadurch entsteht eine Verwachsungsnaht, die sogenannte *Raphe palati*.

Seine Aufgabe
Er hebt den hinteren Teil der Gaumenaponeurose an, die sich dadurch wie eine Hängematte hebt.

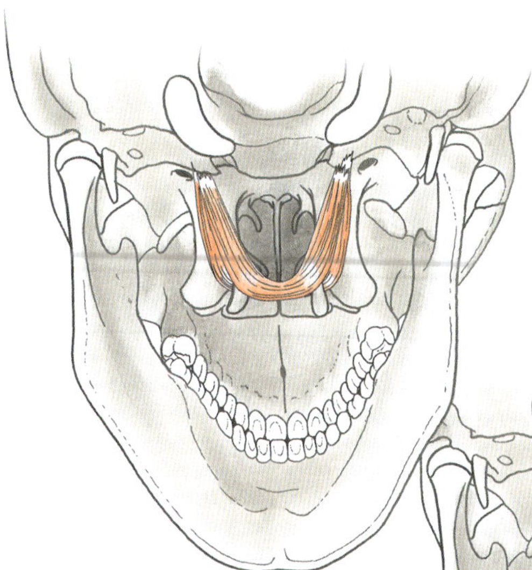

Im Alltag kontrahiert der Gaumensegelheber beim Gähnen, insbesondere in dem Moment, in welchem sich der hintere Mundraum öffnet.

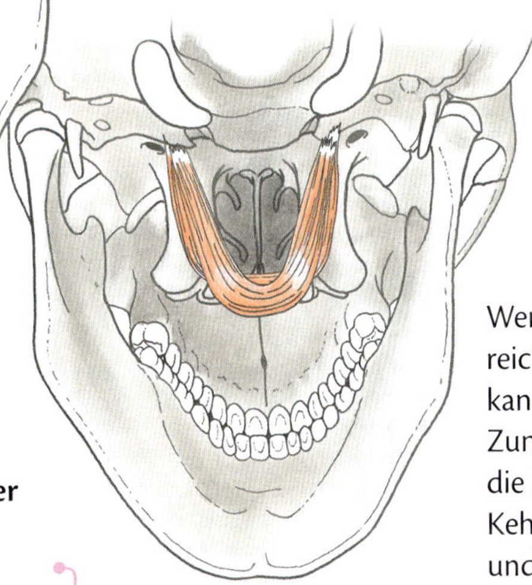

Wenn er nicht ausreichend gespannt ist, kann er gegen die Zunge oder gegen die Hinterwand des Kehlkopfes vibrieren und Schnarchen verursachen.

Den Gaumensegelheber spüren

Wir spüren diesen Muskel weit hinten im Mund, beim Übergang zwischen den Vokalen [ɔ̃:] und [u].

Das Gaumensegel und die Atmung

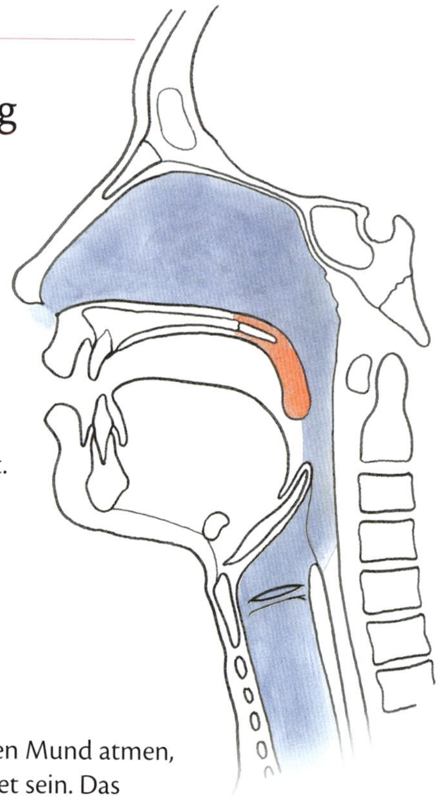

Wenn man durch die Nase atmet, ist das Gaumensegel gesenkt. Die Luft fließt dann durch den *Rhinopharynx*, den *Oropharynx*, den *Hypopharynx* und schließlich durch den Kehlkopf. Es strömt so keinerlei Luft durch den Mund.

Dafür muss der Mund jedoch nicht notwendigerweise geschlossen sein: Man kann problemlos durch die Nase ein- und ausatmen, während der Mund weit geöffnet ist.

Im Spiegel kann man dann das Absinken des Gaumensegels hinten im Rachen beobachten.

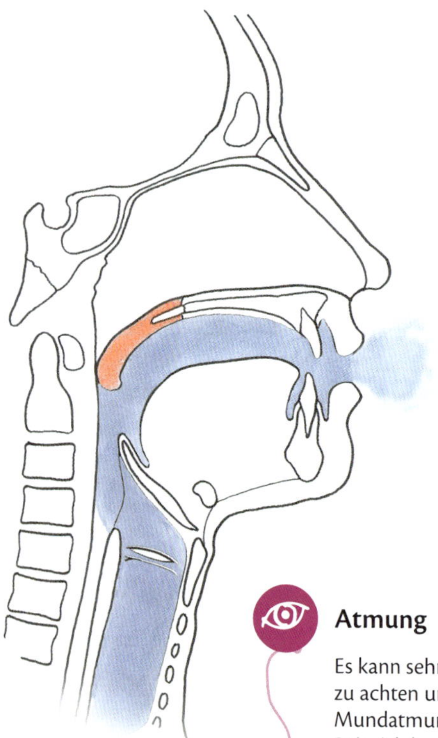

Wenn wir durch den Mund atmen, muss dieser geöffnet sein. Das Gaumensegel ist dann gehoben. Die Luft fließt bei dieser Atmung zunächst durch den Mund, dann durch *Oropharynx* und *Hypopharynx* bis zum Kehlkopf. Es strömt keinerlei Luft durch die Nase.

Im Spiegel kann man das Anheben des Gaumensegels hinten im Rachen beobachten.

Atmung

Es kann sehr aufschlussreich sein, bei der Atmung auf das Gaumensegel zu achten und dabei verschiedene Kombinationen aus Nasen- und Mundatmung, Ein- und Ausatmung auszuprobieren. Man kann zum Beispiel durch den Mund einatmen, durch die Nase ausatmen, dies ein paarmal wiederholen, und dann das Gegenteil machen. Dadurch entwickelt man automatisch ein Wiedererkennen und ein besseres sensorisches Bewusstsein im Bereich des Gaumensegels, was bei der Stimmarbeit eine große Hilfe sein kann.
Man kann beide Atemwege auch vermischen, indem man das Gaumensegel nur teilweise absenkt und dabei den Mund offen hält: So kann dann durch beide Atemwege gleichzeitig Luft einströmen, teilweise durch den Mund und teilweise durch die Nase.

Gaumensegel, Artikulation, Resonanz

Das Gaumensegel und die Artikulation von Vokalen

Das Gaumensegel kann mehr oder weniger stark abgesenkt oder angehoben sein. Durch diese Beweglichkeit ist es an der Bildung zahlreicher Laute beteiligt.

Wenn wir aufrecht stehen, wird das Gaumensegel durch die Schwerkraft gesenkt: Es fällt von selbst auf die Zungenbasis, mehr oder weniger stark. Man kann es aktiver und mit mehr Kraft senken, indem man die Absenkermuskeln einsetzt: den *Palatoglossus* und den *Pharyngoglossus*. Wenn man das Gaumesegel anheben möchte, ist das eine Aufgabe für die Hebermuskeln: den Gaumensegelspanner und den Gaumensegelheber.

Unabhängig davon wirken diese Heber- und die Senkermuskeln so, dass sie sich gegenseitig regulieren. Sie geben dem Gaumensegel damit die Beweglichkeit, mit der es sich schnell an stimmliche Erfordernisse anpassen kann.

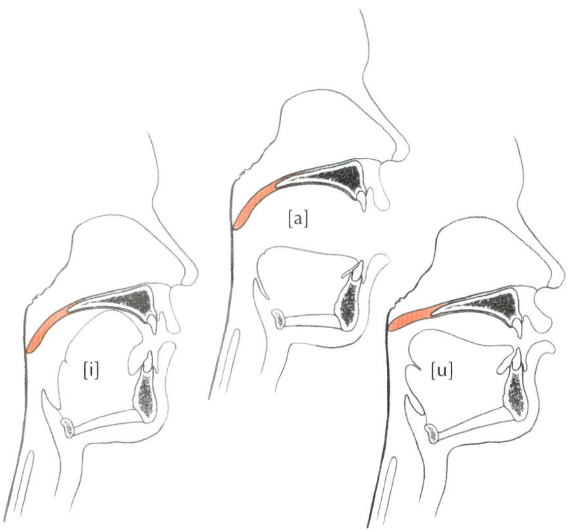

Das Gaumensegel befindet sich in einer halb oder vollständig angehobenen Position, um die sogenannten „oralen“ Vokale zu artikulieren, die mit dem Mund geformt werden – diese sind: [a], [i], und [u].
Dabei bewegt sich das Gaumensegel mithilfe der Gaumsegelheber nach oben.

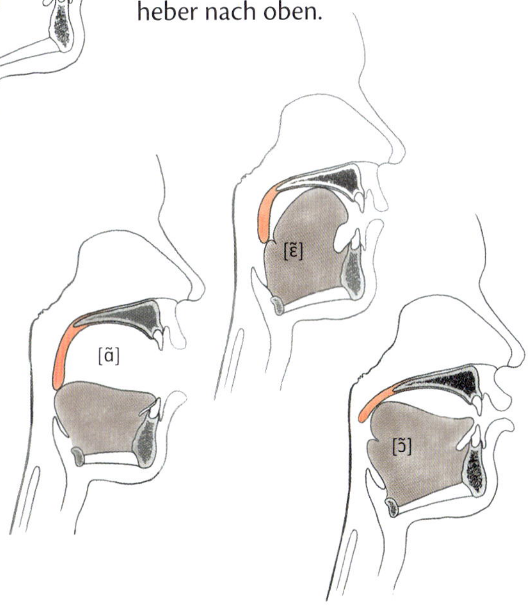

Um die nasale Resonanz zu erzeugen, senkt sich das Gaumensegel wie ein Deckel und ermöglicht dadurch die sogenannten „nasalen“ Vokale, nämlich [ɑ̃], [ɔ̃] und [ɛ̃].*
Diese Bewegung geschieht durch die Gaumensenker zusammen mit der Schwerkraft.

* Anmerkung der Übersetzerin: In der ursprünglichen Sprache dieses Buches, im Französischen, kommen diese Nasalvokale häufig vor, deshalb werden sie hier auch genau beschrieben. Im Deutschen kommen diese nur bei Lehnwörtern vor (z. B. [ɑ̃] in „Restaurant“ [ʁɛstoʁɑ̃])

Das Gaumensegel und die Artikulation von Konsonanten

1. Wie bei einem Ventil bewirkt das Absenken des Gaumensegels den Luftaustritt durch die Nase und dadurch die Nasenresonanz. Dies ermöglicht die Artikulation von nasalen Konsonanten.

Nasal nennt man einen Konsonanten, wenn dabei das Gaumensegel gesenkt wird und die Luft nur durch die Nase austritt, wie das beispielsweise bei [m], [n] und [ŋ] der Fall ist.

Dieses Absenken des Gaumensegels bewirken der *Palatoglossus* und der *Pharyngoglossus*, welche symmetrisch agieren.

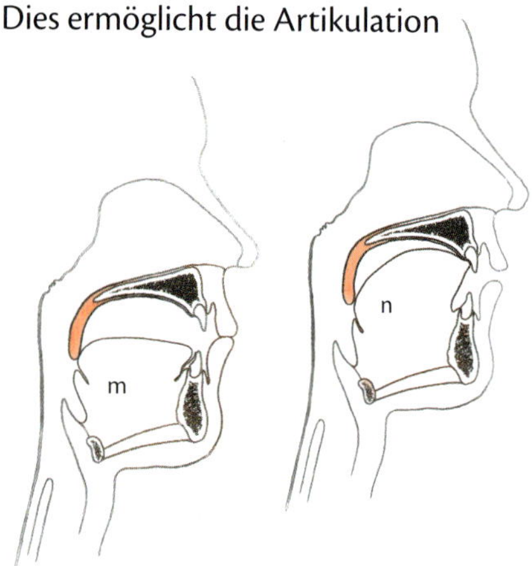

Oral nennt man Vokale und Konsonanten, zu deren Artikulation das Gaumensegel angehoben wird. Die Luft tritt nur dann durch den Mund aus.

2. Beim uvularen (hinteren) [ʁ] berührt das Gaumensegel die Rückseite der Zunge und erzeugt so im Luftstrom eine Vibration.

Bei der Artikulation des französischen oder des deutschen r-Lautes [ʁ] berührt also die Zungenrückseite den harten Gaumen bzw. den vorderen Teil des Gaumensegels.

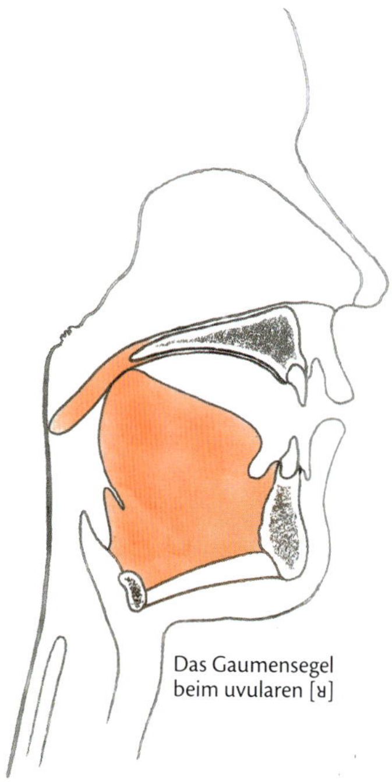

Das Gaumensegel beim uvularen [ʁ]

Übungen für das Gaumensegel

Um diesen vorderen Bereich des Gaumensegels bewusst wahrzunehmen, kann man ihn mit der Artikulation des uvularen [ʁ] trainieren.
Ebenso empfiehlt es sich, dem aktiven Absenken des Gaumensegels noch ein Gähnen hinzuzufügen, wodurch gleichzeitig auch die Gaumenheber trainiert werden. So arbeiten die Hebermuskeln gleichzeitig mit den Senkermuskeln und beide stärken sich gegenseitig.

Das Gaumensegel beeinflusst die Resonanz unserer Stimme

Die Bewegungen des Gaumensegels gehören zu den wichtigsten „Gestaltern" des Timbres oberhalb des Kehlkopfes. Das lockere und bewegliche Gewebe an der Grenze von *Oropharynx* zu *Rhinopharynx* ermöglicht es, Luft durch die Nase, durch den Mund oder durch beide gleichzeitig zu leiten, und das in einem variabel einstellbaren Verhältnis zueinander.

Vor allem aber ist das Gaumensegel für das Gleichgewicht zwischen den wichtigsten Resonanzräumen des Vokaltraktes verantwortlich, weil es im Vokaltrakt an einem besonderen Platz liegt: nämlich an der Grenze zwischen *Rhino-* und *Oropharynx*, sowie an der abgewinkelten Kreuzung zwischen dem vertikalen Bereich (Rachen) und dem horizontalen Bereich (Mund und Nase) des Ansatzrohres. Es kann deshalb gleichzeitig die Größe beider Bereiche und damit auch die Resonanzen verändern.

Dabei kann man auf zwei Arten vorgehen:

„Das Gaumensegel heben"
Dies geschieht durch die Gaumensegelheber. Man spürt es am hinteren Ende des Gaumensegels. Diese Aktion gibt der Stimme sofort mehr Klang. Deshalb wird im Gesangsunterricht oft verlangt, im hinteren Mundraum zu gähnen, „als ob wir eine heiße Kartoffel im Rachen hätten", oder als ob wir versuchen würden, „vornehm mit geschlossenem Mund" zu gähnen. Auf diese Weise kann man den gewünschten Resonanzeffekt leicht erzielen. Wenn man jedoch ausschließlich auf diese Weise mit dem Gaumensegel arbeitet, kann das seine Geschmeidigkeit und Anpassungsfähigkeit und die der benachbarten Regionen behindern. Daher sollte man diese Technik nicht dauerhaft einsetzen.

Beim Singen hebt man das Gaumensegel

Beim Singen wird das Gaumensegel in eine angehobene Position gebracht und so der Zugang zur Nasenhöhle verschlossen. Diese verbraucht nämlich einen Teil der Atemluft, die aus den Lungen strömt, ohne dabei angemessene Resonanz zu erzeugen. Das angehobene Gaumensegel stellt auch für die Resonanz einen größeren Raum im Mund zur Verfügung. Außerdem wird dadurch die Öffnung des *Oropharynx* frei.

„In sich hinein lächeln"
Hier handelt es sich um eine andere Bewegung, bei welcher der Gaumensegelspanner das Gaumensegel horizontal in die Breite zieht. Man spürt diese Bewegung weiter vorne am Gaumensegel. Man kann die beiden Zonen unterscheiden, wenn man beide Anweisungen („inneres Lächeln" und „Gähnen") nacheinander ausführt. Dadurch können wir eine Mittelposition des Gaumensegels finden, in der es nicht ganz angehoben, aber auch nicht vollständig abgesenkt ist. Man spricht auch „von einem Einatmen, als nehme man einen wunderbaren Duft wahr". Dabei ist es wichtig zu wissen, dass das Gaumensegel beim Ausatmen meistens die Position beibehält, in die es beim Einatmen gebracht wurde.

Die Zunge (*Lingua*)

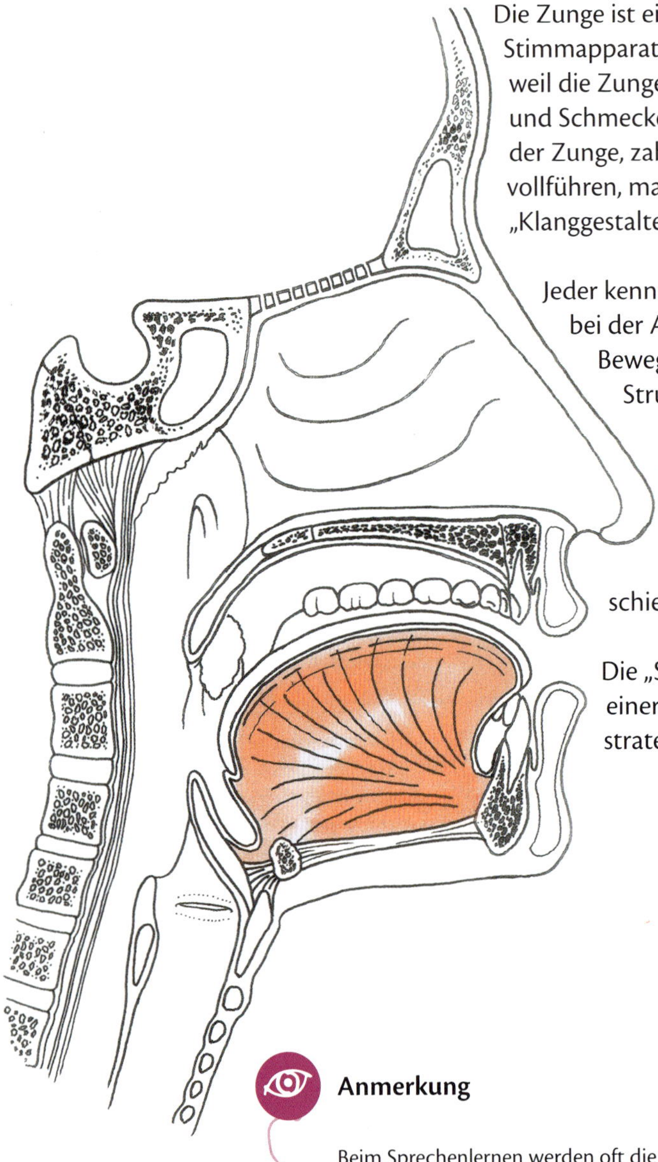

Die Zunge ist einer der wichtigsten Teile des Stimmapparates. Oft vergisst man diese Tatsache, weil die Zunge in erster Linie am Kauen, Schlucken und Schmecken beteiligt ist. Doch die Fähigkeit der Zunge, zahlreiche winzige Bewegungen zu vollführen, machen sie zu einem der wichtigsten „Klanggestalter" oberhalb des Kehlkopfes.

Jeder kennt seine Zungenspitze und denkt bei der Artikulation vor allen Dingen an ihre Bewegungen, weil sie mit den anderen Strukturen des Mundes interagiert.

Aber der Großteil der Zunge befindet sich hinter und unter der Zungenspitze. Auch dieser Teil ist in der Lage, die Stimme auf sehr unterschiedliche Weise zu verändern.

Die „Steuerungsfunktion" der Zunge ist einer der Schlüssel für die Resonanzstrategie der Stimme.

Anmerkung

Beim Sprechenlernen werden oft die Lippenbewegungen nachgeahmt. Man spricht gelegentlich auch vom „Lippenlesen". Beides könnte vermuten lassen, dass die Lippen die Stelle sind, an der die Vokale artikuliert werden (beispielsweise ein [i], indem wir die Lippen in Form eines Lächelns in die Breite ziehen). Dabei sollte man keinesfalls die wichtige Rolle der Zunge bei der Artikulation vergessen, ebensowenig wie ihre Rolle bei der Resonanz von Klängen.

Beschreibung der Zunge

Die Zunge nimmt den unteren Teil des Mundraums ein und wird vom Zahnbogen des Unterkiefers (siehe S. 80) begrenzt. Sie bildet gleichzeitig den Mundboden und die größte Masse des Mundes. Ihre Masse ist viel größer, als wir uns das normalerweise vorstellen, sie ist etwa faustgroß.
Der obere und der vordere Teil der Zunge können sich frei bewegen.

Die Zunge besteht aus folgenden Teilen:

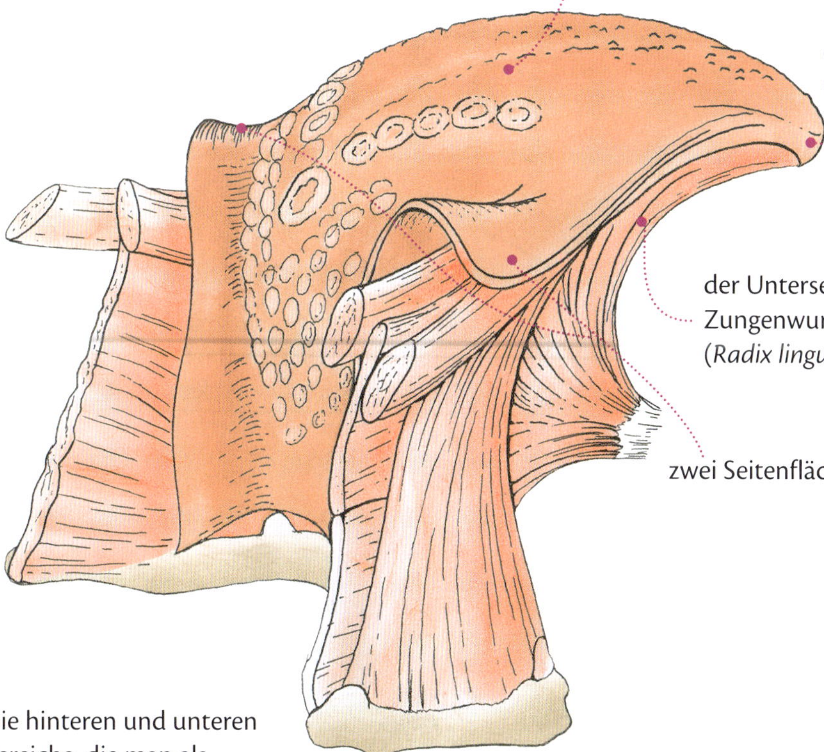

Die hinteren und unteren Bereiche, die man als Zungenwurzel bezeichnet, sind viel weniger beweglich.
Dort ist die Zunge durch zahlreiche Muskeln mit folgenden Bereichen verbunden:

- mit dem Ober- und Unterkiefer,
- mit dem Zungenbein,
- mit dem Gaumensegel,
- mit dem Rachenraum,
- mit der Schädelbasis.

Das Skelett der Zunge

Obwohl die Zunge eine weiche Masse ist, wird sie an ihrer Unterseite doch von festen Elementen strukturiert. Diese nennt man das „Skelett der Zunge", obwohl nicht alle Teile knöchern sind.

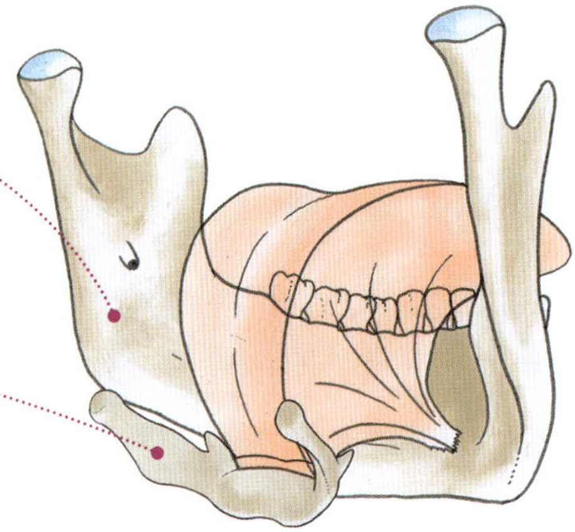

Der Unterkiefer

Dieser Knochen wurde auf S. 74 bereits genau beschrieben. Er dient als Ansatzpunkt für viele Muskeln der Zunge.

Das Zungenbein

Dieser kleine Knochen wurde auf S. 82 genau beschrieben. Er dient ebenfalls als Ansatzpunkt für viele Muskeln der Zunge.

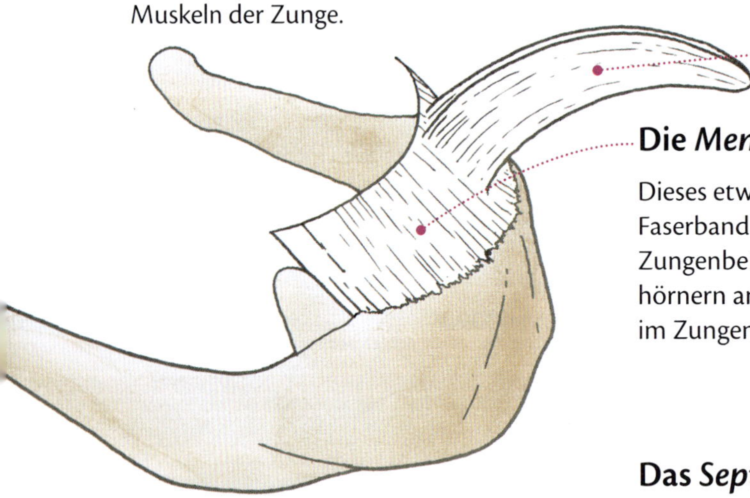

Die *Membrana hyoglossa*

Dieses etwa einen Zentimeter hohe Faserband setzt an der Oberkante des Zungenbeins, an den kleinen Zungenbeinhörnern an. Sein oberer Rand verliert sich im Zungenkörper.

Das *Septum linguae*

Dies ist eine etwas festere Faserschicht, welche senkrecht an der Vorderseite der hyoglossischen Membran ansetzt. Es ist sichelförmig, konvex nach oben und konkav nach unten gebogen und verläuft nach vorne oben. Das *Septum linguae* bildet für beide Zungenhälften eine mediansagittal orientierte Faserplatte, an der Muskeln der Zunge ansetzen.

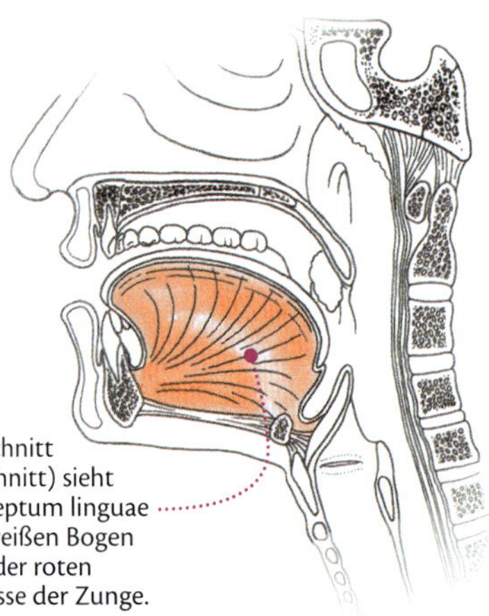

Im Längsschnitt (Sagittalschnitt) sieht man das Septum linguae als einen weißen Bogen innerhalb der roten Muskelmasse der Zunge.

Die Zungenmuskulatur

Um das Skelett der Zunge herum bilden folgende Muskeln die Masse der Zunge:
- acht paarige Muskeln (jeweils rechts und links). Davon sind hier sechs abgebildet.
- ein unpaariger Muskel.

Mit Ausnahme des *Musculus transversus linguae* sind die hier vorgestellten Muskeln paarig und symmetrisch, mit je einem Muskel auf der rechten und einem auf der linken Seite.
Einige dieser Muskeln wurden bereits in Verbindung mit anderen Teilen des Mundes vorgestellt. An dieser Stelle werden sie speziell in Bezug auf die Zungenbewegungen beschrieben.

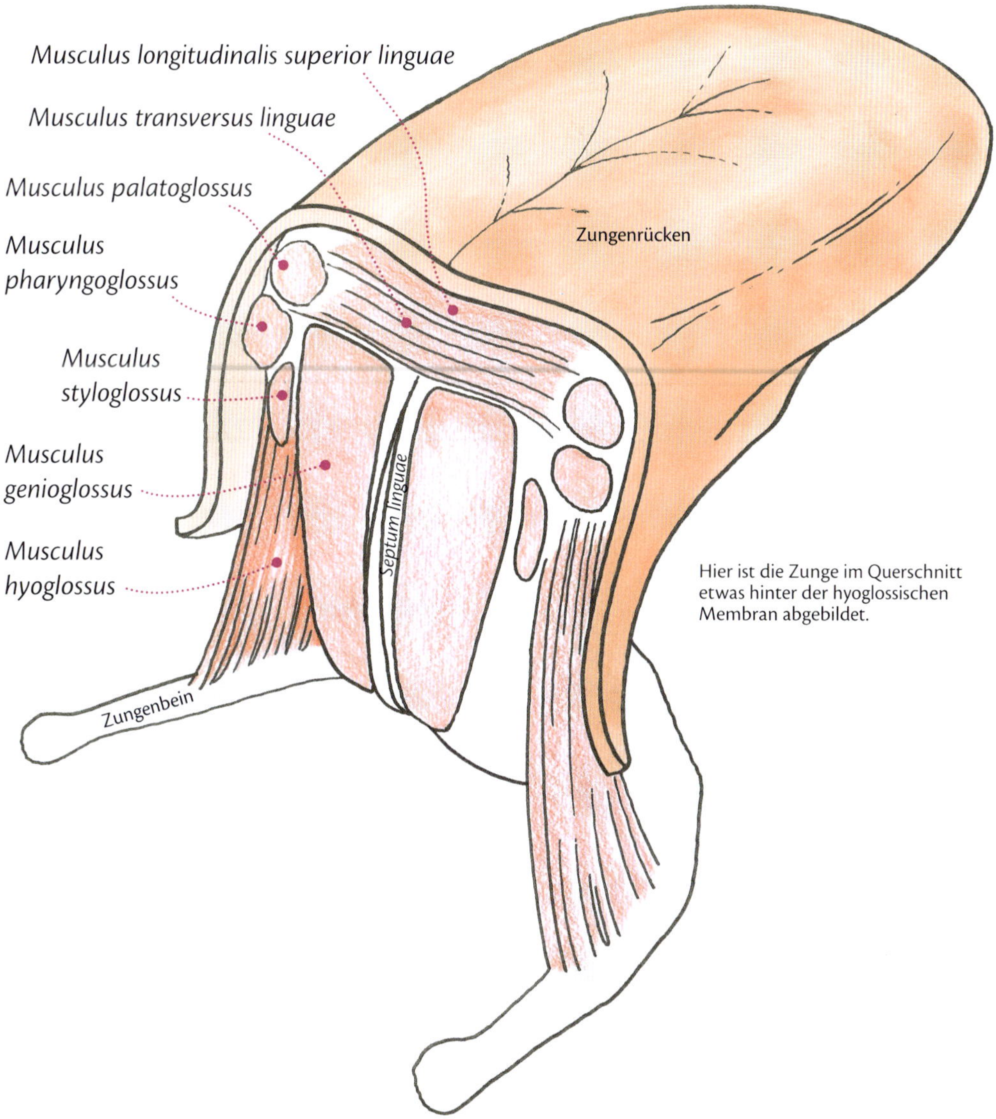

Hier ist die Zunge im Querschnitt etwas hinter der hyoglossischen Membran abgebildet.

Der größte Zungenmuskel: der *Musculus genioglossus*

Dieser paarig symmetrische Muskel macht achtzig Prozent der Zungenmasse aus. Obwohl beide Muskelstränge miteinander verwoben sind, gibt es einen rechten und einen linken *Genioglossus*.
Er setzt an der tiefen Oberfläche des Unterkiefers, an den *Spinae mentales* (zwei kleine Knochenvorsprünge des Unterkiefers, s. Abbildung unten auf dieser Seite) an. Von dort aus fächert er sich in drei verschiedene Muskelfasern auf. Ab diesem Punkt haben die Fasern verschiedenen Aufgaben und Funktionen:

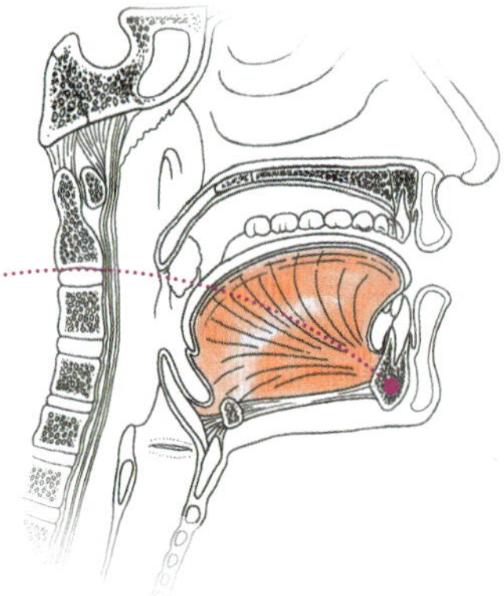

- Die vorderen Fasern verlaufen zur Zungenspitze, also nach vorne oben,
- die mittleren Fasern verlaufen zum Zungenrücken, also nach oben hinten,
- die hinteren Fasern verlaufen nach hinten oben sowie nach hinten unten in Richtung des Zungenbeins.

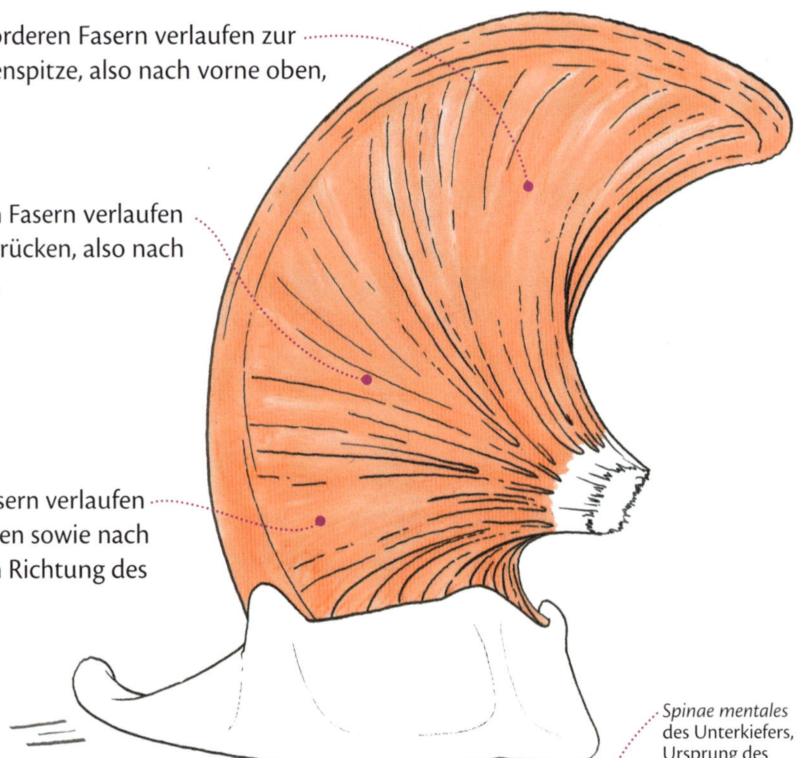

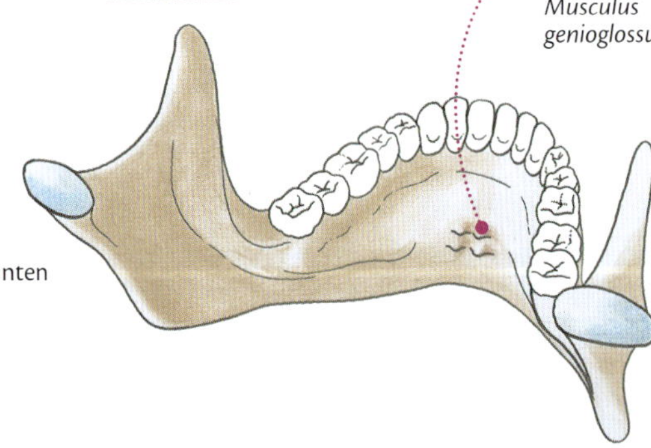

Unterkiefer mit Blick von hinten auf die *Spinae mentales*.

Seine Aufgabe

Bei der Stimmerzeugung ist der *Genioglossus* immer beteiligt.

Er kontrahiert nur in Teilen und koordiniert seine Aktionen je nach Bereich mit den Aktionen der anderen Muskeln. Dabei bringt er die verschiedenen Teile des Zungenrückens mit unterschiedlichen Teilen des Gaumens zusammen.

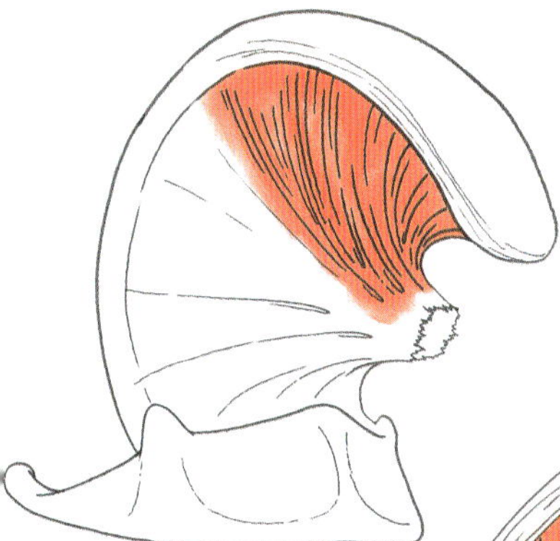

Die vorderen Fasern bewegen die Zungenspitze nach hinten unten.

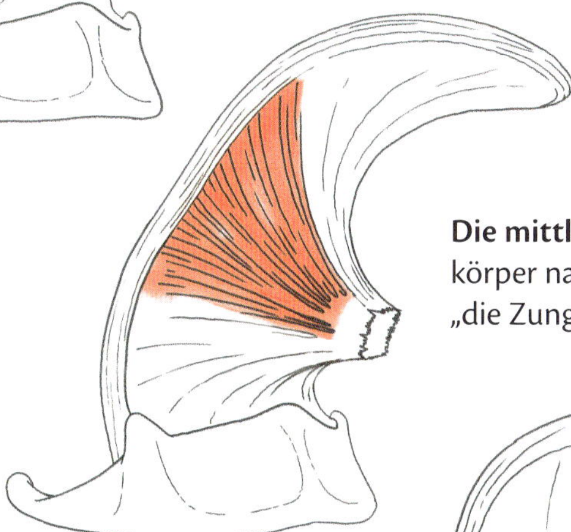

Die mittleren Fasern bewegen den Zungenkörper nach vorne, mit ihrer Hilfe kann man „die Zunge rausstrecken".

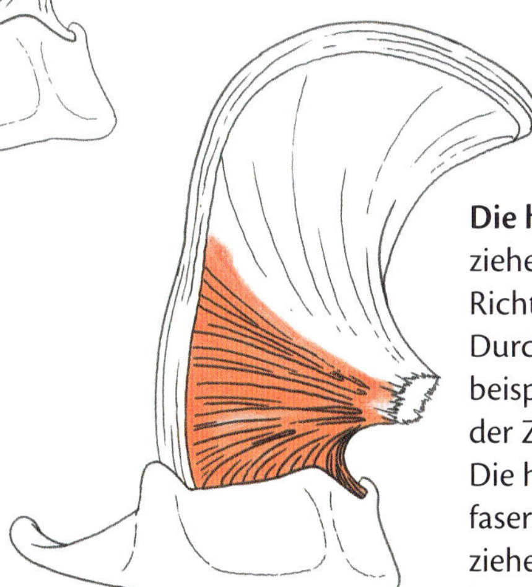

Die hinteren Fasern ziehen die Zunge in Richtung des Gaumens. Durch sie kann man beispielsweise auch mit der Zunge schnalzen. Die hinteren Muskelfasern des *Genioglossus* ziehen die Zunge hoch, bevor sie wieder losgelassen wird und nach unten fällt.

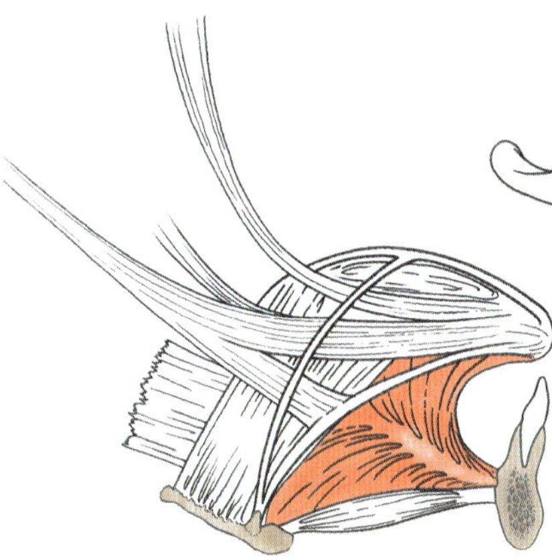

Oben und an den Seiten ist der *Genioglossus* von den anderen Zungenmuskeln überzogen, die seine Bewegungen ergänzen und in etwa funktionieren wie Zügel bei einem Pferd.

Die folgenden Muskeln befinden sich an den Seiten des *Genioglossus*, kommen aber von oben; sie sind quasi „die Zügel der Zunge".

Der *Musculus palatoglossus* (Gaumen-Zungen-Muskel)

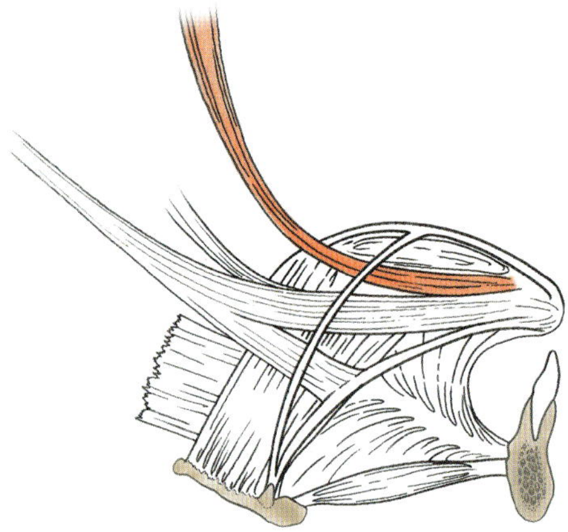

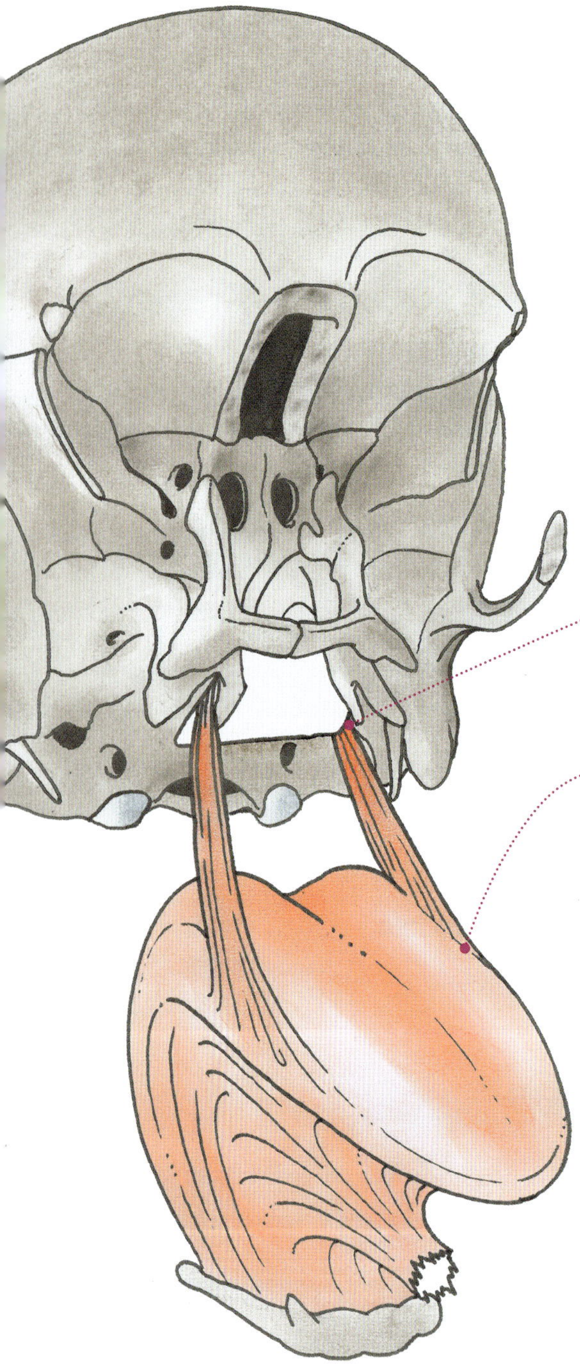

Der *Palatoglossus* setzt am seitlichen Rand der Zunge an. Er verläuft nach oben hinten und hat seinen Ursprung an der Unterseite der Aponeurose des Gaumensegels.

Er bildet den vorderen Gaumenbogen des Gaumensegels vor der Gaumenmandel.

Seine Aufgabe
Von der Seite aus, auf der er sich jeweils befindet, zieht der Muskel die Zunge nach oben und hinten. Weil er ebenso den vorderen Bogen des Gaumensegels bildet, zieht er die Rachenenge (siehe S. 231) auf zwei Arten zusammen:

- Er zieht den Bogen zur Mittellinie hin und macht die Rachenenge somit enger und
- er senkt das Gaumensegel und macht die Rachenenge somit niedriger.

Er ist an der Bildung des Vokales [y] beteiligt.

Der *Musculus styloglossus*

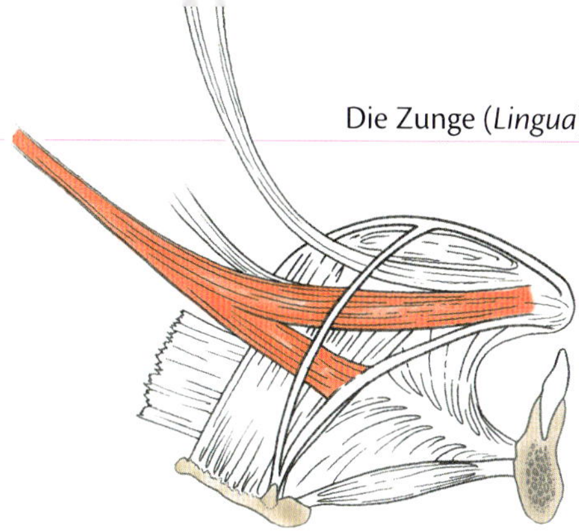

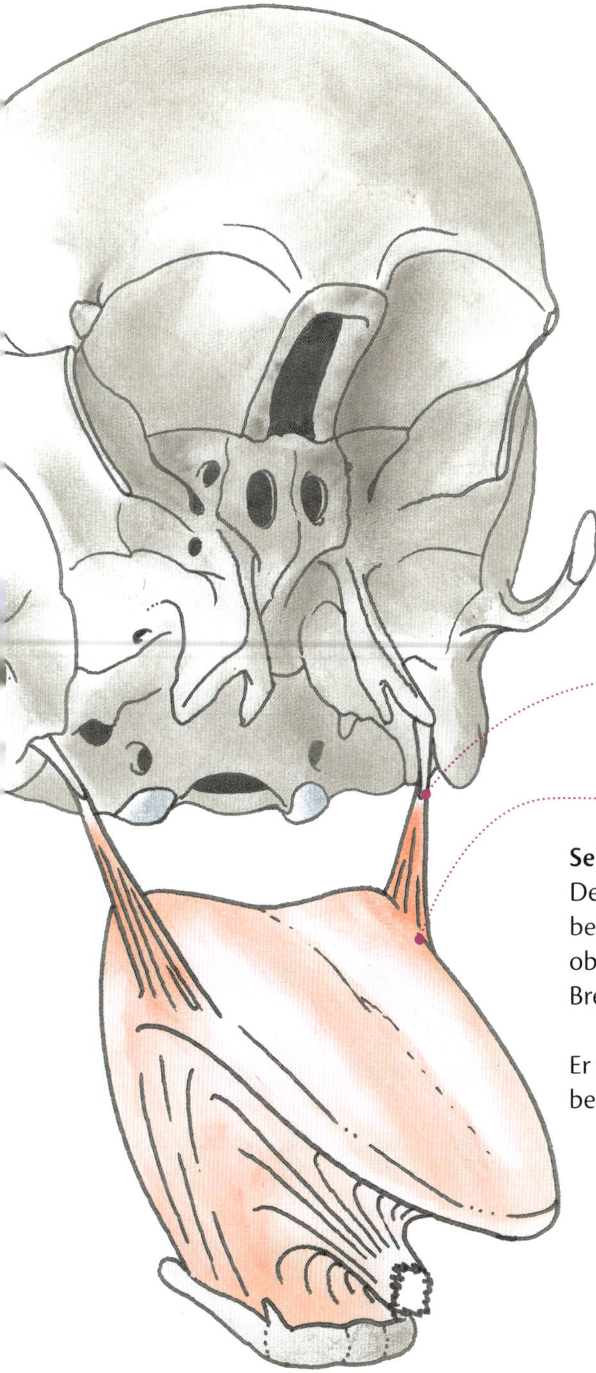

Dieser Muskel mit seiner aufgefächerten Ansatzfläche setzt vorne und unten an der Seite des Zungenrückens an.

Zur Mitte hin verbinden sich seine hinteren Fasern mit dem unteren Teil des *Septum linguae*. Die vorderen Fasern erstrecken sich bis zur Zungenspitze.

Die Muskelfasern steigen nach hinten auf und finden ihren Ursprung an der Spitze des Griffelfortsatzes des Schläfenbeins (siehe S. 67).

Seine Aufgabe
Der *Musculus styloglossus* zieht auf beiden Seiten die Basis der Zunge nach oben, nach hinten und etwas in die Breite.

Er ist an der Artikulation des Vokales [u] beteiligt.

Die Zungenbewegungen bei [y] und [u] spüren

Bei der Artikulation von [y] und [u] im Wechsel kann man deutlich spüren, wie der hintere Teil der Zunge enger oder breiter wird.

Die nachfolgend beschriebenen Muskeln liegen seitlich des *Genioglossus*.

Der *Musculus pharyngoglossus*

Wird auch bezeichnet als:
Musculus constrictor pharyngis superior, pars glossopharyngea.
Die Muskelfasern entspringen dem seitlichen Rand der Zunge. Sie verlaufen von dort nach hinten, wo sie ganz in den oberen Schlundschnürer (siehe S. 216) übergehen.

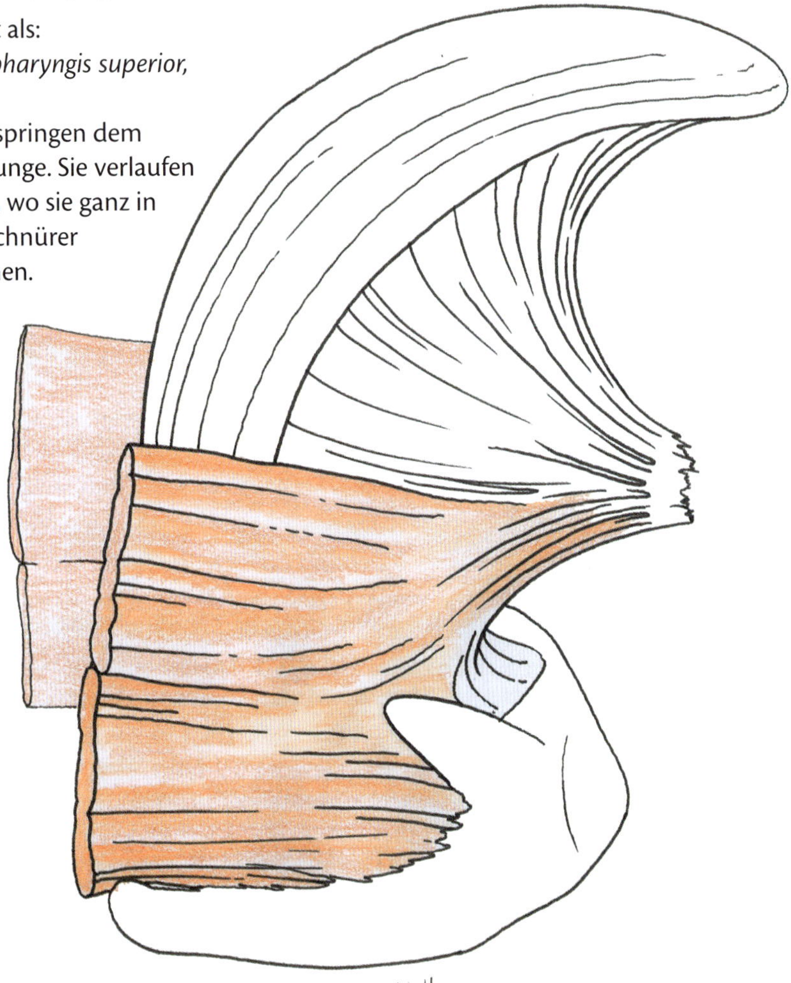

Seine Aufgabe
Auf beiden Seiten zieht er die Zunge (nahezu mittig) nach hinten und etwas nach oben.

In Synergie mit dem mittleren Schlundschnürer strafft er beim Schlucken den oberen Teil des Rachens (siehe S. 218). Dadurch gelangt die Nahrung vom hinteren Teil des Mundes zum Rachen.

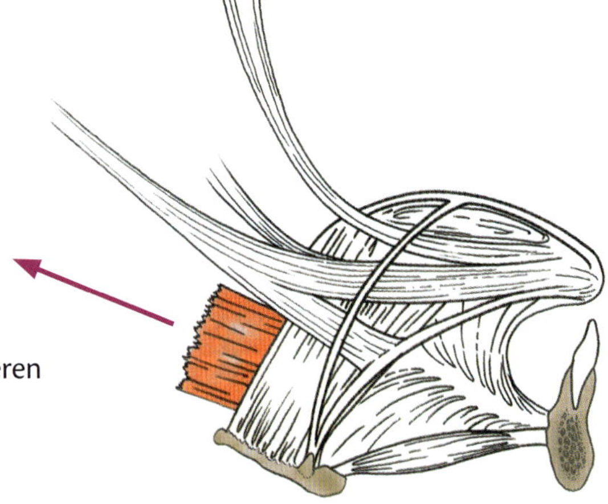

Der *Musculus hyoglossus*

Dieser Muskel setzt oben auf dem *Septum linguae* und in der Muskelmasse des *Genioglossus* an. Seine Fasern steigen fächerförmig nach außen ab. Sie entspringen den großen Zungenbeinhörnern.

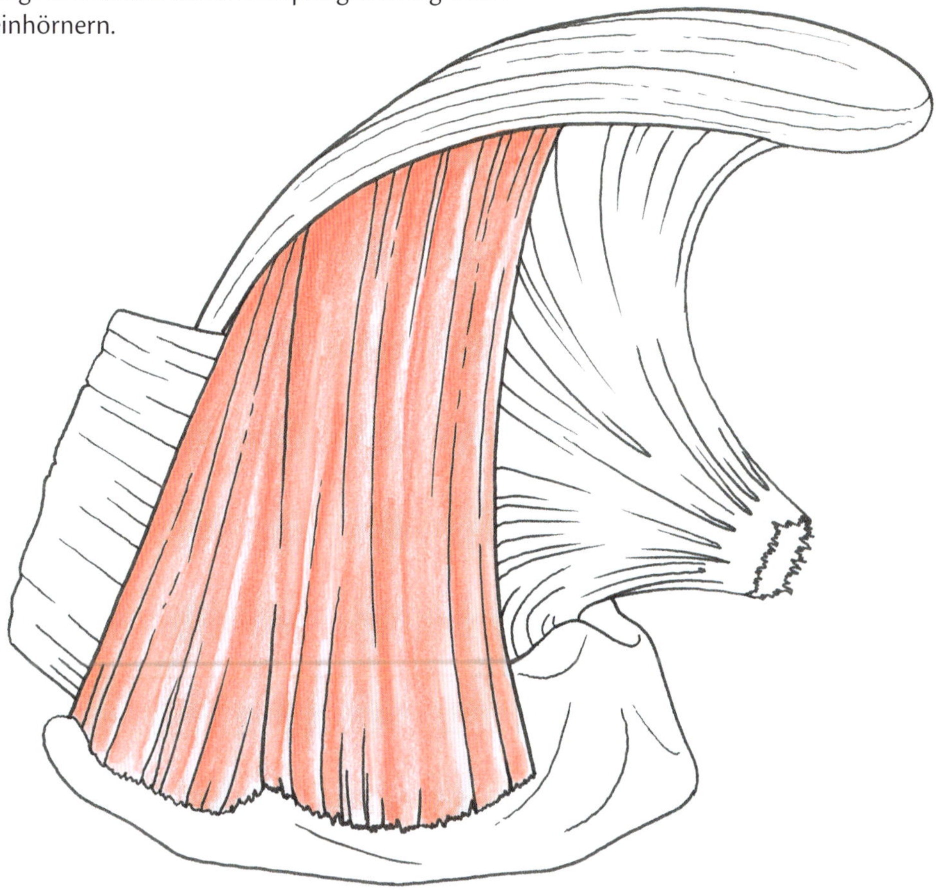

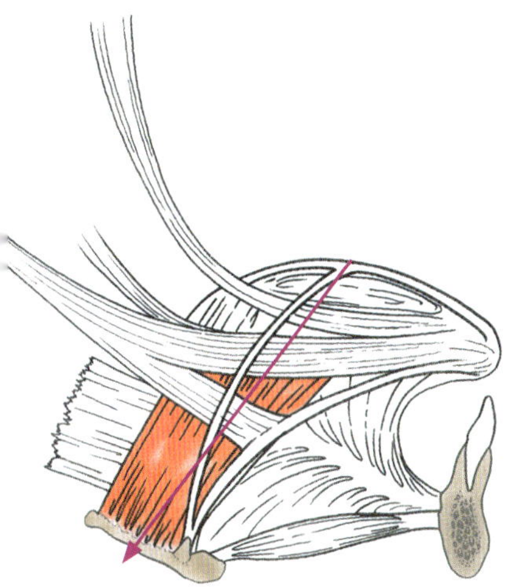

Seine Aufgabe
Der Muskel befindet sich seitlich, er senkt die Zunge und zieht sie zurück, entweder auf einer oder auf beiden Seiten.

Wenn wir mit der Zunge schnalzen, ist es dieser Muskel, der sie senkt. Er zieht die Zunge nach unten hin und in die Breite, wenn die Vokale [ɑ:] [i:] oder [e:] gebildet werden.

Musculus transversus linguae (Der quere Zungenmuskel)

Dieser Muskel besteht aus querliegenden Fasern, welche von den seitlichen Oberflächen des *Septum linguae* bis zur Schleimhaut der seitlichen Zungenränder verlaufen.

Seine Aufgabe
Auf der Seite, auf der er kontrahiert, kann der quere Zungenmuskel die Oberseite der Zunge einwölben und verengen oder zumindest das Abflachen der Zunge verhindern.

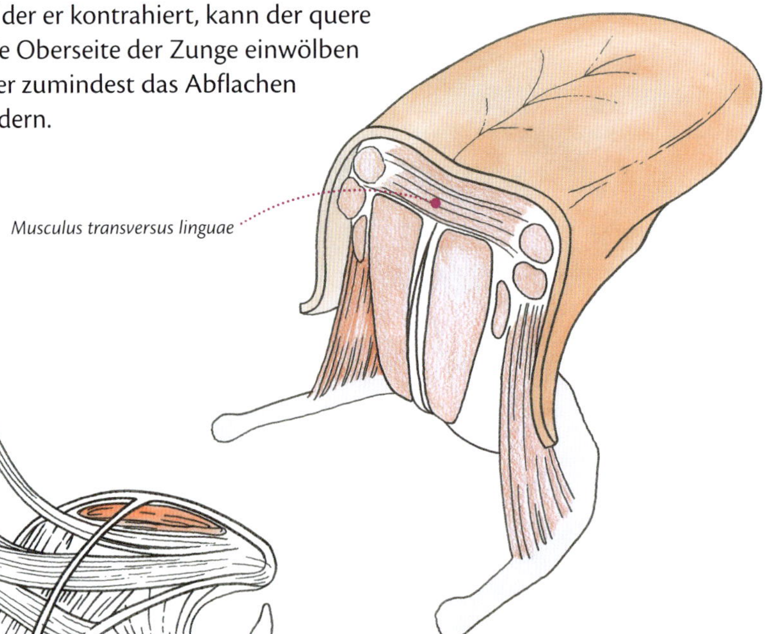

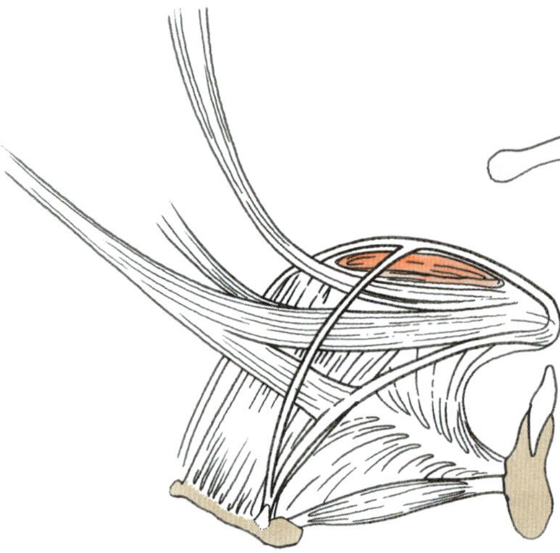

Musculus amygdaloglossus

Dieser Muskel setzt innerhalb des Schlundschnürers an dessen faserhaltigem Gewebe an. Er entspringt außen an der Bindegewebskapsel, die die Gaumenmandel umgibt.

Seine Aufgabe
Auf der Seite, auf der er sich befindet, zieht er die Basis der Zunge nach oben. Zudem ist er an der Artikulation der Vokale [u] und [y] beteiligt.

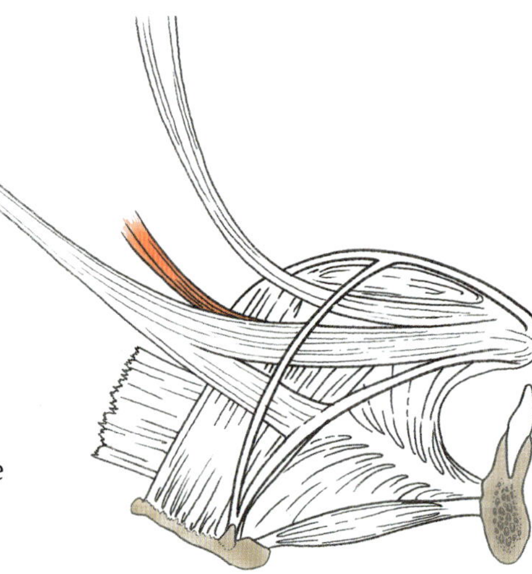

Der *Musculus longitudinalis inferior linguae*

Dieser Muskel verläuft von der Zungenwurzel bis zur Zungenspitze. Er setzt hinten an den kleinen Zungenbeinhörnern an. Dann steigt er nach vorne oben, entlang der Seite der Zunge bis zur Zungenspitze.

Seine Aufgabe
Auf der Seite, auf der er kontrahiert, zieht er die Zunge jeweils nach hinten unten.

Er trägt auch dazu bei, die Zunge nach unten in die Breite zu ziehen, um sogenannte „offene" Vokale wie [ɑː], [iː], [eː] zu bilden. Er hebt das Zungenbein.

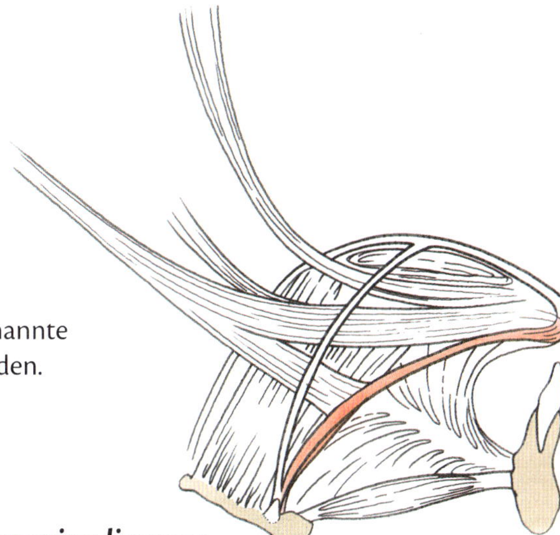

Der *Musculus longitudinalis superior linguae*

Dieser ist der einzige unpaarige Muskel der Zungenmuskulatur. Hinten setzt er an der Kehldeckelbasis und mit zwei seitlichen Fasern an den kleinen Zungenbeinhörnern an. Er bildet eine lange mittlere Oberschicht in der Zunge, die entlang des gesamten Zungenrückens unter der Schleimhaut liegt.

Seine Aufgabe
Dieser Muskel zieht die Zunge nach hinten und nach unten. Durch das Absenken trägt er zu dem offenen Vokal [ɑː] bei.

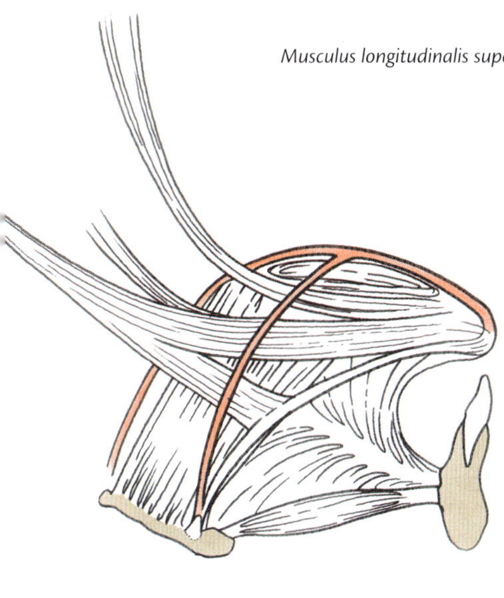

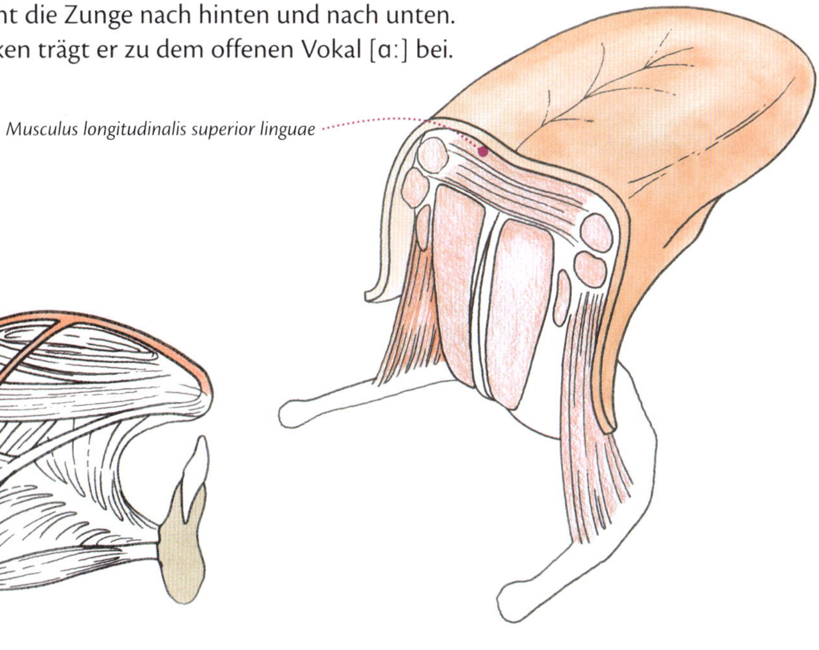

Die Dynamik der Zunge

Die Bewegungen der Zunge werden durch die Schwerkraft beeinflusst.

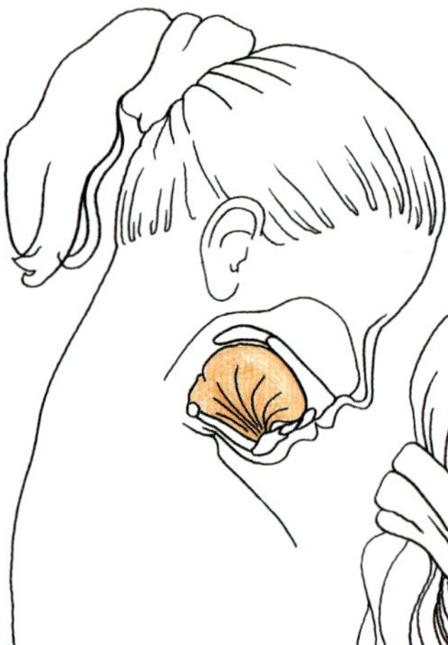

Wenn man im aufrechten Stand den Mund geschlossen hält und den Hals deutlich nach vorne neigt (Flexion), fällt die Zunge im Mund nach vorne.

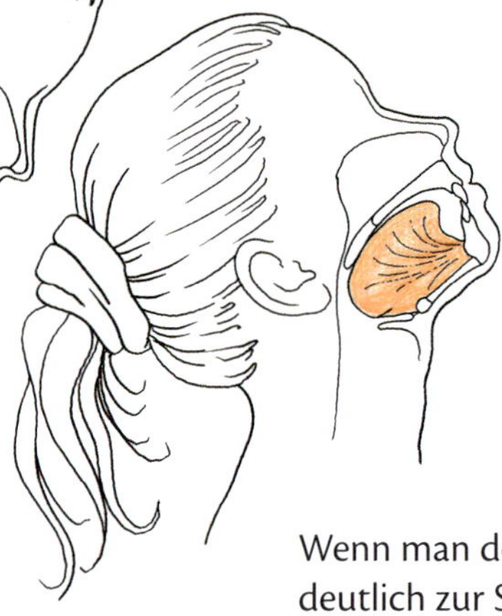

Wenn man den Kopf nach hinten neigt (Extension), fällt die Zunge in den hinteren Teil des Mundes.

Wenn man den Kopf und den Hals deutlich zur Seite neigt, so fällt die Zunge zu der Seite, zu der wir unseren Kopf neigen.

Diese Tendenzen sind bei großen Bewegungen von Kopf und Hals sehr deutlich. Sie existieren aber auch bei kleineren oder sogar nur minimalen Bewegungen. Dadurch wird deutlich, wie wichtig die Kopfhaltung bereits vor dem Beginn der Klangproduktion ist, da sie die Position der Zunge beeinflusst.

Die aktiven Bewegungen der Zunge beeinflussen die Position des Unterkiefers

Wenn man die Zunge nach hinten zieht, spürt man, dass der Unterkiefer ebenso die Tendenz hat, sich etwas zurückzuziehen (wenn man zum Beispiel den Vokal [u] singt, hat der Unterkiefer die Tendenz sich zurückzuziehen).
In geringerem Maße geschieht dies auch, wenn man die Zunge nach vorne bewegt. Dann hat der Unterkiefer ebenfalls die Tendenz, sich nach vorne zu bewegen. Das kann man gut bei Vokalen bzw. Konsonanten feststellen, die vorne gebildet werden, zum Beispiel, wenn man [ba] [ba] sagt.

Die Ruheposition der Zunge

Bei geschlossenem Mund berührt die Zunge die gesamte Oberfläche des harten Gaumens:

- Die Zungenspitze liegt auf den Gaumenfalten hinter den Schneidezähnen.
- Die Seitenkanten sind angehoben und berühren die Alveolarfortsätze* des Kiefers.
- Der Zungenrücken bildet von vorne nach hinten eine leicht hohle Rinne.

In dieser Position befindet sich der Großteil der Zunge ziemlich weit vorne im Mund, und der hintere Teil der Zunge (die Zungenbasis) liegt nicht ganz unten im Mund.

Diese Ruheposition ermöglicht es der Zunge, sich vertikal zu bewegen. Dabei stützt sie sich quasi am Gaumen ab, was insbesondere für den Schluckvorgang wichtig ist.

Die Position der Zunge bei der Artikulation

Wenn man sich auf das Sprechen vorbereitet, beginnt man damit, erst einmal den Unterkiefer leicht abzusenken; die Zähne entfernen sich etwas voneinander, und die Lippen beginnen sich zu öffnen. Die Zungenspitze bewegt sich von den oberen zu den unteren Schneidezähnen. Die Seiten der Zunge bleiben in Kontakt mit den oberen Backenzähnen.

Dies ist die Ausgangsposition, von der aus die Bewegungen der Zunge sehr klein sind.

In dieser Haltung liegt die Zungenmasse ziemlich weit vorne im Mund und der hintere Teil, die Zungenbasis, wird nicht Richtung Rachen geschoben. Dadurch ist der Kehlkopf freier.

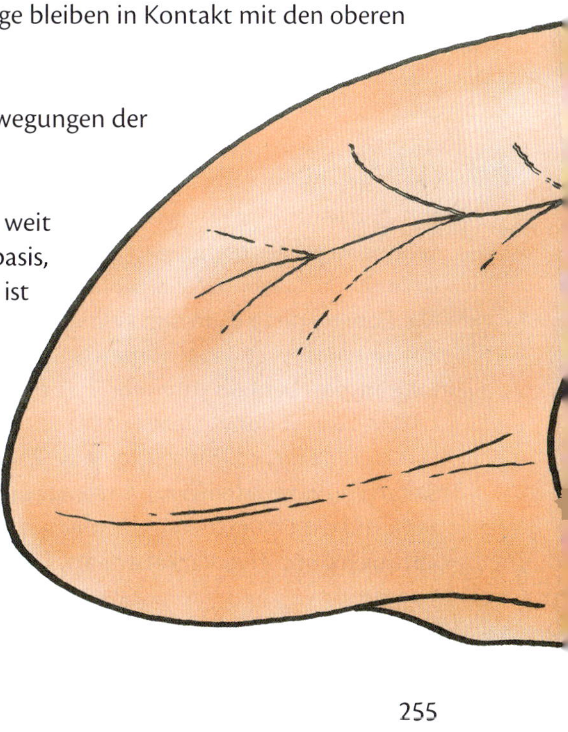

* *Processus alveolaris maxillae:* bogenförmiger Knochenteil des Oberkiefers, in dem sich die Zahnfächer (Alveolen) befinden, in denen die Zähne verankert sind.

Zunge, Artikulation, Resonanz

Die Zunge und die Artikulation von Vokalen

Dank ihrer Muskulatur kann die Zunge ihre Form verändern und so zur Artikulation der Vokale beitragen. Man spricht von „vorderen" oder „hinteren" Vokalen, abhängig davon, an welcher Stelle des Gaumens sich die Zunge zusammenzieht. Wir werden hier nur die drei Vokallaute [iː], [ɑː] und [uː] betrachten.

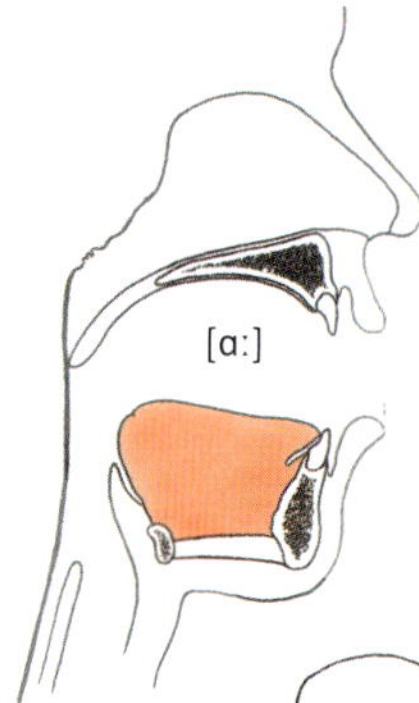

Beim [ɑː] ist der Zungenrücken stark abgesenkt.

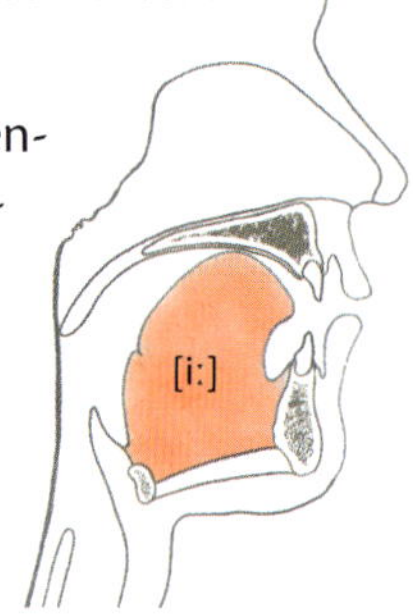

Für das [iː] ist der Zungenrücken angehoben, während die Zungenmasse im Mund nach vorne gebracht wird.*

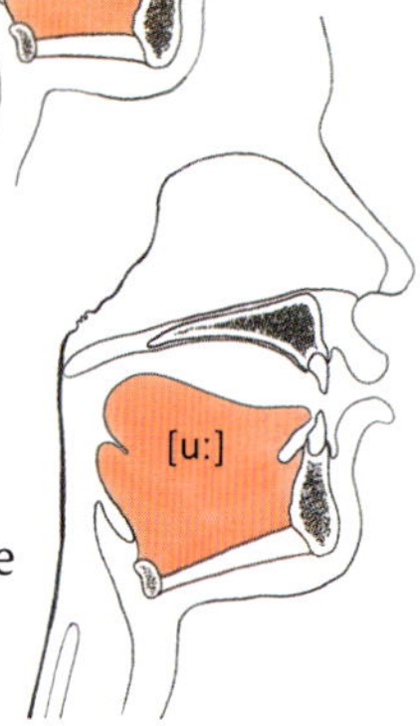

Beim [uː] ist der Zungenrücken angehoben und die Zungenmasse ist hinten.

Die Zunge und die Artikulation von Konsonanten

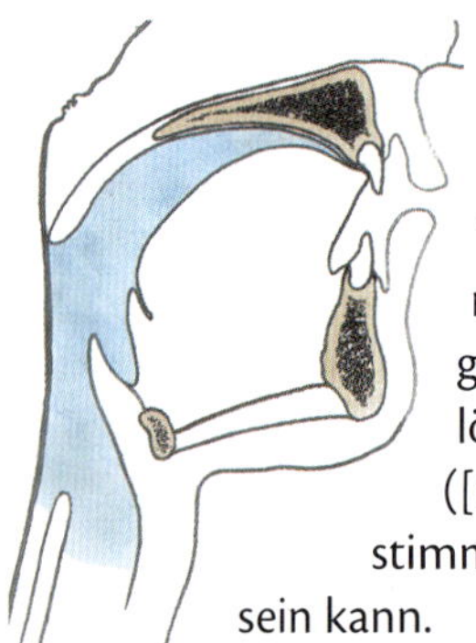

Bei den sogenannten **alveolaren Konsonanten** berühren sich Zunge und Zähne (genauer: Zahnalveolen). Die Zungenspitze berührt die Rückseite der Schneidezähne und verhindert so, dass Atemluft austritt. Wenn gleichzeitig das Gaumensegel angehoben ist, kann die Luft auch nicht durch die Nase entweichen. In der Mundhöhle entsteht dann ein gewisser Druck. Indem man die Zunge dann plötzlich von den Zähnen löst, erzeugt man einen **alveolaren Plosivkonsonanten**, der stimmlos ([t], also ohne Klangerzeugung im Kehlkopf (z. B. im Wort „Auto") oder stimmhaft ([d], also mit Klangerzeugung im Kehlkopf, z. B. im Wort „du") sein kann.

Derselbe Kontakt zwischen Zähnen und Zunge kann auch vorkommen, während das Gaumensegel abgesenkt ist. Die Luft strömt dann durch die Nase hinaus. Dadurch entsteht der stimmhafte **alveolare Nasalkonsonant** [n] (z. B. im Wort „nein").
Die Zungenspitze kann sich an die Zähne legen und in ihrem mittleren Teil etwas Luft mit einem „Pfeifen" ausströmen lassen. Dadurch entstehen die alveolaren **Frikativkonsonanten**, die ebenfalls stimmlos (z. B. [s] im Wort „Kuss", siehe S. 175) oder stimmhaft ([z] z. B. im Wort „Sonne", siehe S. 159) sein können.
Die Zungenspitze kann so gegen die Zähne gelegt werden, dass genügend Luft an den Seiten vorbeiströmen kann, um ein leichtes Luftgeräusch zu erzeugen, während gleichzeitig auf der Ebene des Kehlkopfes ein Klang produziert wird. So wird der **lateral-approximante Alveolarkonsonant** [l] (z. B. im Wort „Leben") gebildet.

* Das ist auch der Grund, warum man bei einer Untersuchung des Kehlkopfes beim Phoniater aufgefordert wird, „iiih" zu sagen. Die Zunge ist nach vorne gerichtet und gibt den Blick auf den Kehlkopf frei.

Palatale Konsonanten entstehen durch den Kontakt zwischen Zunge und hartem Gaumen.

Die Seiten des Zungenrückens berühren die Seiten des harten Gaumens. Dadurch entsteht ein palataler Frikativkonsonant, der stimmlos ([ç] z. B. im Wort „ich", siehe S. 175) oder stimmhaft ([j] z. B. im Wort „Jäger", siehe S. 159) sein kann.

Der Zungenrücken kann auch den harten Gaumen berühren und auf beiden Seiten Luft hindurchlassen. Wenn man aus dieser Position die Zunge vom Gaumen trennt, erzeugt man einen stimmhaften palatalen Nasal (z. B. [ɲ] im Wort frz. „si***gn***e").

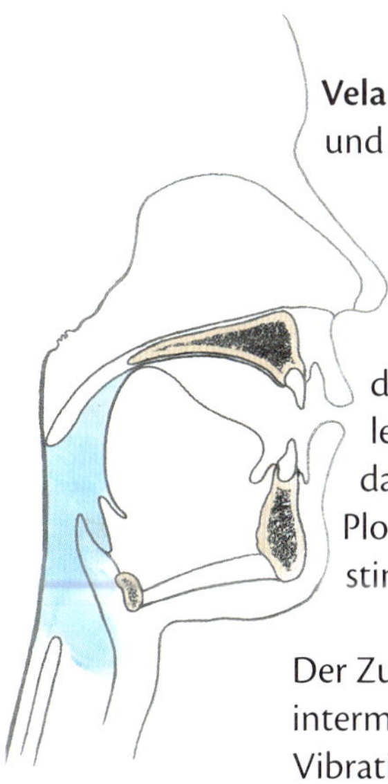

Velare Konsonanten werden durch den Kontakt zwischen Zunge und Gaumensegel erzeugt.

Der Zungenrücken kann das Gaumensegel berühren und dadurch das Entweichen der Ausatemluft vollständig verhindern. Wenn gleichzeitig das Gaumensegel angehoben ist, kann die Luft auch nicht durch die Nase entweichen. In der Mundhöhle entsteht dadurch ein gewisser Druck. Indem man die Zunge dann abrupt vom Gaumensegel löst, erzeugt man einen velaren Plosivkonsonanten, der stimmlos ([k], z. B. im Wort „Kind") oder stimmhaft ([g], z. B. im Wort „gut") sein kann.

Der Zungenrücken kann das Gaumensegel berühren und dabei intermittierend Luft hindurchlassen. Dadurch erzeugt er eine Vibration des Gaumensegels bzw. des Zäpfchens: einen uvularen stimmhaften Vibranten [ʁ] (z. B. im Wort „rot") oder einen velaren stimmlosen frikativen Konsonanten [x] (z. B. im Wort „Buch").

Die Zunge beeinflusst die Resonanz der Stimme

Zunge flach hinter den unteren Schneidezähnen
Man verwendet diese Position, damit die Mundhöhle nicht von der Zungenmasse versperrt ist.

Zunge hinten angehoben
Man bevorzugt diese Position der Zunge, wenn man die tiefere Resonanz des Klangspektrums verstärken möchte.

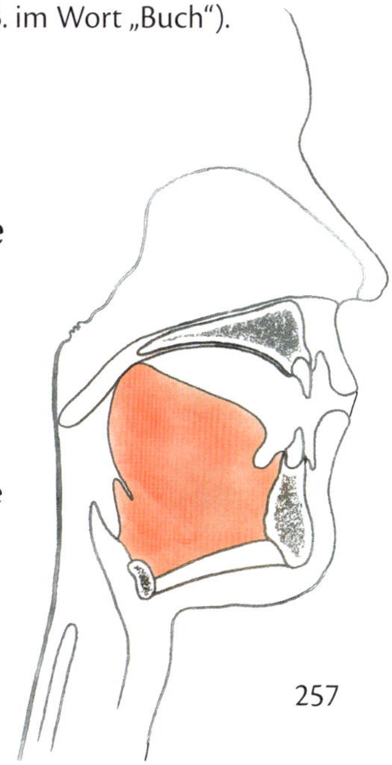

Die Lippen (*Labium*)

Ein sehr wichtiger Bestandteil des Stimmapparates sind die Lippen, zwei muskulöse und membranartige Weichfalten, die die Mundöffnung nach außen abschließen. Sie sind der letzte Bereich des Vokaltraktes, in dem der Klang beeinflusst werden kann, bevor er den Körper verlässt. Im Alltag benutzen wir unsere Lippen auch bei Kau- und Saugbewegungen. Wir können mit ihnen selektiv unseren Gesichtsausdruck beeinflussen und so kommunizieren. Für die Stimme gehören die Lippen zu den wichtigsten Akteuren in Bezug auf Artikulation und Modifikation der Resonanz.

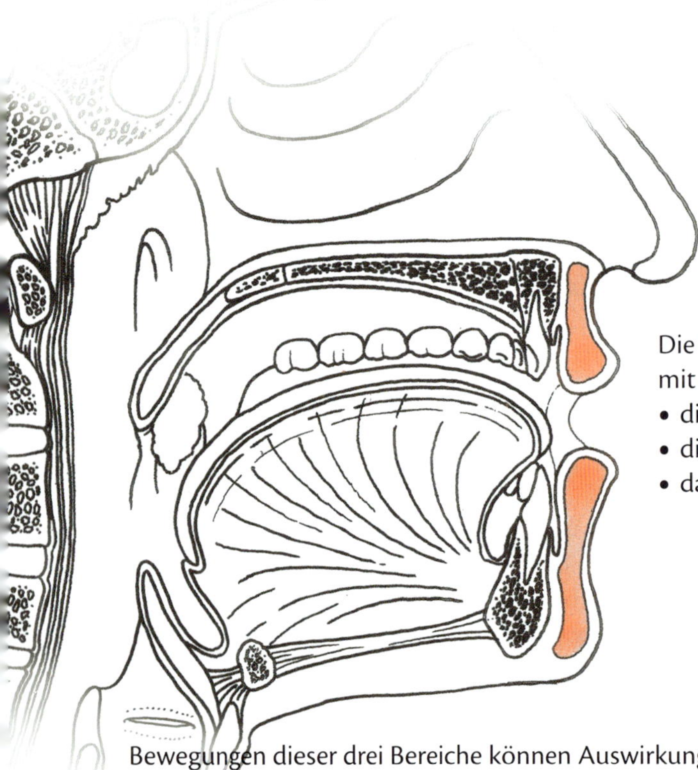

Die Lippen grenzen an drei Regionen, mit denen sie auch interagieren:

- die Wangen,
- die Nase,
- das Kinn.

Bewegungen dieser drei Bereiche können Auswirkungen auf die Lippen haben und vice versa. Bei der Stimmarbeit ist dieser Zusammenhang wichtig. Zum Beispiel kann eine Bewegung der Wangen, die aus Gründen der Mimik geschieht, auch eine Veränderung der Lippenform hervorrufen, was wiederum die Resonanz der Stimme verändert. All dies kann bewusst oder unbewusst passieren.

Die Bewegungen der Lippen werden oft durch die der Mundstrukturen oder die des Unterkiefers ergänzt und können leicht mit diesen verwechselt werden. In Lehrwerken zur Stimmproduktion sollte immer die Unterscheidung deutlich gemacht werden, an welchem Ort genau Bewegungen gemacht werden, oder wie sie sich gegenseitig beeinflussen. Wenn man zum Beispiel den Mund schließt, wird diese Bewegung ursprünglich vom Kiefer ausgeführt, aber auch mehr oder weniger durch eine Bewegung der Lippen ergänzt.

Beschreibung der Lippen

Es gibt zwei Lippen, die **Oberlippe** und die **Unterlippe**. Jede besteht aus zwei Bereichen:

- Ein Teil ist mit **Haut** bedeckt. Bei Männern ist dieser manchmal von Barthaaren verdeckt, mit dem Schnurrbart auf der Oberlippe und mit einem Bart im Bereich der Unterlippe.
- Ein Teil ist mit **Schleimhaut** bedeckt, die von Person zu Person unterschiedlich dick oder breit sein kann und viele von vorne nach hinten verlaufende Falten aufweist.

Die Haut über der Oberlippe weist in der Mitte zwei Falten auf, zwischen denen das ***Philtrum*** liegt, die vertikale Vertiefung unterhalb der Nase. Der Übergang vom *Philtrum** zur Oberlippe ist geformt wie ein kleiner Bogen, der sogenannte „**Amorbogen**", der vor allem bei Kindern gut zu sehen ist.

Auf den Seiten vereinigen sich die Lippen und bilden dort die **Mundwinkel:**

- Bei geöffnetem Mund umrahmen sie die Mundöffnung an den Seiten.
- Bei geschlossenem Mund bilden sie den etwa 45 bis 55 Millimeter langen sogenannten Mundschlitz.

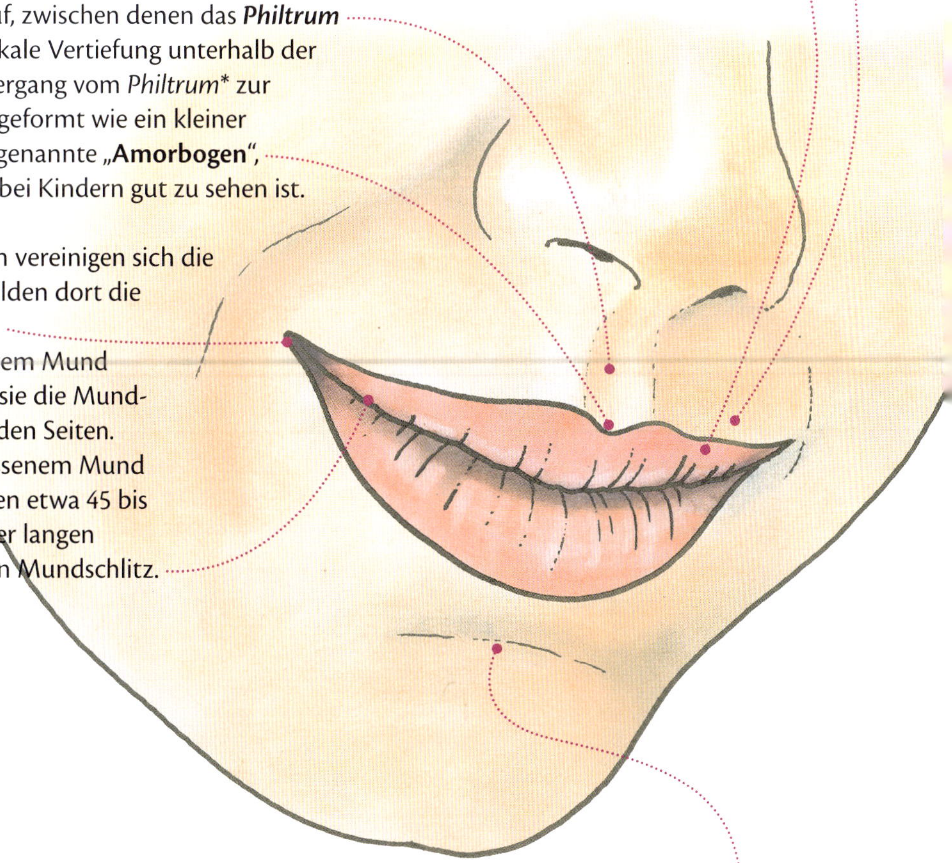

Die Unterlippe ist oft etwas größer als die Oberlippe. Eine horizontale Falte trennt den Hautbereich der Unterlippe vom Kinn: die **Kinn-Lippen-Furche** (*Sulcus mentolabialis*)

* *Philtron* (griech.): Liebeszauber

Die Lippenmuskulatur

Die Lippen besitzen keinerlei Knochenskelett. Sie sind sogenannte „Weichteile". Dennoch können sie dank der vielen Muskeln, die unter der Haut und den Schleimhäuten liegen, ihre Form und ihren Tonus in großem Maße verändern.

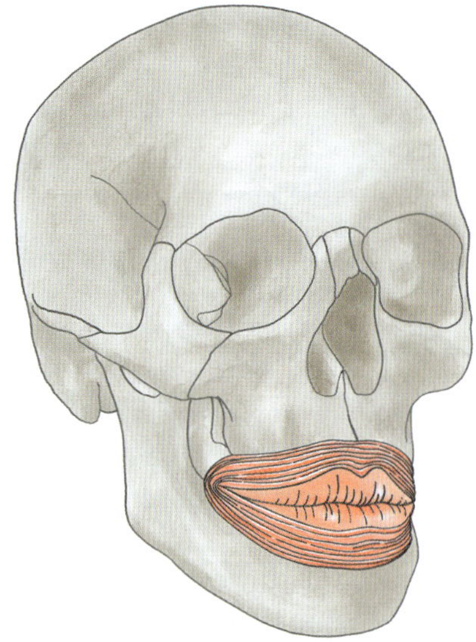

Ein großer Muskel schließt die Mundöffnung: der Mundringmuskel (*Musculus orbicularis oris*)

Dieser Muskel besteht aus zwei Teilen:

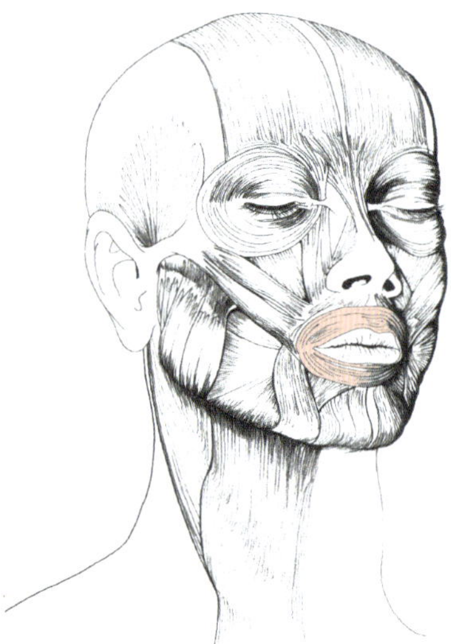

Der größere Teil wird *Pars labialis* genannt. Er verläuft in konzentrischen Kreisen um die freien Ränder der Lippen.

Die Muskelfasern der Ober- und Unterlippe treffen im sogenannten *Modiolus*, einem Muskelknoten im Bereich des Mundwinkels, aufeinander und enden dort an der Unterseite von Haut und Schleimhaut.

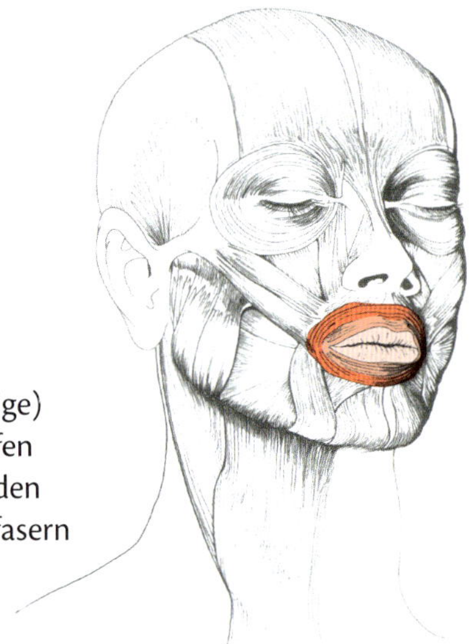

Der äußere Teil, die *Pars marginalis*, besteht aus zwei Arten von Fasern:

- Es gibt *terminale* (d. h.: endende) Muskelfasern, die in den Modiolus übergehen.
- Es gibt *inzisive* (d. h.: zu den Schneidezähnen gehörige) Muskeln, zwei obere und zwei untere. Diese verlaufen jeweils von den Alveolarkämmen der Kiefer bis zu den Lippen hin, wo sie sich mit den terminalen Muskelfasern vermischen.

Seine Aufgabe

Der Mundringmuskel ist der wichigste Ringmuskel der Mundöffnung: Er ist der „Schließmuskel“, der die Lippen schließt.

Jeder Teil des Muskels hat dabei eine eigene Aufgabe:

Die *Pars marginalis* ermöglicht das Zusammenpressen der Lippen.

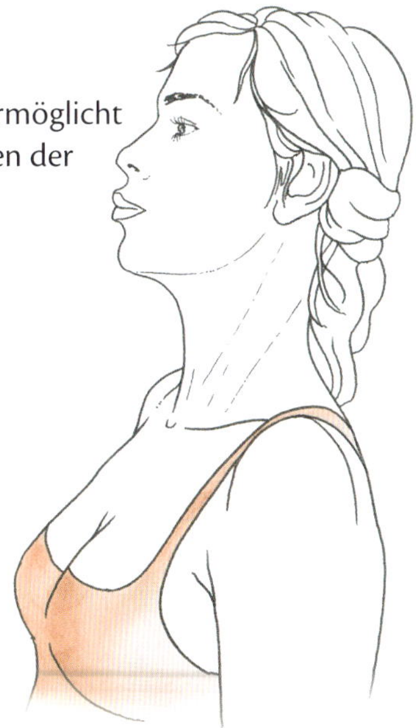

Die *Pars labialis* ermöglicht die Vorwärtsbewegung der Lippen.

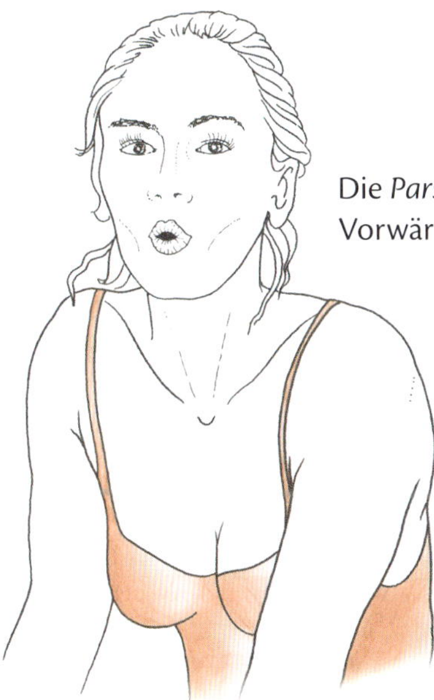

Bei der Stimmerzeugung wird die Wirkung des *Musculus orbicularis oris* oft mit der Wirkung seiner benachbarten Antagonisten kombiniert (siehe folgende Seiten).

Ein kleiner Muskel vervollständigt diese Wirkung von oben nach unten: der sogenannte „Aeby-Muskel“

Dieser Muskel (nicht dargestellt) besteht aus kleinen Fasern, die von der Haut jeder Lippe bis zur tiefen Oberfläche der Schleimhaut verlaufen.

Seine Aufgabe

Er komprimiert die Lippen von hinten nach vorne.

Um den Mundringmuskel herum befinden sich drei paarige Muskelgruppen, die den Mund öffnen

Die erste Muskelgruppe zieht den Mundringmuskel nach oben:

- *Musculus levator labii superioris alaeque nasi*
- *Musculus levator labii superioris*
- *Musculus levator anguli oris („Caninus",* Mundwinkelheber)
- *Musculus zygomaticus minor*
- *Musculus zygomaticus major*

Die zweite Muskelgruppe zieht ihn nach hinten:

- *Musculus buccinator*

Die dritte Muskelgruppe zieht ihn nach unten:

- *Musculus depressor anguli oris* („Mundwinkelniederzieher")
- *Musculus depressor labii inferioris*
- *Musculus mentalis*

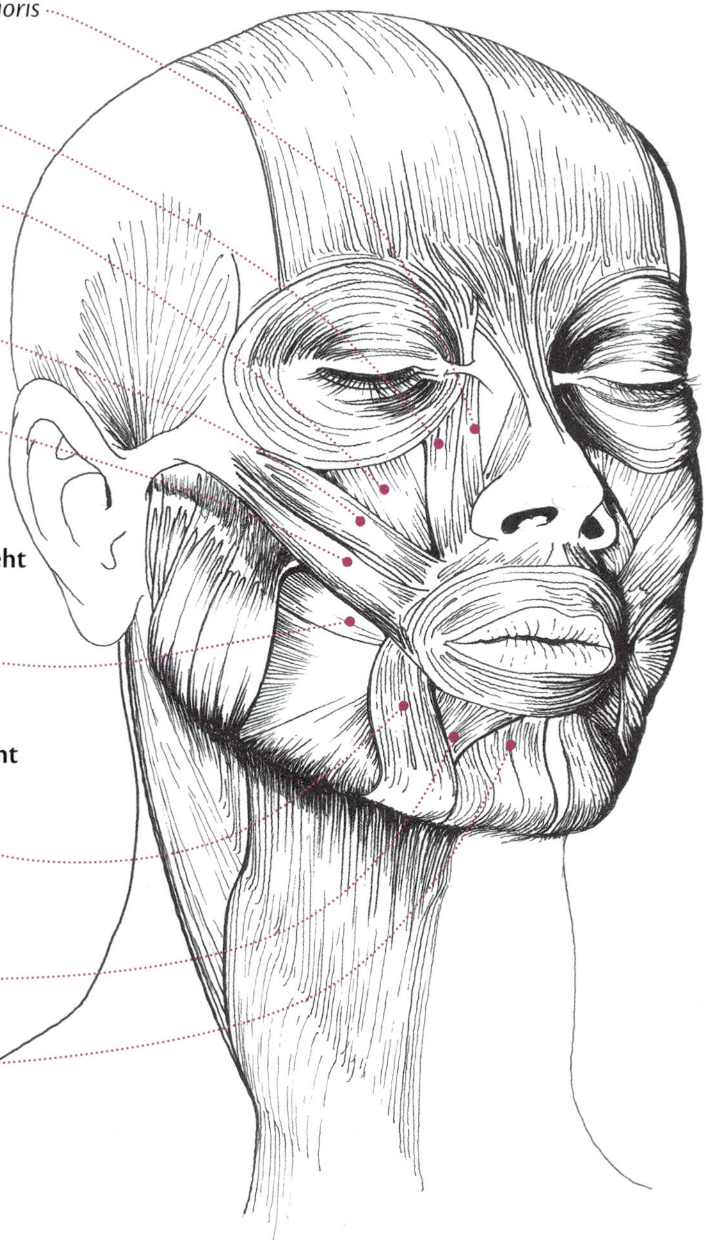

Dieser Muskel zieht die Lippen zur Seite: der Wangenmuskel (*Musculus buccinator*)

Dieser tiefliegende Muskel füllt hinten den Raum zwischen Ober- und Unterkiefer.

Er hat seinen Ursprung vorne am *Modiolus* des Mundringmuskels und setzt dann etwas weiter hinten an den Außenflächen der Alveolarfortsätze des Ober- und Unterkiefers an.

Einige seiner oberen und unteren Fasern verflechten sich nach hinten hin, und setzen dann an der *Raphe pterygomandibularis* und an der *Crista buccinatoria*, einer rundlichen Knochenleiste des Unterkiefes, an.

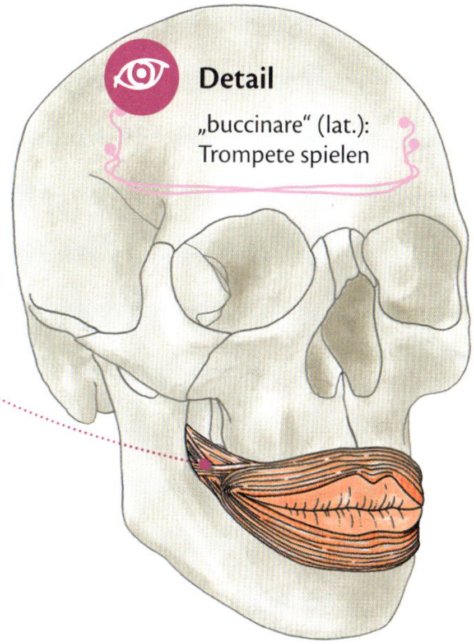

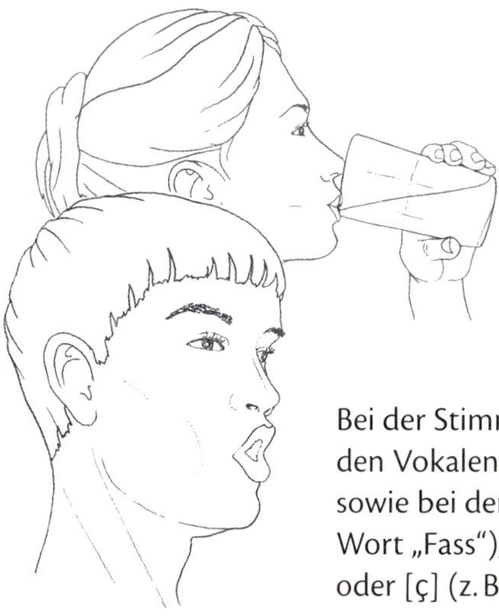

Seine Aufgabe
Dieser Muskel zieht den *Modiolus* und damit die Mundwinkel nach hinten und so die Lippen in die Breite. Er ist aber auch Teil der tiefen Wangenmuskulatur. Er strafft die Wangen. Man benötigt ihn beim Pfeifen, oder wenn man aus einem Glas oder aus der Flasche trinkt.

Bei der Stimmproduktion ist er bei den Vokalen [o:], [y:] und [u:] beteiligt, sowie bei den Konsonanten [f] (z. B. im Wort „Fass“), [ʒ] (z. B. im Wort „Gelee“) oder [ç] (z. B. im Wort „ich“).

Hinten trifft der *Musculus buccinator* auf den oberen Schlundschnürer. Die beiden Muskeln setzen an der *Raphe pterygomandibularis* an und bilden so eine Muskelkette. Diese trägt dazu bei, dass Wangen und Nasenrachenraum beim Schlucken geschlossen sind, wenn der Speisebrei in Richtung *Oropharynx* bewegt wird. Diese Muskelkette ist auch daran beteiligt, den Rachen eng zu machen, wenn sich die Wangen zusammenziehen. Bei der Arbeit an der Stimmvorbereitung kann es hilfreich sein, diese beiden Bewegungen bewusst voneinander zu trennen. Man kann zum Beispiel lernen, wie man den Rachen im hinteren Teil des Schlundes entspannt und dabei gleichzeitig die Wangen strafft, um Vokallaute wie [u:] und [o] zu bilden.

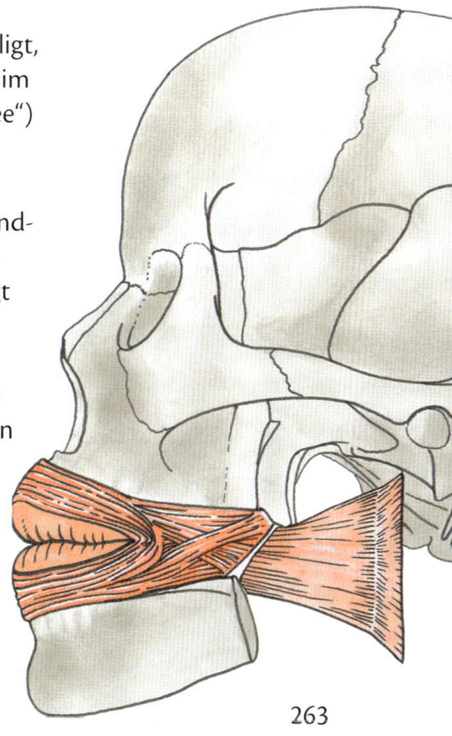

Diese Muskeln ziehen die Oberlippe nach oben

Der *Musculus levator labii superioris alaeque nasi* (Hebermuskel der Oberlippe und des Nasenflügels)

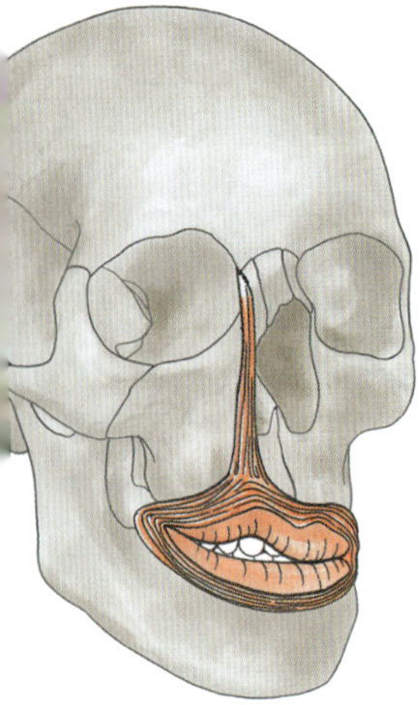

Dieser Muskel setzt unter der Haut am oberen Rand des Nasenflügels und der Oberlippe an. Er steigt nach oben und hat seinen Ursprung am *Processus orbitalis* (*Orbita*: Augenhöhle) des Stirnbeins (*Os frontale*) und dem ansteigenden Ast des Oberkiefers.

Seine Aufgabe
Er hebt die Oberlippe. Seine mittleren Fasern heben zudem den Nasenflügel.

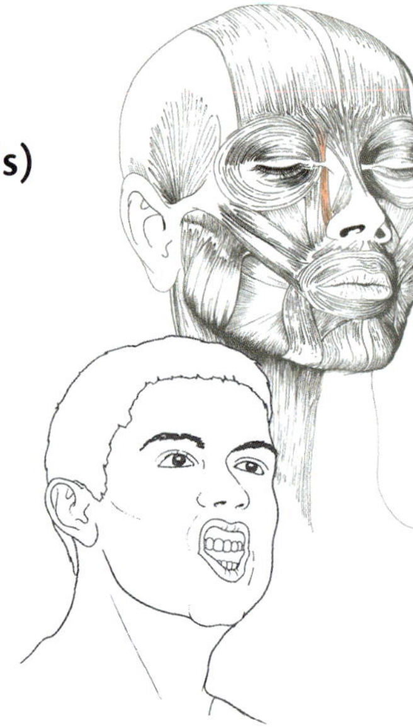

Der *Musculus levator labii superioris* und der *Musculus caninus*

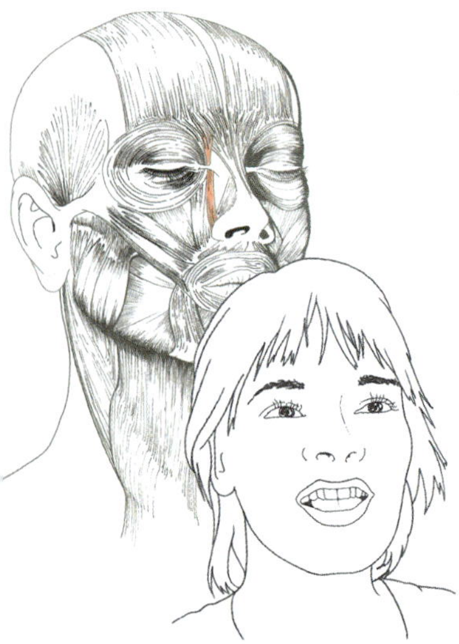

Der *Musculus levator labii superioris* („Oberlippenheber") hat seinen Ursprung unter der Haut des Randes der Oberlippe, etwas weiter außen als der zuletzt beschriebene Muskel. Er verläuft nach oben und setzt bei der Unterseite der Augenhöhle an.

Seine Aufgabe
Dieser Muskel hebt die Oberlippe etwas weiter außen an der Oberlippe an, als der zuvor beschriebene Muskel.

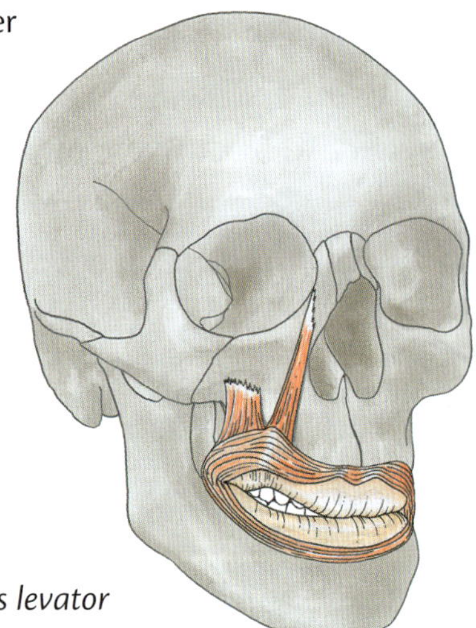

Der *Musculus caninus* (auch: *Musculus levator anguli oris*, „Mundwinkelheber") hat seinen Ursprung noch etwas weiter außen an der Oberlippe. Seine Fasern steigen aufwärts und nach innen und setzen an der Außenseite des Oberkiefers an.

Seine Aufgabe
Dieser Muskel hebt die Mundwinkel.

Der *Musculus zygomaticus minor* (Kleiner Jochbeinmuskel)

Der Kleine Jochbeinmuskel liegt im oberen Teil der Wange und ist ziemlich klein. Er hat seinen Ansatz unter der Haut der Oberlippe, etwas innerhalb des Mundwinkels. Er steigt nach oben zur Außenseite und hat dort seinen Ursprung an der Außenseite des Jochbeins.

Seine Aufgabe

Auch dieser Muskel zieht die Oberlippe nach oben, etwas außerhalb des zuvor beschriebenen Muskels. Dadurch zieht er die Oberlippe nach außen.
Er ist der „Muskel des Lächelns".

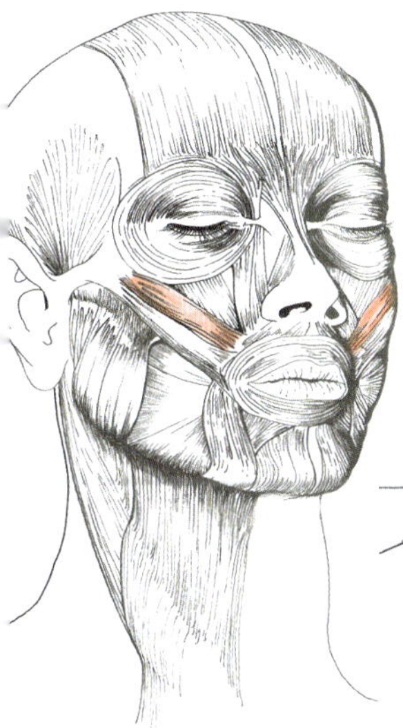

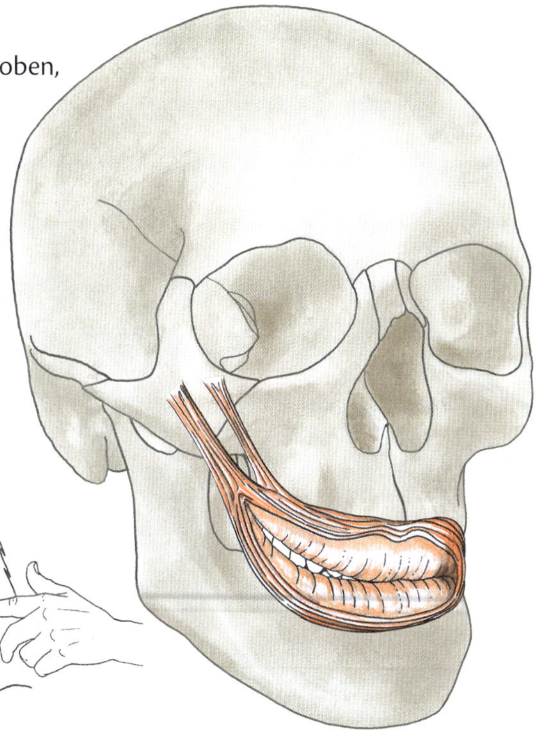

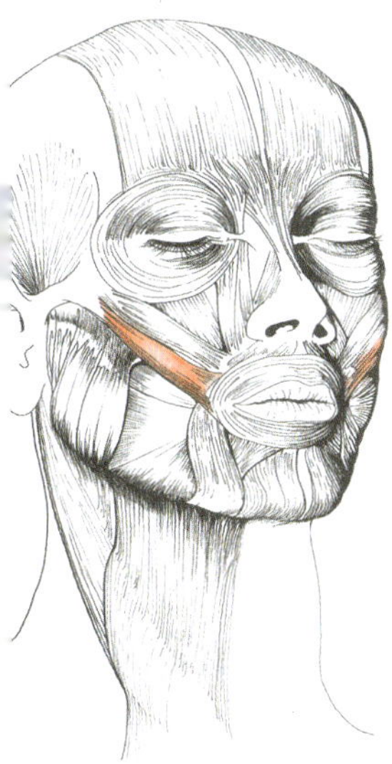

Der *Musculus zygomaticus major* (Großer Jochbeinmuskel)

Dieser Muskel ist größer als der kleine Jochbeinmuskel. Er liegt etwas außerhalb von diesem an der oberen Partie der Wange. Er hat seinen Ansatz unter der Haut des Mundwinkels. Er steigt nach außen und hat oben seinen Ursprung an der Außenseite des Jochbeins.

Seine Aufgabe

Er hebt den Mundwinkel und zieht ihn nach hinten. Er ist ein Teil derjenigen Muskeln, die die Mundhöhle öffnen. Dadurch entsteht eine Krümmung der kleinen Furche zwischen Lippen und Wange. Wie der Kleine Jochbeinmuskel ist also auch dieser Muskel einer der „Muskeln des Lächelns".

Diese Muskeln ziehen die Oberlippe nach unten

Der *Musculus depressor anguli oris* (auch: *Musculus triangularis*)

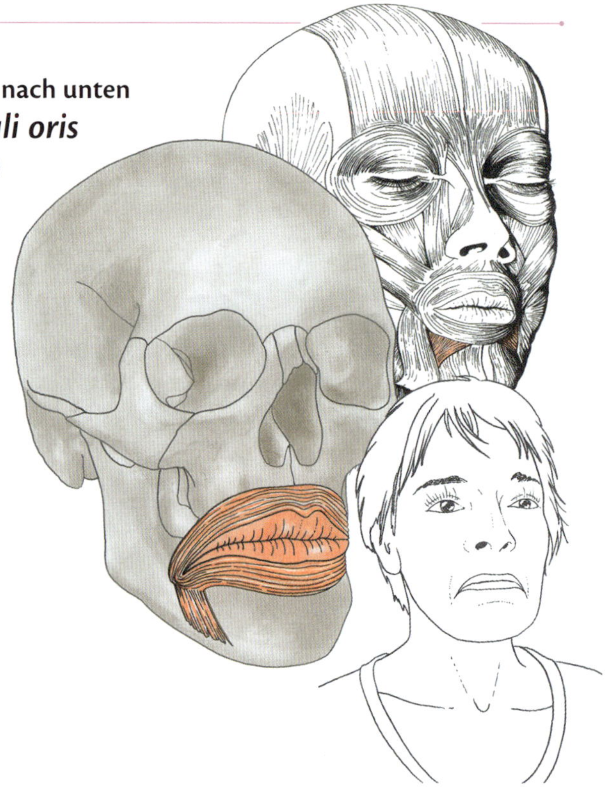

Dieser Muskel hat seinen Ansatz in der Haut des Mundwinkels und am unteren äußeren Rand des Mundringmuskels. Er verläuft, breiter werdend, nach unten. Dort hat er seinen Ursprung am *Tuberculum mentale* an der Außenseite des Unterkiefers.

Seine Aufgabe
Er zieht die Mundwinkel nach unten.

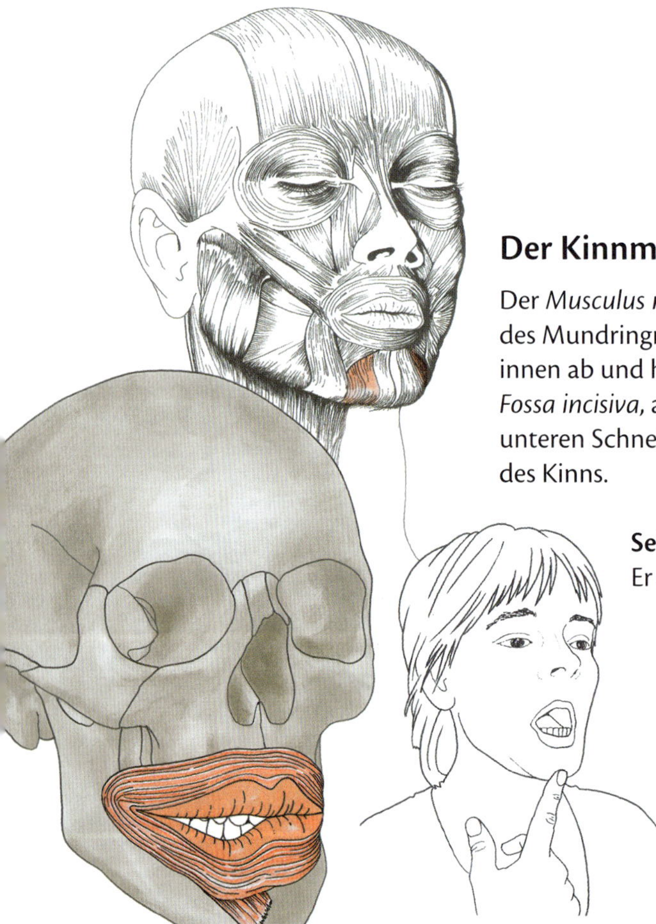

Der Kinnmuskel (*Musculus mentalis*)

Der *Musculus mentalis* setzt oben am unteren Rand des Mundringmuskels an. Er senkt sich etwas nach innen ab und hat unten seinen Ursprung an der *Fossa incisiva*, an der Alveolarwand des zweiten unteren Schneidezahns, ungefähr bei der Mittellinie des Kinns.

Seine Aufgabe
Er senkt die Unterlippe.

Diese Muskeln ziehen die Oberlippe nach unten

Der *Musculus depressor labii inferioris* (auch: *Musculus quadratus menti*)

Dieser Muskel setzt an der unteren Seite der Haut der Unterlippe und an den unteren Fasern des Mundringmuskels an. Er zieht abwärts und etwas nach außen. Er hat seinen Ursprung am Unterrand des Unterkiefers.

Seine Aufgabe

Er zieht die Unterlippe nach unten und lässt dabei den Lippenrand nach außen hervortreten. Dieser Muskel kann Einfluss auf die Stimme nehmen, wenn man den Vokal [ɑː] sehr offen ausspricht.

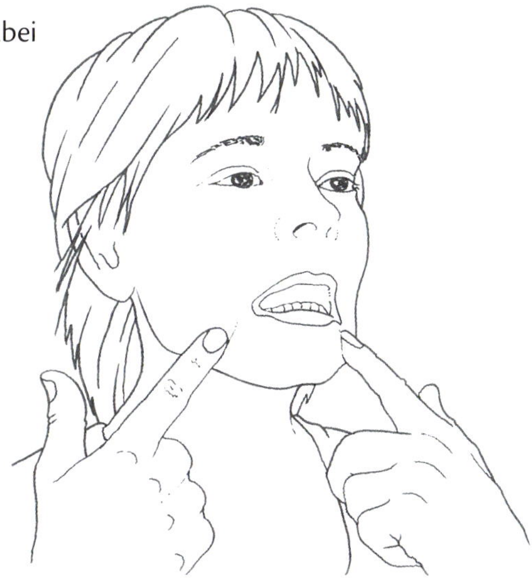

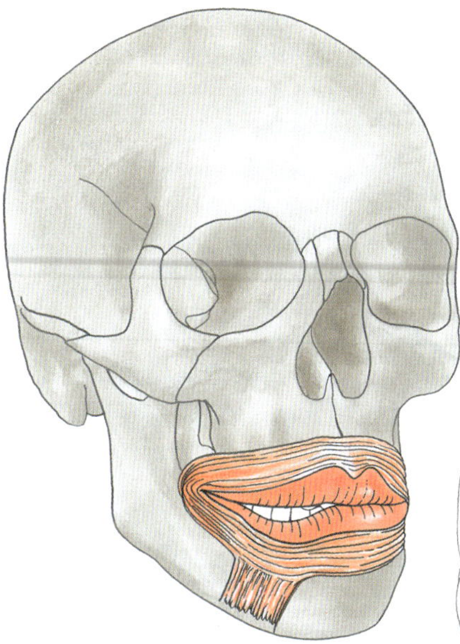

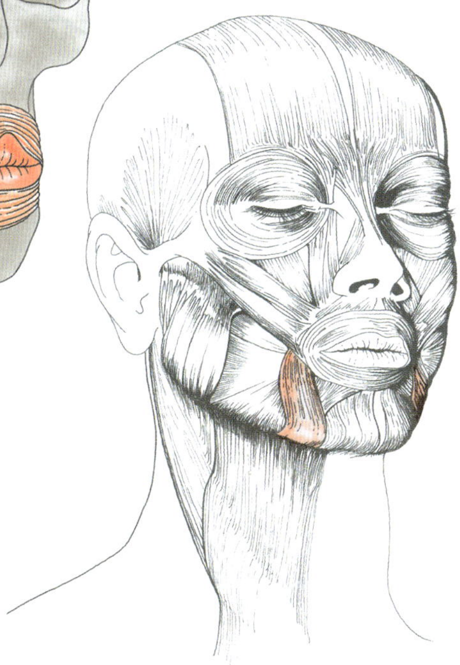

Lippen, Artikulation, Resonanz

Die Lippen und die Artikulation von Vokalen

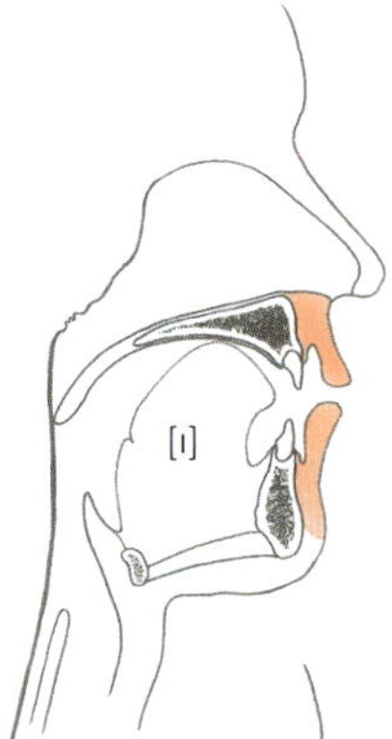

Die Lippen können sich bis in ihre Mundwinkel öffnen.
Diese Bewegung wird hauptsächlich vom Wangenmuskel (*Musculus buccinator*) ausgeführt.
Das ist für die Vokale [i], [e] und [ɛ] wichtig.

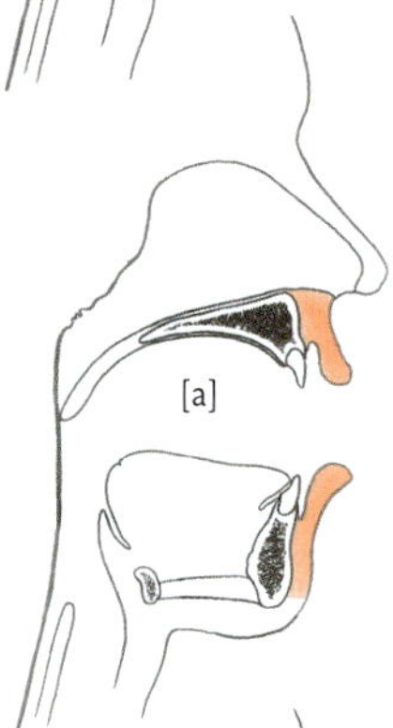

Beim Vokal [a] öffnen sich die Lippen nur geringfügig.

Wenn das Gaumensegel gesenkt ist, hilft das Öffnen der Lippen bei der Artikulation des nasalen Vokales [ɛ̃:].

Die Lippen können auch bei geringer Öffnung kreisförmig kontrahieren (durch gleichzeitige Aktion des Mundringmuskels und seiner Antagonisten), um „runde" Vokale zu bilden. Dazu gehören beispielsweise [o], [y] und [u]. Deshalb spricht man bei diesen von labialisierten Vokalen.

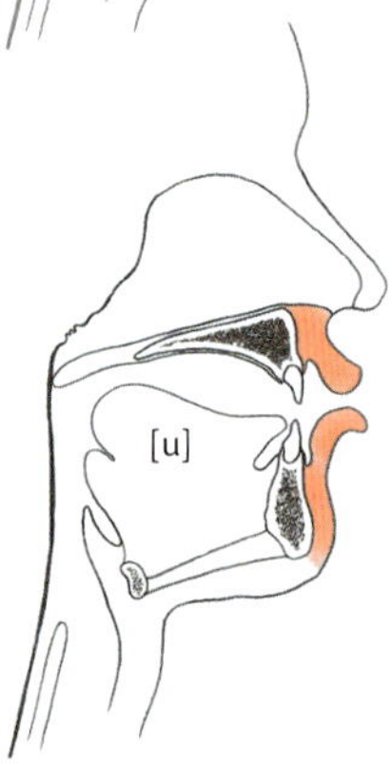

Wenn das Gaumensegel gesenkt ist, trägt die Lippenrundung zur Erzeugung der nasalen Vokale [ɑ̃:] und [õ:] bei.

Die Lippen und die Artikulation von Konsonanten

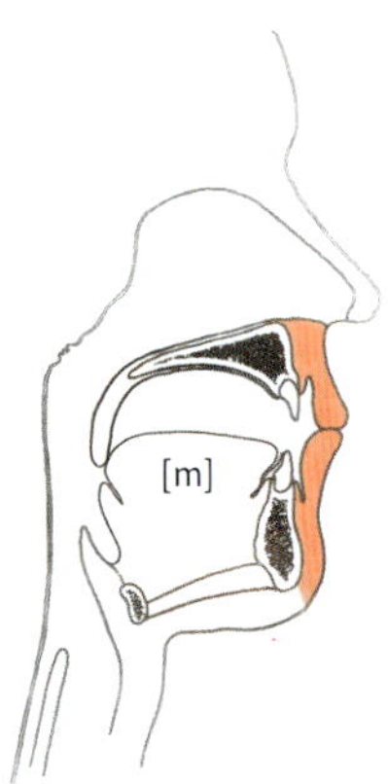

Für viele Konsonanten müssen die Lippen gestrafft sein.
Diese Funktion übt der Mundringmuskel aus.

Die Lippen können vollständig aufeinander liegen, während gleichzeitig das Gaumensegel gesenkt ist.
Die Luft strömt dann durch die Nase nach draußen.
Dadurch entsteht der stimmhafte okklusive bilabiale Nasalkonsonant [m].

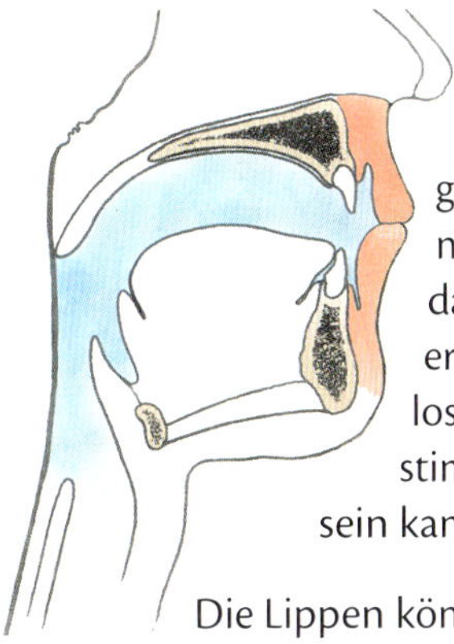

Die Lippen können sich vollständig schließen und verhindern, dass zwischen ihnen Atemluft nach außen gelangt. Wenn gleichzeitig das Gaumensegel angehoben ist, kann die Luft auch nicht durch die Nase entweichen. In der Mundhöhle baut sich dann Druck auf. Wenn man dann die Lippen plötzlich öffnet, erzeut man einen **bilabialen plosiven Konsonanten**, der stimmlos ([p] z. B. im Wort „Papier", ohne Vibration im Kehlkopf) oder stimmhaft ([b] z. B. im Wort „aber", mit Vibration im Kehlkopf) sein kann.

Die Lippen können leicht geöffnet sein, sodass etwas Luft durch sie hindurchgelangen kann. Dabei werden **labio-dentale frikative Konsonanten** gebildet, die stimmlos ([f] z. B. im Wort „Seife", ohne Vibration im Kehlkopf) oder stimmhaft ([v] z. B. im Wort „Wasser"), mit Vibration im Kehlkopf) sein können.

Die Lippen beeinflussen die Resonanz unserer Stimme

Man kann die Lippen extrem nach vorne bewegen und sie gleichzeitig rund machen, wie wenn man den Vokal [u] überdeutlich artikuliert. Dies wird auch als „Schnute machen" bezeichnet. (Achtung: man muss aufpassen, dass der vordere Teil der Lippen offen bleibt und sich die Lippen nicht vollständig verschließen.) Mit dieser Bewegung schafft man mit den Lippen einen Resonanzraum vor der Mundhöhle. Dies begünstigt die Stärkung der unteren Teiltöne.

Man kann auch das Gegenteil machen, nämlich die Lippen nach hinten ziehen und sie dabei nach oben und unten schürzen (wodurch wir „die Zähne zeigen"). In diesem Fall wird die Resonanz der Mundhöhle nicht durch den Lippen-Resonator verlängert. Dies begünstigt den gegenteiligen Effekt, nämlich die Stärkung der oberen Teiltöne.

Die Nase und die Nasenhöhlen

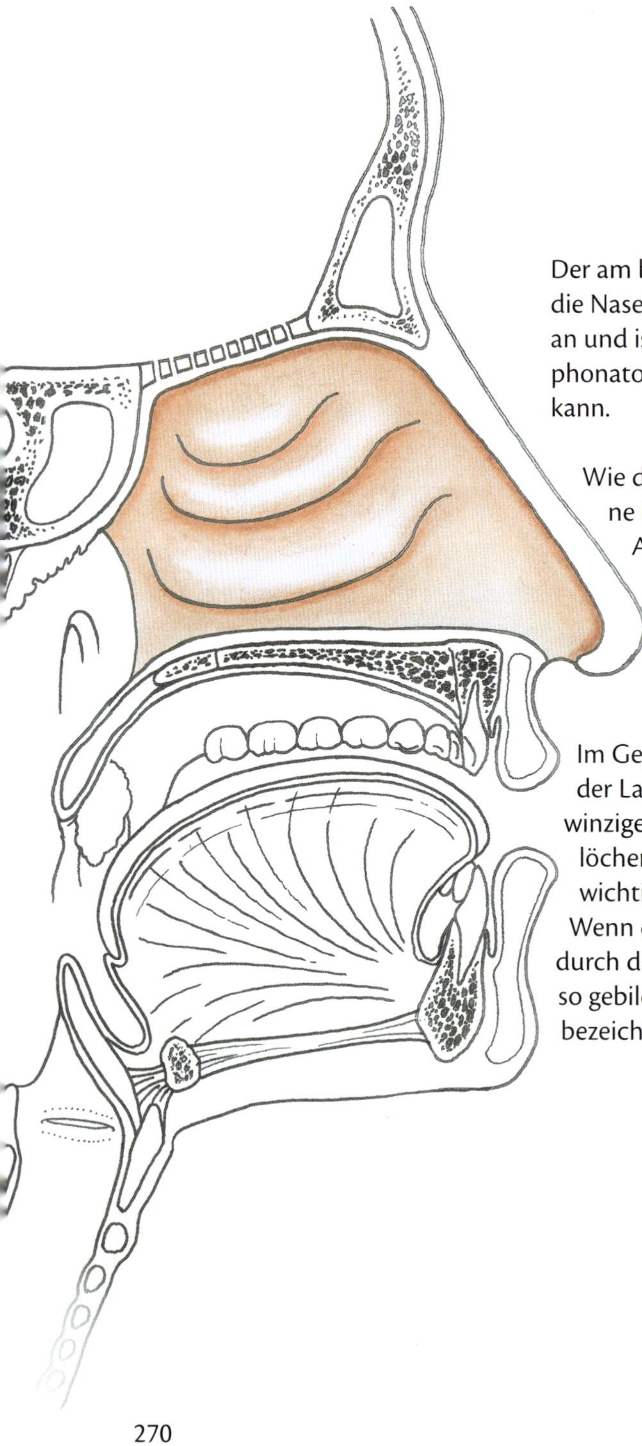

Der am besten sichtbare Teil des Vokaltraktes ist die Nase (*Nasus*). Sie schließt sich an den Rachen an und ist ein zweiter möglicher Weg, den die phonatorische Atemluft beim Ausatmen nehmen kann.

Wie der Mund erfüllt auch die Nase verschiedene Funktionen: Sie ist einer der Wege, die die Atemluft nehmen kann. Gleichzeitig ist sie auch das Organ des Geruchssinns.

Im Gegensatz zum Mund ist die Nase nicht in der Lage, ihre Form zu verändern, außer durch winzige Anpassungen in der Größe der Nasenlöcher. Dennoch ist sie für die Stimme ein wichtiger Artikulations- und Resonanzraum: Wenn die Luft während der Stimmproduktion durch die Nase nach außen strömt, werden die so gebildeten Vokale und Konsonanten als **nasal** bezeichnet.

Beschreibung des äußeren Teils der Nase (*Nasus externus*)

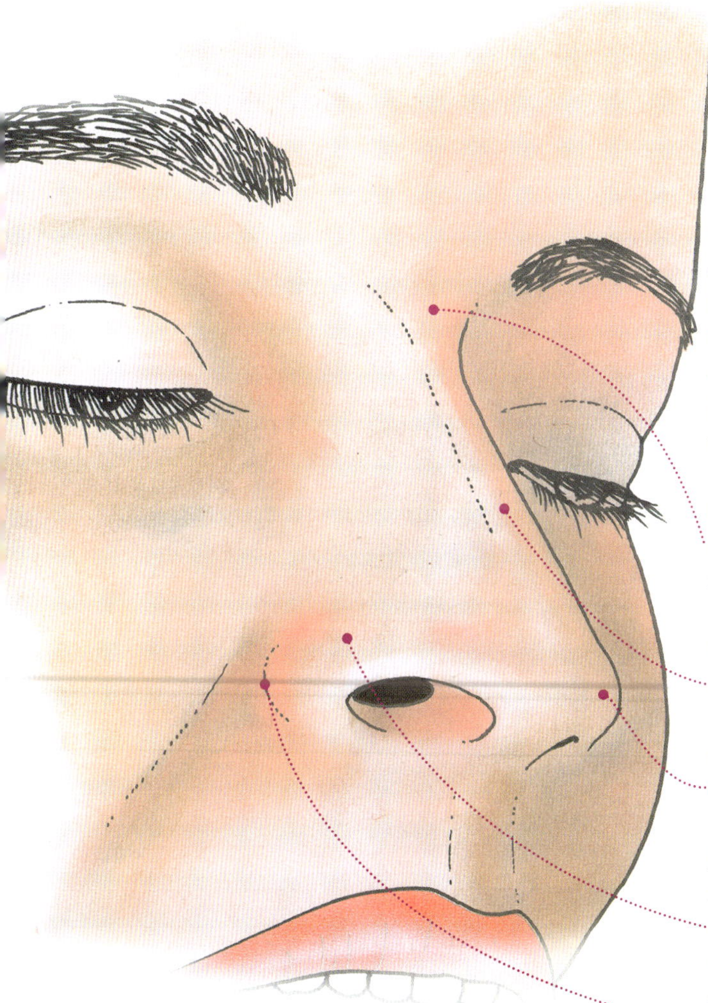

Die Nase hat die Form einer dreiseitigen Pyramide. An der Basis befinden sich die beiden Nasenlöcher (*Nares*), welche durch die **Nasenscheidewand** (*Septum nasi*, Nasenseptum) voneinander getrennt sind.

Die Spitze der Pyramide wird als **Nasenwurzel** (*Radix nasi*) bezeichnet.

Den Grat der Pyramide nennt man **Nasenrücken** (*Dorsum nasi*),

dieser endet unten in der **Nasenspitze** (*Apex nasi*).

Jedes der Nasenlöcher ist seitlich von einem **Nasenflügel** (*Alea nasi*) umgeben. Dieser ist seinerseits durch eine **Furche** von der angrenzenden Wange getrennt.

Dieser sichtbare vordere Teil der Nase wird als **Nasenvorhof** (*Vestibulum nasi*) bezeichnet. Sie wird von mehreren Knochen geformt: den Oberkieferknochen, den Nasenknochen und dem Stirnbein. Diese Knochen werden nach unten hin durch Knorpel, die ebenfalls unter der Haut liegen, verlängert.

Aber die Nase ist viel tiefer, als ihre äußere Form vermuten lässt. Im Inneren besteht sie aus zwei Hohlräumen, den **Nasenhöhlen**.

Die Nasenhöhlen (*Cavum nasi*)

Die Nasenhöhlen sind zwei Hohlräume im Inneren der Nase. Jede ist eng und hoch und erstreckt sich von vorne nach hinten.
Der bewegliche vordere Bereich ist Teil der äußeren und sichtbaren Nase. Er ist kleiner als der hintere Teil, der von den Knochen des Gesichtsschädels umschlossen ist.
Jede Nasenhöhle öffnet sich nach vorne hin zum **Nasenloch** und nach hinten hin zu den **Choanen**. Die Choanen (von altgriech.: „Trichter") bestehen aus jeweils vier Wänden und zwei Enden. Sie sind die Öffnung der Nasenhöhle in die Mund- bzw. Rachenhöhle.

Die **obere Wand** (die „Decke") der Nasenhöhlen besteht aus der Verbindung folgender Knochen:

- der Hinterseite des Nasenbeins (*Os nasale*),
- der Unterseite der *Pars nasalis* des Stirnbeins (*Os frontale*) (siehe S. 68),
- der *Lamina cribrosa* des Siebbeins (*Os ethmoidale*) (siehe S. 69)
- sowie der Vorder- und Unterseite des Keilbeins (*Os sphenoidale*) (siehe S. 64).

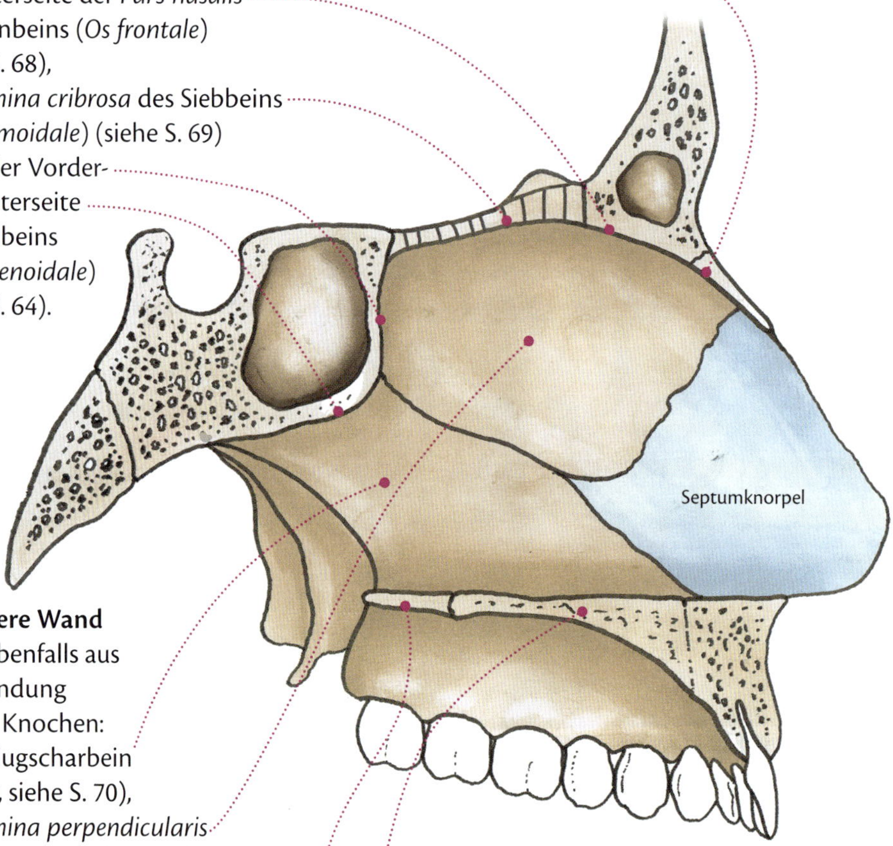

Die **mittlere Wand** besteht ebenfalls aus der Verbindung mehrerer Knochen:

- dem Pflugscharbein (*Vomer*, siehe S. 70),
- der *Lamina perpendicularis* des Siebbeins (siehe S. 69)
- und der Knorpelschicht des Septumknorpels.

Die **untere Wand** (der „Boden") der Nasenhöhlen besteht aus Teilen

- des Oberkieferknochens (siehe S. 72),
- des Gaumenbeins (siehe S. 73).

Die **Seitenwand** ist aus verschiedenen Knochen in drei Ebenen zusammengesetzt:

Die **tiefere Ebene** wird durch die Innenseite des Oberkieferknochens gebildet. In diesem Knochen befinden sich kleine Löcher für die Öffnung der Kieferhöhle (siehe S. 274) und der *Lamina medialis* des Flügelfortsatzes des Keilbeins (siehe S. 65).

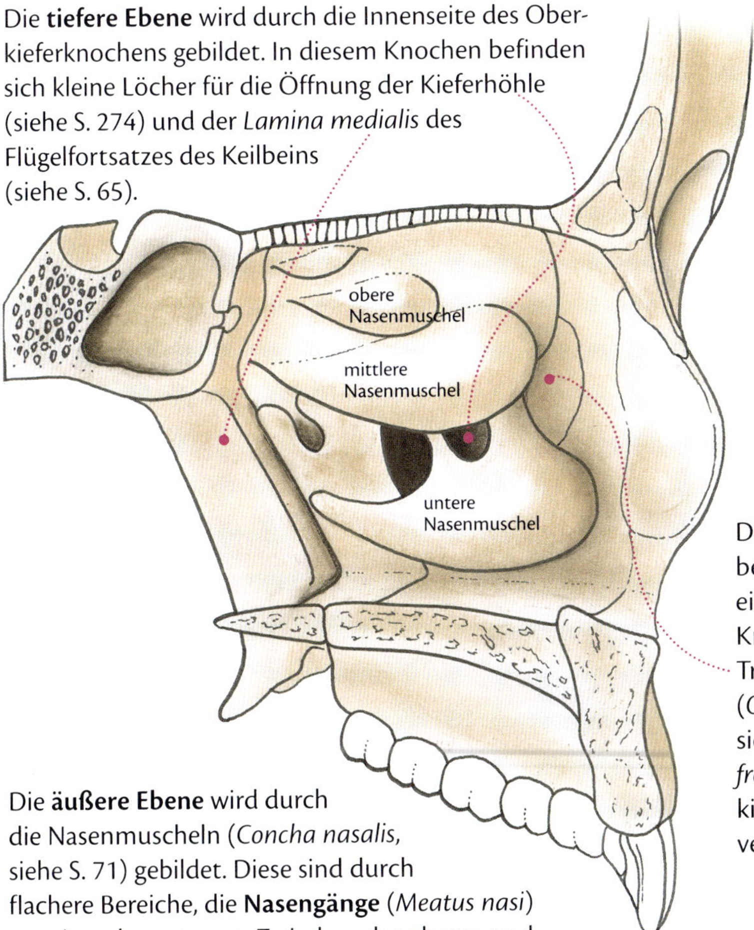

Die **mittlere Ebene** besteht vorne aus einem kleinen flachen Knochen, dem Tränenbein (*Os lacrimale*), das sich mit dem *Processus frontalis* des Oberkieferknochens verbindet.

Die **äußere Ebene** wird durch die Nasenmuscheln (*Concha nasalis*, siehe S. 71) gebildet. Diese sind durch flachere Bereiche, die **Nasengänge** (*Meatus nasi*) voneinander getrennt. Zwischen der oberen und der mittleren Nasenmuschel liegt der **obere Nasengang**, zwischen der mittleren und der unteren Nasenmuschel liegt der **mittlere Nasengang**.

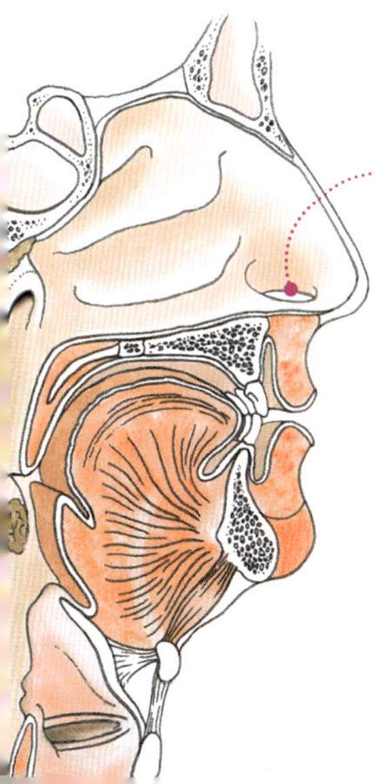

Das **vordere Ende** ist das **Nasenloch**, die Öffnung, die die Nasenhöhle mit der Außenseite verbindet.

Das **hintere Ende** ist die **Choane**,* eine Öffnung, die die Nasenhöhle mit dem Nasenrachenraum verbindet.

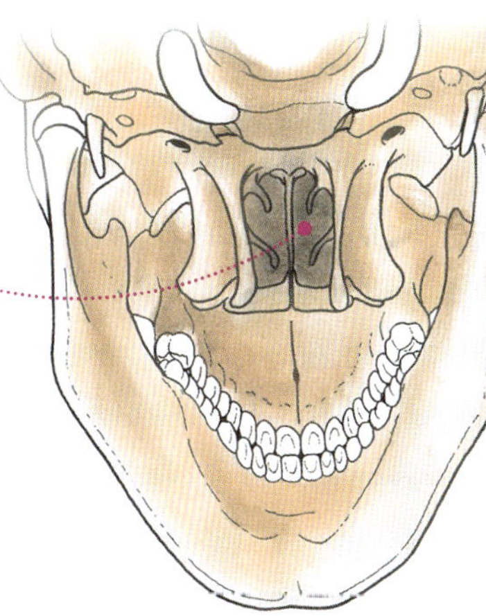

* Choane: altgr. für „Trichter"

Die Nasennebenhöhlen (*Sinus paranasales*)

Die Nebenhöhlen sind luftgefüllte Hohlräume, die mit den Nasenhöhlen in fast alle Richtungen verbunden sind. Einige sind Hohlräume innerhalb von Schädelknochen, die mit der Nasenhöhle durch einen kleinen Eingang (***Ostium***) verbunden sind.

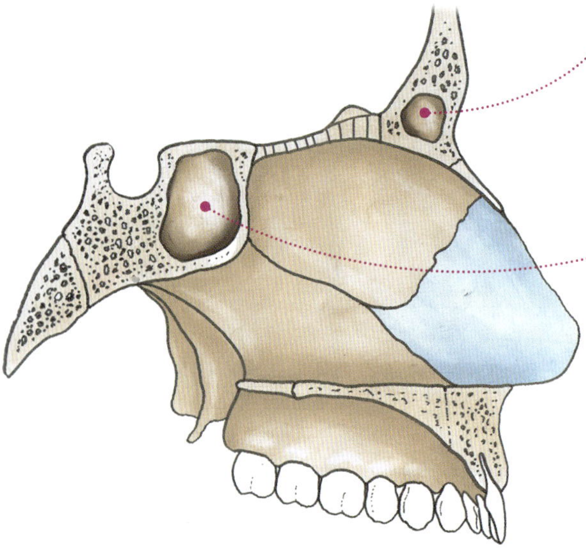

Die **Stirnhöhle** (*Sinus frontalis*) ist ein Hohlraum innerhalb des Stirnbeins, über der Nasenhöhle und der Augenhöhle. Sein *Ostium* öffnet sich zum mittleren Nasengang.

Die **Keilbeinhöhle** (*Sinus sphenoidalis*) ist ein Hohlraum innerhalb des Keilbeinkörpers.
Sein *Ostium* öffnet sich zum hinteren Teil der Nasenhöhlen. Es gibt oft zwei nebeneinanderliegende Nebenhöhlen.

Die **Siebbeinzellen** (*Sinus ethmoidalis*, Ethmoidalzellen) sind ein hohler Bereich in der lateralen Masse des Siebbeins (*Os ethmoidale*). Sie bestehen aus winzigen miteinander verbundenen Hohlräumen, von denen es auf jeder Seite sechs bis neun gibt. Die Ausgänge für die vorderen Zellen sind kleine Ostien, die bis zur mittleren Nasenmuschel verlaufen. Die Ostien der hinteren Zellen verlaufen unterhalb der oberen Nasenmuschel.

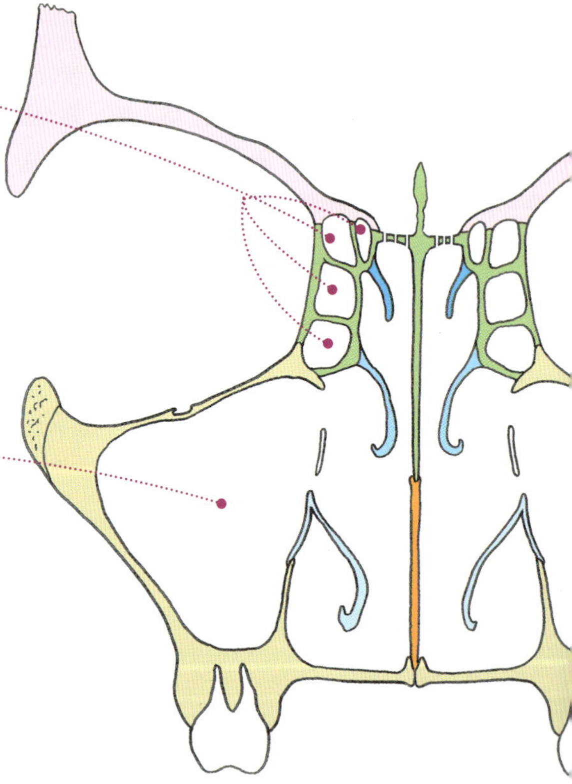

Die **Kieferhöhle** ist ein Hohlraum innerhalb des Oberkieferknochens.
Sie liegt über den beiden hinteren Backenzähnen und den vorderen Backenzähnen.
Sein *Ostium* öffnet sich in die Nasenhöhle, unterhalb der mittleren Nasenmuschel.
Mit etwa zehn Kubikzentimetern ist die Kieferhöhle die größte Nebenhöhle.

Die Nasenschleimhaut

Die gesamte Nasenhöhle ist mit einer Schleimhaut ausgekleidet, die alle Nasenfalten bedeckt; sie verläuft sogar über die Ostien bis zu den Wänden jeder Nebenhöhle. Diese Schleimhaut ist warm und feucht, und sie überträgt diese Eigenschaften auch auf die Luft, die durch die Nasenhöhle strömt.

Die Schleimhaut enthält:
- feine Nasenhärchen, die Staub blockieren und die Luft beim Einatmen reinigen,
- klebrigen **Schleim**, der ein antibakterielles Enzym enthält.

Wenn wir durch die Nase einatmen, ist die Luft aus den oben genannten Gründen nicht nur für die darunter gelegenen Atemwege, sondern auch für den Kehlkopf mit den Stimmlippen von hoher Qualität. Allerdings ist es nicht immer möglich, beim Sprechen oder Singen durch die Nase einzuatmen: Manchmal muss man sehr schnell nachatmen, um direkt weiter sprechen, rezitieren oder singen zu können. Dann ist es schneller, durch den Mund einzuatmen. Es ist dennoch wichtig zu wissen, dass das Atmen durch die Nase hilft, das Austrocknen der Schleimhäute zu verhindern.

Die Schleimhaut faltet sich in und um jede der Nasenmuscheln und macht so die Seitenflächen der Nasenhöhle zu Schleimhautfalten, die man in einem sagittalen Schnitt der Nase leicht erkennen kann.

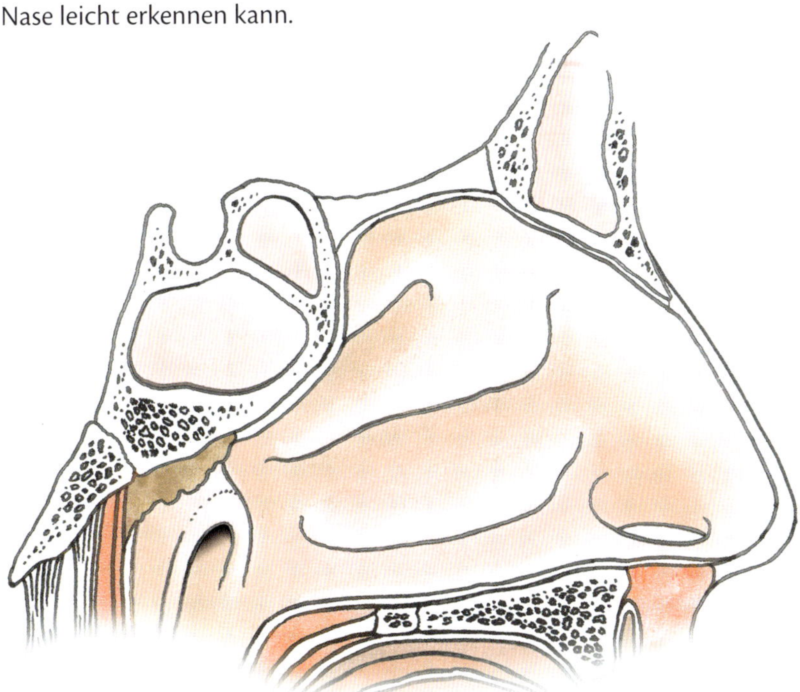

Das Ohr (*Auris*)

Das Ohr hat eine besondere Bedeutung für die Stimme: Wenn man einen Klang hört, kann man den Klang, den man selber produziert, dem gehörten Klang anpassen. Dies wird als Audio-Phonationsschleife bezeichnet. Die Anatomie des Ohres soll hier allerdings nur kurz behandelt werden.

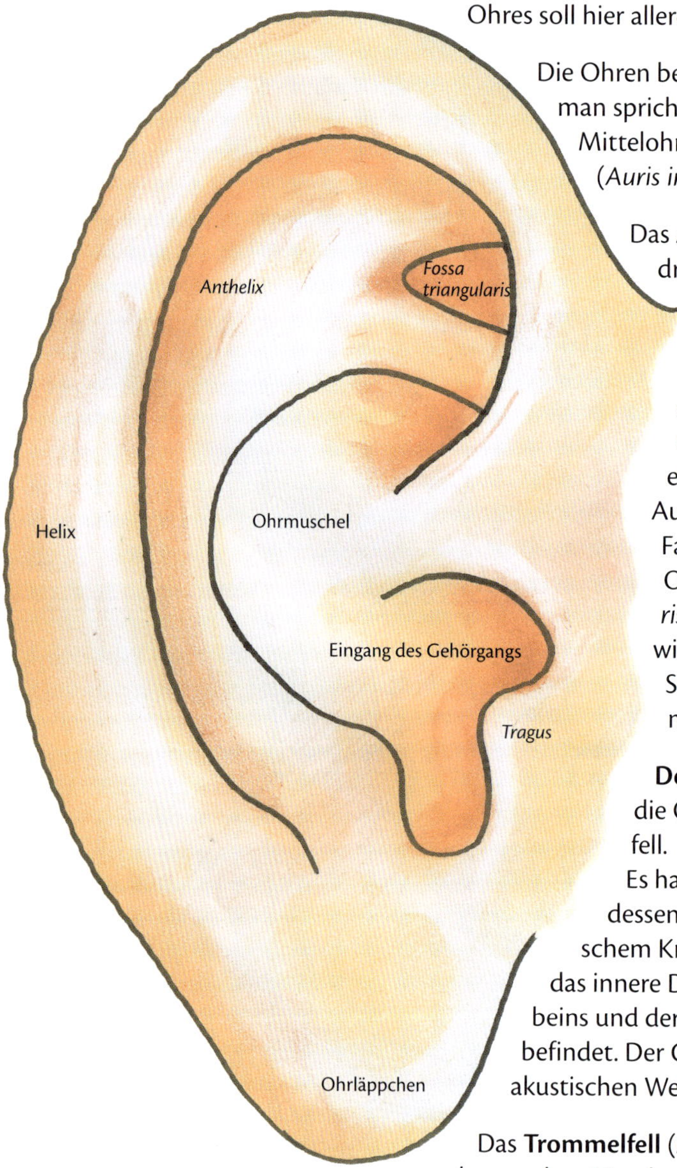

Die Ohren bestehen jeweils aus drei Teilen, man spricht von Außenohr (*Auris externa*), Mittelohr (*Auris media*) und Innenohr (*Auris interna*).

Das Außenohr besteht seinerseits aus drei Teilen: der Ohrmuschel, dem äußeren Gehörgang und dem Trommelfell (*Membrana tympanica*, gelegentlich auch dem Mittelohr zugeordnet). Die Ohrmuschel ist oval, besteht aus elastischem Knorpel und hat zum Auffangen der Schallwellen viele Falten: *Tragus*, *Helix*, *Anthelix*, Ohrläppchen und *Fossa triangularis*. Die Ohrmuschel funktioniert wie ein akustischer Rezeptor, der Schallwellen auffängt und zusammenführt.

Der äußere Gehörgang verbindet die Ohrmuschel mit dem Trommelfell.

Es handelt sich um einen Hohlzylinder, dessen zwei äußere Drittel aus elastischem Knorpel bestehen, während sich das innere Drittel innerhalb des Schläfenbeins und der Paukenhöhle (siehe S. 66–67) befindet. Der Gehörgang dient als Kanal für die akustischen Wellen.

Das **Trommelfell** (*Membrana tympanica*) ist eine abgerundete Membran, die von akustischen Wellen in Schwingungen versetzt wird. Es grenzt das Mittelohr bzw. die Paukenhöhle gegen das Außenohr ab.

Das **Mittelohr** hat die Form einer kleinen Kammer: die Paukenhöhle. Sie ist mit Luft gefüllt. Hier befinden sich die drei sehr kleinen, miteinander verbundenen Gehörknöchelchen (*Ossicula auditoria*): Hammer, Amboss und Steigbügel. Das Mittelohr hat sechs Seiten, von denen hier drei beschrieben werden sollen:

Die **Außenfläche** wird hauptsächlich vom Trommelfell bedeckt.

Die **Unterseite** ist mit einem Loch versehen und mündet in die Eustachische Röhre (oder: Ohrtrompete). Diese verbindet das Mittelohr mit dem Nasenrachenraum. Durch diese Verbindung kann der Luftdruck der Paukenhöhle reguliert werden.

Die durch das Trommelfell empfangenen Vibrationen werden durch die Kette der Gehörknöchelchen bis zur Gehörschnecke (*Cochlea*) weitergeleitet, die sich an der **Oberseite** befindet.

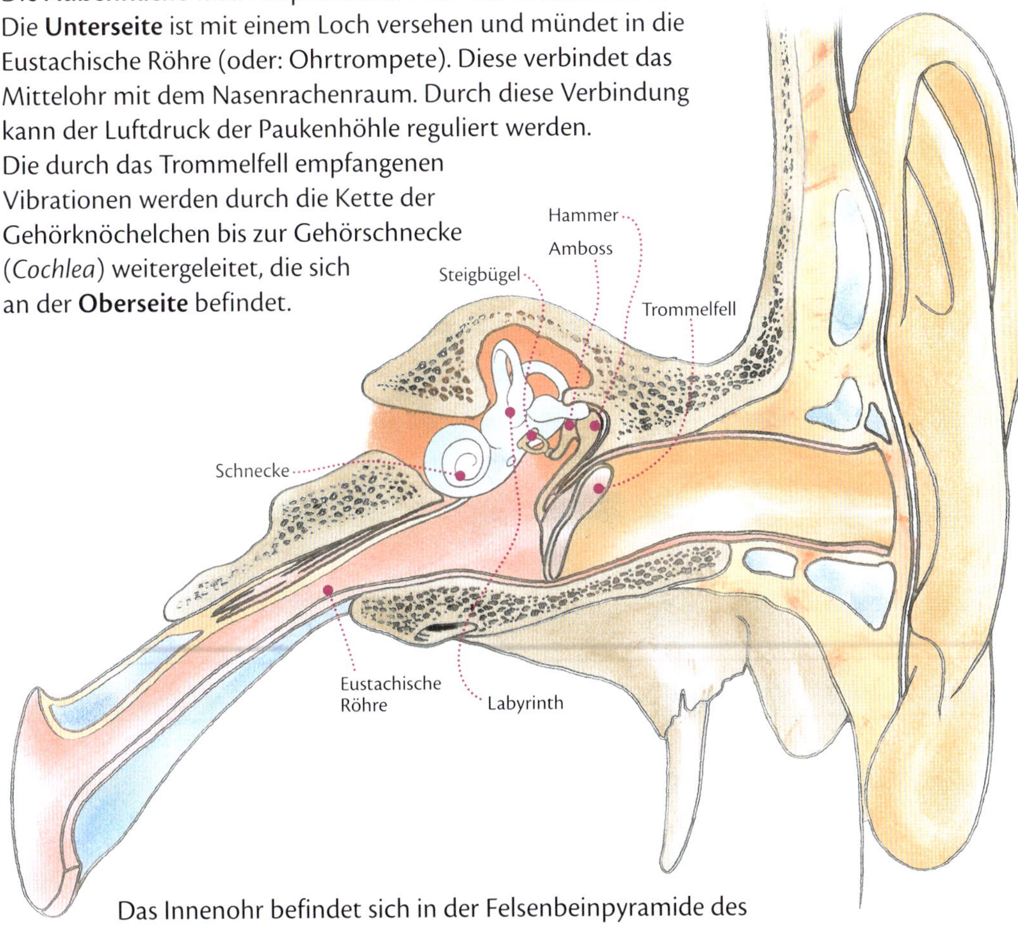

Das Innenohr befindet sich in der Felsenbeinpyramide des Schläfenbeins (siehe S. 66). Es besteht wiederum aus zwei Teilen:

- dem **knöchernen Labyrinth**, das eine Flüssigkeit enthält: die Perilymphe. In diesem befindet sich das häutige Labyrinth, welches ebenfalls eine Flüssigkeit enthält: die Endolymphe,
- dem **häutigen Labyrinth**, das drei Regionen umfasst: den Vorhof, die Bogengänge und die Schnecke. Der Vorhof und die Bogengänge gehören zum Gleichgewichtsorgan und werden hier nicht weiter erläutert.

Die Schnecke ist unser Gehörorgan. Die knöcherne Schnecke besteht aus einem spiralförmigen Rohr, dem Schneckenkanal, der sich um eine Zentralachse, die Schneckenspindel, windet. Sie umfasst das Corti-Organ, den eigentlichen Sitz des Gehörsinnes. Dieses enthält eine Membran, Sensorzellen und Haarzellen, welche durch die Vibrationen der Membran angeregt werden.

Begriffe aus dem Umfeld der Stimme

6

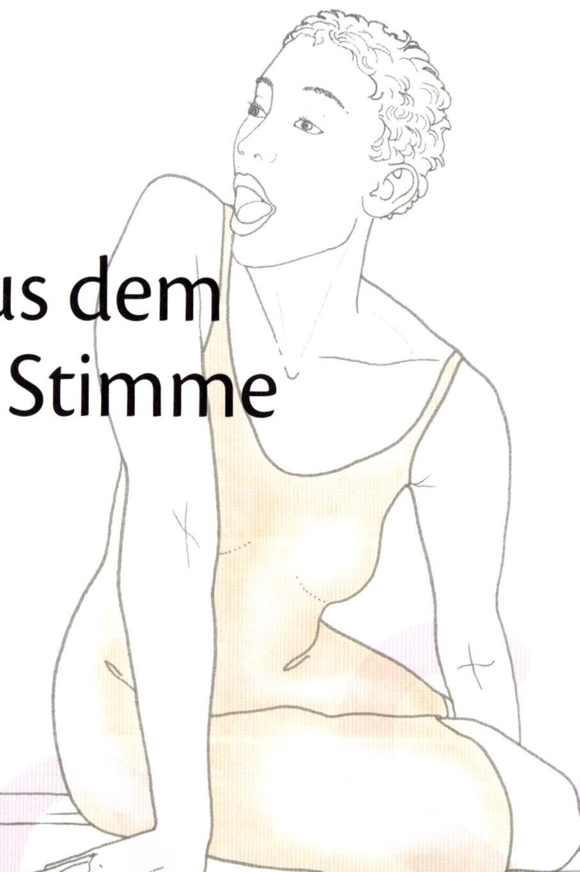

Materie S. 280

Gas und Druck S. 282

Von Luftdruck zu Klang S. 284

Höhe, Dauer und Intensität des Klangs S. 286

Das Timbre S. 288

Materie

In diesem Kapitel widmen wir uns der einfachen und leicht verständlichen Erläuterung einiger Begriffe, die häufig in der Stimmbildung (und deshalb auch in diesem Buch) verwendet werden: Schwingung, Oberton, Formant usw.
Es geht hier vor allem um den Zusammenhang zwischen diesen physikalischen Begriffen und den anatomischen Strukturen und ihren Funktionen.

Was ist eigentlich Materie?

All das, was die konkreten und greifbaren Objeke unserer Welt ausmacht (der Planet, die Luft, der menschliche Körper), nennen wir Materie.
Man könnte also sagen, dass Materie das Gegenteil von Vakuum ist (dort, wo ein Vakuum ist, ist keine Materie, dort wo Materie ist, ist kein Vakuum).

Woraus besteht Materie?

Die Grundlagen jeglicher Materie sind **Atome**. Atome sind die kleinsten Einheiten, die sich zu **Molekülen** zusammenfügen, die ihrerseits zu der Materie zusammengebaut werden können, die wir wahrnehmen.

Dieser Aufbau ist vergleichbar mit dem einer Konstruktion aus Lego, welche auch eine Ansammlung von Lego-Steinen ist.

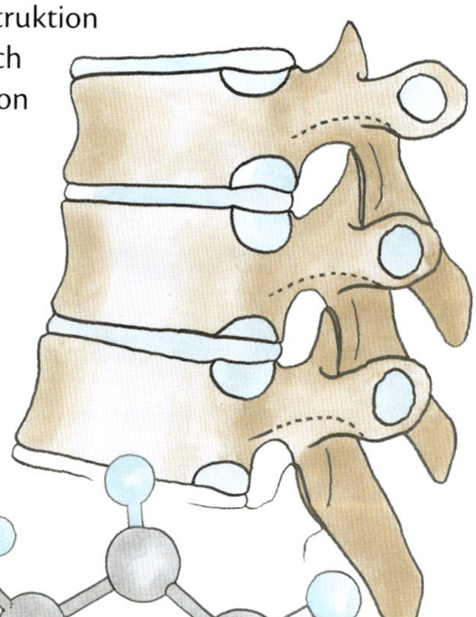

Alle Materie ist also eine mehr oder weniger komplexe Ansammlung von Molekülen, ...

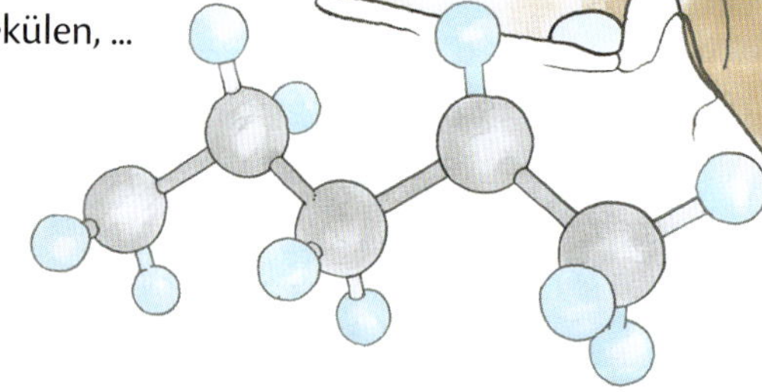

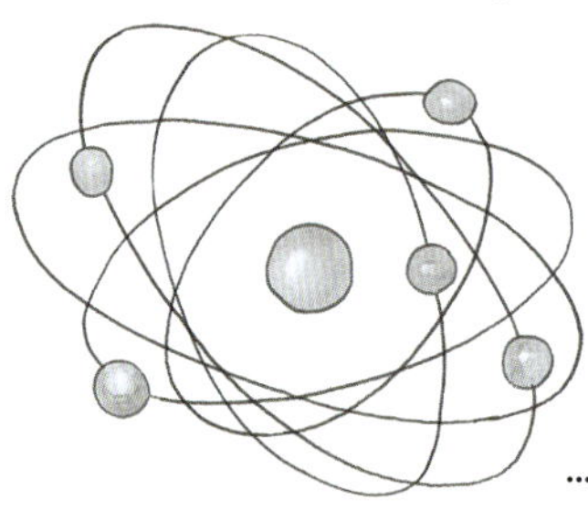

... die ihrerseits eine Ansammlungen von Atomen sind.

Die drei Aggregatzustände

Moleküle können auf unterschiedliche Weise zusammengefügt sein.
Es gibt drei verschiedene Arten der Zusammensetzung, die wir *Aggregatzustände* nennen.

Fest

Im festen Aggregatzustand stehen die Moleküle durch *starke Verbindungen* miteinander in Kontakt und bewegen sich innerhalb dieser Verbindungen nur sehr wenig.

Ein fester Stoff hat:

- *ein spezifisches Volumen,*
- *eine spezifische Form.*

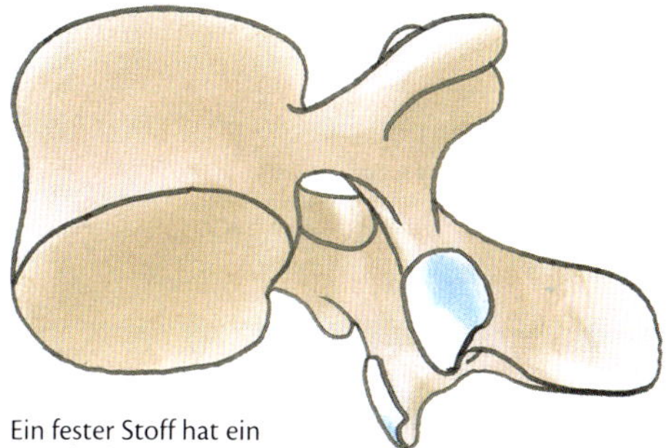

Ein fester Stoff hat ein spezifisches Volumen und eine spezifische Form.

Flüssig

Im flüssigen Aggregatzustand stehen die Moleküle durch *lockere Verbindungen* miteinander in Kontakt. Sie können sich umeinander bewegen, können sich aber nicht voneinander entfernen.

Eine Flüssigkeit hat

- *ein spezifisches Volumen,*
- *keine spezifische Form.*

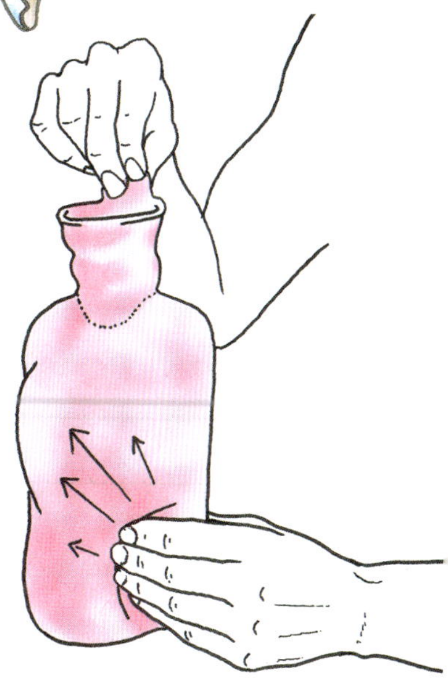

Das Volumen der Flüssigkeit bleibt gleich, auch wenn sich seine Form durch Außeneinwirkung verändert.

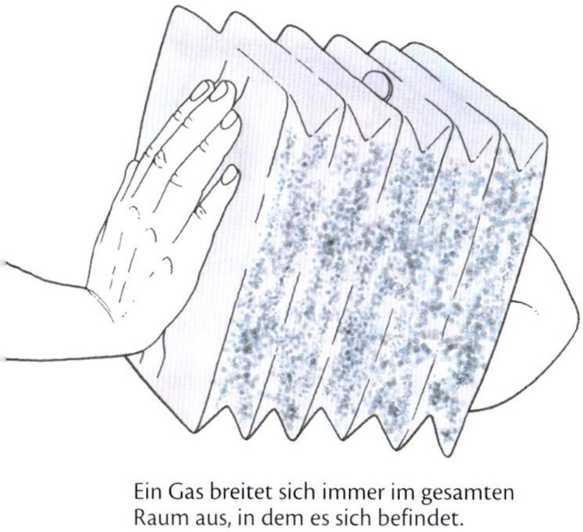

Ein Gas breitet sich immer im gesamten Raum aus, in dem es sich befindet.

Gasförmig

Die Moleküle stehen nicht miteinander in Kontakt, d. h., sie sind nicht miteinander verbunden. Durch ihre Unabhängigkeit können sie sich frei bewegen, mit anderen Molekülen zusammenstoßen und diese wegstoßen: Diese Moleküle haben also die Tendenz, sich voneinander zu entfernen.

Aus diesem Grund hat ein Gas

- *weder ein spezifisches Volumen*
- *noch eine spezifische Form.*

Es hat die Tendenz, sich vollständig in dem Raum auszubreiten, in dem es sich befindet.

Gas und Druck

Was ist eigentlich Druck?

Druck ist ein physikalisches Konzept, welches quantifiziert, wie nah die Moleküle eines Gases beieinander sind oder wie stark sie sich gegenseitig wegstoßen.
Je näher die Moleküle beieinander sind, desto stärker stoßen sie sich gegenseitig weg und desto höher ist auch der Druck.
Der Druck wird in der Einheit Pascal (Pa) oder in Bar angegeben (1 Bar = 100.000 Pa).

Luft ist ein Gas unter Druck

Die Luft, die wir atmen, ist ein Gas, das aus Stickstoff- und Sauerstoffmolekülen besteht. Diese werden durch die Schwerkraft nahe an der Erdoberfläche gehalten.
Der durchschnittliche Druck unserer Atemluft liegt bei 1 Bar.

Druck und Volumen

Bei einer gleichen Menge Luft ist der Druck schwächer, je größer das Behältnis ist, in dem sie sich befindet und umgekehrt.

Druck kann Kräfte hervorrufen ...

Je höher der Druck ist, desto stärker stoßen sich die Moleküle gegenseitig weg. Wenn sich ein Gas in einem geschlossenen Behälter (Flasche, Ballon) befindet, drücken die Moleküle mit genau dieser Kraft auch gegen seine Wände. Die erzeugten Kräfte werden als Druckkräfte bezeichnet. Diese ermöglichen es zum Beispiel, einen Ballon oder einen Reifen aufzublasen.

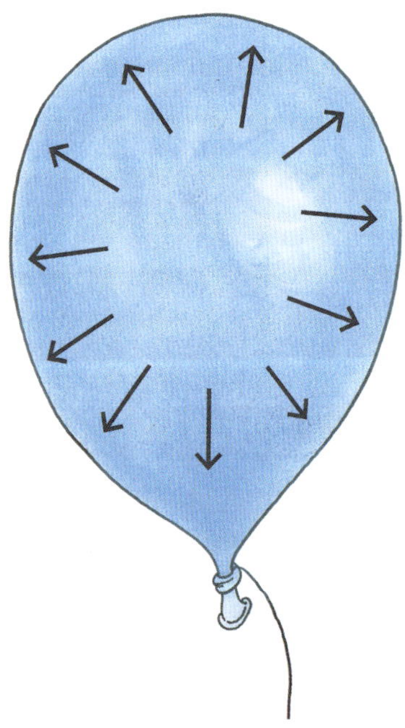

… diese Kräfte können gewaltig sein

So liegt beispielsweise die Kraft, die durch den atmosphärischen Druck auf 1 m² Glas erzeugt wird, bei etwa 10 Tonnen.
Das ist so viel wie das Gewicht von zwei afrikanischen Elefanten.

Wir leben in einer Welt unter Druck

Dass Glas unter diesem Druck nicht zerbricht, liegt daran, dass die Luft auf der anderen Seite eine ähnliche Kraft in die entgegengesetzte Richtung ausübt. Dieses Druckgleichgewicht ist also in unserer Welt sehr präsent.

Die Natur vermeidet das Vakuum

Wenn wir sagen, dass ein Vakuum Luft „ansaugt“, dann bedeutet das schlichtweg, dass ein Vakuum dem Druck der Außenluft ausgesetzt ist, der gegen seine Wände drückt und seine Form deformieren kann (das Vakuum kann keine Gegenkraft ausüben). Das passiert zum Beispiel, wenn man die Luft aus einem Beutel Kaffee entfernt.

Von Luftdruck zu Klang

Oben wurde beschrieben, wie der Atemapparat den Brustkorb unter Druck setzen kann (siehe S. 93), und wie dann ein Teil dieser Luft durch die Stimmlippen entweichen kann (siehe S. 148), wodurch ein lokaler Überdruck (Druckspitze) entsteht. Dadurch entsteht folgendes Phänomen: Die Moleküle der Druckspitze drücken gegen die sie umgebenden Moleküle und bilden eine neue Überdruckzone, die wiederum gegen andere Bereiche drückt.

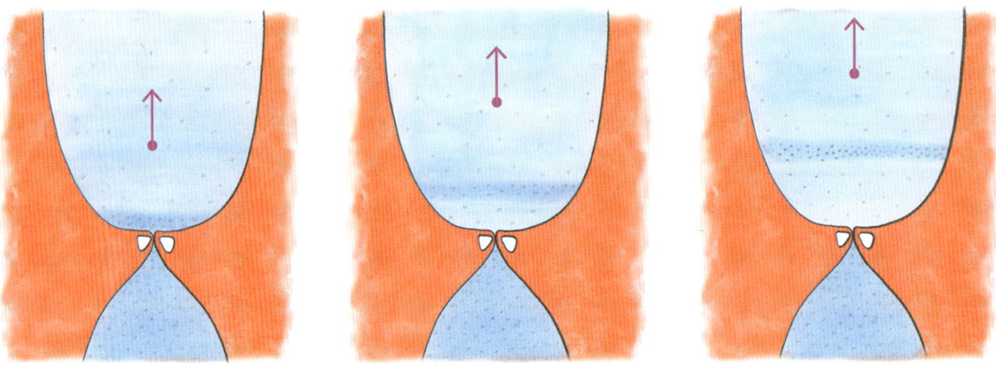

Die Druckspitze verlagert sich so immer weiter, ohne Materie wegzuschieben: man bezeichnet das als **Druckwelle**.

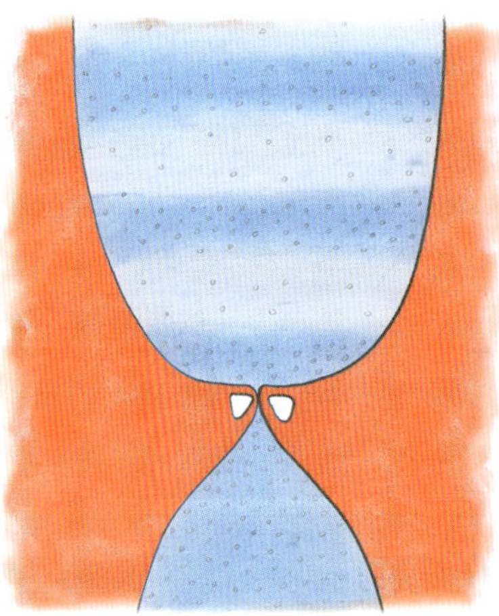

Es wird nie eine Druckspitze allein erzeugt, d. h. es entsteht eine *Abfolge* von Druckspitzen, die sehr eng aufeinander folgen. In Bezug auf die Stimmerzeugung bedeutet dies: die Abfolge mehrerer Zyklen von Öffnen und Schließen der Stimmlippen.

Wir sprechen von **Schallwellen**, wenn wir eine Abfolge von Spitzen beschreiben.

Ein Klang ist also eine Schallwelle. Diese strömt von einem „Sender“ aus, der ein Druckungleichgewicht erzeugen kann. Die Schallwelle breitet sich dann durch die Luft aus, bevor sie von einem Rezeptor (Ohr, Mikrofon) aufgenommen wird, der diese Druckschwankungen interpretieren kann.

Grafische Darstellung
Wenn man sich vorstellt, man würde an die Mundöffnung einen Sensor platzieren, der die Druckschwankungen im zeitlichen Ablauf grafisch erfassen könnte, würde man eine Darstellung erhalten, die ungefähr aussehen würde wie die folgende Grafik:

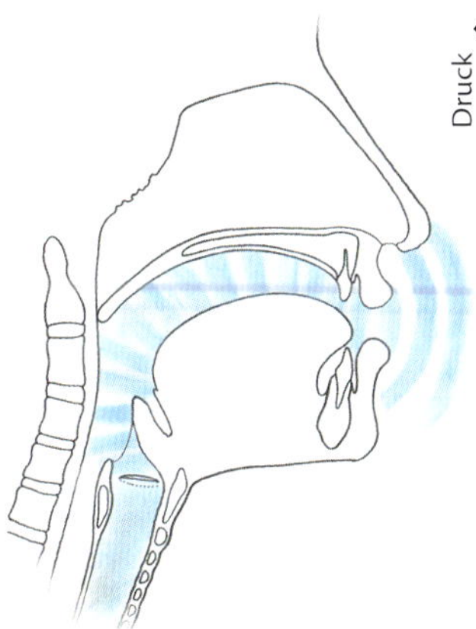

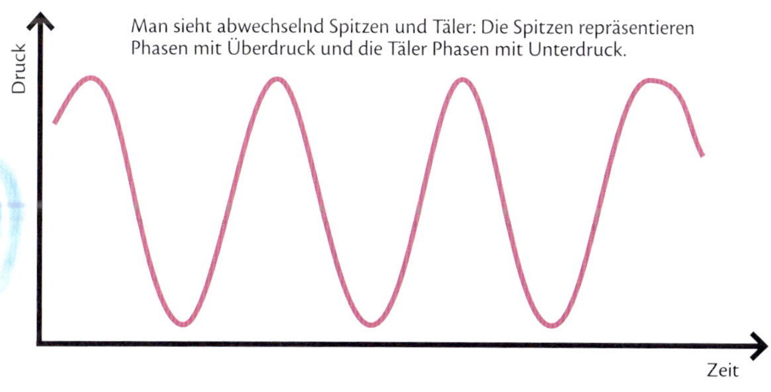

Man sieht abwechselnd Spitzen und Täler: Die Spitzen repräsentieren Phasen mit Überdruck und die Täler Phasen mit Unterdruck.

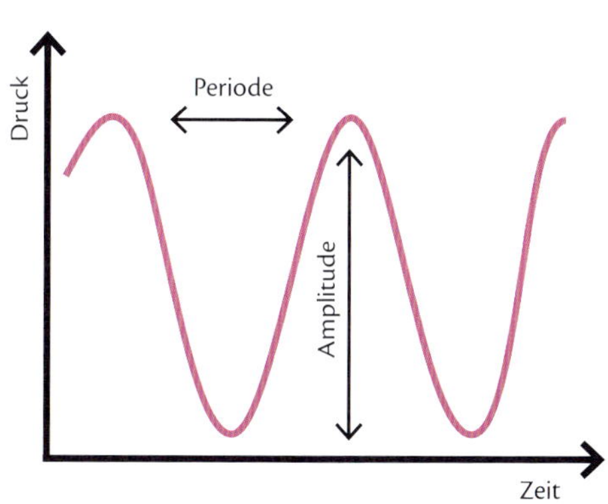

Einige wichtige Einheiten

Amplitude
Dieser Faktor beschreibt den Unterschied zwischen dem geringsten und dem höchsten Druck.

Periode
Sie beschreibt die Zeit, die zwischen zwei Druckspitzen vergeht.

Frequenz
Frequenz bezeichnet die Anzahl an Druckspitzen, die ein Sensor in einer Sekunde aufnimmt.

Höhe, Dauer und Intensität des Klangs

Was ist eigentlich ein reiner Klang?

Ein reiner Klang ist ein Klang *ohne Obertöne* (siehe S. 288).
Es ist ein spezieller Klang, der dem einer Stimmgabel nahe kommt.
Ein reiner Klang ist ziemlich leicht zu erkennen, da er von nur zwei Parametern abhängt: Periode (Frequenz) und Amplitude.

Der reine Klang hat folgende Form („Sinuskurve"):

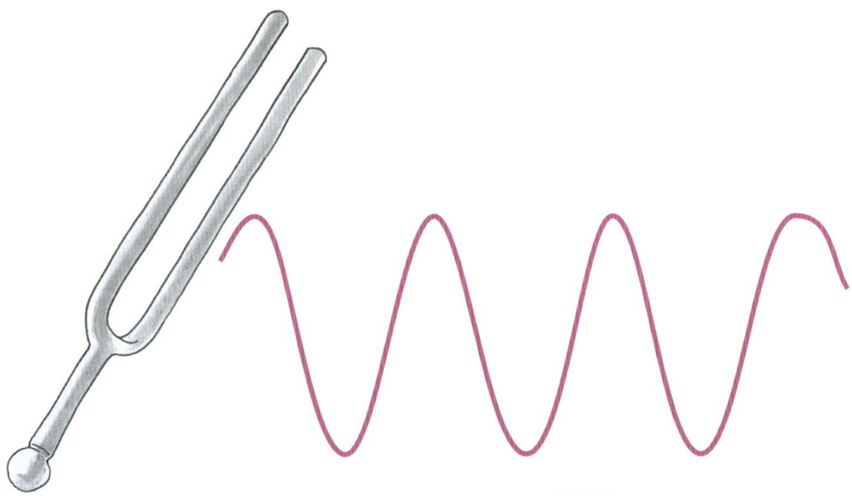

Was ist eigentlich ein Ton in der Musik?

Ein Ton in der Musik ist ein Klang, der anhand von vier Eigenschaften charakterisiert werden kann:
Tonhöhe,
Dauer,
Intensität,
Klangfarbe.

Die Tonhöhe

Für das menschliche Ohr ist die Tonhöhe das Unterscheidungsmerkmal, welches ihm ermöglicht, Klänge als tief oder als hoch zu identifizieren.
Verschiedene Skalen ermöglichen es, Noten nach ihrer Tonhöhe einzuordnen. Am meisten verwendet wird in der westlichen Welt die *temperierte Stimmung* (Unterteilung in Oktaven, die wiederum in zwölf Halbtonschritte unterteilt sind).
Die Tonhöhe einer Note wird durch die Frequenz ihrer Schallwelle bestimmt: *Je höher die Frequenz, desto höher der Ton* (weshalb beispielsweise die Klänge auf einer Kassette höher werden, wenn wir sie schneller abspielen).

Die Frequenz wird in der Einheit *Hertz* (Hz) ausgedrückt.

tiefe Frequenz = tiefer Ton

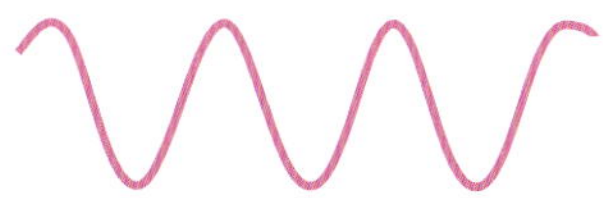

hohe Frequenz = hoher Ton

Die Klangdauer

Die Dauer ist die Zeitspanne, in der wir einen Klang wahrnehmen können.
Sie wird quantitativ durch die Anzahl der Schwingungen (Anzahl der Spitzen) definiert: Je zahlreicher diese sind, desto länger ist der Klang.

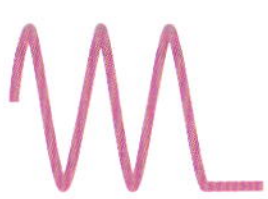

kurze Tondauer

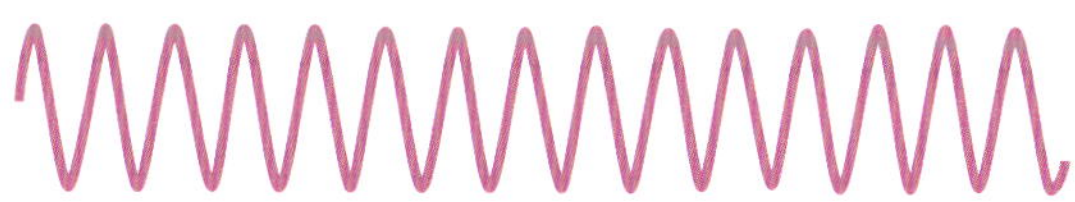

lange Tondauer

Die Intensität

Intensität ist eine Größenordnung, die beschreibt, ob ein erzeugter Klang schwach oder stark ist.
Man spricht auch von *Klangvolumen*. Die Intensität eines Klangs ist ein psychoakustisches Phänomen, das mit der Amplitude der ihr zugeordneten Druckwelle verbunden ist. Je größer die Amplitude der Welle, desto stärker und lauter ist der Klang.

Die Tonintensität wird in der Einheit Dezibel ausgedrückt.

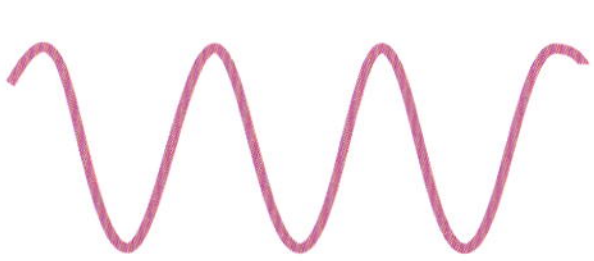

geringe Amplitude = geringe Tonintensität

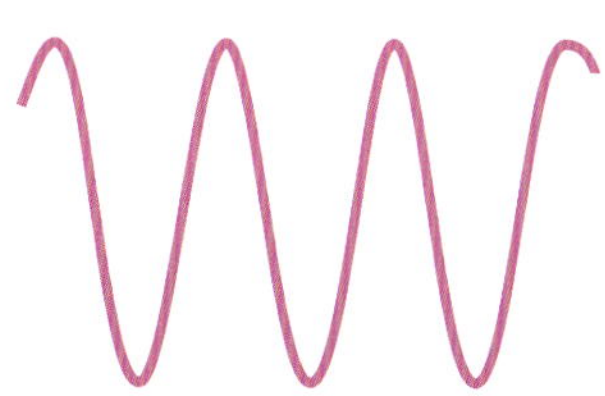

große Amplitude = hohe Tonintensität

Das Timbre

Das Timbre („die Klangfarbe") ist die Besonderheit, die uns ermöglicht, einen Klang in seiner Einzigartigkeit zu erkennen. Die von zwei verschiedenen Instrumenten (z. B. Klavier und Cembalo) erzeugten Töne können möglicherweise dieselbe Tonhöhe und dieselbe Intensität haben, aber sie werden nie die gleiche Klangfarbe haben.

Echte Klänge sind keine reinen Klänge

In der Natur sind reine Klänge sehr selten. Tonhöhe (Frequenz) und Intensität reichen nicht aus, um die Wellenform eines realen Klangs zu beschreiben, der von Instrument zu Instrument stark variieren kann.

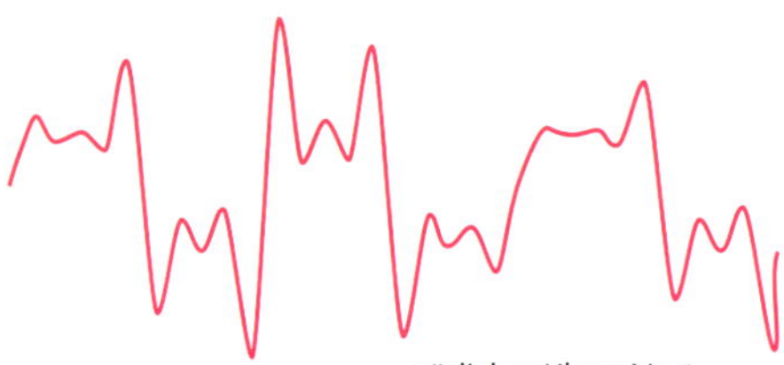

natürlicher Klang Nr. 1

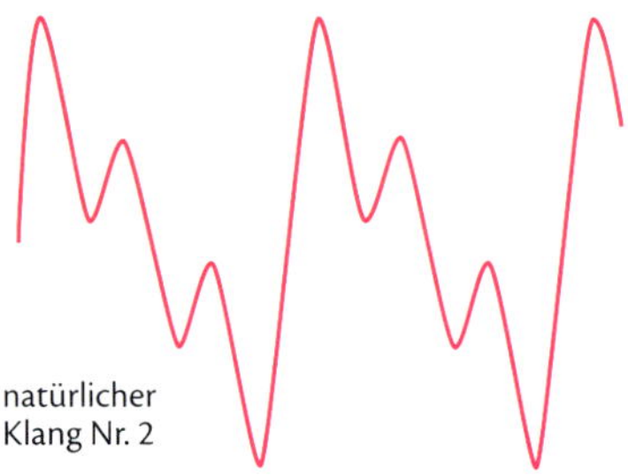

natürlicher Klang Nr. 2

Ein realer Klang ist eine Summe von reinen Klängen

Joseph Fourier (frz. Physiker des 19. Jahrhunderts) hat mit seiner Arbeit gezeigt, dass es möglich ist, jeden beliebigen Klang in eine Summe von reinen Klängen zu zerlegen. Diese werden **Teiltöne** (auch: Harmonische) genannt:

- Jeder Teilton ist durch seine Frequenz und durch seine Intensität definiert.
- Der Teilton mit der niedrigsten Frequenz wird als **Grundton** bezeichnet.
- Die Frequenz eines jeden weiteren Teiltons ist ein ganzzahliges Vielfaches (1, 2, 3 ...) der Frequenz des Grundtons.* Diese weiteren Töne werden als **Obertöne** bezeichnet.

Der Grundton ist wichtig, denn er definiert die Tonhöhe des aus reinen Tönen zusammengesetzten Klanges.
Beispielsweise hat ein Klang von 40 Hz einen Grundton von 40 Hz und Obertöne von 80 Hz, 120 Hz und 160 Hz.

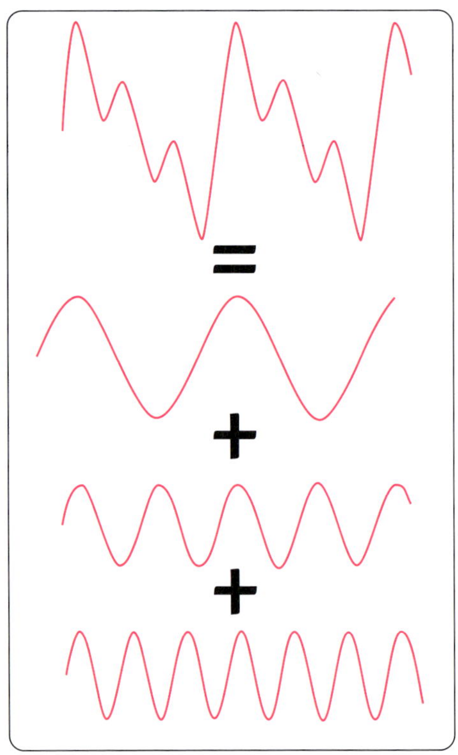

* Gelegentlich verwirrend: In der Reihe der Teiltöne ist der Grundton der erste Teilton, und der erste Oberton ist der zweite Teilton usw.

Grafische Darstellung des Spektrums

Die Gesamtheit der Teiltöne eines Klanges nennt man das **Spektrum** eines Klanges. Da sie nur von der Frequenz und der Amplitude abhängen, ist es üblich, das Spektrum mit diesen beiden Parametern darzustellen (siehe unten).

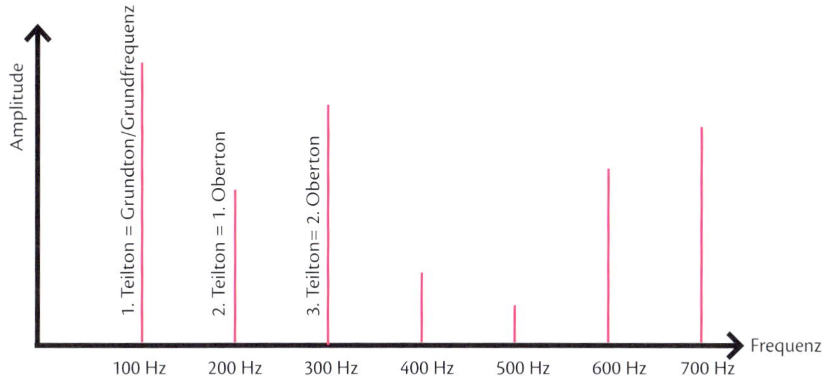

Akkord, Konsonanz und Harmonie

Ein **Akkord** ist ein Zusammenklang von mehreren Noten, die gleichzeitig gespielt werden. Je nach Noten kann dieser Akkord harmonisch, angenehm für das Ohr (Oktave, Quinte) oder im Gegenteil dissonant (Sekunde, Septime) sein.*

Das liegt daran, dass jeder Ton seine spezifischen Obertöne hat, die mit anderen Tönen gut zusammenpassen, oder eben nicht. Je besser die Töne zueinander passen, desto einheitlicher und angenehmer wird der Akkord klingen. Im Gegenteil dazu können sich die Obertöne auch gegenseitig stören, was den Klang dissonant macht.

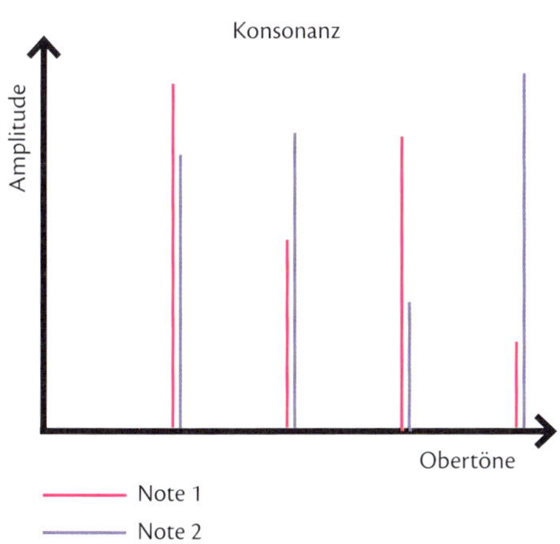

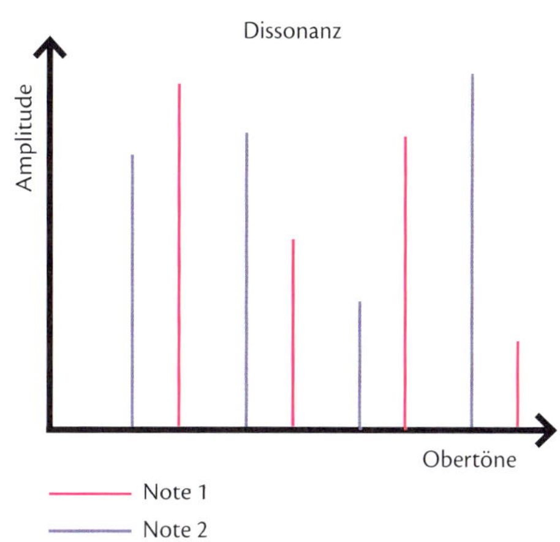

* Man spricht von *konsonanten* und *dissonanten* Intervallen bzw. Akkorden.

Anhang

Die Autoren

Nach dem Studium der Physiotherapie an der französischen Schule für Orthopädie und Massage in Paris, entwickelte die Tänzerin und Physiotherapeutin **Blandine Calais-Germain** eine innovative Methode, um die anatomischen Strukturen in Bezug auf Bewegung zu lehren. Die Autorin verschiedener Bücher (unter anderem *Anatomie der Bewegung*) gibt dazu Kurse für Studenten aus der ganzen Welt. Sie lebt in Frankreich in der Stadt Limoux.

François Germain ist Ingenieur mit einem Abschluss in Biomechanik.
Er unterrichtet „Physik der Stimme" in Blandine Calais-Germains Trainingskurs „Anatomie der Stimme".

Ausgewählte Beispiele des Internationalen Phonetischen Alphabets

[ɑː] **A**meise
[a] T**a**sse
[eː] **E**sel
[e] R**e**publik
[ɛː] **ä**hnlich
[iː] **I**gel
[i] B**i**tte
[oː] w**oh**nen
[o] m**o**dern
[ɑ̃] Restaur**an**t, frz. Fr**an**ce
[ɛ̃ː] frz. b**ain**

[ɔ̃ː] frz. n**o**m
[uː] B**u**ch, **U**hr
[u] H**u**bertus
[y] **ü**ben
[b] a**b**er
[ç] i**ch**
[d] **d**u
[f] A**ff**e
[g] **g**ut
[ʒ] **G**elee
[j] **J**äger
[k] **K**ind

[l] **L**eben
[m] **M**aus
[ŋ] A**ng**el
[ɲ] frz. Si**gn**e, Lasa**gn**e
[p] **P**apier
[ʁ] **R**athaus
[s] Ku**ss**
[z] **S**onne
[t] Au**t**o
[v] **W**elle
[x] Bu**ch**

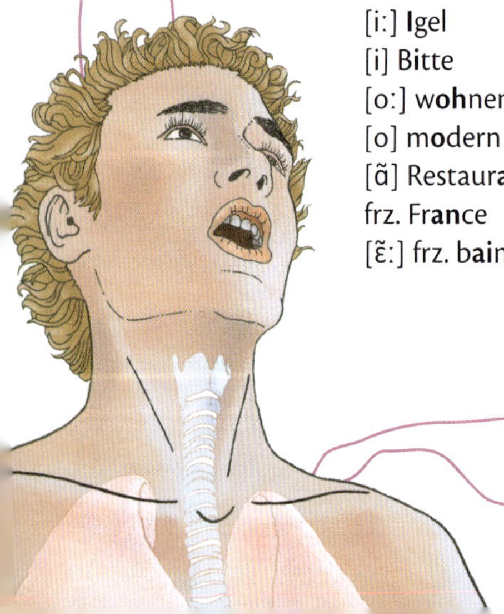

Stichwortverzeichnis

Adamsapfel 140

Alveolarfortsatz 255, 263

Amorbogen 259

Ansatzrohr 11, 219, 241

Antagonisten 99, 101, 103 f., 106, 113, 209, 261, 268

Anteversion 29, 45

Apnoe (Luft anhalten) 16, 117, 161

Aponeurose 101 f.

Artikulation 17, 23, 80 f., 219 f., 228 ff., 234 f., 239 f., 242, 252, 255 ff., 258, 268

aryepiglottischer Raum 178, 193, 215

Atemapparat 12, 16 ff., 24, 46, **88** ff.

Atlas 31, 34 ff., 61 f., 194 f., 198, 200, 203, 209 f., 227
- Atlasbogen, vorderer 34, 38, 208
- Atlasbogen, hinterer 34, 38, 202

Ausatemmuskulatur 95, 99, **100** ff.

Ausatmung / Exspiration 18, 41, 91, 97, 99, 100 ff., 114, 119 ff., 238

Axis 31, 35, 38 f., 124, 194 f., 198, 202 f., 211

Backenzahn 65, 72, **81**, 224, 255, 274

Bänder
- *Ligamentum hyoepiglotticum* / Zungenbein-Kehldeckel-Band 85
- *Ligamentum cricothyroideum* / Ring-Schildknorpel-Band 144 f.
- *Ligamentum jugale* / Stellknorpelband 151
- *Ligamentum thyroepiglotticum* / Schildknorpel-Kehldeckel-Band 144
- *Ligamentum vestibularis* / Taschenband 145, 165
- *Ligamentum vocale* / Stimmband 88, 132, 139, **145** ff., 154, 162 f., 165, 167, 170, 172 f., 177

Bauch
- Bauchfell 94, 117
- Bauchhöhle 16, 28, 89, 92 ff., 113

Becken
- Beckenboden / *Centrum tendineum perinei* 89, 92 ff., 101 ff., 108 ff.
- Beckenkamm 43, 102 f., 106
- Becken, großes 24, 29, 42 ff., 92, 106
- Becken, kleines 42, 108 ff.

Belting 63, 147, 199

Bernoulli-Effekt 162, **166** f., 171

Bewegungsapparat 12 ff., 18 f., 24, 41, 201

Bindegewebe 14, 44, 77, 97, 102, 115, 144, 150, 232, 252

Bronchien 88, 98, 170

Brust
- Brusthöhle 89 ff., 94, 96, 113
- Brustkorb 18, 29 ff., 46 ff., 90, 92, 96, 107, 112 ff., 118 ff., 186, 201, 206, 284
- Brustwirbelsäule s. Wirbelsäule

Brustbein / Sternum 19, 47, 49 f., 51, 55 f., 113, 123, 180, 186
- Schwertfortsatz des Brustbeins 51, 113
- Handgriff des Brustbeins 51, 184, 186

Brustfell 115, 117

Bruststimme 147, 153, 162

Cartilago arytaenoidea s. Knorpel des Kehlkopfes

Cartilago cricoidea s. Knorpel des Kehlkopfes

Cartilago epiglottica s. Knorpel des Kehlkopfes

Cartilago thyroidea s. Knorpel des Kehlkopfes

Centrum tendineum diaphragmatis 113 f.

Choane 65, 272 f.

***Conus elasticus* / „elastischer Kegel“** 145, 169

CT s. Muskulatur des Kehlkopfes, *Musculus cricothyroideus*

***Diaphragma* / Zwerchfell** 16, 89 f., 92 ff., 101, 103 ff., 111 f., **113** ff., 188, 219

Druck 11, 16, 88, 91, 93 ff., 97, 99 ff., 108 ff., 119 ff., 134, 148 f., 162, 166 f., 169, 172 f., **282** ff.

Eckzähne 81

Einatemmuskulatur s. Muskeln, Einatemmuskulatur

Einatmung / Inspiration 16, 18, 30, 55, 91, 97, 99, **111** ff., 157 f., 238

***Epiglottis* / Kehldeckel** s. Knorpel des Kehlkopfes

Eustachische Röhre s. Ohr / *Auris*

Exspiratorische Muskeln / Ausatemmuskeln s. Muskeln, Ausatemmuskulatur

Extension 10, 29, 33, 37, 44, 63, 254

Femurkopf 43 f.

Fossa mandibularis s. Kiefer

Frequenz 189, 196 f., **285** ff.

Gaumen 229
- Harter Gaumen 61, 72 f., 81, 181, 219, 230 ff.
- Weicher Gaumen 219
- Gaumenbogen 215, 220, 224, 231, 235, 248
- Gaumensegel 177, 189, 193, 209, 214, 221, 225, 230 ff., 243, 248, 257, 269
- Aponeurose des Gaumensegels 232, 234 ff., 248
- Gaumenzäpfchen / *Uvula* 230 f., 233

Gehörgang 67, 76, 276

Gelenke
- *Articulatio atlantooccipitalis* / oberes Kopfgelenk 34, 37
- *Articulatio atlantoaxialis* / unteres Kopfgelenk 34
- *Articulatio costovertebralis* / Rippen-Wirbelgelenk 53
- *Articulatio coxae* / Hüftgelenk 42, 44 f.
- *Articulatio cricothyroidea* / Ring- Stellknorpel-Gelenk des Kehlkopfes 150
- *Articulatio sternoclavicularis* / Brustbein-Schlüsselbein-Gelenk 56
- *Articulatio temporomandibularis* / Kiefergelenk 67, 76, 78, 195
- Gelenke der Halswirbelsäule 24, 31 ff.
- Gelenke der Lendenwirbelsäule 24, 28

Geruchssinn 270

***Glottis* / Stimmritze** 88, 91, 97, 108, 142, 147 ff., 156 ff., 161, 164, 168 ff., **171** ff.

Glottisebenen
- glottische Ebene 168, 170 ff.
- subglottische Ebene 168 f.
- supraglottische Ebene 163, 168, 176

Gonion-Winkel s. Kiefer

Großes Hinterhauptsloch / *Foramen magnum* 36, 62 f., 76

Halsschlagader 133

Haltemuskulatur 63, 116, **126** ff., 198

Hamulus pterygoideus 65, 236

Herzbeutel 51, 90, 94, 115, 117

***Hypopharynx* / Schlundrachen** 164, 213, 215, 238

Inspiratorische Muskeln / Einatemmuskeln s. Muskeln, Einatemmuskulatur

Kehldeckel / *Epiglottis* s. Knorpel des Kehlkopfes

Kehlkopf / *Larynx* 85, 115, **132** ff.

Kiefer
- Oberkiefer 67 ff., 72 f., 77, 80, 194, 222, 255, 271 ff.
- Unterkiefer 23, 74 ff., 83, 85, 180 ff., 194, 222 ff., 228 f., 244, 246, 254 f., 258
- Unterkieferast, aufsteigender 74 f., 224
- Unterkieferwinkel / Gonion-Winkel 74, 77, 222, 224
- Kiefergelenksköpfchen 75 f., 77 f.
- Kieferhöhle 71 f., 273 f.

Kinn 37, 83 f., 181, 204, 208, 258 f., 266

Kinn-Lippen-Furche 259

Klangfarbe / Timbre 163, 177, 230, 241, 286, **288**

Knochen des Schädels
- Siebbein 68 ff., 274
- Zungenbein / *Os hyoideum* 82 ff., 140, 142, 144, 180 ff., 199, 203 f., 217, 243 ff., 253
- Tränenbein 68, 273
- Jochbein 67, 72, 194, 222 f., 265
- Hinterhauptbein 24, 31, 34 ff., 61, 62 f., 70, 123, 194, 202 ff., 209 f., 214
- Gaumenbein 73, 232, 272
- Keilbein 62 f., 64 f., 70, 194, 223, 236
- Schläfenbein 61, 66 f., 76 ff., 182 f., 194, 204, 222 f., 276
- Pflugscharbein 70 f., 272

Knorpel des Kehlkopfes
- *Cartilago arytaenoidei* / Stell- oder Aryknorpel 135 f., 138, 145 f., 151, 154, 158 f., 161, 173, 175, 179
- *Cartilago corniculata / Hörnchenknorpel* 135, 139, 151, 179
- *Cartilago cricoidea* / Ringknorpel 135, 136 ff., 144 f., 150 ff., 156, 160 f., 165, 217
- *Cartilago thyroidea* / Schildknorpel 83, 115, 135, 140 ff., 144 ff., 150, 152 f., 160, 165, 184 f., 188, 235
- *Cartilago epiglottica* / Kehldeckel 85, 135, 141, 142 ff., 163 f., 178 f., 253

Konsonant / Vokal
- stimmhafter Konsonant 159, 175, 256 f., 268 f.
- stimmloser Konsonant 159, 175, 256 f., 269
- Plosiv 229, 256 f., 269
- Frikativ 229, 256 f., 269
- Okklusiv 229, 268
- Labial 268
- Velar 257
- Bilabial 268 f.

Kyphose 25, 30, 49, 205

Laryngopharynx / **Kehlkopf-Rachen** 215

Larynx s. Kehlkopf

Lateralis s. Muskulatur des Kehlkopfes, *Musculus cricoarytaenoideus lateralis*

Ligamentum s. Bänder

Lippe
- Unterlippe 259 f., 264 ff.
- Oberlippe 259 f., 266 f.

Lordose 25, 29, 208, 211

Luftröhre s. Trachea

Lunge 16, 88 ff., **96** ff., 111 f., 115
- Lungenflügel 96 ff., 114

Mandeln
- Gaumenmandeln 214 f., 234 f., 248, 252

Massae laterales / **knöcherne Verdickungen** 34 ff., 38 f., 200

Materie 280 f., 284

Membran
- *Membrana aryepiglottica* 142
- *Membrana cricothyroidea* 145
- *Membrana des Vestibulum* 145
- *Membrana quadrangularis* / Viereckige Membran 145
- *Membrana synovialis* / Gelenkinnenhaut 77
- *Membrana thyrohyoideus* / Schildknorpel-Zungenbein-Membran 144

Meniskus 77, 79

Molekül 280 ff., 284

Mucosa s. Schleimhaut

Mund
- Mundhöhle 11, 215, 220, 256 f., 265, 269
- Mundöffnung 228, 258 ff., 261, 285
- Mundrachenraum 215
- Mundschlitz 259
- Mundwinkel 259 f., 263 ff

Muskeln

Ausatemmuskulatur / Exspiratorische Muskeln 95, 99, **100** ff.

Einatemmuskulatur / Inspiratorische Muskeln 45 f., 55, 91, 95, 97, 99, **112** ff.
- Zwerchfell s. *Diaphragma*
- innere und äußere Zwischenrippenmuskulatur 90, 112, 114, 118, 124

Muskulatur der Lippe 260 ff.

Muskulatur der Zunge 234 ff.

Muskulatur des Kehlkopfes
- *Musculus vocalis* / Stimmmuskel 138, 146 ff., 162 f.
- *Musculus cricothyroideus* / Ring-Schildknorpel-Muskel („CT") 137, 150, 152, 160, 162, 185, 189
- *Musculus cricoarytaenoideus posterior* / hinterer Schild-Stellknorpel-Muskel („*Posticus*") 136, 139, 156 f., 175
- *Musculus cricoarytaenoideus lateralis* / seitlicher Schild-Stellknorpel-Muskel („*Lateralis*") 137, 139, 161, 173
- *Musculus interarytaenoideus obliquus* / schräger Zwischen-Stellknorpel-Muskel („*Obliquus*") 158, 161, 172, 175
- *Musculus interarytaenoideus transversus* / gerader Zwischen-Stellknorpel-Muskel („*Transversus*") 158, 161, 172, 175
- *Musculus thyroarytaenoideus internus* 146 f., 162 f., 177
- *Musculus thyroarytaenoideus externus* 147, 163, 176

Einhängemuskulatur
- *Musculus thyrohyoideus* / Schildknorpel-Zungenbein-Muskel 140, 184 f., 189
- *Musculus mylohyoideus* / Kiefer-Zungenbein-Muskel 84, 181, 183, 220
- *Musculus geniohyoideus* / Kinn-Zungenbein-Muskel 83 f., 181, 183, 220
- *Musculus digastricus* / zweibäuchiger Muskel 66, 83, 182 f.
- *Musculus stylohyoideus* / Griffel-Zungenbein-Muskel 83, 183
- *Musculus styloglossus* / Schläfenbein-Zungen-Muskel 188, 245, 249
- *Musculus palatoglossus* / Gaumen-Zungen-Muskel 188, 232, 234, 239 f., 245, 248
- *Musculus constrictor phyaryngis* / Schlundschnürer 83, 85, 98, 188, 208, 213 f., 216 ff., 235, 250, 263
- *Musculus sternothyroideus* / Brustbein-Schildknorpel-Muskel 184
- *Musculus sternohyoideus* / Brustbein-Zungenbein-Muskel 83, 140, 184, 186
- *Musculus omohyoideus* / Schulter-Zungenbein-Muskel 83, 186 f.

myoelastisch-aerodynamische Theorie 167

myoelastische Theorie 148 f.

Nase
- Nasenflügel 264, 271
- Nasenhöhle 68 f., 71 ff., 193, 212, 214, 231, 233, 241, **270** ff.
- Nasenloch 72, 192 f., 270 ff.
- Nasenmuschel untere, mittlere und obere 69, 71, **273** ff.
- Nasennebenhöhle 219, 230, **274**
- Nasenrachenraum / *Rhinopharynx* 37, 62, 192, **213** f., 219, 238, 241, 263, 273, 277
- Nasenscheidewand / Nasenseptum 61, 70, 271 f.

Note 59, 189, 287, 289

Obertöne 11, 178, 197, 219, 269, 286, 288 f.

***Oesophagus* / Speiseröhre** 98, 115, 133, 143, 212 f., 215, 217 f.

Ohr / *Auris* **276** f., 284, 287
- Außenohr 276
- Innenohr 276 f.
- Mittelohr 230, 276 f.
- Ohrtrompete / Eustachische Röhre 67, 214, 230, 235 ff., 277

Paukenhöhle 276 f.

***Os hyoideum* / Zungenbein** s. Knochen des Schädels **82** ff., 140, 142 f., 144, **180** ff., 199, 203 f., 217, 229, 244 ff., 253

***Pharynx* / Rachen** 11, 85, 115, 133, 179, 188 f., 192 f., 196 f., 209, 212 ff., 230 ff., 238, 241, 243, 250, 263, 272
- *Hypopharynx / Laryngopharynx* 164, 213, 215, 238
- *Oropharynx* 213, 215, 219, 229, 238, 241, 263
- *Rhinopharynx* s. Nasenrachenraum

Phonation 17, 24, 99 f., 108, 159, 167, 171 f., 175, 212, 219

Plica vestibularis / Taschenfalten 138, 141 f., 145, 163 ff., 172 f., 176 ff.

Posticus s. Muskulatur des Kehlkopfes / *Musculus cricorytaenoideus posterior*

Propriozeption 53, 236

Propulsion 225

Rachen s. *Pharynx*

Rachenenge 220, 231, 234 f., 248

Reflex 16, 117, 218

Reinke-Raum 170

Resonanz 17, 23, 189, **196** f., 212, 219 f., 228 ff., 239 ff., 256 ff., 268 ff.

Resonanzraum 24, 163, 176 f., 196 f., 241, 269 f.

Resonator 196, 212, 269

Retrognathie 227

Retropulsion 76

Retroversion 29, 45

Rippen 30, 47, **48** ff., 90, 96 f., 111, 113 f., 118 ff.

Rippenfell / *Pleura* 90, 94, 96

Rippenhöcker 48, 52 f.

Rippenknorpel 47 f., **50** f., 104, 113

Schädel 23 f., 36, 39, **60** ff., 83, 193, 200, 202, 274
- Schädeldach 60, 67 f.
- Schädelbasis 23, 60, **61**, 76, 155, 180, 194, 205, 213, 243
- Gesichtsschädel 60, 64, 68 f., 194, 272

Schambein 43, 104, 109

Schilddrüse 133, 140

Schildknorpel s. Knorpel des Kehlkopfes

Schleimhaut / *Mucosa* 60, 81, 134, 144, 146 f., 157, 162 f., 169 f., 176 f., 213 f., 233, 252 f., 259 ff., 275
- Kehlkopfschleimhaut 139, **165** ff.,
- Rachenschleimhaut 144, 214, 233
- Nasenschleimhaut **275**

„Schließmuskelfunktion" des Kehlkopfes 95, 163, **164**, 176

Schlucken 81, 143, 164, 178, 183, 188, 208, 218, 230, 242, 250, 255, 263

Schlund s. *Oropharynx*

Schlüsselbein 51, 56 f., 120 f., 123, 125, 155, 180, 207, 210

Schulter 18 f., 56, 58, 120 f., 207
- Schulterblatt 56 ff., 119 f., 155, 180, 187, 205, 207
- Schultergürtel 23, 56 ff.

Schwingung 11, 23, 88, 159, 172, 177, 189, 276, 280, 287

Siebbein 68 ff., 272, 274
- Siebbeinhöhle 69
- Siebbeinlabyrinth 69
- Siebbeinzellen (Ethmoidalzellen) 69, 274

Speiseröhre s. *Oesophagus*

Steißbein 24, 42 f., 109 f.

Sternum s. Brustbein

Stimmapparat 11 ff., 24, 60, 82, 88, 99, 242, 258

Stimmband s. Bänder, *Ligamentum vocale*

Stimmerzeugung 13, 23, 41, 45 f., 99, 101, 103 ff., 110, 112 f., 116 ff., 122 ff., 126, 129, 168, 173, 198 f., 220, 229 f., 235, 247, 261, 284

Stimmlippe 11, 17, 23, 88, 108, 114, 132, 141, **146** ff., 185, 189, 197, 275, 284

Stimmritze s. *Glottis*

Stirnhöhle 68, 274

subglottischer Druck 88, 91, 94 f., 99 ff., 103 f., 119 ff., 148 f., 162, 167, 169, 172 f., 177

Synergie 99, 101, 103 f., 106, 113, 124, 250

Synovialflüssigkeit 50 f., 53

Taschenfalten s. *Plica vestibularis*

Timbre s. Klangfarbe

***Trachea* / Luftröhre** 88, 90, 98, 115, 133, 136 f., 143 f., 152, 169, 179, 226

Twang 178

***Velum palatinum* / Gaumensegel** s. Gaumen

Verwachsungsnaht / *Raphe* 181, 216, 237, 263

Vokal s. Konsonant / Vokal

Wange 67, 72, 222, 258, 263, 265, 268, 271

Wirbel
- Brustwirbel 47, 129, 207
- Halswirbel 23, 32 ff., 49, 62, 124 f., 194 f., 198 f., 204 f., 208, 211
- Lendenwirbel 28, 101, 113, 129

Wirbelkanal 63

Wirbelsäule
- Halswirbelsäule 16, 24 f., **31** ff., 59, 124 f., 194, 198 f., 204 ff., 211, 218
- Brustwirbelsäule 24 f., **30**, 47, 49, **52**, 206
- Lendenwirbelsäule 24 f., **28** f., 129

Zahnbogen 61, 72, **80**, 193, 220, 243

Zäpfchen s. Gaumen, Gaumenzäpfchen / *Uvula*

Zunge
- Zungenbändchen 65
- Zungenrücken / *Dorsum linguae* 243, 245 ff., 249, 253, 255 ff.
- Zungenspitze 81, 242 f., 246 f., 249, 253, 255 f.
- Zungenwurzel / *Radix linguae* 183, 231, 243, 253
- Zungenseptum / *Septum linguae* 84, 244 f., 249, 251 f.

Zungenbein s. Knochen des Schädels, Zungenbein / *Os hyoideum*
- Zungenbeinkörper 82, 84
- Zungenbeinhörner, große 82, 85, 185, 251
- Zungenbeinhörner, kleine 82, 183, 244, 253

Zwerchfell s. *Diaphragma*